MARCEL GIRAUD

HISTOIRE DE LA LOUISIANE FRANÇAISE

★ ★ ★

L'ÉPOQUE DE JOHN LAW (1717-1720)

ue et Perspectiue
e la Nouuelle Orleans
1726.

FLEUV

PRESSES UNIVERSITAIRES DE FRANCE

ILLUSTRATION DE LA COUVERTURE

Vue en perspective de la Nouvelle-Orléans en 1726, par la gen
17 bis, section Outre-Mer, D.F.C., Louisiane.

HISTOIRE
DE LA LOUISIANE FRANÇAISE

III
L'ÉPOQUE DE JOHN LAW
(1717-1720)

DU MÊME AUTEUR

Le métis canadien. Son rôle dans l'histoire des provinces de l'Ouest.
« Travaux et Mémoires de l'Institut d'Ethnologie », XLIV,
Paris, 1 296 pages.

Histoire du Canada, Paris, Presses Universitaires de France, collection « Que sais-je ? », n° 232.

La vie religieuse dans la colonie de New Plymouth, *Revue
d'histoire des Religions*, t. CXXXV et CXXXVI, Paris.

Histoire de la Louisiane française :

Tome Premier : Le règne de Louis XIV (1698-1715), Paris,
Presses Universitaires de France, 1953, 380 pages.
(Ouvrage couronné par l'Académie des Sciences morales
et politiques.)

Tome II : Années de transition (1715-1717), Paris, Presses
Universitaires de France, 1958, 218 pages.

Marcel GIRAUD

Professeur au Collège de France

HISTOIRE
DE LA
LOUISIANE FRANÇAISE

TOME III

L'ÉPOQUE DE JOHN LAW
(1717-1720)

OUVRAGE PUBLIÉ AVEC LE CONCOURS
DU CENTRE NATIONAL DE LA RECHERCHE SCIENTIFIQUE

PRESSES UNIVERSITAIRES DE FRANCE
108, Boulevard Saint-Germain — PARIS
—
1966

ABRÉVIATIONS

A.C.	Archives des Colonies.
A.E.	Archives du Ministère des Affaires Étrangères.
A.G.	Archives de la Guerre (Château de Vincennes).
A.M.	Archives de la Marine.
A.N.	Archives Nationales.
B.D.C.M.	Bibliothèque du Dépôt des Cartes de la Marine.
Bastille	Archives de la Bastille (Bibliothèque de l'Arsenal).
C. de mar.	Conseil de marine.
Char.-Mar.	Archives de la Charente-Maritime, La Rochelle.
D.F.C.	Dépôt des Fortifications des Colonies.
F.F.	Fonds Français, Manuscrits (Bibliothèque Nationale).
Loire-Atl.	Archives de la Loire-Atlantique, Nantes.
Lorient.	Archives du port de Lorient.
M.C.	*Minutier Central des Notaires* (Archives Nationales). Les études des notaires parisiens sont indiquées sous la mention Et., suivie du chiffre romain figurant dans le catalogue du minutier.
P.R.O.	Public Record Office.

PREMIÈRE PARTIE

COMPAGNIE D'OCCIDENT ET COMPAGNIE DES INDES

LA COMPAGNIE D'OCCIDENT
PROJETS ET MÉMOIRES PRÉLIMINAIRES

En renonçant à l'entreprise de Louisiane, Crozat, au début de janvier 1717, remit au conseil de marine un mémoire où, après avoir décrit les possibilités de la colonie, que sa situation géographique paraissait destiner à participer des ressources agricoles de la Virginie et des richesses minières du Mexique, il posait en principe qu'une compagnie pourrait seule assumer la tâche qu'il laissait inachevée (1). Le thème de l'importance stratégique de la Louisiane, accrue par les pertes d'Utrecht et par le danger qui en résulte pour le Canada, revient sans cesse dans les écrits du financier démissionnaire, comme un testament politique qu'il lègue à la monarchie. Pour apporter au pays, à la faveur de la paix et de l'hostilité que les Indiens manifestent aux Anglais depuis quelque 18 mois, l'aide qui lui est nécessaire, pour pratiquer une politique de peuplement efficace, assurer aux indigènes les présents qui sont la condition de leur alliance, et contre-carrer ainsi les visées des Anglais sur le continent américain, dont le succès ruinerait le commerce de Cadix où s'alimente la fortune de « toutes les nations de l'Europe », Crozat ne voit de solution que dans l'œuvre commune du roi et d'une compagnie. La part financière de l'un et de l'autre s'en trouverait réduite à un apport modique : il suffirait pour le souverain d'une dépense annuelle de 40 à 50 000 écus, et, pour sa compagnie, d'un fonds de 1 500 000 livres (2).

Sur cette compagnie, sur le capital dont elle doit disposer, Crozat s'étend plus longuement dans un autre mémoire du début de 1717, qui nous fournit une première esquisse de la Cie d'Occident. Il y élimine l'hypothèse d'une régie royale, « ne convenant pas pour beaucoup de raisons que le roi » se charge « de cette

---

(1) A.E., *Mém. et Doc.*, Amérique, I, f. 237-240, *Mémoire du Sr Crozat.* — A.C., D.F.C., n°s 5 et 6, *Mémoire pour faire connaître...*, *Mém. du Sr Crozat.*
(2) A.C., C 13 A 5, f. 229-236, ou D.F.C., n° 5, *op. cit.*

affaire pour son compte » (1). Tout au plus, le souverain assumera-t-il le « payement ordinaire » des officiers majors et des troupes, soit une dépense de 110 à 120 000 livres par an, l'équivalent des 40 à 50 000 écus du mémoire précédent. Quant à la nouvelle compagnie, pour réussir dans la partie commerciale qui lui incombera, il lui suffira d'un capital de 1 500 000 livres, étant donné que les frais de transport et d'établissement des 1 200 à 1 500 personnes que Crozat juge suffisantes pour les besoins du peuplement seront couverts par la cession des fonds qu'il a engagés dans l'entreprise (2). Et, comme ce capital, pour modeste qu'il soit, pourra difficilement être constitué en argent, Crozat propose de le baser sur la dette publique par l'émission de 500 actions de 3 000 livres payables en billets de l'État (3).

L'idée n'était pas neuve : l'Angleterre, plus que tout autre pays, avait donné l'exemple de sa réalisation, et, en France, la Banque générale de Law venait d'édifier son capital en partie sur le même principe (4). Il n'est pas exclu que Crozat, au même titre d'ailleurs que les auteurs des divers mémoires que nous allons passer en revue, se soit inspiré, dans son projet de capital, de cette première expérience de Law. Mais il fut le premier à appliquer l'idée à la compagnie qui entreprendrait l'exploitation de la Louisiane. Pour favoriser les souscriptions, Crozat, dont Law devait bientôt reprendre les idées, demandait au duc de Noailles, qui avait quelques mois plus tôt promis son aide financière à la colonie, de s'inscrire immédiatement au nombre des actionnaires (5).

Peu après, dans un écrit anonyme, mais que l'identité des formules et des idées permet de lui attribuer avec certitude, et qui se situe dans les trois premiers mois de 1717, accompagné d'un projet de Lettres patentes que nous n'avons pu retrouver, le financier eut l'occasion de préciser ses vues (6). Il ne modifiait ni le chiffre ni les modalités du capital défini dans le précédent mémoire : un fonds de 1 500 000 livres, divisé en 500 actions

(1) M. GIRAUD, Hist. de la Louisiane française, II, p. 67.
(2) Ibid., II, p. 120.
(3) A.E., Mém. et Doc., Amérique, I, f. 182-5, Mémoire concernant l'établissement de la Louisiane.
(4) P. HARSIN, Crédit public et Banque d'Etat en France, Paris, 1933, p. 58 ; Œuvres complètes de J. LAW, III, p. 310.
(5) A.E., Mém. et Doc., Amérique, I, f. 182-5, op. cit.
(6) Ibid., I, f. 177 suiv., Mémoire de ce qu'il convient faire... Comparer par exemple les f. 179-180 au f. 184 ou le f. 179 au f. 182 v, où l'on retrouve presque mot pour mot la formule bien connue de Crozat qu'une « compagnie ne peut pas commencer par se ruiner pour peupler un pays dont la propriété ne lui appartient pas... ». (La date découle de l'indication du f. 177 sur la nécessité de faire partir 2 navires avant le 1er avril.)

souscrites en billets de l'État, permettrait de faire valoir le commerce de la Louisiane. Mais il conseillait de renforcer l'action de la compagnie en lui confiant dans toute l'étendue de l'Amérique française le monopole du commerce du castor, qu'il avait vainement sollicité en 1712. Dans ce cas, il conviendrait de porter le capital à 2 millions de livres (1). Le roi ne prendrait à sa charge que les dépenses militaires et les présents des sauvages, soit environ 180 000 livres par an (2). Crozat recommandait surtout d'agir rapidement, en mettant la paix à profit, d'autant plus que, en prévision d'un prochain départ pour la Louisiane, il avait, avant sa démission, effectué d'importants achats de marchandises qui attendaient l'appareillage dans le port de La Rochelle (3). L'exploitation des mines des Illinois lui paraissait une œuvre particulièrement urgente. Leur qualité avait été éprouvée chez le duc de Noailles, dans sa résidence de « La Raquette » (4), sous la surveillance du directeur général des monnaies, Pierre Grassin, et du directeur des mines de Geromany. Il importait maintenant de « fondre sur les lieux » et de constituer à cet effet une compagnie de mineurs, soutenue par des fondeurs espagnols et des ouvriers français spécialisés (5). Un détachement de soldats recrutés au Canada pourvoirait à la défense des Illinois, et, s'il était possible d'y introduire un contingent d'Acadiens, dont la paix d'Utrecht n'avait pas altéré l'attachement à leur pays d'origine, on y affermirait encore la position de la France : « Ces gens », disait Crozat, et les événements devaient lui donner raison, « vaudront infiniment mieux que ceux qu'on enverra » de la métropole (6).

Sur bien des points, le mémoire nous offre un pressentiment de l'avenir. L'idée de former une compagnie de mineurs inspirera peut-être une initiative semblable du duc de Noailles dès octobre 1717, et les décisions qui interviendront en 1718-19 (7). Avec plus de netteté, l'union du commerce du castor à l'entre-

---

(1) A.E., *Mém. et Doc.*, Amérique, I, f. 177-9.
(2) *Ibid.*, I, f. 179-179 v. Le chiffre exact, 179 927 livres, est précisément celui que Crozat avait proposé dès 1716, lorsqu'il avait demandé une augmentation de fonds pour la Louisiane, C 13 A 4, 907 suiv. L'effectif des garnisons, 12 compagnies de 50 hommes, correspond aussi à l'estimation antérieure du financier, M. GIRAUD, *op. cit.*, II, p. 141. Les frais du peuplement, portant sur 1 200 à 1 500 personnes, seront de nouveau couverts par la cession des effets de Crozat dans la colonie.
(3) *Ibid.*, f. 180-180 v.
(4) La Roquette aujourd'hui. *Journal du marquis de Dangeau*, éd. Soulié & Dussieux, t. 17, p. 225-6.
(5) A.E., *Mém. et Doc.*, Amérique, I, f. 180 v-181 v.
(6) *Ibid.*, I, f. 180 v-181 v.
(7) Ci-dessous, p. 31.

prise de Louisiane et la constitution d'un capital en billets de l'État se retrouveront dans la Cie d'Occident. Dans les deux cas, les circonstances aideront au succès des idées de Crozat. D'une part, l'exploitation du castor par les titulaires du bail Néret-Gayot n'a causé que mécontentement et déceptions au Canada. Or, le bail est sur le point d'expirer, et, si le conseil de régence a d'abord souhaité un régime de liberté commerciale, conforme à la politique qu'il applique depuis 1716 à la traite de Guinée, les Canadiens, qui en ont sans succès fait l'expérience, paraissent plus favorables à l'avènement d'une compagnie dont ils espèrent des payements plus réguliers (1). D'autre part, le principe de la résorption d'une partie de la dette publique répond à la politique financière du duc de Noailles, désireux de réduire par des remboursements annuels la circulation des billets de l'État qui ne cessent de se déprécier. Crozat lui demande de convertir annuellement en numéraire le tiers des billets que la compagnie aura reçus en contrepartie de ses actions : en sorte que, au bout de 3 ans, elle disposera d'un capital métallique de 1 500 000 livres, accru de l'intérêt à 4 % que les billets lui auront rapporté dans l'intervalle (2). C'est déjà, dans une certaine mesure, la formule du capital de la Cie d'Occident à ses débuts.

L'idée initiale de la Cie de John Law appartient donc à Antoine Crozat, un des grands représentants de la finance officielle du règne précédent, dont les intérêts ne s'accorderont pourtant pas avec les conceptions de l'Écossais. On sait que, dès le 11 janvier 1717, le conseil de régence, saisi par le M^{al} d'Estrées du projet en question, s'était prononcé sans hésiter en faveur de la création d'une nouvelle compagnie de commerce (3).

Mais plusieurs mois devaient s'écouler avant qu'elle prît naissance. D'accord sur le principe, le conseil de marine se réservait maintenant de procéder à des consultations, de comparer les projets et les suggestions qui lui parviendraient. Ceux qui s'intéressaient à la Louisiane s'inquiétaient de ce délai, qui risquait de détourner l'attention du sort de la colonie. Déjà Crozat avait conseillé de faire partir deux navires avant le

---

(1) A.C., B 39, f. 247 v-248 v, *Mémoire à Vaudreuil et Bégon*, 6 juill. 1717. B.N., F.F. 23664, f. 39 v, 114 v, Délibérations du conseil de régence, 28 avril 1716, 5 juill. 1717. A.E., *Mém. et Doc.* Amérique, I, f. 302, *Mémoire sur l'établissement d'une Cie d'Occident*, f. 320 v, *Parallèle de la Cie du Sud avec la Cie d'Occident.* M. GIRAUD, *op. cit.*, II, p. 55.

(2) A.E., *Mém. et Doc.*, Amérique, I, f. 178-9, *Mémoire de ce qu'il convient faire...*, f. 184 v, *Mémoire concernant l'établissement de la Louisiane.*

(3) B.N., F.F. 23664, f. 93, Délibérations du conseil de régence, 11 janv. 1717. M. GIRAUD, *op. cit.*, II, p. 67.

1ᵉʳ avril 1717 (1). Jean-Baptiste Duché, de son côté, qui venait sans doute de recevoir des informations par *La Dauphine*, arrivée de Louisiane au début de 1717, sollicitait du conseil une action immédiate. Il le pressait de concentrer ses efforts sur l'intérieur de la colonie, de tirer parti des faux sauniers qui s'apprêtaient à quitter la France pour aménager les riches terroirs des Yazous en une zone susceptible de pourvoir à la subsistance de la colonie, et les Illinois en un secteur minier sous la direction de Bienville (2). Un écrit qui émane de Crozat ou de Duché, qui, en tout cas, contient un ensemble de suggestions familières à l'un et à l'autre, souligne aussi ce besoin d'une intervention rapide : que le roi fasse la dépense d'un « premier secours » en acheminant des vivres, des vêtements, des semences, les marchandises de traite dont les magasins de la colonie sont dépourvus, qu'il ordonne surtout de faire mettre en valeur la région des Yazous par les faux sauniers, en prévision d'une arrivée de colons (3). Mais le conseil de marine semblait attendre l'avènement de la nouvelle compagnie pour lui laisser toutes les responsabilités de la colonie.

Des documents dont nous disposons, on peut conclure que des discussions eurent lieu, dans les 4 premiers mois de l'année, au sein des conseils de régence, de marine et des finances, sur la question de l'établissement d'une compagnie de commerce et de l'avenir de la colonie. Parmi les pièces qui furent examinées figurait vraisemblablement un mémoire de Joseph Le Gendre Darminy, dont l'avis dut être sollicité en raison de sa position de « secrétaire des finances et agent des affaires » du régent et de la compétence que ses fonctions de directeur de la Cⁱᵉ de Saint-Domingue lui donnaient sur les questions coloniales (4). Dans sa pensée, la Louisiane n'était encore qu'une « île déserte ». Il n'y avait pas lieu d'attendre de profit appréciable du commerce qui pourrait s'y établir avec les Espagnols de Pensacola, ou avec

---

(1) A.E., *Mém. et Doc.*, Amérique, I, f. 180-180 v, *Mémoire de ce qu'il convient faire...*
(2) A.C., D.F.C., n° 4, *Projet estimatif de ce qu'il convient faire... pour... la Louisiane*. M. GIRAUD, *op. cit.*, II, p. 113-5.
(3) A.E., *Mém. et Doc.*, Amérique, I, f. 68 v-79 v, *Mémoire sur la Louisiane*, 1717.
(4) Nous reproduisons le nom de Le Gendre Darminy tel qu'il figure sous sa signature, M.C., Et. LXXXIX, 316, Vente du 1ᵉʳ oct. 1719. Son mémoire ne peut être daté avec précision, mais il est antérieur au 1ᵉʳ mai 1717, *Mém. et Doc.*, Amérique, I, f. 269 v-270 v. A.N., G 7 843, Placet du Sr Sintard, directeur de la Cⁱᵉ de Saint-Domingue, Paris, 31 oct. 1718. A.C., F 2 A 15, Procès-verbal de Legendre Darminy sur sa gestion aux Indes occidentales ; B 39, f. 144-144 v, Transaction passée avec les directeurs de la Cⁱᵉ de Saint-Domingue. *Almanach royal*, 1716, p. 202.

les Indiens, incapables de franchir le stade de leur économie primitive et trop indolents pour s'associer à un effort colonisateur, et il était illusoire d'envisager une politique de peuplement qui priverait la métropole d'éléments utiles, ou qui, dans le cas d'une émigration de faux sauniers, tournerait au détriment de la colonie (1). Mais l'importance stratégique que le pays présentait pour le Canada, et la richesse supposée des mines des Illinois, « base de tout l'édifice », s'opposaient à son abandon. Une occupation des voies d'accès à ce district minier, susceptible de prévenir les entreprises des Anglais, s'imposait donc dans l'immédiat, ainsi que l'organisation d'une mission de reconnaissance, qui serait chargée de prospecter les vraies ressources de la région et de réunir tous les éléments d'information nécessaires à la compagnie dont on pourrait alors envisager la fondation. Pour la constitution du capital de cette compagnie, Le Gendre Darminy reprenait l'idée d'une émission d'actions payables en billets de l'État. Mais aux 2 millions de livres des actionnaires il ajoutait 1 million de livres, en billets également, à titre d'apport personnel des directeurs, et, comme le revenu provenant de l'intérêt annuel de ces billets serait insuffisant, il suggérait de prélever annuellement 200 000 livres sur le produit de la vente des tabacs étrangers et de demander au souverain une avance de 100 000 livres par an, qui serait assignée sur la ferme du tabac ou sur celle des postes (2).

Ainsi achevait de se préciser l'organisation financière de la Cie d'Occident. Au principe de la résorption de la dette publique, longuement exposé par Crozat, s'unissait maintenant celui de l'utilisation des ressources des fermes de l'État, qui formeront une partie du fonds annuel de la nouvelle compagnie. Bien avant l'intervention de Law, les personnalités consultées avaient donc défini quelques-unes des grandes idées qui se réaliseront dans sa Cie d'Occident : qu'il s'agisse de l'union du commerce du castor à l'entreprise de Louisiane, du retrait des billets de l'État, ou des prélèvements sur la ferme du tabac et la ferme des postes, nous nous trouvons en présence de suggestions dont la primeur n'appartient pas nécessairement au financier écossais. Peut-être même pourrait-on interpréter l'allusion à une collaboration éventuelle entre la Cie du Sénégal et celle du Mississipi dans un mémoire qui, vraisemblablement, doit prendre place à côté du précédent, et qui expose les raisons que

(1) A.E., *Mém. et Doc.*, Amérique, I, f. 262 v-265 v.
(2) *Ibid.*, f. 264 v, 266-267 v, 269-271.

doit avoir la France de ne pas renoncer à sa colonie américaine, comme une première ébauche de l'action de Law rachetant les compagnies de commerce du royaume et faisant bénéficier sa Cie des Indes de la compétence de leurs directeurs (1).

Apparemment, l'opinion de Le Gendre Darminy retint l'attention des conseils puisque, dès le début d'avril, ceux-ci envisageaient d'envoyer en Louisiane une mission chargée de s'informer du pays, de « jeter les fondements » de l'entreprise et d' « en faire pour ainsi dire les essais ». C'est ce qui ressort d'un mémoire, également anonyme, du 3 avril 1717, qui nous révèle les points sur lesquels portaient les discussions engagées dans les conseils. Successivement, la question de savoir si l'on entreprendrait à la fois l'exploitation des métaux précieux et des métaux « inférieurs », si les ressources naturelles du pays justifieraient les dépenses qu'il exigeait, la question de la localisation du « quartier principal » de la colonie, celle de la voie par laquelle on y accéderait (Mississipi ou Canada ?), celle enfin de l'utilisation éventuelle d'une main-d'œuvre noire pour l'exploitation des mines, avaient été débattues à la lumière des avis, écrits ou oraux, des personnalités consultées. Il est possible que Dugué de Boisbriant, qui se trouvait alors à Paris, ait pris part à ces débats. Le recours au travail des Noirs avait été écarté en raison des réactions qu'on en appréhendait chez les Indiens, les ressources du Mississipi, tabac, mines, mâtures, soieries, avaient paru « un objet plus que suffisant » pour une entreprise de colonisation (2). En écartant la main-d'œuvre noire, en préconisant à sa place, et de préférence aux faux sauniers, l'utilisation d'un personnel d'engagés, recrutés en France, et de Canadiens, en donnant aux Illinois qualité de « chef-lieu de la colonie », le mémoire, visiblement, puisait dans les suggestions de Le Gendre Darminy (3). Son but était de presser les conseils, à l'issue de ces délibérations, d'organiser la mission promise, et de les mettre à même de se prononcer sur le statut définitif de la colonie. Pour éviter d'éveiller les susceptibilités des puissances étrangères, de l'Angleterre surtout, pour ne pas donner lieu à d'inutiles rivalités intérieures, il était d'avis d'en confier la direction à un négociant, plutôt qu'à un militaire, secondé par Dugué de Boisbriant, qui serait spécialement chargé de conduire aux

---

(1) *Ibid.*, f. 287 v-288 v, *Observations... sur l'utilité de la colonie du Mississipi.*
(2) *Ibid.*, f. 281-282 v, *Réflexions sur tout ce qui pourrait... contribuer à l'établissement...*
(3) *Ibid.*, f. 281 v-282 v, comp. à f. 268 v.

Illinois, par la Nouvelle France, un important contingent d'engagés, de Canadiens, de soldats et d'ouvriers mineurs (1). Mais l'idée d'une mission d'information ne paraît pas plus s'être réalisée que les projets d'aide immédiate à la colonie.

Aux délibérations qui venaient d'avoir lieu, et dont le détail nous échappe puisque nous ne disposons que de renseignements fragmentaires, des conférences succédèrent dans le courant du mois de mai. Elles répondaient à l'initiative du duc de Noailles, et, comme les conversations antérieures, elles portèrent simultanément sur la colonie elle-même, sur son avenir, et sur la compagnie qui se substituerait à celle de Crozat (2). Duché et Le Gendre Darminy y participèrent, à côté des députés du commerce de Bordeaux, Bayonne et Saint-Malo, dans la personne de Jean-Baptiste de Fénelon, inspecteur de la Banque générale, Gérard Heusch de Janvry, et René Moreau de Maupertuis (3). Duché ouvrit les débats en faisant un exposé de l'histoire de la colonie et de l'état dans lequel elle se trouvait. Nous savons l'intérêt qu'il avait de bonne heure manifesté à la Louisiane, lorsqu'il était directeur des vivres de la marine à Rochefort (4). Depuis, il s'était appliqué, nous dit-il, à préciser sa connaissance de la colonie, à la faveur de ses relations personnelles avec Crozat dont il était un partisan déclaré (5). Devenu chevalier d'honneur du bureau des finances de La Rochelle, premier commis au bureau de la guerre, en attendant d'acquérir le titre de seigneur de Passy-en-Brie, il disposait d'une certaine influence sur le conseil de marine, intervenait dans la nomination des officiers des compagnies militaires de Louisiane (6). Ses antécédents, les mémoires qu'il avait consacrés à la colonie devaient le désigner pour figurer parmi les premiers directeurs de la Cie d'Occident (7).

---

(1) *Ibid.*, f. 282-282 v, 284.

(2) *Ibid.*, f. 442, *Mémoire sur l'établissement de la Louisiane.*

(3) *Ibid.*, f. 313, Duché au (duc de Noailles), 19 mai 1717. *Almanach royal,* 1716, p. 63, 202, 247. Sur Heusch de Janvry et Fénelon, M.C., Et. XCVI-249, Foy et hommage, 3 déc. 1717, XV-500, Vente, 27 juin 1719, XV-503, Société de la colonie de Sainte-Catherine, 4 sept. 1719.

(4) Char.-Mar., Et. Rivière & Soullard, 1707-8, f. 20. M. GIRAUD, *op. cit.,* I, p. 123.

(5) A.E., *Mém. et Doc.,* Amérique, I, f. 314-6. M. GIRAUD, *op. cit.,* II, p. 57-60.

(6) A.C., A 22, f. 63 v, Etat que... l'amiral... donne au greffe du conseil, 4 août 1718 ; F 1 A 19, f. 71-71 v, Etat-Major de la Louisiane, 1717. M.C., Et. LIV-745, Exécution testamentaire, 26 avril 1720 ; Et. XCVI-250, Procuration, 3 juill. 1718 ; XCVI-257, Procuration, 4 oct. 1719.

(7) A.C., F 2 A 13, f. 1 suiv., Document en forme de lettres patentes. Le Duché dont il est ici question ne doit pas être confondu avec son cousin germain, François Duché de La Motte, conseiller-secrétaire du roi à partir d'oct. 1719, M.C., Et. XCVI-258, Certificat, 12 déc. 1719, Et. XXX-223,

Sa faiblesse était de n'avoir jamais eu de contact direct avec la Louisiane. Ne la connaissant que par des rapports ou des conversations, il était sujet à exprimer des vues théoriques, que les concessionnaires au fait des réalités lui reprocheront par la suite et qui transparaissent dans le projet d'exploitation minière qu'il soumit au duc de Noailles à la fin de ces conférences (1).

Tous les interlocuteurs convinrent sans difficulté de l'importance de la Louisiane pour le royaume, de la nécessité d'une action rapide, et Duché s'empressa de rappeler au conseil qu'il était temps de lui venir sérieusement en aide (2). L'unanimité ne put se faire, en revanche, sur les modalités de cette action dont on reconnaissait le besoin. Duché avait préparé un « projet de Lettres patentes pour l'établissement d'une compagnie », qui fut examiné par ses interlocuteurs, modifié suivant leurs suggestions, et remis sous sa forme définitive au duc de Noailles (3). Le document prévoyait la formation d'une « compagnie royale de Louisiane », nantie d'un monopole commercial exclusif, à laquelle le souverain garantirait la propriété perpétuelle de toutes les terres et de toutes les mines qu'elle mettrait en valeur, de tous les établissements, de toutes les manufactures enfin qu'elle créerait pour l'exploitation des richesses naturelles du pays, ce qui revenait à admettre le principe, contraire aux conceptions habituelles de l'époque, d'une vie industrielle propre à la colonie. La compagnie, nantie de pouvoirs judiciaires, bénéficierait d'un régime d'exemptions fiscales destinées à stimuler ses armements, à favoriser l'exploitation des mines et ses relations commerciales avec la colonie (4). Pour le peuplement, elle n'aurait d'autre obligation que d'acheminer par chacun de ses vaisseaux 10 garçons ou 10 filles, et de transporter dans les quatre premières années 1 200 habitants que le souverain lui fournirait en leur assurant les « secours de vivres et autres » nécessaires à leur « premier établissement » (5). Quant au capital de la compagnie,

---

Traité d'office, 7 déc. 1719. P. HARSIN, La création de la Cie d'Occident, *Revue d'histoire économique et sociale*, 1956, I, p. 11. Rien n'indique que Duché de La Motte soit intervenu dans l'affaire de Louisiane. En nous rappelant que, depuis 10 ans, il s'intéresse à la Louisiane, J.-B. Duché fait allusion à sa tentative de créer, 10 ans plus tôt, une compagnie chargée de l'exploitation du pays. M. GIRAUD, *op. cit.*, I, p. 123.

(1) A.E., *Mém. et Doc.*, Amérique, I, f. 315 v-6, *loc. cit.*
(2) *Ibid.*, f. 313 v-314 v, *loc. cit.*, f. 439 v, 442, *Mémoire sur l'établissement de la Louisiane*.
(3) *Ibid.*, f. 313 v-4.
(4) A.E., *Mém. et Doc.*, Amérique, I, f. 389-395 v, 397, Projet de Lettres patentes.
(5) *Ibid.*, f. 395 v-396 v, 398 v-400.

il serait alimenté, suivant le projet antérieur de Crozat, par
une émission de 800 actions de 3 000 livres, soit un fonds de
2 400 000 livres en billets de l'État, que le souverain conver-
tirait en monnaie métallique dans l'espace de cinq ans, et qui
s'accroîtrait des bénéfices du commerce du castor dont le monopole lui serait accordé (1).

Le projet de Duché innovait peu sur les rapports qui l'avaient
précédé, sauf qu'il entrait plus profondément dans le sujet de
la compagnie appelée à faire valoir la Louisiane. Mais, lorsqu'il
eut été dressé avec l'approbation apparente du groupe, Darminy
lui opposa un mémoire différent, qui n'eut d'ailleurs aucune
influence sur les conclusions de Duché (2). Nous savons, par
le rapport que Moreau, Janvry et Fénelon établirent à l'issue
des conférences, qu'il y avait désaccord sur le chiffre du capital. Et, comme ils spécifient que, dans un cas, il était proposé
2 400 000 livres, et, dans l'autre, 12 millions de livres, augmen-
tées des profits de la ferme du tabac, qui serait intéressée dans
la nouvelle compagnie (3), il devient possible, à la lumière de
ces indications, d'identifier dans le recueil des *Mémoires et
Documents* des Affaires étrangères le mémoire de Le Gendre
Darminy, qui nous est parvenu sans signature. Nous y retrouvons
les points de vue déjà exposés par ce dernier sur la médiocrité
du commerce que la Louisiane est en mesure de faire avec les
Espagnols ou les Indiens, sur le peu d'intérêt des « marchandises
communes » qu'elle est susceptible de fournir, sur le préjudice
qu'une politique d'émigration portant sur des familles françaises
causerait à la métropole, puisque la France « n'est pas plus
peuplée qu'il ne faut » et qu'il importe de ne pas renouveler
l'erreur des Espagnols dégarnissant leur pays au profit du
Nouveau Monde (4). Ce côté négatif du mémoire le sépare, au
moins autant que le différend relatif au capital de l'entreprise,
du projet de Duché, car, si celui-ci prévoit pour le début un plan
d'émigration modeste, il propose au moins un ensemble de
mesures destinées à favoriser l'établissement des Français en
Louisiane, et il attribue à la colonie des ressources commerciales
et agricoles suffisantes pour exiger une œuvre de peuplement
immédiate et garantir le succès d'une compagnie (5). De nouveau,
Le Gendre Darminy conclut que les mines d'or et d'argent des

---

(1) *Ibid.*, f. 401-405.
(2) *Ibid.*, f. 313 v, Duché au (duc de Noailles), 19 mai 1717.
(3) *Ibid.*, f. 305-7, Rapport de ce qui s'est traité aux conférences...
(4) *Ibid.*, f. 226-228 v, 230-230 v, à comparer aux f. 264-265 v.
(5) *Ibid.*, f. 392 v, 398 v-400, Projet de Lettres patentes.

Illinois, le futur « chef-lieu » de la colonie, sont le seul objet digne
d'intérêt, à condition de faire reconnaître d'abord les possibilités
de la région et de différer jusque-là l'établissement d'une compagnie (1). Si, toutefois, le conseil désire, « dès à présent », constituer
une compagnie, il conviendra d'en porter le capital à 12 millions
de livres au moins, dont 9 en billets de l'État, remis par les
actionnaires, et 3 en numéraire versés par le souverain par
tranches annuelles de 200 000 livres, la ferme du tabac se chargeant du surplus des dépenses (2). Plus explicite que Duché sur
la gestion de la Compagnie, Darminy l'envisage comme un
organisme subordonné au roi, qui exercera sur les délibérations
des assemblées des directeurs un droit de contrôle permanent
par des commissaires chargés de représenter l'autorité souveraine, principe que la Cie des Indes reprendra par la suite (3).

En présence de ces deux avis, Moreau, Janvry et Fénelon
procédèrent à un examen du sujet, qu'ils étudièrent, faute
d'éléments d'appréciation personnels sur la colonie du Mississipi,
en hommes d'affaires, en s'instruisant de l'exemple des compagnies dont le royaume avait fait l'expérience (4). Ce premier
contact avec l'entreprise de Louisiane les avait convaincus de
la validité des arguments économiques et stratégiques invoqués
en sa faveur (5). De là, à leurs yeux, la nécessité d'une prompte
intervention, qui consisterait d'abord en une politique de peuplement d'une certaine importance, excédant les trop modestes prévisions de Duché et Le Gendre Darminy (6), puis dans la formation
d'une compagnie dotée de moyens financiers élevés. Les chiffres
proposés leur paraissaient insuffisants en raison de l'ampleur
de la tâche, des aléas des traversées. Ils proposaient donc un
fonds de 25 millions de livres au moins en billets de l'État, soit
un capital « agissant » annuel de 1 million de livres, provenant
de l'intérêt de la somme (4 %). Les actions émises jusqu'à
concurrence de celle-ci, en offrant aux créanciers de l'État
l'occasion de se débarrasser d'une monnaie discréditée, seraient
souscrites sans délai, et l'entreprise reposerait sur l'utilisation
d'un « effet invalide », dont le commerce du royaume bénéfi-

---

(1) *Ibid.*, f. 228 v-231 v, à comparer aux f. 264 v, 267 v, 269 v-270.
(2) *Ibid.*, f. 232-233 v, comparer aux f. 270-271. C'est dans une large mesure,
et avec des chiffres plus élevés, le principe du capital défini dans le mémoire
antérieur, ci-dessus, p. 11-12.
(3) *Ibid.*, f. 234.
(4) *Ibid.*, f. 313-313 v, Duché au (duc de Noailles), 19 mai 1717.
(5) *Ibid.*, f. 305-6, *Rapport de ce qui s'est traité...*
(6) *Ibid.*, f. 306-306 v, *ibid.*

cierait au même titre que le Trésor royal (1). La Compagnie, à la différence de celles antérieurement organisées, pourrait dès lors éviter tout emprunt d'argent, car elle ne réussirait qu'avec ses propres fonds, et en écartant les ressources complémentaires qu'on lui proposait, soit par la cession du monopole du castor, soit par une participation de la ferme du tabac à ses dépenses : à moins qu'elle ne se rendît elle-même maîtresse de cette ferme pour débiter dans le royaume le seul tabac de nos colonies. On éviterait aussi d'y intéresser le souverain, car ce serait compromettre la liberté de la Compagnie et en détourner, par suite, les négociants (2).

Le rapport tient à la fois du projet de Duché et des mémoires de Le Gendre Darminy, soulignés de réflexions qui dénotent un souci d'orthodoxie commerciale. Il reflète peut-être, un peu plus directement que les autres, l'influence d'idées antérieurement exprimées par Law dans son mémoire de septembre 1715 sur le « rétablissement du commerce » (3). Mais il en résulte que les interlocuteurs convoqués par le duc de Noailles n'avaient pu aboutir à une formule de compagnie qui réunît l'approbation générale.

En fait, les désaccords sont plus prononcés qu'il ne ressort de ces documents puisqu'un autre mémoire nous est parvenu, dont l'auteur a participé à ces « conférences », et qui réprouve franchement toute idée de compagnie (4). Il n'est pas impossible que nous nous trouvions encore en présence d'un texte de Le Gendre Darminy. Le mémoire, comme celui-ci l'avait déjà dit, juge « prématurée » l'idée d'une compagnie. Et, à l'action d'une compagnie, il conseille de substituer celle du roi parce que la création d'une puissante société de négociants porterait « ombrage aux étrangers », tandis que l'action du souverain, dans un pays où il n'a que trop tendance à négliger les intérêts du commerce, n'éveillerait point d'appréhension (5). Viennent ensuite des considérations, familières à Darminy, sur les faibles possibilités commerciales de la Louisiane, sur l'inutilité d'une compagnie réduite à un objet aussi limité, sur l'intérêt, en revanche, que présentent les mines des Illinois. Que l'on commence par une entreprise modeste, consistant à peupler

(1) *Ibid.*, f. 307-308 v, *ibid.*
(2) *Ibid.*, f. 308 v-310, *ibid.*
(3) P. Harsin, *Œuvres complètes de John Law*, II, p. 134 suiv., 141, 183-5. H. Luthy, *La Banque protestante en France*, Paris, 1959, I, p. 297, n. 12.
(4) A.E., *Mém. et Doc.*, Amérique, I, f. 442 suiv.
(5) *Ibid.*, f. 439, 269-269 v.

graduellement le pays, à le mettre « hors d'insulte » en gagnant l'amitié des indigènes, en envoyant de la métropole des troupes qui pourraient s'adapter aux nécessités de la vie agricole, mais en réservant pour les Illinois des Canadiens, seuls capables de supporter les épreuves de ces natures primitives : une pareille tâche, où la défense et le peuplement auraient le pas sur le commerce, relève du souverain, et non d'une compagnie (1).

Pour augmenter enfin la diversité des avis, Le Bart, qui exerçait en Louisiane les fonctions de contrôleur de la Cie de Crozat, remit à son tour, en juin 1717, un rapport destiné à « proposer les moyens... les plus convenables » pour étendre l'autorité royale dans la colonie et tirer parti de ses richesses (2). Par l'intermédiaire du premier commis du conseil des finances, Gilbert Clautrier, il le fit parvenir au duc de Noailles pour l'aider à se prononcer « avec connaissance de cause » sur le sort de la colonie (3). Mais son rapport aboutit tout au plus à démontrer, une fois encore, l'importance que la Louisiane présenterait pour l'économie du royaume lorsqu'on serait en mesure d'exploiter ses innombrables richesses (4). Le régime qu'il envisageait pour la colonie n'était au fond qu'une reconduction du régime de Crozat. Le mémoire de Le Bart, dans ces conditions, n'apportait à Noailles aucune donnée susceptible d'aider sa décision.

De tous les points qui se dégagent de ces rapports, celui qui était plus qu'aucun autre de nature à intéresser le duc de Noailles et les conseils de gouvernement était l'idée de la résorption d'une partie de la dette publique.

En mai et juin 1717, le conseil de régence, préoccupé de la situation financière du royaume, constatait qu'elle restait dans un « état violent », en dépit des efforts de Noailles (5). Inévitablement, lorsque celui-ci obtint du régent, à la fin du mois de juin, l'autorisation de réunir une commission pour discuter les propositions qui pourraient être faites « sur les finances et le commerce » (6), il se montra particulièrement attentif aux solutions capables d'atténuer les difficultés de sa gestion.

(1) *Ibid.*, f. 439-441.
(2) *Ibid.*, f. 156 suiv.
(3) A.N., G 7 841, Le Bart à M. Clautrier, 11 juin 1717.
(4) A.E., *Mém. et Doc.*, Amérique, I, f. 157-162, 167 v.
(5) M. GIRAUD, *op. cit.*, II, p. 49.
(6) B.N., Ms. F.F. 23673, f. 8-10 v, Délibérations du conseil de régence, 26 juin 1717.

CHAPITRE II

L'INTERVENTION DE LAW
ET LES LETTRES PATENTES

C'est alors, au cours des travaux de cette commission (1), que les premiers contacts furent établis avec Law. Nous n'avons pu trouver trace d'une consultation antérieure du financier. Mais, s'il n'était pas encore intervenu, ses réalisations, le succès de sa Banque et de ses actions, le principe qui était à la base du fonds initial de la Banque générale, le qualifiaient pour formuler un avis utile sur la question, que tant de mémoires venaient de soulever, d'une compagnie de commerce liée à une opération de finances publiques (2).

La Banque est alors en pleine faveur. Le gouvernement lui fournit un appui sans réserve. Dès octobre 1716, en ordonnant aux receveurs d'impositions de ne remettre leurs recettes à Paris qu'en billets de la Banque générale, le régent fait part de son intention de « lui donner toute la protection nécessaire pour... en augmenter le succès » (3). L'arrêt du 10 avril 1717 a encore renforcé sa position en prescrivant aux receveurs, d'une part, d'accepter le payement en billets de « toutes les espèces de droits et d'impositions » ; d'autre part, d'acquitter à vue et sans escompte les billets qui leur seront présentés : et le régent n'hésite pas à révoquer ceux d'entre eux qui refusent d'obéir (4). Le billet de banque, au dire du conseil de régence, devient « la meilleure lettre de change à vue qu'on puisse émettre » (5). Si

(1) B.N., Ms. F.F. 23673, f. 32 v-3, Délibérations du conseil de régence, 19 août 1717.
(2) B.N., Ms. F.F. N.A., 1431, f. 47-8, LAW, *Histoire des finances pendant la régence de 1715.*
(3) B.N., Ms. F.F. 6938, 6 v-7 ; 6939, f. 2-5, 32-3, 56 v, Le régent et le duc de Noailles aux intendants, à M. de Courson, 7 oct., 26 déc. 1716, 24 janv. 1717.
(4) B.N., Ms. F.F. 6940, f. 24 v, 68 v-9, 79-80, Id. aux intendants, au Mal de Berwick, 11 avril, 28 mai 1717, 3 juin 1717.
(5) N.B., Ms. F.F. 6941, f. 5, 63 v-65 v, Id. à M. de Basville, à M. de Courson, 18 juin, 26 août 1717.

des réticences ou des oppositions s'expriment çà et là, on parle aussi de l' « immense crédit » de la Banque, le duc de Noailles fait publiquement son éloge, et la *Gazette de la Régence* elle-même, si fréquemment sévère à son égard, est obligée de convenir qu'elle est « toujours exacte à payer » (1). C'est grâce à ses avances que le Trésor parvient à verser aux porteurs des billets de l'État l'intérêt de leurs titres (2). Il est logique, par suite, qu'on ait songé à solliciter le concours de l'Écossais, à un moment surtout où le duc de Noailles le consultait sur des questions de finances coloniales, tandis que le conseil de régence le priait d'acquitter les lettres de change tirées par les négociants en castor, en attendant qu'il fût en mesure de réorganiser le commerce de la fourrure (3). On pouvait supposer, comme il l'écrivit ultérieurement, que son intervention donnerait confiance au public, plus que si le conseil de régence prenait seul la direction de l'entreprise (4).

Nous ne savons des conditions dans lesquelles il fut pressenti que ce que Law nous en dit, à savoir que « deux hommes considérables dans l'État » vinrent lui proposer de prendre l'initiative de l'opération en procédant à une émission d'actions (5). Tout ce qu'on lui demanda, écrit-il, fut d'émettre des actions, payables en billets de l'État, pour une valeur de 2 millions de livres, et de stimuler le succès de l'émission en y prenant personnellement une « part considérable » : la proposition ne faisait aucune allusion au côté commercial de l'entreprise, et, bien qu'elle dénotât surtout le désir d'obtenir une réduction de la dette de l'État, elle n'avait en fait sur celle-ci que de faibles incidences.

Refusant de s'y intéresser, Law aurait opposé son projet d'une compagnie de commerce axée en principe sur la Louisiane, mais assez puissante pour restaurer en France le « commerce étranger » et pour contribuer efficacement à l'amortissement de la dette : elle émettrait à cet effet des actions de 500 livres, jusqu'à concurrence de 50 ou même de 100 millions de livres, payables en billets de l'État, dont l'intérêt annuel subviendrait à

---

(1) B.N., Ms. F.F. 7668, f. 269 et v, *Mémoires de Law* ; 23673, f. 3-3 v Délib. du conseil de régence, 23 juin 1717. BUVAT (?), *Gazette de la régence*, p. 116, 205, 208. *Les correspondants de la marquise de Balleroy*, I, p. 212, lettre du 11 sept. 1717.
(2) B.N., Ms. Coll. Joly de Fleury, 566, f. 156-7.
(3) B.N., Ms. F.F. 23664, f. 114 v, Délibérations du conseil de régence, 5 juill. 1717. A.C., F 2 C 1, 296, conseil de marine, séance du 24 janv. 1719. A.N., V 7 235, f. 235, Créances et jugements sur les actions de la C¹ᵉ des Indes.
(4) P. HARSIN, *Œuvres complètes de J. Law*, III, p. 319.
(5) ID., *ibid.*

ses besoins en numéraire et assurerait aux actionnaires un revenu que d'autres sources de profit compléteraient par la suite (1).

Il est possible que Law, à la suite de ces premières conversations, ait à son tour dressé ou inspiré des mémoires dont les commissaires durent avoir connaissance. Tel serait peut-être le « projet d'établissement d'une nouvelle compagnie pour le Mississipi » (2), dont plusieurs dispositions paraissent bien porter la marque de Law : le chiffre même du capital, 50 millions de livres en billets de l'État, la stipulation de l'action en écus de banque, le prélèvement de l'intérêt sur la ferme du contrôle des actes des notaires (3), le programme de peuplement enfin de la Louisiane, en partie basé sur les déportations de faux sauniers et de mendiants.

Peut-être retrouvons-nous son influence dans un projet de Lettres patentes qui applique à la compagnie le nom de Compagnie royale des Indes Occidentales et fixe son capital à un minimum de 10 millions de livres, divisé en actions de 500 livres qui s'acquerront soit en billets de l'État, soit en contrats de rente, ces effets que Law ne cessera de dénoncer comme aussi onéreux pour le Trésor que nuisibles à l'économie du pays (4). L'activité commerciale de la compagnie, répartie entre la Louisiane, le monopole du castor et la traite des noirs, y est encouragée par des exemptions fiscales et par l'autorisation, déjà suggérée par Duché, mais conçue ici dans un esprit plus libéral, d'édifier sans entrave en Louisiane des manufactures qu'alimenteront les productions locales (5).

Quoi qu'il en soit, l'opinion que le financier avait exprimée, qu'elle ait été ou non suivie de mémoires écrits, dut apporter aux commissaires un nouvel élément de discussion. Nous ne savons pas comment la situation évolua exactement. Mais un mémoire anonyme, sans doute établi dans les premières semaines d'août 1717 (6), nous apprend que, à cette date, plusieurs décisions étaient arrêtées au sein de la commission.

En premier lieu, il avait été convenu de former une compagnie

---

(1) Id., *ibid.*, III, p. 323.
(2) A.É., *Mém. et Doc.*, Amérique, I, f. 272-4.
(3) Il s'agit de la ferme du contrôle des actes des notaires, petits sceaux et insinuations laïques, que nous simplifierons désormais en *ferme du contrôle*.
(4) A.É., *Mém. et Doc.*, Amérique, I, f. 376 v-7, 378 v-9 v. P. Harsin, *Œuvres complètes de J. Law*, III, p. 346, 349-50, 356, 399.
(5) A.É., *Mém. et Doc.*, Amérique, I, f. 373-5, 382-5.
(6) *Ibid.*, f. 317 suiv., Parallèle de la Cⁱᵉ du Sud avec la Cⁱᵉ d'Occident. Les navires de Louisiane, dit le mémoire f. 318-318 v, sont attendus « de jour en jour » : or le *Ludlow* et le *Paon* arrivèrent à La Rochelle à la fin d'août 1717.

sous le nom de *Cie d'Occident* (1). Le nom, comme nous l'expose
un document ultérieur, était destiné à prévenir l'hostilité de
l'Angleterre et de l'Espagne en dissimulant sous un terme en
principe étranger à la Louisiane l'objet véritable de la société (2).
Crozat et Le Gendre Darminy, nous le savons, s'étaient déjà
préoccupés de la question, et les réactions de l'Espagne, succédant
à l'animosité que la Cie de Crozat avait provoquée en Angleterre,
devaient bientôt apporter à ces appréhensions une éclatante
justification (3).

En deuxième lieu, et toujours dans la même pensée d'éviter
de porter ombrage aux puissances coloniales, on assignait à la
Compagnie un champ d'action assez vaste pour atténuer à leurs
yeux l'importance réelle de l'œuvre qu'elle pourrait accomplir
en Louisiane. On lui donnait donc la « traite des nègres de
Guinée », seul moyen d'assurer aux îles et au Mississipi l'apport
régulier de main-d'œuvre nécessaire à leur économie, et le
commerce du castor dont le régime en vigueur mécontentait si
vivement les Canadiens (4). En joignant ces « deux parties de
commerce » à celle de la Louisiane, non seulement on ménagerait
la « jalousie » de l'Angleterre et de l'Espagne, mais on permettrait
à la Compagnie de compenser par des sources de profit supplémentaires la médiocrité des ressources que la colonie lui offrirait
dans les premières années, jusqu'au jour où les possibilités de
l'agriculture, des mines et du négoce avec les Indiens et les
Espagnols (5) lui fourniraient le moyen d'organiser un commerce
rémunérateur. En prévoyant enfin un fonds de 80 ou 100 000 actions, qui permettraient de retirer 50 millions de livres de billets
de l'État, et dont l'intérêt serait assuré par « une des meilleures
fermes du roi », — qui ne peut être que la ferme du contrôle
des actes des notaires —, on ferait de la Compagnie l'instrument
du redressement financier du royaume. Cette opération de
finances publiques, s'ajoutant à la diversité de ses ressources
commerciales, la mettrait en mesure de satisfaire les besoins de la
Trésorerie tout en garantissant aux actionnaires de sûrs éléments
de profit (6).

Apparemment, les idées de Duché, Le Gendre Darminy,

(1) *Ibid.*, f. 317.
(2) *Ibid.*, f. 302, *Mémoire sur l'établissement d'une Cie d'Occident.*
(3) *Ibid.*, f. 439, *Mémoire sur l'établissement de la Louisiane.* A.C., C 13 A 5,
f. 232, *Mémoire pour faire connaître de quelle importance...* Ci-dessous, p. 95 suiv.
(4) A.E., *Mém. et Doc.*, Amérique, I, f. 302, *op. cit.* ; f. 317 v-8, 320 v,
op. cit.
(5) *Ibid.*
(6) *Ibid.*, f. 317, 320 v, 322 v.

celles surtout de Crozat, s'associent dans ce mémoire aux propositions de Law, aux données qui se dégagent de ses conversations avec les personnalités chargées de le pressentir et des projets dont il peut avoir été l'inspirateur. Duché, Le Gendre, Crozat avaient défendu l'idée d'une compagnie basée sur la dette de l'État (1). Plus discutée, celle de la réunion du commerce du castor avait trouvé auprès de Crozat et de Duché ses principaux partisans, et celui-ci, dans ses Lettres patentes, avait inscrit au nombre des privilèges de la Compagnie le droit de « traiter directement des nègres à la côte de Guinée pour la Louisiane » (2). Le chiffre du capital, représenté par « 80 à 100 000 actions ou plus », celui des retraits de billets de l'État qui en résulteront, l'appel à la ferme du contrôle, le souci des profits des actionnaires, répondent vraisemblablement à l'apport personnel de Law. L'optimisme avec lequel le mémoire envisage les futurs bénéfices de la Compagnie et des actionnaires et le potentiel économique de la Louisiane, l'argumentation surtout dont il fait usage pour démontrer la supériorité de l'action sur le billet de l'État et de la Cie d'Occident sur la Cie anglaise du Sud, semblent bien dénoter l'influence directe de l'Écossais.

Mais, autant que dans les suggestions qu'on peut lui attribuer, la contribution décisive de Law aux travaux de la commission paraît avoir consisté dans la rapidité de décision que son ascendant personnel a su lui inspirer. La démarche faite auprès de lui a dû avoir lieu, comme l'implique le texte de son *Histoire des finances*, dans le courant de juillet 1717 (3). Dès la première moitié d'août, à en juger par la date approximative du mémoire qui nous en informe, les conclusions des commissaires sont établies, et Noailles transmet au régent les « avis » que ces derniers « ont jugé devoir proposer au conseil » pour améliorer la situation financière du royaume (4). Le 19 août, il donne lecture devant le conseil de régence de leurs projets, qui tendent uniformément à réduire la circulation des papiers royaux, à savoir : l'institution de 1 200 000 livres de rentes viagères, la création d'une loterie à tirages mensuels, l'aliénation de quelques parties boisées du domaine royal — le tout contre remise de

(1) *Ibid.*, f. 233-233 v, *Mémoire* du 14 mai 1717 ; f. 270 v-1, *Mémoire de Le Gendre d'Arménie*.
(2) A.E., *Mém. et Doc.*, Amérique, I, f. 177-178 v, CROZAT (?), *Mémoire de ce qu'il convient faire...*, f. 401 v-403 v, Projet de Lettres patentes.
(3) B.N., Ms. F.F. N.A., 1431, f. 46-8, J. LAW, *Histoire des finances pendant la régence. Les correspondants de la marquise de Balleroy*, éd. Barthélemy, I, p. 186-7.
(4) A.N., G 7 930, 1, *Mémoires du duc de Noailles* (1717-8).

billets de l'État —, le versement en billets du reliquat des taxes de la Chambre de Justice, l'établissement enfin de compagnies de commerce dont les actions seront payées en billets de l'État, et parmi lesquelles figurera une Cⁱᵉ d'Occident, qui comprendra la Louisiane, la traite des nègres et le castor, qui se chargera de ranimer le commerce colonial et qui garantira aux actionnaires, outre l'intérêt de leurs billets, une participation à ses profits (1). Pour engager, d'autre part, les porteurs de billets de l'État à s'en dessaisir sans délai en faisant usage de ces débouchés, il est stipulé que les intérêts n'en seront plus versés à partir du 1ᵉʳ janvier 1718 (2).

Deux jours après, le duc de Noailles présenta au conseil de régence le projet d'édit portant création d'une « compagnie de commerce sous le nom de Cⁱᵉ d'Occident » (3).

Le texte de Noailles reprend dans ses grandes dispositions le mémoire du début d'août, en faisant peut-être de plus larges emprunts aux Lettres patentes de Duché. Pour le commerce, pour la question du retrait des billets de l'État, les suggestions de Law semblent avoir servi de modèle. Mais, contre son opinion et contre celle de Duché, la conception traditionnelle de l'économie coloniale y est de nouveau affirmée dans la clause qui interdit à la colonie toute activité manufacturière capable de faire concurrence à la métropole et ne lui laisse par suite d'autres possibilités que le « travail » des mines d'or, d'argent, et de plomb, et les constructions navales (4). Le commerce est envisagé sous le triple aspect recommandé par la commission. A dessein peut-être, afin de donner le change sur le véritable but de l'entreprise, le préambule insiste sur le commerce africain, sur la nécessité, pour mieux pourvoir la main-d'œuvre coloniale, de renoncer au régime de liberté qu'on y a institué en 1716 et d'en répartir l'exploitation entre la Cⁱᵉ d'Occident et la Cⁱᵉ du Sénégal, opérant dans deux zones séparées (5). On ne sait si Law est responsable de ce retour à un monopole que le conseil, moins de

---

(1) B.N., Ms. F.F. 23673, Conseil de régence, 19 août 1717 ; Coll. Joly de Fleury, 1467, f. 92-3, Edit. du roy portant création de 1 200 000 livres de rentes. A.N., G 7 930, *op. cit.* ; U 360, Extrait des registres du conseil secret du Parlement, 4 sept. 1717. Forbonnais, *Recherches et considérations sur les finances de la France*, II, p. 475-7.

(2) B.N., Ms. F.F. 23673, f. 33 v, Conseil de régence, 19 août 1717.

(3) A.E., *Mém. et Doc.*, Amérique, I, f. 336 suiv. Projet de Lettres patentes portant établissement d'une Compagnie... Le conseil de marine avait, de son côté, établi un projet d'édit, qui ne nous est point parvenu. B.N., F.F. 23673, f. 35 v-6, Conseil de régence, 19 août 1717.

(4) A.E., *Mém. et Doc.*, Amérique, I, f. 343, 345-345 v, *op. cit.*

(5) *Ibid.*, f. 338-341, 356, *op. cit.*

deux ans plus tôt, paraissait vouloir abandonner définitivement.

L'intérêt du projet de Noailles est surtout de contenir la formule financière initiale de la Cie d'Occident. A la différence des mémoires antérieurs, il spécifie seulement, sans autre précision, que des actions au porteur de 500 livres seront émises, payables en billets de l'État et librement négociables, qui garantiront aux souscripteurs, dans les assemblées de la Compagnie, une voix délibérative pour 50 actions (1). Les billets ainsi récupérés seront détruits par le garde du Trésor royal, et seront convertis, au profit de la Compagnie, en contrats de rentes perpétuels et héréditaires à 4 %, dont la ferme du contrôle des actes assurera l'intérêt à partir du 1er janvier 1717 (2). Mais, pour le financement de son commerce, la Compagnie ne pourra faire usage que des arrérages de l'année 1717. Ceux des années suivantes seront réservés au payement de l'intérêt des actions, à 4 % (3). Les moyens financiers de la Compagnie dépendront, en d'autres termes, du nombre des souscripteurs. Les mémoires et projets jusqu'ici établis, les propositions mêmes de Law avaient toujours contenu une estimation précise du capital, qui fait ici défaut. En fait, le conseil de régence, comme il ressort d'un mémoire explicatif sur les Lettres patentes, comptait sur un retrait de « 50 millions et plus » de billets de l'État, et il espérait que la promesse de leur destruction, la garantie qui en résulterait contre un retour éventuel de l'inflation, augmenteraient la faveur de l'action dans le public (4). Mais il était évident que, même si le retrait portait sur la somme indiquée, la Compagnie, avec 2 millions de livres de numéraire par an, ne disposerait que de ressources limitées, d'autant plus que ses opérations commerciales ne pourraient en bénéficier que la première année. Ni pour le commerce, ni pour les profits des actionnaires, la situation ne pouvait autoriser de grands espoirs. Déjà, alors que la Compagnie n'était pas encore formée, on envisageait comme une chose possible qu'elle se vît obligée d'affecter à ses opérations les arrérages de 1718 et de retarder d'autant le payement de l'intérêt des actions (5).

Vraisemblablement, le duc de Noailles n'assignait pour le moment à la Compagnie d'autre objet que la résorption d'une partie de la dette de l'État. Il pouvait paraître inutile, dans ces

(1) *Ibid.*, f. 363 v-365, *op. cit.*
(2) *Ibid.*, f. 367 v-8.
(3) *Ibid.*, f. 365 v-6, 366 v-7.
(4) *Ibid.*, f. 303-4, *Mémoire sur l'établissement d'une Cie d'Occident...*
(5) *Ibid.*, f. 303 v, *ibid.*

conditions, d'en préciser autrement l'organisation financière.
Ultérieurement, d'autres ressources s'ajouteraient au fonds
initial, qui renforceraient les moyens de la Compagnie et qui la
mettraient en mesure de satisfaire les intérêts des actionnaires (1).
Dans sa réponse aux personnalités chargées de solliciter sa
collaboration, Law avait adopté une position semblable, avec
cette différence qu'il considérait la Compagnie, à ce stade préliminaire, comme le premier terme d'un projet plus général qui
réaliserait la formule, exposée dans son mémoire de septembre 1715, d'une compagnie englobant tous les organismes
préposés au « commerce maritime » du royaume (2). « Ayant
médité », écrit-il, « la question de la compagnie de commerce
de Louisiane, il jugea que cette affaire était très utile *à ses
desseins*, que c'était un moyen de rétablir en France le commerce
étranger et d'y engager une partie de la nation..., qu'il fallait
créer 50 millions d'actions en billets de l'État (somme que Law
porte ensuite, dans le même texte, à 100 millions)... et qu'il
trouverait... dans la suite d'autres bénéfices pour récompenser
la confiance des actionnaires » (3).

Le projet de Noailles comporte enfin un ensemble de dispositions sur la durée du privilège de la nouvelle Compagnie
(25 ans), sur les droits de propriété qui lui seront reconnus en
Louisiane, sur le mode de nomination et les attributions de ses
directeurs, sur le peuplement et la défense de la colonie (4).
Suivant les suggestions de Crozat, l'obligation lui est faite
d'employer la valeur du capital remis par celui-ci au transport
et à l'installation de « nouveaux habitants ». Mais, après épuisement du fonds, elle devra acheminer à ses frais 6 000 personnes
en 25 ans, dont le recrutement sera facilité par les avantages
qu'on leur fera dans la colonie, soit en exemptions de « droits,
subsides et impositions », soit en « concessions provisionnelles »
de terre (5) : programme démographique modeste, inférieur aux
prévisions de Duché, et qui implique la seule responsabilité de
la Compagnie. Le souverain assume en principe la charge de la
défense et des fortifications, tout en permettant à la Compagnie
de procéder elle-même, sous réserve de l'approbation du roi, à
la nomination des officiers et de recruter et entretenir les troupes

---

(1) *Ibid.*, f. 303 v.
(2) P. HARSIN, *Œuvres complètes de J. Law*, II, p. 138 suiv.
(3) ID., *ibid.*, III, p. 323.
(4) A.É., *Mém. et Doc.*, Amérique, I, f. 341-341 v, 344, 362-363 v, Projet
de Lettres patentes...
(5) *Ibid.*, f. 345-346 v, 347 v-8, *op. cit.*

et les cadres qu'elle jugera nécessaires à la sûreté de ses établissements (1). Aucune clause ne concerne la mise en valeur de la colonie, rien n'indique un souci quelconque d'engager par priorité un programme d'exploitation d'un secteur déterminé, comme de nombreux mémoires en avaient émis l'idée : tout est laissé à l'initiative de la Compagnie et des concessionnaires qu'elle introduira en Louisiane.

Le texte des Lettres patentes définitives (2) fut en grande partie calqué sur ce projet, bien qu'il n'en conserve pas tous les articles et que, dans plusieurs cas, il en modifie les dispositions. On y relève surtout la suppression de la clause relative au monopole de la traite de Guinée. Il n'est pas exclu que l'abrogation en ait été sollicitée par les villes maritimes, dont les remontrances avaient obtenu en 1716 la liberté du commerce des nègres : le rétablissement du monopole au profit de la Cie des Indes, par l'arrêt du 27 septembre 1720, suscitera les protestations des négociants de La Rochelle, qui se plaindront alors d'avoir perdu tous les commerces auxquels était liée la prospérité de leur port (3). Dans les Lettres patentes, aucun article n'interdit le commerce de Guinée aux négociants du royaume, et la Compagnie ne garde, dans ces conditions, d'autres privilèges que le commerce de la Louisiane et, dans toute l'étendue de l'Amérique du Nord, la traite du castor, plus librement ouverte, apparemment, à ses initiatives que dans le document précédent, qui limitait la quantité de pelleteries qu'elle pouvait extraire de sa colonie (4). Suivant la tendance que manifeste alors la législation coloniale, elle bénéficie, tant pour ses importations que pour ses exportations, de nombreuses exemptions de droits, sous condition de ne faire usage que de navires français, armés dans les ports du royaume et contenant des équipages nationaux (5). Mais le texte définitif ne fait point d'allusion à la question des manufactures coloniales, comme s'il avait paru inutile d'affirmer de nouveau la politique traditionnelle de la monarchie (6).

(1) Ibid., f. 348 v-350, op. cit.
(2) A.C., A 22, f. 25 suiv. Lettres patentes en forme d'édit portant établissement d'une compagnie de commerce, août 1717.
(3) A.E., Mém. et Doc., Amérique, I, f. 336, op. cit. A.M., B 1 52, f. 260-1, Mémoire des négociants de La Rochelle, 27 oct. 1720.
(4) A.C., A 22, f. 26, art. 2-3. F. 2 A 13, Arrêt du 16 mai 1718.
(5) A.C., A 22, f. 28-29 v, art. 20, 25-29. A.M., B 1 30, f. 74, Beauharnais, Rochefort, 9 juin 1718. A.N., G 7 777, 8° registre, f. 69-82, Conseil de régence du 20 mars 1717.
(6) A.C., A 22, f. 26 v, art. 7 ; A 23, f. 2-2 v, Lettres patentes (de Crozat), 24 sept. 1712. A.E., Mém. et Doc., Amérique, I, f. 342 v-3, Projet de Lettres patentes (pour la Cie d'Occident).

Les Lettres patentes, plus explicites en cela que le projet de Noailles, fixent à la concession de la Compagnie les mêmes limites qu'à celle de Crozat (1). Mais un arrêt du Conseil d'État du 27 septembre 1717 y comprit en outre, au mécontentement du gouverneur Vaudreuil, le « pays des sauvages illinois » que Crozat n'avait pu obtenir et que la Compagnie jugeait d'une « extrême conséquence pour son commerce » (2). Dans cette vaste étendue, cédée « en toute propriété, seigneurie et justice », et conforme aux limites que le missionnaire Le Maire assignait à la Louisiane, la Compagnie avait le droit d'aliéner les terres à tels cens et rentes qu'elle voudrait, de les donner même en franc alleu, mais sans justice ni seigneurie, ce qui eût été incompatible avec sa qualité de « seigneurs haut-justiciers », de nommer les juges et les officiers civils, les membres des conseils souverains, et de les révoquer à volonté, de décider enfin en pleine liberté de la politique indigène au nom du roi (3).

La défense du pays relève de la Compagnie plus complètement que dans le texte précédent, puisqu'il n'est plus fait mention d'une participation financière du souverain. Celui-ci n'y contribue qu'en mettant à la disposition de la Compagnie les armes, forts et munitions qu'il possède en Louisiane. Il promet de lui assurer, le cas échéant, la protection de ses armes (4). Mais les dépenses dont il était « ci-devant tenu » incombent désormais à la Compagnie, qu'il s'agisse des fortifications, de l'entretien des troupes, des appointements des officiers (5). Elle aura pouvoir de lever dans le royaume les forces nécessaires à la colonie, de nommer les officiers, en attendant l'expédition des provisions royales, de prendre à son service ceux d'entre eux qui sont déjà affectés aux troupes de Louisiane, sans préjudice des « rangs et grades » qu'ils occupent dans la marine ou dans les armées royales (6). En identifiant le service de la Compagnie à celui du souverain, en l'investissant de l'autorité militaire, l'édit lui confère en Louisiane un degré de puissance jusque-là inconnu qui, au moment de l'enregistrement, devait provoquer les réserves du Parlement, mais il lui impose, financièrement, une lourde charge

---

(1) A.C., A 22, f. 26.
(2) *Ibid.*, f. 39, Arrêt du Conseil d'Etat du roy. D 2 C 51, f. 19-19 v, La Cie d'Occident au conseil de marine, 27 sept. 1717. A.M., B 1 30, f. 44-45, Projet de Lettres patentes.
(3) A.C., A 22, f. 26 v, 27-27 v, 31 v-32, Lettres patentes en forme d'édit. A.M., 3 JJ 387 (22 B), Le Maire, à Pensacole, 14 janv. 1714.
(4) A.C., A 22, f. 27 v, 29 v, 32.
(5) *Ibid.*, f. 26 v-7. B 39, f. 259, Le conseil de marine à Vaudreuil et Bégon, 22 août 1717.
(6) *Ibid.*, f. 27, 31 v.

dont elle ne tardera pas à demander l'allégement, d'autant plus qu'il exige d'elle, simultanément, qu'elle édifie des églises correspondant à l'extension de la zone colonisée et qu'elle subvienne à l'entretien des ecclésiastiques (1).

Le peuplement est sommairement traité dans un article qui amoindrit les obligations de la Compagnie en ce qui concerne l'émigration des Blancs, puisqu'il les réduit au transport de 6 000 personnes en 25 ans, mais qui prévoit en outre l'acheminement de 3 000 Noirs, le tout en contrepartie de l'abandon qui lui est fait des « vaisseaux, marchandises et effets » cédés par Crozat, et en dehors de toute participation de la monarchie (2).

Financièrement enfin, la Compagnie reste organisée sur les mêmes bases que dans le projet de Noailles, avec un capital constitué par des actions de 500 livres, dont le chiffre n'est pas spécifié, payables en billets de l'État ou de la Caisse commune des recettes générales. Le fonds agissant annuel proviendra de l'intérêt, garanti par la ferme du contrôle, des contrats de rente qui seront passés au profit de la Compagnie en échange des billets remis par les actionnaires et « jusqu'à concurrence » des sommes « portées pour former les actions » (3). Des arrérages de ces rentes, ceux de 1717, qu'elle touchera dans les 4 derniers mois de l'année, pourront seuls alimenter ses opérations commerciales, les autres devant être employés au payement de l'intérêt des actions, de 6 mois en 6 mois, à partir du 1er juillet 1718 (4). L'incertitude persiste donc sur la valeur du capital dont la Compagnie pourra disposer tant pour son commerce que pour les actionnaires. Tout sera subordonné à la réponse du public. Le régent — ses déclarations au premier président du Parlement, lors de l'enregistrement de l'édit, en sont la preuve — reste convaincu que les souscriptions atteindront 50 millions de livres, soit la somme nécessaire à la constitution d'un fonds annuel de 2 millions de livres (5). La « Cie du Mississipi », écrit de son côté le Mis de Balleroy, prendra des billets de l'État « jusqu'à concurrence de 50 millions ». C'est aussi ce que le caissier de la Compagnie, Urbain de La Barre, annoncera peu après à l'un de ses correspondants, et nous retrouvons la même note dans le

(1) Ibid., f. 32 v. A.N., U 360, Extr. des registres secrets du Parlement, 28 août 1717.
(2) A.C., A 22, f. 32.
(3) Ibid., f. 29 v-30 v, 31 v.
(4) Ibid., f. 30 v.
(5) A.N., U 360, Extr. des registres... du Parlement, 6 sept. 1717.

journal anglais *The Post-Man* (1). Mais l'édit ne prévoit pas de chiffre d'émission officiellement autorisé (2).

Sous leur forme définitive, les Lettres patentes attribuent à la Compagnie des pouvoirs plus étendus, un peu plus explicitement définis, que dans le projet qui les avait précédées. Elles aggravent en revanche ses charges et ses responsabilités sans accroître son capital, qui reste aussi fictif dans un cas que dans l'autre, et sans lui consentir des avantages comparables à ceux que le souverain avait accordés en 1664 à la Cie des Indes orientales et à celle des Indes occidentales en vue de favoriser leur commerce (3).

Ayant arrêté le texte de l'édit, fixé les armes de la Cie d'Occident, qu'elle était autorisée à faire figurer sur ses édifices, vaisseaux et canons, le régent présenta le document à l'enregistrement, en même temps que les autres édits ou déclarations relatifs « au débouchement des papiers en circulation », ce qui n'alla pas sans difficulté : car le Parlement, estimant que les moyens proposés ne répondaient pas à l'importance de la dette de l'État, demanda, avant de se prononcer, communication de la situation exacte des finances royales (4). Devant l'attitude conciliante du régent, qui fournit au premier président les explications voulues, l'enregistrement fut décidé dans la séance du 6 septembre, à une faible majorité seulement et après des discussions significatives de l'opposition irréductible de beaucoup à des projets dont ils contestaient l'efficacité (5). Le Parlement s'étant d'autre part élevé contre l'édit qui stipulait la suppression du payement des intérêts des billets à partir du 1er janvier 1718, le régent lui donna, le 6 septembre, une satisfaction de principe en prescrivant que les payements continueraient jusqu'à ce que le roi en décidât autrement (6).

(1) *The Post-Man*, 12-14 sept. 1717 : « The edict does not fix the stock of the West Co., but they write from Paris that the government expects that the subscription will amount to 50 millions of livres. » *Les correspondants de la marquise de Balleroy*, I, p. 200-201.
(2) Contrairement à ce que dit M. Luthy, *La Banque protestante en France*, p. 310. Il faut attendre l'arrêt de décembre, inexactement placé par M. Luthy sous la date du 22 sept., p. 310, n. 24, pour avoir un chiffre d'émission défini.
(3) A.C., C 13 A 5, f. 240-1, Document anonyme, double de A.E., *Mém. et Doc.*, France, 1228, f. 57 suiv. B.N., Ms. F.F. 21778, f. 226, Déclaration... pour le commerce des Indes orientales, août 1664.
(4) Le Parlement évaluait la dette à 250 millions de billets de l'Etat et près de 50 millions de billets des receveurs généraux des finances, U 360, Extr. des registres... du Parlement, 28 et 30 août 1717. La description des armes de la Compagnie figure dans le texte des Lettres patentes, A 22, f. 32 v (A.C.).
(5) A.N., U 360, Extr. des reg... du Parlement, 6 sept. 1717.
(6) *Ibid.*, 10 sept. 1717. *Journal et mémoires de Mathieu Marais*, éd. de Lescure, Paris, 1863, p. 236-7.

CHAPITRE III

LA COMPAGNIE D'OCCIDENT

La Cᴵᵉ d'Occident se forma deux jours après, lorsque furent désignés ses premiers directeurs. La question du personnel dirigeant avait déjà fait l'objet d'un mémoire anonyme qui proposait de nommer 8 directeurs chargés de départements spécialisés, destinés en d'autres termes à faire fonction de directeurs proprement dits et de chefs de bureau : à côté de Law et de Crozat, chargés de la partie financière, et de l'ex-commissaire de la marine en Louisiane, devenu receveur général des finances dans la généralité d'Auch, Jean-Baptiste Martin d'Artaguiette d'Iron, préposé avec le négociant de Carcassonne François Castanier, conseiller du roi, à l'achat des vivres et des marchandises pour la colonie, figuraient Jean-Baptiste Duché pour la partie militaire ; Jean Piou, député du commerce de Nantes, pour les achats de nègres ; René Moreau de Maupertuis, député de Saint-Malo, pour les armements de vaisseaux ; François Mouchard enfin, député de La Rochelle au conseil de commerce, pour les relations avec le Canada (1). Les nominations définitives s'appliquèrent aux mêmes personnages, à la seule exception de Crozat, mais sans spécification de départements déterminés. En fait, chacun assuma la responsabilité d'un bureau, et d'Artaguiette s'occupa spécialement des affaires de Louisiane, souvent secondé en cela par Duché, dont le rôle, il est vrai, ne fut pas toujours heureux. Conformément aux Lettres patentes, les directeurs furent désignés par le roi : la Compagnie ne devait exercer de droit de nomination qu'au bout de deux ans (2).

(1) A.E., *Mém. et Doc.*, Amérique, I, f. 420-420 v, Départements de MM. les Directeurs de la Cᴵᵉ d'Occident. A.C., A 22, f. 63-63 v, Etat... des directeurs de la Cᴵᵉ d'Occident, 4 août 1718. A.M., B 1 47, f. 269-70, Acte passé par les directeurs de la Cᴵᵉ des Indes. Sur François Castanier, M.C., Et. LXIX-254, Quittance, 26 janv. 1718.
(2) A.C., A 22, f. 31, 34-34 v. A.M., 3 JJ-394 (4-123), Bobé à de L'Isle, 21 juin 1720. A. GIRARD, La réorganisation de la Cᴵᵉ des Indes, *Revue d'hist. mod. et contemporaine*, XI, 1908-9, p. 30. Sur René Moreau, qu'il ne faut pas

Telle qu'elle nous apparaît à sa naissance, la Compagnie ne révèle pas d'antagonismes de groupes ou de personnes. Les rivalités qu'on a cru pouvoir déceler au premier stade de la Banque générale entre représentants du commerce avec l'Angleterre, les pays du Nord et les Iles, et mandataires des ports enrichis par le commerce de Cadix, les uns favorables, les autres hostiles aux projets de Law (1), ne sont plus perceptibles au stade de la Compagnie, puisque nous trouvons simultanément dans le conseil des directeurs les députés de Nantes, de La Rochelle et de Saint-Malo. L'idée de la Cie d'Occident avait réuni les suffrages des groupes d'intérêts les plus opposés : Janvry et Moreau, les députés de Bayonne et de Saint-Malo, qui pratiquaient activement le commerce d'Espagne, avaient opiné dans le même sens que Fénelon, le député de la ville rivale, Bordeaux, orientée davantage vers le commerce du Nord, et avaient collaboré avec lui à l'établissement du mémoire que nous connaissons (2). Or, de ces trois hommes, le seul qui entre au début dans l'administration de la Compagnie est précisément René Moreau, le mandataire de la ville de Saint-Malo, alors que celui de Bordeaux n'y figure pas (3). Duché et d'Artaguiette semblent y être entrés surtout en raison de l'intérêt qu'ils portaient depuis longtemps à la Louisiane. A moins que la parenté de Duché avec le député de La Rochelle, François Mouchard, dont il avait épousé la sœur, et qui était peut-être lié à un groupe protestant intéressé dans la Cie du Sénégal, elle-même dominée par les négociants de Rouen, Nantes et Le Havre, ne doive le faire considérer comme le représentant d'un clan déterminé, hostile à celui de Saint-Malo (4) ? Mais est-ce vraisemblable en regard de ses étroites relations avec Crozat, l'associé des négociants malouins ?

L'attitude de celui-ci, si nous avions le moyen de la connaître, pourrait nous fournir un indice intéressant. Mais, en dehors du mémoire que nous venons de citer, les allusions paraissant indiquer qu'il fut question de l'inscrire au nombre des directeurs sont si rares qu'il n'est guère possible de conclure dans ce sens.

---

confondre avec son fils, le mathématicien Pierre Moreau de Maupertuis, v. R. Kervilèr, *La Bretagne à l'Académie française au XVIIIe siècle*, Paris, 1889, p. 286, 290-1.
(1) H. Lüthy, *La Banque protestante en France*, I, p. 297-8, 302.
(2) Ci-dessus, p. 13.
(3) Contrairement à ce que dit M. Lüthy, *op. cit.*, p. 299.
(4) H. Lüthy, *op. cit.*, p. 299, 417 et n. Arch. Char.-Mar., Registre Desbarres 1718-21, f. 234, 26 oct. 1720 ; Rivière & Soullard, 1715-8, f. 214, Acte de cession, 10 avril 1718.

Le témoignage du Mis de Balleroy, annonçant le 23 août 1717
alors que les Lettres patentes ne sont pas encore enregistrées,
que « l'on fait une compagnie du Mississipi composée de MM. de
Noailles, d'Estrées, Crozat, et de M. Law », ne peut qu'exprimer
une des conjectures auxquelles la formation de la compagnie
a dû donner lieu dans le public (1). L'intérêt que Crozat parut
encore manifester à la colonie dans les premières semaines qui
suivirent l'enregistrement de l'édit pourrait peut-être faire supposer qu'il aurait eu l'intention de s'associer à la nouvelle entreprise (2). Mais ces indications, qui ressortent des minutes des
notaires de La Rochelle, ne dépassent pas la mi-octobre : il n'est
plus question ensuite d'une intervention quelconque de Crozat
dans les affaires de Louisiane.

Les antagonismes de groupes et d'intérêts sont encore moins
visibles parmi les premiers souscripteurs des actions d'Occident.
Pour ne pas priver de la possibilité de souscrire ceux qui n'avaient
encore pu entrer en possession des billets de l'État qui leur étaient
dus, la Compagnie leur permit de faire leurs « soumissions » pour
le nombre d'actions qu'ils désiraient acquérir, et de différer le
versement des fonds jusqu'au jour où ils seraient en mesure de
remplir leurs engagements. Les soumissions furent reçues jusqu'au mois de janvier 1718 inclusivement, et beaucoup purent
ainsi, dès le début, retenir de nombreuses actions sans même
effectuer de versement partiel (3). Apparemment, un grand
nombre de porteurs de billets de l'État ou des receveurs généraux
saisirent l'occasion d'échanger une monnaie qui perdait alors
de 60 à 70 % contre des actions qui rapporteraient un intérêt
équivalent et qui, si la Compagnie était aussi bien gérée que la
Banque générale, pourraient bénéficier d'une plus-value. « Plusieurs particuliers », notent les Lettres historiques de 1720, « ne
pouvant trouver des débouchements à leurs billets de l'État,
dont l'acquittement était pour lors impossible à cause du déran-
gement des finances, prirent le parti de convertir ces effets en

---

(1) *Les correspondants de la marquise de Balleroy*, I, p. 200-201. L'allusion
de la *Gazette de la régence*, p. 218, à une prétendue substitution de Crozat à
Law comme directeur de la Compagnie en janvier 1718, n'a aucune vraisemblance, et rien ne nous permet de confirmer les passages de la *Gazette de Leyde*
(de Paris, 23 août 1718), des *Lettres historiques*, Amsterdam, t. 54 (1718),
p. 225-6, et des mémoires de Piossens (*Mémoires de la régence*, nouv. éd. par
l'abbé LENGLET-DUFRESNOY, Amsterdam, 1749), III, p. 114-5, sur la rentrée
de Crozat dans la Compagnie après un retrait momentané.
(2) Ci-dessous, p. 91-3.
(3) A.C., B 40, f. 215, Arrêt du 12 juin 1718, double de B.N., Ms. F.F. 21778,
f. 339.

actions » (1). En dépit des réticences du Parlement, des appréhensions de certains milieux (2), le fait que la création de la Compagnie était représentée comme une mesure d'assainissement financier, et l'émission d'actions comme un moyen de « faire cesser... (l')obstruction... que les billets de l'État... causent dans le mouvement et dans la circulation de l'argent » (3), s'ajoutant aux premières réalisations de Law, pouvait donner confiance à une partie du public. Le régent escomptait une réponse favorable puisque, dès le 4 septembre, avant même l'ouverture du registre des souscriptions, il annonçait aux commissaires du Parlement « qu'il y avait déjà près de 15 millions d'actions pour la Cie d'Occident » (4).

A la différence de la loterie, dont le premier tirage eut peu de succès (5), la Compagnie s'ouvrit effectivement dans de bonnes conditions, avec un chiffre de soumissions satisfaisant. Dangeau note dans son journal l'évolution favorable de la situation, il la juge même avec un optimisme excessif, mais qui traduit en fait l'opinion générale (6). Le duc de Noailles écrit de son côté, le 16 septembre, que « les actions d'Occident se remplissent journellement », et il engage le négociant de Nantes, Descazaux du Hallay, à souscrire : « Vous pouvez juger mieux que personne », lui dit-il, « du mérite de cette entreprise » (7). Noailles s'intéressait trop à la Louisiane pour contrarier le succès de la Compagnie qui se proposait de la mettre en valeur : le fait que l'ordonnateur Hubert ait envoyé au conseil de marine, en octobre 1717, un mémoire général sur la colonie « par ordre de Mgr le duc de Noailles », les consultations auxquelles celui-ci procédait à la même date dans la pensée d'organiser l'exploitation des mines des Illinois avec un personnel spécialisé, sous le commandement du capitaine d'une compagnie de mineurs, le Sr Simon Delorme, commissaire provincial d'artillerie et chevalier de l'ordre royal et militaire de Saint-Louis, sembleraient

---

(1) *Lettres historiques,* t. 57, p. 328.
(2) A.N., G 7 841, Clapeyron à Clautrier, 29 août 1717, indique les réactions hostiles du commerce lyonnais.
(3) A.N., U 655, Extr. des registres du Grand Conseil, f. 717, Edit de suppression du dixième...
(4) A.N., U 360, Extr. des reg. secrets du Parlement, 6 sept. 1717.
(5) *Journal du marquis de Dangeau,* t. 17, p. 172. B.N., Ms. F.F. 23673, f. 96 v-7, Délibérations du conseil de régence, 7 août 1718.
(6) *Journal du marquis de Dangeau,* t. 17, p. 162, 164, 169, 197, 200. *Les correspondants de la marquise de Balleroy,* I, p. 212. A.E., *Mém. et Doc.,* Amérique, I, f. 324, Bourgeois au duc de Noailles, 24 sept. 1717.
(7) B.N., Ms. F.F. 6941, f. 87 v-8 ; 6942, f. 2 v, à Descazaux, 19 sept., 27 sept. 1717.

indiquer chez lui l'intention de favoriser l'œuvre de la Cie d'Occident (1).

Plus exactement, le trésorier de la Banque Générale, le banquier Étienne Bourgeois, nous renseigne sur le chiffre des soumissions dans les quelques semaines qui suivirent l'ouverture de l'émission. Il nous fournit même l'état nominatif de leurs auteurs. Nous savons ainsi que, dans les dix premiers jours, du 14 au 24 septembre, les soumissions atteignirent un total de 28 553 000 livres, ce qui témoigne des bonnes dispositions du public (2). La liste d'Étienne Bourgeois accuse la faveur évidente de l'élément protestant : représentants de « l'internationale huguenote », comme les banquiers Louis Guiguer, Isaac Thélusson, Jean Vasserot, anciens religionnaires comme le banquier Pierre-Claude Heusch, négociants et industriels protestants comme Vincent-Pierre Fromaget, de Saint-Quentin, Jean Gastebois, de La Rochelle, établi à Paris, ou Samuel Vanrobais, d'Abbeville, pour ne citer que les noms des plus marquants, figurent parmi les premiers acquéreurs et souvent pour des sommes importantes (3). Les antagonismes que le premier projet de banque d'État de John Law avait pu susciter à l'intérieur de ce groupe, les prises de position qui s'étaient alors déclarées pour (Louis Guiguer) ou contre (P. C. Heusch) le projet en question (4), font place ici à un accord unanime. De même, parmi les négociants et les députés des villes atlantiques qui participent aux soumissions, on retrouve le représentant de Saint-Malo, R. Moreau de Maupertuis, à côté de J.-B. de Fénelon (Bordeaux), de F. Mouchard (La Rochelle), de Joachim Descazaux du Hallay (Nantes), de Jacques Duval d'Épremesnil (Le Havre) (5).

Il est surtout intéressant, en dépit de la menace que les projets de Law et la promesse de revalorisation des papiers de l'État impliquée dans le principe du capital de sa compagnie

(1) A.E., *Mém. et Doc.*, Amérique, I, f. 138 s., Mémoire d'Hubert ; f. 254 s., Mémoire de S. Delorme. *Les corr. de la marquise de Balleroy*, I, p. 214. A.N., M.C., Et. LXV-196, Quittance de rachat, 18 juin 1718 (Simon De Lorme).

(2) A.E., *Mém. et Doc.*, Amérique, I, f. 324-9. B.N., Ms. F.F. 6935, f. 87, Noailles, 17 juin 1716.

(3) A.E., *Mém. et Doc.*, Amérique, I, f. 325-325 v, 327-9, Etat de ceux qui ont fait leurs soumissions. H. Lüthy, *op. cit.*, p. 25, 57, 79, 293 suiv., 232, 361-2, 401-5, 417 n, 437. Sur Jean Gastebois, Arch. Char.-Mar., Registre Desbarres, 1718-21, f. 80 v-81. Sur Heusch de Janvry, A.N., M.C., Et. LXIX-259, Reconnaissance, 6 fév. 1719.

(4) H. Lüthy, *op. cit.*, p. 301-2.

(5) A.E., *Mém. et Doc.*, Amérique, I, f. 325-8, *op. cit.* Sur Descazaux du Hallay, B.N., M.C., Et. C-512, Remboursements, 15 oct. 1719.

contenaient pour les gens de finance et commanditaires habituels de la monarchie, de relever sur l'état des soumissions un nombreux personnel de traitants et de munitionnaires, ou de banquiers, comme Étienne Demeuves fils, qui, à la fin du règne précédent, avaient démesurément exploité les besoins d'argent du Trésor et auraient eu intérêt à la continuation du régime existant (1). L'abstention des Antoine Crozat et des Samuel Bernard, dont les noms symbolisent les procédés des fournisseurs d'argent attitrés du souverain, n'implique nullement celle de la classe qu'ils personnifient. C'est même dans cette catégorie que l'on compte quelques-uns des plus gros souscripteurs : un François-Marie Fargès, le célèbre fournisseur des armées de Flandre pendant l'intendance de Claude Le Blanc, dont la soumission s'élève à 1 million de livres, un Antoine Chaumont, inséparable des opérations de Fargès, qui s'engage, par l'intermédiaire en fait de sa femme, Catherine Barré, la « dame de Namur » dont parle Dangeau, pour 850 000 livres (2). Là encore, il n'est plus question d'antagonismes de groupes ou de personnes puisque les frères Paris, les adversaires du clan Fargès, sont aussi représentés, quoi qu'on en ait dit, par Paris de Monmartel, qui prend une soumission de 300 000 livres (3). Le fait est au fond moins surprenant qu'il ne paraît : on sait que Paris-Duverney lui-même, le grand ennemi du Système de Law, avait acquis des actions de la Banque Générale, pour complaire, nous dit-il, au désir du régent (4), et qu'il devait intervenir activement dans la colonisation de la Louisiane en prenant une concession que distingua rapidement la qualité de sa gestion. Non moins connus dans le monde de financiers et de traitants dont la guerre de Succession d'Espagne a illustré les procédés ruineux pour le Trésor et le public, Jean Oursin et Michel Bégon le jeune s'inscrivent chacun pour 100 000 livres (5).

Les officiers de finance, que la nature de leurs opérations confond parfois avec les milieux précédents, fournissent aussi beaucoup de souscripteurs : receveurs généraux, payeurs de rentes, fermiers généraux ou « intéressés dans les fermes », receveurs des fermes, c'est-à-dire un groupe à l'extinction duquel,

(1) H. Lüthy, *op. cit.*, p. 230, 295-7.
(2) A.E., *Mém. et Doc.*, Amérique, I, f. 325-325 v, *op. cit. Journal de Dangeau*, t. 17, p. 162. H. Lüthy, *op. cit.*, p. 333-6.
(3) A.E., *Mém. et Doc., op. cit.*, f. 326. Lüthy, *op. cit.*, p. 335.
(4) A.N., KK 1005 D, f. 121, 125, Discours de Paris de La Montagne à ses enfants.
(5) A.E., *Mém. et Doc., op. cit.*, 326, 332. Lüthy, *op. cit.*, p. 144-8, 248, 284.

assez paradoxalement, devaient tendre en dernière analyse les projets de réforme financière de Law (1). Le personnel de la Banque et de la Cie d'Occident, logiquement, s'associe au mouvement, soit, dans le premier cas, avec le trésorier Étienne Bourgeois et son suppléant François Mathieu de Vernesobre de Laurieu ou le commissaire Pierre Grassin, qui est en même temps directeur général des monnaies, soit, dans le deuxième cas, avec Jean-Baptiste Duché et le caissier Urbain de La Barre, que ses antécédents apparentent au monde des banquiers et des munitionnaires (2). Ce sont ensuite des officiers de justice, tels le banquier Abraham Peirenc (3), conseiller au Parlement de Metz, le notaire de Law, Paul Ballin, ou des agents ou ministres des Cours étrangères, comme le banquier Jean-Daniel Kolly, établi à Paris, qui exerce les fonctions de conseiller de la Chambre des finances de l'électeur de Bavière, le Suisse Jean Le Chambrier, envoyé du roi de Prusse, Maximilien Emanuel, baron de Simeoni, envoyé de l'électeur de Cologne.

Jean-Baptiste Glucq, baron de Saint-Port et de Sainte-Assise, conseiller du roi au Grand Conseil, et son père Jean Glucq, propriétaire du « privilège pour l'établissement de blanchissage et teinture » à Paris et dans les autres villes du royaume, qui devait à sa mort, survenue peu après, lui transmettre sa « grande maison des Gobelins » au faubourg Saint-Marcel ; Paul-Édouard Du Chauffour, « écuyer-citoyen noble de Perpignan », demeurant à Paris, pourvu d'un office de conseiller-secrétaire du roi, le maréchal-comte de Tallart, duc d'Hostun, gouverneur et lieutenant général du comté de Bourgogne, le capitaine des gardes du duc de Bourbon Condé, de Montherot de Bellignieux, achèvent de diversifier la physionomie des souscripteurs (4). Il devient de plus en plus difficile, à la lumière de ces données, de considérer l'entreprise commerciale de Law comme répondant à l'appui d'un groupe d'intérêts déterminé. Les milieux les plus divers

(1) *Ibid.*, f. 325-9, *passim.*
(2) *Ibid.*, f. 325-9. A.N., M.C., Et. CXXI-252, Société, 9 févr. 1720.
(3) A.N., M.C., Et. CX-292, Nantissement 12 mars 1718.
(4) A.E., *Mém. et Doc., op. cit.*, f. 325-9. A.N., V 7 235, f. 227 v-228 v, Inventaire des papiers de l'étude Ballin. M.C., Et. XV-503, Société de la colonie de Sainte-Catherine, 4 sept. 1719 ; Et. XX-455, Transport du 2 nov. 1717 ; Et. XXIX-332 (Quittance, 6 sept. 1717, Constitution, 17 sept. 1717), 334 (Certificat, 31 janv. 1718), 335 (Déclaration, 21 mai 1718), 337 (Donation, 14 oct. 1718) (Testament, 31 oct. 1718 ; Inventaire, 4 nov. 1718), 336 (29 août 1718) ; Et. XLIV-245 (Abandonnement par licitation, 15 sept. 1718), Et. LXXXIX-306 (Constitution, 18 janv. 1719), Et. XCV-70 (Engagement, 28 nov. 1720), Et. XCIX-410, Quittances, 6 déc. 1719, Et. CVI-194 (Vente, 18 janv. 1719).

sont ici représentés. Leur réponse s'explique sans doute par le crédit croissant du financier, par l'habileté qu'il eut de s'engager lui-même, à l'ouverture, pour une soumission de 10 millions de livres (1), et par les promesses éventuelles de la spéculation qui leur était offerte.

Dès les premiers jours, nous voyons apparaître sur la liste des soumissions quelques-uns de ceux qui, individuellement ou en société, vont intervenir dans l'aspect colonial de cette spéculation. Le banquier Étienne Demeuves fils et le gentilhomme de Picardie Hector Scourion de Vienne, dont les soumissions atteignent respectivement 550 000 et 12 000 livres, seront parmi les tout premiers promoteurs des sociétés de colonisation de la Louisiane (2). Un peu plus tardivement, Antoine Chaumont et son épouse Catherine Barré tenteront l'aventure du Mississipi avec les seules ressources de leur fortune personnelle, tandis que le banquier Jean-Daniel Kolly fera héroïquement un double essai de colonisation, en participation avec de nombreux associés dont la plupart se trouvent au nombre des premiers souscripteurs (3). De même, François-Marie Fargès s'inscrira dans une société de colonisation avec deux souscripteurs de la présente liste, son futur gendre Abraham Peirenc, qui deviendra Peirenc de Moras, et Germain Willart d'Auvilliers, ancien inspecteur des Ponts et Chaussées de la généralité d'Amiens, qui avait participé à son détriment aux opérations de Fargès pendant la guerre de Succession d'Espagne (4). Ensemble assez disparate, où le « Mississipien » proprement dit, uniquement soucieux de spéculations monétaires et de gains de bourse, prêt à tirer parti des émissions répétées qui succéderont à celle des actions d'Occident, côtoie des éléments moins fortunés, dont les uns, comme J.-D. Kolly, sacrifieront les profits qu'ils auront réalisés au cours du Système, et les autres, comme Willart d'Auvilliers, perdront tout leur avoir dans celle des spéculations qui comportera les plus gros risques et impliquera les plus lourdes responsabilités : Willart d'Auvilliers souscrivit pour 15 500 livres seulement, encore dut-il emprunter une partie de la somme à un notaire (5).

---

(1) A.E., *Mém. et Doc.*, *op. cit.*, f. 325-325 v.
(2) *Ibid.*, f. 325-9. Ci-dessous, p. 156.
(3) A.N., V 7 235, 19 janv. 1724, Commissions extraordinaires du conseil, Concession Chaumont. Arch. Morbihan, Vannes, EN 3910, Min. Kersal, 7 mai, 12 mai 1720. Ci-dessous, p. 188-9 et 197.
(4) A.E., *Mém. et Doc.*, Amérique, I, f. 326 v. B.N., F° fm 17527, p. 8-9, Mémoire pour le Sieur François Willart d'Auvilliers.
(5) B.N., F° fm 17257, p. 6, *op. cit.*, A.N., M.C, Et. LXVI-364, Obligation, 14 sept. 1717.

Mais l'élan des soumissions fut de courte durée. A partir du 24 septembre, la réponse du public devient plus hésitante, et, dans les 12 jours suivants, Étienne Bourgeois n'enregistre plus qu'un chiffre de 1 229 500 livres, essentiellement constitué par des soumissions de faible ou de moyenne importance. Au delà du 6 octobre, les précisions nous font défaut. Nous ne disposons plus dès lors que du bordereau des sommes versées à la Cⁱᵉ d'Occident du 11 au 30 octobre 1717, qui indique un total de 8 900 500 livres tant en billets de l'État qu'en récépissés de la Banque, à peu près entièrement remis du 11 au 16 octobre (1). Dans l'espace de 6 semaines, la Compagnie aurait donc constitué un capital de près de 40 millions de livres, ce qui ne serait pas négligeable, même si l'on tient compte du discrédit des billets de l'État, en comparaison des difficultés qu'avaient éprouvées les compagnies de l'époque de Louis XIV à réunir des fonds moins importants (2).

Dans quelle mesure, cependant, les chiffres accusés du 14 septembre au 6 octobre indiquent-ils des sommes effectivement remises à la Cⁱᵉ d'Occident ? La liste d'Étienne Bourgeois représente « l'état de ceux qui ont fait leurs soumissions » (3), et il ressort d'un arrêt ultérieur du Conseil d'État du roi que, si une partie retirèrent « la quantité d'actions pour lesquelles ils s'étaient obligés », « l'autre partie » ne se présenta même pas « pour y satisfaire » (4). On peut aussi se demander si les quelque 9 millions de livres versés à partir du 11 octobre répondent à de nouvelles soumissions ou ne sont que des rentrées de fonds correspondant aux soumissions des semaines antérieures. Dans un cas, on aboutit bien à un capital de près de 40 millions, chiffre que retient M. Paul Harsin ; dans l'autre, en revanche, le capital réel ne dépasserait pas les 30 millions totalisés au 6 octobre. Il y a là une incertitude que la chronique contemporaine ne fournit pas le moyen de dissiper (5). En réalité, aucun

_____

(1) A.E., *Mém. et Doc.*, Amérique, I, f. 473-6. Les récépissés de la Banque désignent les certificats de dépôt des billets de l'Etat à la Banque, HARSIN, *Œuvres complètes de J. Law*, III, p. 16.
(2) P. HARSIN, *La création de la Cⁱᵉ d'Occident*, p. 18.
(3) A.E., *Mém. et Doc.*, Amérique, I, f. 324-5.
(4) A.C., B 40, f. 215, Arrêt du 12 juin 1718, double de B.N., Ms. F.F. 21778, f. 339 suiv. Pour juger de l'écart qui pouvait séparer le chiffre des soumissions de celui des versements, il suffira de noter que, en juil. 1718, les soumissions atteindront 100 millions de livres, alors que, 2 mois plus tard, les versements ne dépasseront pas 75 millions de livres.
(5) Le *Journal de Dangeau* déclare qu'il y a, le 16 sept., pour plus de 30 millions de souscriptions, ce qui est entièrement démenti par l'état de Bourgeois, et que, le 22 novembre, 30 millions de billets ont été portés à la Cⁱᵉ d'Occident, ce que démentiront également les déclarations ultérieures du

de ces deux chiffres ne paraît pouvoir désigner des versements effectifs. Si l'on observe, en effet, que les premières constitutions de rente qui furent établies au nom de la Cie d'Occident, en février 1718, sont au nombre de 24 (1), il devient évident que, à cette date, elle n'était entrée en possession que de 24 millions de billets, qu'elle avait remis au garde du Trésor, puisque, d'après l'article 38 des Lettres patentes (2), elle devait recevoir un contrat de 40 000 livres de rente pour chaque versement de 1 million qu'elle ferait au Trésor royal. Ni au début de 1718 ni, à plus forte raison, en septembre-octobre 1717, les sommes encaissées par la Compagnie ne pouvaient, dans ces conditions, se chiffrer par 30 millions de livres (3).

Sur le point qui tenait le plus à cœur au régent et au duc de Noailles, celui de la résorption des billets de l'État, on était donc loin des 50 millions prévus, et de longs mois devaient s'écouler avant que ce chiffre fût atteint.

Faut-il invoquer, parmi les causes qui auraient contribué au déclin des souscriptions, l'hostilité latente que Saint-Simon attribue au duc de Noailles envers tous les projets de Law (4) ? Ni Dangeau, ni Balleroy, ni l'auteur présumé (Jean Buvat) de la *Gazette de la régence*, ne partagent ce sentiment (5), et la correspondance du duc de Noailles le montre, au contraire, persistant dans ses dispositions du début, réprouvant les procédés du garde du Trésor qui s'ingénie à contrarier les versements de la Cie d'Occident. En présence des facilités que Noailles fait aux sujets désireux d'acquérir des actions contre les récépissés de la Banque qui ne sont pas entièrement conformes aux prescriptions des Lettres patentes, on ne peut certes pas l'accuser de malveillance envers la Compagnie (6).

Il est plus vraisemblable de supposer que l'objection du Parlement sur l'insuffisance des débouchés proposés pour les billets de l'État avait pu impressionner une partie de l'opinion. La loterie, en dépit d'une amélioration de ses tirages (7), ne pouvait absorber un nombre de billets considérable. La Compa-

---

régent et les contrats de rente passés au nom de la Compagnie. *Journal de Dangeau*, 17, p. 162, 200.
 (1) A.N., M.C., Répertoire de l'étude Ballin, 1718 (Et. XLVIII).
 (2) A.C., A 22, f. 30 v.
 (3) Ci-dessous, p. 41-2.
 (4) *Mémoires de Saint-Simon*, éd. de Boislisle, t. 32, p. 201 ; t. 33, p. 2.
 (5) *Gazette de la régence*, p. 203, 208. *Journal de Dangeau*, t. 17, p. 172. *Les corr. de la marquise de Balleroy*, I, p. 214, 220-1.
 (6) B.N., Ms. F.F. 6942, f. 23, au garde du Trésor royal ; f. 53-53 v, à M. de La Barre, 20 nov. 1717.
 (7) *The Post Man*, 17-19 déc. 1717.

gnie en formait donc le principal débouché. Or, les 50 millions
de retraits qu'on la croyait susceptible d'opérer ne représentaient
qu'une faible partie de la circulation fiduciaire. Et, même si
elle parvenait à retirer cette somme, il pouvait sembler douteux
que l'intérêt qui en proviendrait pût subvenir aux charges du
commerce et de la colonisation. Le 22 octobre, la *Gazette de la
régence* note effectivement qu'on prédit la chute de « l'affaire
du Mississipi » parce qu'il n'est « pas donné à un particulier
avec... d'aussi médiocres fonds de former et de soutenir un tel
établissement » (1). D'autant plus que, le capital ayant été laissé
au hasard des souscriptions, sans qu'on lui eût fixé de valeur
déterminée et sans qu'on eût prévu de date limite pour le payement total des soumissions, il y avait lieu de craindre que la
constitution d'un fonds d'une certaine importance ne s'en
trouvât indéfiniment retardée, et que la Compagnie, faute de
moyens financiers suffisants, ne se vît obligée, comme on l'avait
appréhendé dès le début, de porter préjudice aux actionnaires
en réservant à son commerce les intérêts des années 1718
et 1719 (2). De plus en plus, le sentiment se répandait qu'il importait de « fixer le fonds de la Compagnie » à un niveau assez élevé
pour concilier les besoins du commerce et les intérêts des
actionnaires (3).

Un dernier élément s'ajoutait à cette incertitude : c'était la
question des possibilités réelles de la ferme du contrôle, garante
du capital annuel de la Compagnie (4). En 1717, du fait des
charges qui lui incombaient, et en déduisant du prix du bail les
indemnités et remboursements que le roi devait à ses fermiers,
elle se trouvait, en principe, déficitaire. Elle ne pouvait en
conséquence effectuer de versement à la Cie d'Occident que si
elle sacrifiait une partie de ses obligations, dont la plus onéreuse
était le payement annuel de 1 380 000 livres d'intérêt des billets
de l'État (5). Si, en effet, elle versa cette année-là 250 000 livres
à la Cie d'Occident « par ordre du régent », c'est qu'elle n'avait
encore satisfait que dans une faible mesure à cette obligation (6).
Tous les fonds qui avaient été affectés au règlement de l'intérêt

---

(1) P. 208.
(2) A.C., A 22, f. 41 v, Edit. du roy, déc. 1717.
(3) *Ibid.*
(4) A.E., *Mém. et Doc.*, France, 1257, f. 55, 56, Au contrôleur général
Dodun, 26 mars 1724.
(5) B.N., Ms. Joly de Fleury, 566, f. 233-4, Etat des charges de la ferme du
contrôle pour 1717. A.N., G 7 930, Revenus du Roy, 1717 ; K 886, n° 19,
Revenus des fermes en 1715 et 1717.
(6) B.N., Ms. Joly de Fleury, 566, f. 233-4.

de ces billets n'avaient pu d'ailleurs y satisfaire qu'avec l'aide de la Banque générale, qui avait fait aux porteurs les avances nécessaires : tous se trouvaient par suite grevés envers la Banque d'hypothèques plus ou moins lourdes (1). Il ne semble pas que, ne 1717, la Compagnie ait touché d'autre somme que ces 250 000 livres. Du moins n'avons-nous pu trouver mention d'aucun versement supplémentaire. Apparemment, comme les premiers contrats de rente prévus par les Lettres patentes ne furent établis qu'en février de l'année suivante, la somme lui fut versée, « par ordre du régent », à titre de subside provisoire. Elle ne pouvait figurer une rente permanente : le chiffre même de 250 000 livres, qui ne répond pas au principe des contrats, en exclut la possibilité. C'est avec ce capital initial, si disproportionné aux besoins de la colonie, que la Cie d'Occident engagea ses premières opérations.

Il est logique que, en présence d'une situation aussi incertaine, les souscripteurs éventuels se soient pris à douter de la solidité des avantages que les Lettres patentes semblaient leur promettre. Il apparaissait, pour le cas où il serait souscrit 50 millions d'actions, qu'une seule ferme ne suffirait pas à garantir une rente annuelle de l'ordre de 2 millions. Tous les mémoires relatifs à la situation financière du royaume en 1717 font invariablement ressortir un excédent de dépenses : ils notent surtout que les états des recettes et des dépenses ne tiennent pas compte des charges exactes de la Trésorerie, qu'ils dissimulent notamment un chiffre considérable de « parties arriérées du passé » (plus de 40 millions de livres à la fin de 1717) pour lesquelles il « ne paraît aucun fonds », qui faussent le calcul théorique des revenus du roi, et que ne saurait combler le recouvrement des « restes des impositions » (2). « Le public », observe un mémoire de 1717, « en est pleinement informé, ce qui augmente la défiance et discrédite absolument tous les biens qui sont sur le roi » (3). De là, au moment où ils sollicitent l'augmentation et la fixation du capital, le désir exprimé par les directeurs de la Compagnie que des « fonds réels et solides » assurent désormais le « payement entier des arrérages de rentes » qui correspondront à ce capital (4).

La version de Law que le succès des souscriptions fut compromis par un arrêt du conseil, rendu en dehors de lui peu après

---

(1) *Ibid.*, 566, f. 233 v ; f. 156-7, Fonds pour l'année 1717.
(2) *Ibid.*, f. 174-190, *Mémoire* du 26 déc. 1717 ; f. 193-194 v, Revenus du roy, 1717 ; f. 196-197 v, *Mém. concernant ce qui est dû des années 1715-6-7.*
(3) B.N., Ms. J. de Fleury, 566, f. 175 v, *op. cit.*
(4) A.C., A 22, f. 41 v-42, Edit du roy, déc. 1717.

l'enregistrement des Lettres patentes, qui obligeait les porteurs de billets de les convertir en actions, ne peut être retenue (1). Il n'existe aucun édit, déclaration ou arrêt de cette nature. Peut-être fait-il allusion à l'édit du mois d'août qui stipulait la suppression de l'intérêt des billets, à partir du 1er janvier 1718, pour ceux qui n'auraient pas choisi un des débouchés proposés par le roi. Le Parlement avait répliqué que c'était transformer « en voies forcées » « des voies qui devraient être entièrement libres » (2) : et Law fait le même reproche à l'arrêt présumé du conseil, « fausse manœuvre », dit-il, à la suite de quoi il aurait décidé de « suspendre cette affaire » jusqu'à une date ultérieure (3).

L'affaire, en réalité, ne fut point suspendue. Tandis que les actions d'Occident commençaient à tenir lieu de monnaie, le roi les délivrant en payement aux fournisseurs des armées, quelques souscriptions furent certainement effectuées dans les derniers mois de 1717, puisque Noailles, dans la deuxième moitié de novembre, intervint pour permettre à « différentes personnes » d'acquérir des actions contre remise de récépissés de la Banque (4). Nous savons d'ailleurs que les soumissions ouvertes en septembre furent reçues « au bureau de la caisse de la Compagnie » jusqu'au mois de janvier 1718 inclusivement (5). Enfin, au début de décembre 1717, pour mettre un terme aux facteurs d'incertitude dont se plaignaient les directeurs, le roi accepta de fixer le capital à 100 millions de livres et d'élargir les garanties de payement des arrérages de rente. Un édit fut établi en conséquence, que le duc de Noailles présenta à l'enregistrement le 19 décembre, en faisant valoir au premier président du Parlement qu'il en résulterait « l'extinction d'une partie considérable des dettes de l'État » (6). Les retraits opérés jusque-là n'avaient pu que décevoir son attente, les billets de l'État accusaient un discrédit persistant, que soulignent les journaux anglais (7). En augmentant le capital dans une mesure suffisante pour regagner la confiance du public, il était permis de croire à une amélioration rapide de la situation.

L'édit spécifiait que les 4 millions de rente au denier 25, qui

---

(1) B.N., Ms. F.F., N.A., 1431, *Histoire des finances*, f. 50.
(2) A.N., U 224, f. 739-41, Extr. des reg. du conseil secret du Parlement, 10 sept. 1717.
(3) B.N., Ms. F.F., N.A., 1431, *op. cit.*
(4) B.N., Ms. F.F. 21778, f. 349 et v, Arrêt du Conseil d'Etat, 30 mai 1719; 6942, f. 53-53 v, à M. de La Barre, 20 nov. 1717.
(5) B.N., Ms. F.F. 21778, f. 339-339 v, Arrêt du Conseil d'Etat, 12 juin 1718.
(6) B.N., Ms. F.F. 6942, f. 82, à M. de Mesmes, 19 déc. 1717.
(7) *The Post Man*, January 2-4 1718.

correspondraient au nouveau capital, seraient désormais prélevès sur le produit de la ferme du contrôle, la plus fortement hypothéquée, à raison de 2 millions de livres, et sur celui de la ferme du tabac et de la ferme des postes à raison, respectivement, de 1 million de livres (1). Comme dans les Lettres patentes du mois d'août, les constitutions restaient fixées à 40 000 livres de rente pour chaque versement de 1 million que la Compagnie effectuerait en billets de l'État ou de la Caisse commune, et devaient prendre effet à partir du 1er janvier 1717. Les dispositions concernant l'emploi des arrérages reproduisaient aussi celles déjà établies (2). En cas d'extension de ses entreprises, la Compagnie pourrait en outre procéder à une augmentation de son capital, mais sans que les actionnaires fussent contraints de participer à l'opération. Les nouvelles actions, enfin, ne se distingueraient point de celles des émissions antérieures : les unes et les autres, émises au prix de 500 livres, seraient uniformément datées du 19 septembre 1717, et auraient, en qualité d'actions au porteur, le privilège de l'insaisissabilité (3).

Le Parlement se prononça en faveur de l'édit. Il n'y eut d'objection que sur le fonds assigné sur la ferme du contrôle dont certains conseillers, la jugeant trop onéreuse pour le public, demandaient la suppression (4). L'enregistrement eut lieu le 31 décembre 1717, et, quelques jours après, la *Gazette de la régence*, révisant son jugement du 22 octobre, annonçait que la « Compagnie du Mississipi » va son train et augmente en crédit et en actions, nonobstant ce qu'on avait cru d'abord... » (5).

En fait, l'édit ne détermina nullement l'amélioration espérée. Nous ne savons rien de la situation exacte des soumissions dans le courant de janvier, ni s'il fut alors procédé à des achats d'actions comptant. Mais, à en juger par le capital de 24 millions de livres, inférieur au chiffre des soumissions des 10 premiers jours, qu'accusent au 28 février les contrats de rente passés au nom de la Compagnie (6), les versements de fonds à la caisse d'Occident ne marquèrent aucune reprise après la publication de l'édit. Il n'est plus question ensuite, pendant 2 mois 1/2, de remise de billets de l'État par la Cie d'Occident au Trésor royal, ni, par conséquent, d'augmentation de son capital. Ce n'est que le

---

(1) A.C., A 22, f. 42 v, Edit du roy, déc. 1717.
(2) *Ibid.*, f. 42 v-43 v, ci-dessous, p. 45.
(3) *Ibid.*, f. 43 v, 44-44 v ; f. 53 v-54, Arrêt qui commet..., 31 mai 1718.
A.N., U 361, Extr. des reg. du conseil secret..., Édit de déc. 1717, art. XII.
(4) A.N., U 361, *op. cit.*, 31 déc. 1717.
(5) P. 215-6.
(6) A.N., M.C., Répertoire de l'étude Ballin, 1718.

16 mai 1718 que 2 nouvelles constitutions de rente sont établies, ce qui porte le capital à 26 millions, chiffre toujours inférieur à celui des premières soumissions (1). Le public manifestait une telle lenteur à s'acquitter de ses engagements que, le 21 mai, la Compagnie prévint ceux qui n'avaient pas encore satisfait à leurs soumissions qu'ils ne seraient plus « reçus à prendre (des actions) passé le dernier jour du mois » : et, le 31 mai, plusieurs furent effectivement « rayés du registre du caissier » (2). La menace de radiation n'était certes pas restée sans effet. Du 21 au 31 mai, des versements, dont les gazettes exagèrent l'importance, eurent lieu à la caisse de la Compagnie : ils furent cause de l'établissement, le 11 juin, de 4 constitutions de plus au nom de celle-ci (3). Mais le fait que des radiations aient été effectuées indique que tous les engagements souscrits de *septembre à janvier* n'avaient pas été remplis, que le capital, en conséquence, même augmenté de 4 millions de livres, n'épuisait pas le *chiffre total des soumissions*, et que celui-ci dépassait, dans une proportion que nous ne pouvons préciser, 30 millions de livres.

Au bout de 10 mois d'existence, et en dépit des garanties que l'édit du mois de décembre offrait aux actionnaires, la Compagnie était tout au plus parvenue à constituer un capital à peine supérieur au chiffre des soumissions initiales (4).

La situation s'avérait plus décevante encore sur le plan de l'extinction de la dette publique. Le 2 juillet 1718, dans le bilan qu'il présenta au Parlement, le roi déclara qu'il avait été détruit plus de 36 millions de billets de l'État, total qui comprenait les retraits correspondant à l'ensemble des « débouchés ouverts en 1717 », et dont la part la plus forte revenait à l'action de la Cie d'Occident (5). Une fois de plus, les prévisions du régent se trouvaient en défaut, et le Parlement, prenant acte de l'échec

---

(1) *Ibid.*
(2) A.C., A 22, f. 54, Avis de la Compagnie, 21 mai 1718. B.N., Ms. F.F. 21778, f. 339 v, Arrêt du 12 juin 1718. Gazette de Leyde, 3 juin 1718.
(3) *Gazette de Leyde*, 7 juin 1718. *Lettres historiques*, Amsterdam, t. 53, p. 685. A.N., M.C. Répertoire de l'étude Ballin.
(4) B.N., Ms. F.F. 21778, f. 339-40, Arrêt du 12 juin 1718.
(5) A.N., U 361, Extr. des reg. du conseil secret du Parlement, 2 juill. 1718. A côté des 30 millions retirés par la Compagnie, la vente des petits domaines, au début de juillet, n'a donné que 2 371 231 livres ; la loterie n'aura absorbé au début d'août que 2 millions de livres, et le plafond des rentes viagères a été fixé à 1 200 000 livres. Il faudrait aussi pouvoir tenir compte du reliquat des taxes de la Chambre de Justice et des billets remis aux Monnaies en conséquence de l'arrêt de mai 1718. G 7 930, Etat des aliénations faites... ; U 225, Extr. des reg. du conseil secret..., 19 mars 1718 ; B.N., Ms. F.F. 23673, f. 81, Projet d'arrêt..., 11 févr. 1718, f. 96 v-7, Rapport du garde des sceaux, 7 août 1718. *Journal de Dangeau*, t. 17, p. 128, 163 v, 245-6.

de sa politique, ne tarda pas à faire observer que les quatre débouchés proposés l'année précédente n'avaient pu absorber les 50 millions de billets de l'État dont on avait envisagé le retrait (1).

Depuis le début de 1718, Law se trouvait en butte à une hostilité grandissante qui rendait sa tâche de plus en plus difficile. Ce n'était pas seulement l'hostilité anonyme d'un public aux dispositions changeantes, sujettes aux contrastes les plus déconcertants, dont la *Gazette de la régence* décrit les réactions souvent inattendues (2). C'était l'opposition, bien arrêtée maintenant, du duc de Noailles et du chancelier d'Aguesseau, qui s'était déclarée lorsque Law, s'apprêtant à modifier l'esprit de sa banque générale et de sa compagnie de commerce, avait entrepris de révéler les dispositions de base de son système. La tentative de rapprochement qui eut lieu au début de janvier, à l'instigation du régent, dans le « conseil particulier » tenu chez le duc de Noailles, n'aboutit qu'à exagérer le désaccord (3). C'était enfin l'hostilité de plus en plus ouverte du Parlement, qui, s'autorisant de ce que le souverain, contrairement à sa promesse du 9 septembre, avait suspendu le payement des arrérages des rentes sur l'Hôtel de Ville et des intérêts des billets de l'État et des receveurs généraux, faisait le procès du gouvernement instauré à la mort de Louis XIV, dénonçait les modifications introduites dans la gestion financière du royaume, et demandait que les deniers royaux fussent désormais remis entre les mains des seuls « officiers préposés pour les recevoir » et « d'aucune autre personne », ce qui revenait à condamner l'intervention de la Banque dans la perception des revenus publics (4). Dans ses remontrances du 26 janvier 1718, il s'en prend plus franchement à Law et à ses idées, d'abord en défendant les constitutions de rente comme la source la plus sûre des revenus de la monarchie, ensuite et surtout en s'élevant contre le versement des fonds de l'État dans une « caisse nouvelle » et contre la conversion des « deniers royaux en un genre de billets jusqu'à présent inconnus » (5).

De l'opposition de Noailles et d'Aguesseau, Law vint à bout

(1) A.N., U 226, f. 559 v-60, Extr. des reg... du Parlement, 22 août 1718.
(2) P. 220, 257-60.
(3) A.E., *Mém. et Doc.*, France, 128, f. 11, *Mémoires de Dangeau. Mémoires de Saint-Simon*, éd. Boislisle, t. 33, p. 9-10. P. HARSIN, *Œuvres complètes de J. Law*, p. 328.
(4) A.N., U 225, *op. cit.*, f. 87 v-92 v, 96 v-7, 104-6, 119 v-120, 14 janv., 19 janv., 22 janv. 1718.
(5) *Ibid.*, f. 126-130, 132-5.

par l'appui qu'il trouva auprès du régent : la disgrâce de l'un et de l'autre à la fin de janvier, suivie de l'attribution des finances et des sceaux à d'Argenson, parut laisser le champ libre à ses initiatives (1).

Mais le Parlement, mécontent du peu de succès de ses remontrances, sollicitant sans cesse de nouveaux « éclaircissements », persista dans son hostilité (2). Le « surhaussement » des monnaies décidé par l'édit de mai 1718, qui portait le marc d'argent de 40 à 60 livres, aggrava encore son opposition et suscita des remontrances d'une vivacité accrue, auxquelles il essaya d'associer, dans une tentative d'action concertée contre le pouvoir du régent, les cours de finances, les corps de marchands et quelques-uns des principaux banquiers (3). Traduisant les réactions des milieux populaires, il invoquait contre cette « réformation » monétaire l'augmentation du coût de la vie, qui en serait la conséquence inévitable (4). Dès le début de juin, effectivement, la *Gazette de la régence* note un renchérissement des prix de détail de plus d'un tiers (5). Deux mois plus tard, la hausse commence à paralyser l'exécution des marchés conclus par l'État ou les particuliers : Néret et Gayot demandent que le prix des castors qu'ils viennent de céder à la Cⁱᵉ d'Occident soit relevé en raison de l'augmentation de « toutes les marchandises du royaume » ; en Bretagne, les producteurs de chanvre, à Rochefort et à Lorient les fournisseurs de la marine refusent de tenir leurs engagements si on ne leur permet d'augmenter leurs tarifs « de plus d'un tiers », « à proportion des espèces », comme c'est le cas dans toute la France (6).

De cette situation, le public rejette la responsabilité sur Law, qu'il tient, bien que celui-ci s'en soit défendu par la suite, pour le « premier promoteur » de l'édit (7). Le mécontentement est

---

(1) Saint-Simon, *Mémoires*, t. 33, p. 29-42, 47, 115.

(2) A.N., U 225, *op. cit.*, f. 179-180, 191, 237 v-8, 323-323 v, 327 v, 21 févr., 4 mars, 19 mai, 20 mai 1718.

(3) *Journal de Dangeau*, t. 17, p. 314-6. A.N., U 226, Extr. des reg... du Parlement, f. 368 v-376 v, 14 juin 1718 ; U 361, 27 juin, 30 juin, 16 juill. 1718. U 672, Extr. reg. de la Cour des Aides, f. 95-9, 1 juill. 1718.

(4) A.N., U 226, *op. cit.*, f. 377-409 v, 17 juin-2 juill. 1718. *Gazette de la régence* (J. Buvat ?), p. 258-260, 264.

(5) P. 258-260.

(6) A.M., B 1 30, f. 249-250, conseil de marine, 9 août 1718 ; B 2 251, à Beauharnais, 24 oct. 1718 ; B 3 252, f. 377, Pierre Grey à Clairambault, 7 sept. 1718.

(7) *Gazette de la régence*, p. 258-60, 264. A.E., *Mém. et Doc.*, France, 140, f. 89 v-90, Sur le Sr Jean Law... contr. général des finances. *Le Nouveau Mercure*, janv. 1720, p. 122, confirme la responsabilité de Law dans la « réformation » monétaire de mai 1718. *Lettres historiques*, t. 53, p. 685.

trop profond et trop général contre le financier pour ne pas compromettre momentanément son entreprise. D'autant plus que les intrigues de l'ambassadeur d'Espagne, qui s'efforce, à la faveur de ces divisions, de fomenter un mouvement d'opinion contre le régent et contre les tendances de sa politique étrangère, aggravent simultanément la tension et le malaise (1). Law, dans son *Histoire des finances*, note cette « agitation de la Cour et de la ville » (2) : elle explique dans une certaine mesure le médiocre bilan des souscriptions au début du mois de juin.

En outre, il subsistait, sur la question du capital de la Compagnie, une part d'inconnue qui pouvait faire hésiter bien des souscripteurs. L'édit du mois de décembre, tout en rappelant que les constitutions de rente de la Compagnie auront effet rétroactif à partir du 1er janvier 1717, n'a pas modifié la base du payement des arrérages de cette première année. Les prélèvements conjugués sur les fermes du contrôle, du tabac et des postes, ne concernent que les arrérages des années 1718 et suivantes (3). Pour les intérêts de 1717, il n'est prévu d'autres fonds que ceux déjà « destinés à cet effet », c'est-à-dire les ressources de la ferme du contrôle qui, en majeure partie absorbée par les besoins du Trésor, n'a pu remettre à la Compagnie qu'une somme de 250 000 livres.

Mais nous savons par les papiers de Louis Le Couturier, commis du contrôle général, et de Gilbert Clautrier, avocat au Parlement et secrétaire des finances sous d'Argenson, par les renseignements qu'ils fournirent aux négociants désireux de se porter adjudicataires de la ferme du tabac, que celle-ci, pour suppléer à l'insuffisance des moyens de la ferme du contrôle, fut sollicitée d'avancer à la Compagnie, au titre des intérêts de 1717, 1 million de livres, payables, à partir du 1er janvier 1718, par mensualités de 83 333 livres 6 sols 8 deniers. De janvier à avril, la Compagnie reçut effectivement les 4 premières mensualités, soit une somme de 333 333 livres 6 sols 8 deniers, sur laquelle le roi promettait d'attribuer au fermier un intérêt de 7 1/2 % (4). Nous ne disposons plus ensuite que de renseignements trop morcelés pour pouvoir dire avec certitude si des versements furent effectués au-delà de ce premier « quartier ». Il n'est pas

---

(1) SAINT-SIMON, *Mémoires*, éd. Boislisle, t. 34, p. 56, 103, 149-151, 171-2, 186-7, 225, 240-1, 265-6.
(2) B.N., Ms. F.F., N.A., 1431, f. 62.
(3) A.C., A 22, f. 43
(4) A.N., G 7 1295, Thierry au (garde des sceaux), Paris, 22 avril 1718 ; Texte anonyme sur le bail de la ferme du tabac, mars 1718. Sur G. Clautrier, A.N., M.C., Et. CXXII-549, Donation, 15 déc. 1718.

impossible, cependant, à en juger par un document de la série du contrôle général, qu'ils n'aient pris fin qu'après l'échéance de juillet, ce qui aurait assuré à la Compagnie le bénéfice de sept mensualités (1).

Mais, même si les mensualités avaient continué jusqu'à épuisement du million prévu, elles n'auraient représenté qu'une faible partie des 4 millions d'arrérages de l'année 1717 : et il ne pouvait être question de prélever la différence sur la ferme du contrôle qui, aux termes de l'édit de décembre 1717, devait déjà subvenir à une dépense de 2 millions de livres pour les arrérages de 1718. Si bien que la Cie d'Occident n'avait aucune perspective de toucher les 4 millions qui lui avaient été promis pour l'année écoulée, et qui, en principe, devaient constituer le seul fonds applicable à son commerce. Ainsi s'expliquerait le reproche que Law et Dutot adressent à Noailles d'avoir saisi le fonds de la première année (2). Il n'y eut pas de saisie à proprement parler, mais le fait qu'on ait assigné à l'origine sur la ferme du contrôle des fonds retenus pour le Trésor royal, et qui ne furent pas détournés de leur destination, tint effectivement lieu de saisie. Celle-ci n'atteignit d'ailleurs pas la totalité du fonds de la première année puisque la Compagnie perçut, d'une part, 250 000 livres de la ferme du contrôle, et d'autre part, 4 mensualités au moins de la ferme du tabac.

Même pour les arrérages de 1718, que garantissaient en principe des fonds « réels et solides », imputés sur les trois fermes du contrôle, des postes et du tabac, la situation n'était pas entièrement nette (3). Nous ne savons pas si les fermes du contrôle et des postes acquittèrent cette année-là leurs quotes-parts respectives pour la constitution de ce capital de 4 millions de livres : nous n'avons pu trouver aucune indication de versement sur les états de la ferme des postes ni sur les bordereaux

---

(1) A.N., G 7 1295, Etat de la situation présente de la ferme du tabac. Le document accuse un versement par le fermier de 83 333 l, 6 s., 8 d. en juill. 1719, ce qui ne peut être qu'une notation erronée pour 1718, car, en 1719, Law détenant l'adjudication de la ferme, les mensualités étaient hors de question. Et, si un versement eut lieu en juill. 1718, il est logique de croire qu'il ne fut pas isolé et que les échéances de mai et juin avaient été « remplies » comme celles des mois précédents. Au-delà de juillet, les mensualités devaient s'interrompre, puisque Law prit le bail du tabac à son compte le 1er août. Il est vrai que, le bail en cours ayant été cassé le 10 mai 1718, il paraîtrait aussi logique de supposer que le fermier évincé suspendit alors ses versements.

(2) P. Harsin, *Œuvres complètes de J. Law*, III, p. 188.

(3) B.N., Ms. J. de Fleury, 566, f. 208-208 v, Observations sur... les fonds de la présente année 1718 ; f. 233-5, Etat des charges de la ferme du contrôle pour 1717.

des recettes et dépenses du Trésor (1). Quant à la ferme du tabac qui, aux termes du bail en cours et déduction faite de ses charges envers le Trésor, ne disposait que d'un million de livres, elle ne pouvait faire face au payement d'une somme de 2 millions, applicable par moitié aux arrérages de 1717 et de 1718, que si le roi contractait à son égard une obligation de remboursement qui eût absorbé, en presque totalité, le produit du bail de l'année suivante (2).

Au début de 1718, il semble que les fermiers du tabac aient fait quelque difficulté à s'acquitter de leurs engagements envers la Compagnie. Dans la première semaine de mars, en effet, ils avaient déjà versé deux mensualités sur le million concernant les arrérages de 1717, mais rien encore sur celui relatif aux arrérages de 1718, qu'ils auraient dû payer, comme le premier, de mois en mois, à partir du 1er janvier, *sans attendre que le capital de la Compagnie eût atteint le chiffre de 100 millions* (3). Pour en finir avec ces lenteurs, on envisageait de leur réclamer le payement immédiat de 500 000 livres : ils acquittèrent peu après la moitié environ de cette somme (4). En fait, la modicité du bail de la ferme du tabac ne répondait pas aux ressources réelles de celle-ci. Pour clarifier la situation, pour mettre la ferme en mesure de fournir une aide financière plus efficace, il eût fallu, en procédant à une nouvelle adjudication du bail, accroître ses redevances envers le Trésor. La Compagnie, pour le moment, n'avait pas de base financière assez sûre pour se faire dèfinitivement accréditer dans le public.

Ajoutons que, parmi les souscripteurs possibles, un certain nombre, n'ayant pu toucher les billets de l'État dont le Trésor leur était redevable, n'avaient pas les moyens d'achat nécessaires. Plusieurs de ceux qui venaient d'être rayés se trouvaient dans ce cas, ainsi que de nombreux officiers de la marine royale, dont les arriérés d'appointements restaient par suite en souffrance (5).

Bref, un ensemble de circonstances paralysent le succès

(1) A.N., G 7 934-965, Bordereau de la recette et dépense... du Trésor royal ; 1303, Ferme générale des postes, 1717-9.

(2) Le prix du bail était fixé pour 1718 à 2 200 000 livres que 18 000 livres de charges réduisaient à 2 182 000 livres, destinées aux rentes de la Cⁱᵉ d'Occident (1 million) et à la maison de la duchesse de Berry (1 182 000 livres). A.N., G 7 1295, Texte anonyme sur le bail de la ferme du tabac, mars 1718. B.N., Ms. J. de Fleury, 566, f. 208, Observations sur les articles... du fonds de 1718.

(3) A.N., G 7 1295, *op. cit.*

(4) *Ibid.*, Thierry au garde des sceaux, 22 avril 1718.

(5) B.N., Ms. F.F. 21778, 339, Arrêt du... 12 juin 1718. A.M., B 1 33, f. 173 v, conseil de marine, 7 mars 1718.

financier de la Cie d'Occident, immobilisent les versements et
donnent bien le sentiment que l'affaire est suspendue (1). Pas
plus que dans les derniers mois de 1717, le terme, cependant,
ne doit être pris à la lettre, puisque la Compagnie, dans cette
période d'attente, et en dépit de l'insuffisance de ses moyens,
commence à s'occuper de la Louisiane, arme ses premiers navires,
enregistre de nombreuses demandes de concessions au Mississipi.
Et, au début de février, avant même l'établissement des premiers
contrats de rente, elle complète son organisation par la substitution de Jacques Deshayes à Urbain de La Barre en qualité
de caissier et par l'adjonction de trois nouveaux directeurs, les
négociants Louis Boyvin d'Hardancourt et Élizée Gilly de
Montaud, et l'intendant de la marine et inspecteur des classes,
Antoine-Denis Raudot, que les questions de géographie coloniale
et le grand problème de la mer de l'Ouest intéressent depuis
longtemps, et qui se distinguera par sa connaissance de la Louisiane (2). Mais, si l'on excepte l'édit du 21 mai et la menace de
radiation envers ceux qui n'ont pas satisfait à leurs engagements,
aucune mesure n'a été prise, dans les cinq premiers mois de 1718,
pour accélérer les remises de fonds à la caisse de la Compagnie.

C'est seulement le 31 mai qu'intervient un arrêt qui, en
prescrivant au caissier de signer le nombre d'actions nécessaire
pour atteindre les 100 millions de livres fixés par l'édit de
décembre 1717 (il n'en avait encore été signé que pour 44 millions
de livres), paraît bien indiquer l'intention de sortir de cette
attente (3). Quelques jours après, le régent, par égard pour ceux
qui, faute d'avoir perçu leurs billets de l'État, n'avaient pu
honorer leurs soumissions, décidait de rapporter les radiations
et de prolonger le délai de payement jusqu'au 31 octobre, mais
en exigeant le versement immédiat du 1/5 des sommes correspondant à leurs soumissions : ce fut l'objet de l'arrêt du 12 juin,
qui permettait en outre à quiconque voudrait « s'intéresser au
commerce de la Compagnie » de souscrire suivant les mêmes
modalités. L'arrêt reprenait ainsi, en l'appliquant indistinctement aux souscripteurs du début et aux « nouveaux acquéreurs »,
le système de la soumission, interrompu depuis la fin de janvier.

---

(1) B.N., Ms. F.F., N.A., 1431, f. 62, J. Law, *Hist. des finances. Lettres
historiques*, 1720, t. 57 p. 330.
(2) A.C., A 22, f. 46 v-7, 47 v-8, Arrêts des 8 et 15 févr. 1718. B.N., Ms.
F.F. 11332, f. 145-9, Acte de cession... de la côte du Sénégal, 15 déc. 1718,
f. 268, Aliénation de la ferme du tabac, 19 nov. 1723. A. Girard, La réorganisation de la Cie des Indes, *Rev. d'hist. mod. et contemporaine*, t. XI, 1908-9,
p. 28-9.
(3) A.C., A 22, f. 53 v-54, Arrêt du 31 mai 1718.

Mais, pour ne plus exposer les versements aux lenteurs des mois précédents, une date limite leur était assignée : ceux qui ne s'y conformeraient point perdraient au profit de la Compagnie le 1/5 déposé à la souscription (1). Le texte ne fut porté à la connaissance du public que le 25 juin, et, pour mieux assurer la confiance des souscripteurs, pour les prémunir définitivement contre l'exercice du droit d'aubaine, il fut stipulé que les soumissions ne seraient plus consignées sur un registre, comme elles l'avaient d'abord été, et que les promesses d'action qui seraient délivrées avec la quittance du premier versement seraient, aussi bien que les actions, libellées au porteur (2).

Les souscriptions entrèrent alors dans leur phase décisive, ce que Law exprime en disant que « l'affaire » ne fut reprise qu'au début de juillet (3). D'après les édits officiels, quelques jours suffirent pour que le total des soumissions atteignît le chiffre de 100 millions de livres : et dès le 15 juillet, les mémoires de Dangeau annoncent que le fonds est « entièrement rempli » (4). Mais il faut attendre le 28 septembre pour que de nouveaux contrats de 40 000 livres de rente, au nombre de 45, soient établis par-devant notaire au profit de la Cᵢᵉ d'Occident (5), ce qui suppose la remise au Trésor royal de 45 millions de billets provenant des souscriptions, et porte le capital de la Compagnie, compte tenu des 30 millions antérieurement totalisés, à 75 millions de livres, soit un écart de 25 millions par rapport au chiffre des soumissions enregistré 2 mois et 1/2 plus tôt. Comme la différence, nous disent les textes officiels, s'expliquait cette fois par la négligence des « nouveaux acquéreurs », dont beaucoup laissaient en souffrance au Trésor royal les billets qui leur étaient dus « pour fournitures ou autrement », un dernier délai leur fut accordé jusqu'au 31 décembre (6). A cette date, les versements totalisèrent enfin la somme de 100 millions de livres, et les 25 derniers contrats de rente furent passés le 16 janvier 1719 dans l'étude Ballin et Lefèvre (7).

(1) *Ibid.*, f. 54 v-55, Arrêt du 12 juin 1718. B 40, f. 215-7, reproduit le texte de l'arrêt. P. Harsin, *Œuvres complètes de J. Law*, III, p. 339.
(2) A.C., A 22, f. 53, Arrêt du 12 juin, f. 55 v, Arrêt du 28 juin 1718. A.N., V 7 235, f. 17-17 v, Procès-verbal... des registres de la Cᵢᵉ des Indes, 24 avril 1721.
(3) B.N., Ms. F.F., N.A., 1431, f. 62, J. Law, *Histoire des finances sous la régence.*
(4) *Journal de Dangeau*, t. 17, p. 342. A.C., A 22, f. 72 v, Arrêt du 22 sept. 1718. *Gazette de Leyde*, 29 juill. 1718. *Nouveau Mercure*, juill. 1718, p. 198-9. *The Post Man*, july 10-12, 15-17 1718.
(5) A.N., M.C., Répertoire de l'étude Ballin (les minutes font défaut).
(6) A.C., A 22, f. 72 v-3, *op. cit.*
(7) A.N., M.C., Répertoire de l'étude Ballin. V 7 235, f. 227 v-228 v, Inv. des registres de la Cᵢᵉ des Indes, 4 juill. 1722. *Nouv. Mercure*, janv. 1720, p. 137-8.

Une année avait donc été nécessaire pour réaliser le capital
fixé en décembre 1717. Mais, depuis la mi-juillet, le succès de
l'opération était virtuellement acquis. En dépit de l'Anti-
Système, que les frères Paris avaient monté en septembre 1718
avec la protection de d'Argenson, et qui se proposait d'émettre
100 000 actions de 1 000 livres garanties par le revenu des fermes
générales, en dépit de l'hostilité de d'Argenson qui n'avait pas
tardé à engager contre Law une opposition sournoise, la Compagnie, à la fin du mois de septembre, avait constitué les 3/4 de
son capital. Law attribue ce résultat au crédit grandissant de
sa banque, aux possibilités de gain que les actions offraient aux
souscripteurs, autant d'arguments qui auraient pu aussi bien
jouer dans les mois précédents (1).

L'évolution de la situation politique paraîtrait un motif plus
plausible. Après une période de tension croissante avec le Parlement, qui ne cesse de dénoncer l'édit monétaire du mois de mai
et l'intervention de Law dans la gestion financière du royaume,
et réclame le retour de la Banque au statut de banque privée,
le roi finit par résoudre le conflit dans l'épreuve décisive de force
du mois d'août (2). Il met un terme aux entreprises du Parlement
en lui interdisant d'engager avec les autres cours une action
solidaire contre le pouvoir monarchique, en cassant les arrêts
qu'il a prononcés contre le « gouvernement de l'État », en limi-
tant enfin ses initiatives en matière de remontrances, qui se
trouvent désormais réduites à une formalité illusoire (3). Succédant à la séance du 22 août, au cours de laquelle le Parlement a
exprimé sa volonté de se faire communiquer « un état au vrai »
des billets supprimés par le souverain, le lit de justice du 26
confirme les décisions de la monarchie et restaure l'absolutisme
momentanément compromis par les concessions que le régent
avait faites à son avènement, tandis que, au même moment,
la conclusion de la Quadruple Alliance renforce le pouvoir de
celui-ci contre les prétentions éventuelles du roi d'Espagne à la
Couronne de France et contre les intrigues de son ambassadeur (4). En consolidant la position du régent, les événements

(1) B.N., F.F., N.A., 1431, f. 62-3, op. cit. A.E., Mém. et Doc., France,
140, f. 100-101, Sur le Sr Jean Law... Cr. général des finances.
(2) A.N., Extr. des reg... du Parlement, U 226, f. 523, 18 août 1718 ; U 361,
30 juin, 26 juill., 12 août 1718. Buvat (?), Gazette de la régence, p. 273-4. Journal
de Dangeau, t. 17, p. 357.
(3) A.N., Extr. des reg... du Parlement, U 226, f. 556-9 ; U 361, Arrêt du
Conseil d'Etat, 21 août 1718. Les correspondants de la marquise de Balleroy,
I, p. 339.
(4) A.N., Extr. des reg..., U 226, f. 559 v-60, 22 août 1718 ; U 362, Lettres

servent aussi bien la cause de Law, ils écartent la longue opposition du Parlement à ses projets, et apportent au public une
garantie nouvelle de confiance dans l'avenir de sa Compagnie
et de ses actions (1). Celles-ci sont encore loin du pair de l'argent :
leur cours ne s'exprime pas en numéraire, il se calcule par comparaison avec celui des billets de l'État (2). Pourtant, l'agitation
passée, l'autorité du régent de nouveau affermie, leur cote s'améliore, et quelques indices tendent à prouver que le titre commence
à être recherché. Le Sieur Law, écrit le 23 septembre 1718
la *Gazette de la régence*, qui souhaitait sa perte quelques jours
plus tôt, est « maintenu sur son trône mieux que jamais » (3).

Pour expliquer la reprise des souscriptions, il faut aussi
considérer les facilités d'achat que l'édit du 12 juin faisait au
public en lui accordant un délai prolongé pour le payement
définitif de l'action, l'entière certitude d'insaisissabilité qu'il
donnait aux acquéreurs et le fait que la Compagnie commença
de verser au début de juillet l'intérêt des actions. Il faut tenir
compte de l'édit monétaire de mai 1718 qui, en proposant de
recevoir dans les Monnaies, en billets de l'État, 2/5 des sommes
qu'on y porterait en espèces pour les opérations de refonte, en
offrant ainsi un débouché de plus aux billets, invitait le public
à s'en défaire et répandait le sentiment que, dans le cas contraire,
le gouvernement procéderait à leur annulation (4). Dans l'opinion
du *Post-Man*, cette appréhension aurait été une des causes du
succès des souscriptions, car le public aurait préféré échanger
ses fonds contre des actions pleines de promesses plutôt que de les
remettre, à un cours encore très bas, aux Hôtels des Monnaies (5).
La Compagnie, effectivement, en absorba en quelques mois
70 millions de livres contre moins de 35 millions qui furent reçus
en un an par la Monnaie de Paris. Toutefois, si l'on ajoute les
sommes perçues en province, le total réel se trouve porté, pour
la même période et pour l'ensemble des Monnaies du royaume,
à plus de 111 millions de livres (6).

pat. données à Paris le 26 août 1718. *Mémoires de Saint-Simon*, éd. Boislisle,
t. 34, p. 265-278.
(1) B.N., Ms. F.F., N.A., 1431, f. 64-5, *op. cit.* Duclos, *Mémoires secrets
sur le règne de Louis XIV...*, Paris, 1864, I, p. 351.
(2) B.N., Ms. F.F., N.A., 1431, f. 64-5, *op. cit.*
(3) *Gazette de la régence*, p. 287. *Gazette de Leyde*, 6 sept. 1718. *Nouveau
Mercure*, juill. 1718, p. 198-9. *Lettres historiques*, t. 54, p. 225-6. A.N., G 7 778,
15 oct. 1718, L'électeur de Cologne, Mme du Harlay au régent.
(4) *Journal de Dangeau*, t. 17, p. 314-316.
(5) *The Post-Man*, july 10-12, 15-17 1718.
(6) B.N., Ms. Joly de Fleury, t. 566, f. 199, Etat du travail fait dans les
monnaies du royaume.

Il faut surtout faire la part des nouveaux accords financiers d'août-septembre 1718. Lorsque la Compagnie, au début de juillet, entreprit le payement des 6 premiers mois d'intérêt des actions, à 4 %, elle assuma une charge qui représentait, répartie sur l'ensemble du deuxième semestre, une somme de 2 millions de livres (1). La dépense eût exigé l'attribution complète et régulière des arrérages dont les fermes du contrôle, des postes et du tabac avaient la responsabilité. Or, nous savons quelles incertitudes persistaient à cet égard, d'autant plus que, en hypothéquant les fermes de l'État, le roi amoindrissait ses revenus : l'augmentation de déficit que les états de prévision des finances accusent pour l'année 1718 provient en partie des diminutions qui correspondent aux prélèvements proposés sur ces fermes pour les besoins de la Cie d'Occident (2). Une solution nouvelle paraissait nécessaire qui garantît plus sûrement le fonds annuel de la Compagnie sans affecter dans la même mesure les ressources du Trésor. Elle intervint lorsque la Cie d'Occident, le 1er août 1718, se rendit adjudicataire de la ferme du tabac sous le nom de Jean Lamiral (ou Ladmiral) (3). La mesure fut suivie de la nomination de 4 nouveaux directeurs, Paris-Duverney, de La Roche Céry, Charles Barré, François Berger, choisis en raison de leur expérience de la régie du tabac, mais qui se retirèrent dès le mois de janvier 1719 (4). Le bail, établi pour une durée de 9 ans, à partir du 1er octobre 1718, par arrêts du conseil des 4 et 16 septembre, fut porté, sur la proposition de la Cie d'Occident, de 2 200 000 à 4 020 000 livres : quelques jours plus tard, le Parlement enregistra sans discussion l'édit définitif (5).

L'accord, aisément réalisé, répondait au vœu que beaucoup formulaient depuis plusieurs années en faveur d'une augmentation du bail du tabac. Du vivant même de Louis XIV, une compagnie que protégeait le duc du Maine avait offert une surenchère de 5 à 600 000 livres par an : elle accusait les fermiers de dissimuler la réalité de leurs bénéfices et condamnait l'esprit

(1) A.C., A 22, f. 57-8, Etat de distribution... des intérêts... *Gazette*, Paris, 1718, p. 336. *Gazette de Leyde*, 22 juill. 1718.
(2) B.N., Ms. Joly de Fleury, 566, f. 160-170, Etat sommaire des fonds... pour... 1717 ; f. 174-175 v, *Mémoire* du 26 déc. 1717 ; f. 208-212, *Mémoire d'observations sur les fonds...* de 1718. A.N., K 886, n° 25, Rapport de déc. 1717.
(3) A.C., A 22, f. 58, Déclaration faite par le Sr Mignot, 2 août 1718.
(4) A.C., A 22, f. 58 v, Arrêt du 2 août 1718 ; f. 98, Arrêt du 27 janv. 1719. A.N., KK 1005 D, f. 124, Discours de Paris de La Montagne... à ses enfants.
(5) A.C., A 22, f. 74 v, Arrêt du... 4 sept. 1718 ; f. 77-9, Arrêt du 16 sept. 1718 ; f. 82-88, Lettres patentes du 26 sept. 1718. A.N., Extr. des reg... du Parlement, U 361, 13 sept. 1718 ; U 362, 17 mars 1719.

intéressé dans lequel ils géraient leur ferme, leur politique d'abandon des plantations françaises des Iles et de Saint-Domingue et des « crus » du royaume au profit des tabacs étrangers, dont l'importation les enrichissait (1). Après la mort du roi, en 1716, et de nouveau en 1717, elle avait repris sa campagne, toujours soutenue par le duc du Maine, auquel d'autres protecteurs s'ajoutaient, notamment le duc d'Albret, grand prieur de France, et le M^{al} d'Estrées, mais en proposant des conditions plus élevées, calculées sur un rapport annuel de la ferme qu'elle croyait pouvoir estimer à près de 6 millions de livres. Elle dénonça à la Chambre de Justice les irrégularités et les malversations des fermiers en exercice, et sollicita du régent et de Noailles la cassation du bail dans de nombreux mémoires où elle liait les trois arguments qu'elle produisait à l'appui de sa demande : la plus-value annuelle de la ferme, la restauration des plantations antillaises et des « crus » de Clérac et de la vallée du Rhône, naguère assez riches pour disposer d'un excédent d'exportation pour les villes italiennes et portugaises, l'abaissement enfin des prix de vente intérieurs par la réduction des importations étrangères (2). L'idée maîtresse de ces mémoires, celle d'une revalorisation de la ferme du tabac, se retrouve, étayée sur les mêmes arguments, dans les propositions d'une compagnie de négociants de Lyon, Paris et Saint-Malo, qui, en 1717 et 1718, offre à son tour de se porter adjudicataire à raison de 3 millions par an (3). Elle fut sur le point de l'emporter. C'est à son intention, semble-t-il, que le régent cassa le bail de Guillaume Filz, le 10 mai 1718, plus de 3 ans avant la date légale de l'expiration (4).

Mais, du fait de ses hautes protections, l'enchère resta à

---

(1) A.N., G 7 1295, A Mgr Desmaretz, *Mémoire général*, nov. 1714 ; *Mémoire sur la ferme du tabac.* — A.C., C 9 A 15, Grandhomme au Cte de Toulouse, 27 juin 1718.

(2) A.N., G 7 1295, *Mémoire secret et très important au duc de Noailles,* par du TERTRE, févr. 1717 ; *Mémoire sur la ferme générale du tabac ; Le duc d'Albret au duc de Noailles,* 11 sept. 1716 ; *Soumission donnée à S. A. R... en mars 1717 pour le duc de Saint-Simon... ; Mémoire au sujet de la régie irrégulière du fermier ; Réflexions dernières et très importantes sur la ferme du tabac ; A S. A. R. Mgr le Duc d'Orléans, régent...*

(3) A.N., G 7 1295, Copie du pouvoir envoyé au (garde des sceaux ?) 16 mars 1718 ; Proposition concernant la ferme du tabac, 13 mars 1718. M 1024, Chemise VI, Proposition concernant la ferme du tabac. — *Gazette de Leyde,* 22, 25 mars 1718.

(4) A.N., G 7 1295, Copie du pouvoir... ; Thierry au (garde des sceaux), 22 avril 1718. M 1024, chemise VI, Proposition concernant la ferme du tabac. — A.C., A 22, f. 77, Arrêt du 16 sept. 1718. Le nom de Filz s'orthographie aussi bien Fils ou Fitz, A.N., M.C., Et. XX-456, Quittance de Guillaume Filz, 12 janv. 1718.

la Cⁱᵉ d'Occident, et le succès de Law renversa la vieille notion
de la ferme asservie aux intérêts d'hommes d'affaires, de « fermiers financiers », qui s'en appropriaient les principaux bénéfices (1) : en doublant le prix du bail, Law affirmait — une des
idées les plus fécondes de son Système, mais qui ne manquait
pas de précurseurs — les possibilités réelles d'une des fermes
du roi contre l'opinion de Paris-Duverney et des 3 nouveaux
directeurs qui, intéressés dans le bail précédent, personnifiaient
la conception traditionnelle (2). Cette conception, les frères
Paris, *apparemment*, avaient essayé de la perpétuer en deman-
dant à leur tour l'adjudication de la ferme sans autre engagement
que de « prendre à la décharge de l'État 110 millions de ses
mêmes billets », après quoi, affranchis de toute redevance ultérieure et sans aucune obligation de contrepartie, ils auraient eu
pleine latitude de l'exploiter à leur seul profit pendant 20 ans (3).

L'édit de septembre 1718 dégrevait la ferme du contrôle et
la ferme des postes des 3 millions de livres qu'elles devaient
fournir à la Cⁱᵉ d'Occident. Il libérait ainsi des fonds qui seraient
désormais acquis au Trésor royal ou affectés au payement des
rentes sur l'Hôtel de Ville (4). En échange, la Compagnie recevait
l'entière disposition de 4 millions de livres sur le bail du tabac,
le roi se réservant seulement les 20 000 livres de surplus. Elle
retrouvait donc la rente annuelle correspondant au capital
souscrit, tandis que, grâce à l'augmentation des redevances de
la ferme du tabac, le Trésor bénéficiait, par rapport aux accords
antérieurs, d'une sensible réduction de ses charges envers la
Compagnie. En assumant enfin la gestion de la ferme, sans rien
avoir à débourser pour le payement du bail (5), la Compagnie
avait la certitude de pouvoir disposer chaque année d'un apport
de fonds régulier qui solderait l'intérêt de ses 200 000 actions.
Et, si elle parvenait, suivant les promesses de Law, à porter le
revenu de la ferme au-delà du prix du bail, elle pourrait aussi
constituer un capital utile pour son entreprise coloniale.

---

(1) A.N., G 7 1295, Proposition concernant la ferme du tabac (Clautrier),
13 mars 1718; *Mémoire sur l'origine de la ferme du tabac*, à Desmaretz, nov. 1714,
qui indique la collusion entre les fermiers du tabac et les financiers accrédités
de la Cour de Louis XIV.
(2) A.N., KK 1005 D, f. 122-3, Discours de Paris de La Montagne... Dᴜᴛᴏᴛ,
Réflexions politiques sur les finances et le commerce, éd. Harsin, I, p. 213-4.
(3) A.N., G 7 1295, A S. A. R. Mgr le Duc d'Orléans, régent...
(4) A.C., A 22, f. 75-6, Edit... concernant la ferme... du tabac, sept. 1718. —
Recueil d'arrêts... pour l'établissement de la Cⁱᵉ d'Occident, Amsterdam, 1720,
p. 60-62.
(5) A.N., G¹ 6, Bail de la ferme... du tabac fait à Ed. Verdier, 19 août 1721,
f. 6.

L'acquisition de la ferme du tabac, en d'autres termes, protégeait les actionnaires, tout en modifiant profondément l'invraisemblable conception de cette compagnie de commerce chargée de la mise en valeur d'une colonie à l'échelle d'un continent, avec, pour tout capital, une rente annuelle de 4 millions de livres entièrement et obligatoirement destinée à couvrir l'intérêt des actions ! Les perspectives de profit de la ferme permettraient de résoudre, en partie au moins, cette contradiction : les chiffres que nous a transmis Dutot, le caissier de la Cie des Indes, démontrent que les possibilités que Law lui attribuait contre l'opinion de Paris-Duverney, si elles n'allaient pas sans une certaine exagération, n'étaient pas supposition purement gratuite (1). Par la suite, lorsque la Cie des Indes, après la liquidation du Système, se trouva ramenée au rang d'une simple compagnie de commerce, c'est dans cette ferme que les intérêts des actionnaires trouvèrent leur garantie la plus sûre.

Ces changements, coïncidant avec la remise que le roi fit à la Compagnie des droits sur le commerce du castor (2), contribuèrent certainement à l'activité des souscriptions du mois de juillet. Les enchères dont la ferme du tabac était l'objet depuis le mois de mai, date de la résiliation du bail en cours, le sentiment qu'elles se faisaient pour la Cie d'Occident (3), créaient à l'égard de celle-ci des dispositions favorables, et, lorsque le bail lui eût été officiellement cédé, « le public », écrivent les *Lettres historiques*, « persuadé du profit qu'il y avait à faire pour la Compagnie... par l'exemple des fortunes considérables » des anciens adjudicataires, « s'empressa de placer ses fonds dans le nouvel établissement » (4). De préférence à l'aliénation de 4 millions de rente, Law, en réalité, eût souhaité obtenir, en contrepartie des 100 millions de billets de l'État qu'il devait remettre au Trésor, l'aliénation définitive de la ferme du tabac, afin de fournir à sa Cie d'Occident la base financière durable qu'exigeaient des projets de commerce et de colonisation onéreux et à longue échéance (5). L'attribution de la ferme pour une période prolongée n'en modi-

---

(1) Dutot, *op. cit.*, II, p. 224-233. — A.N., KK 1005 D, f. 122-124, *op. cit.*; G¹ 106, Fermes générales, 3ᵉ division, nº 7, *Mémoire sur la ferme du tabac*. — A.E., *Mém. et Doc.*, France, 1267, f. 195, Produit de la vente du tabac, 1730.
(2) A.C., A 21, f. 120-122, Arrêt en faveur de la Cie d'Occident concernant le castor, 11 juill. 1718 ; C 11 A 39, f. 252 v-3, 260-1, Requête de la Cie au régent, au comte de Toulouse, 1718, 20 juin 1718. — *Lettres historiques*, t. 57, p. 330-1.
(3) *Gazette de Leyde*, 31 mai, 29 juill., 2, 12, 16, 19, 23 août 1718.
(4) *Lettres historiques*, t. 57, p. 330-1. *Nouveau Mercure*, janv. 1720, p. 137-8.
(5) A.N., KK 1005 D, f. 122-3, Discours de Paris de La Montagne... A.C., A 22, f. 78 v, 82, Arrêt... du 16 sept. 1718.

fiait pas moins dans une mesure appréciable la situation à son
avantage. En prenant l'adjudication, Law faisait le premier pas
vers la pleine réalisation du Système dont il avait exposé les
grandes lignes quelques mois plus tôt. C'était le premier terme
d'une politique qui, en groupant sous son autorité tous les
revenus publics du royaume, devait lui permettre d'élargir
l'action de la Compagnie et d'en refondre la conception initiale.

Pour les colonies, pour la Louisiane surtout, il semblait que
le changement de bail dût avoir d'importantes répercussions.
L'obligation qu'elle fit inscrire dans les clauses du bail, pour
les futurs adjudicataires, de « fournir le royaume de tabac... des
colonies françaises », et d'importer de Louisiane la moitié de
la consommation intérieure, l'engagement qu'elle prit pour sa
part de remplir les mêmes conditions à partir de 1721, attestaient
chez la Compagnie qui, en même temps, faisait admettre pour
les tabacs coloniaux des tarifs identiques à ceux des tabacs
étrangers, l'intention de rétablir dans les Iles la culture dont on
déplorait la régression et de l'introduire activement au Mississipi (1). Non moins significative, la clause, voulue par la Compagnie, qui réservait aux seuls navires français le transport du
tabac en provenance des colonies, répondait au reproche que
l'on faisait aux fermiers d'avoir compromis la navigation du
royaume par les importations abusives de tabacs étrangers (2).
En sollicitant l'adjudication, Law, incontestablement, obéissait
à des vues « utiles à l'État » (3).

La cession du bail, d'autre part, sera bientôt pour lui l'occasion de tenter l'abrogation du privilège exclusif de la vente pour
revenir à l'ancien principe de la perception d'un droit d'entrée
sur le tabac. Dès 1715, dans son mémoire sur le « rétablissement
du commerce », il avait critiqué le « parti du tabac » et préconisé
l'abandon du monopole, où il voyait la cause de la ruine des
plantations coloniales, aussi bien que les habitants des Iles qui,
en 1717, exprimaient sans hésitation leurs préférences pour le
« tabac marchand » (4). En 1718, Law reste fidèle à son idée.
Et, avant même que le bail n'entre en vigueur, il propose à

(1) A.C., A 22, f. 74-74 v, Arrêt du 4 sept. 1718 ; f. 79-82, Arrêt du
16 sept. 1718. — Dutot, op. cit., II, p. 232.
(2) A.N., M 1024, Chemise VI, Proposition concernant la ferme du tabac.
(3) Forbonnais, Recherches et considérations sur les finances de France,
II, p. 589.
(4) A.N., K 883, n° 2 A, F. Léger de Villion, Mémoire pour les finances,
f. 21-21 v. G 7 1295, de La Boulaye, Sur les profits immenses des fermiers
généraux du tabac, 24 févr. 1718. M 1024, Chemise VI, Proposit. concernant la
ferme du tabac. — A.M., B 1 20, f. 22 v-23, Mémoire sur le tabac présenté par
les habitants des Iles.

l'assemblée des directeurs d'en faire l'application (1) : il pose ainsi un principe essentiel dans la conception générale de son Système, aussi important par les facilités qu'il pourra donner aux opérations des commerçants, libérés des entraves du monopole, que par la simplification qui en résultera dans la gestion de la ferme.

Mais, qu'il s'agisse du retour à la liberté du commerce du tabac ou de l'installation de sa culture en Louisiane, les idées de Law, dès qu'elles furent connues, suscitèrent de vives objections. Contre le principe de la conversion de la ferme en un droit d'entrée, on fit ressortir qu'il se solderait par une diminution du produit annuel et par une recrudescence de la fraude, surtout dans un royaume que l'étendue de ses frontières exposait à de si fréquents contacts avec les crus étrangers : autant d'arguments que Paris-Duverney avait déjà invoqués dans un esprit intéressé, mais que les faits devaient en grande partie justifier (2). Contre le projet de répandre la culture du tabac en Louisiane, l'opposition venait de ceux qui prétendaient à l'adjudication de la ferme et qui redoutaient, pour leur programme de restauration des plantations de Saint-Domingue et des Iles, la concurrence du Mississipi. C'est dans ce sens qu'une compagnie intervient auprès du secrétaire des finances, Gilbert Clautrier, pour lui exposer les dangers qu'elle juge inséparables du projet de la Cⁱᵉ d'Occident : la destruction des plantations de la métropole, supplantées par celles de Louisiane, la condamnation de toute tentative de remise en état des domaines des Iles, l'inconvénient surtout de l'éloignement du Mississipi qui, en cas de guerre, rendra la France tributaire des tabacs étrangers (3). Plus simplement, et sans s'arrêter à des critiques que contredisent en partie les projets de la « Compagnie remontrante », le secrétaire réplique que le danger consiste plutôt dans l'inconnue de l'avenir agricole d'une colonie dont on ne sait si les sols et le climat se prêteront à la culture du tabac au même titre que ceux des Iles et de Saint-Domingue, depuis longtemps éprouvés : personnellement, Clautrier favoriserait plutôt ces « anciennes plantations » et il conclut au rejet de la proposition de la Cⁱᵉ d'Occident, quelle que soit la surenchère qu'elle offre (4). Il est difficile de dire si ce mémoire représente un avis isolé, ou limité aux sociétés qui disputaient

---

(1) A.N., KK 1005 D, f. 123-4, *op. cit.* — Dutot, *op. cit.*, II, p. 233-4.
(2) A.N., G 7 1295, Sur la ferme du tabac (M. Clautrier, 29 juill. 1718);
Document sans titre, oct. 1718. KK 1005 D, f. 123-4, *op. cit.*
(3) A.N., G 7 1295, Sur la ferme du tabac...
(4) *Ibid.*

l'adjudication du tabac à la Compagnie, ou s'il reflète l'opinion plus large des marchands intéressés au commerce des Iles, mécontents des promesses de mise en valeur des étendues neuves de la Louisiane et du préjudice que l'identité des productions risque de porter aux plantations insulaires. Apparemment, les dispositions que Law fit insérer dans le bail calmèrent ces appréhensions. La Cie d'Occident obtint sans difficulté l'adjudication de la ferme du tabac, et l'augmentation des profits, qui dépassèrent en peu de temps le prix auquel elle lui avait été cédée, permit à la monarchie d'abandonner définitivement le principe des adjudications à bas prix.

Mais, avant qu'elle n'entrât en possession de cette ferme, la Compagnie, *jusqu'à plus ample informé du moins*, n'avait touché, pour engager son entreprise de colonisation en Louisiane, que les 250 000 livres de la ferme du contrôle et les 4 ou 7 (?) mensualités de celle du tabac, soit une somme *en numéraire* voisine, dans un cas, de 585 000 livres et, dans l'autre, de 835 000 livres. Ni les 4 millions d'arrérages de 1718, réservés à l'intérêt des actions, ni les billets de l'État provenant de la vente de celles-ci, que le Trésor absorbait au fur et à mesure de leur retrait, ne pouvaient lui être d'aucun secours. Quant aux actions, en dépit des hausses irrégulières qu'elles enregistrent sur les cours des billets de l'État, elles représentent, pendant toute la durée de l'année 1718, des valeurs trop faibles pour seconder utilement les moyens de la Compagnie (1).

Celle-ci ne répond nullement, dans ces conditions, à la définition d'une société « puissante », pourvue de « gros fonds », que le régent en avait donné au gouverneur Vaudreuil peu après sa création (2). Dutot, en revanche, minimise à l'excès ses possibilités financières (3). La Compagnie, certes, possède un capital monétaire limité, dont la trop forte proportion de versements échelonnés qui le composent contrarie l'efficacité. Pourtant, dès 1717, bien avant sa fusion avec la Compagnie du Sénégal, et contrairement à ce qu'on a pu dire (4), elle procède à des achats de navires pour ses relations avec la Louisiane ; l'année suivante, elle entreprend un effort colonisateur qui, pour n'en

---

(1) B.N., Ms. F.F., N.A., 1431, f. 64-5, J. LAW, *Histoire des finances sous la régence.* — *Gazette de Leyde*, 16, 19, 23, 30 août 1718. P. HARSIN, *Œuvres complètes de J. Law*, III, p. 247-8.
(2) A.C., B 39, f. 259 v, à Vaudreuil et Bégon, 22 août 1717.
(3) DUTOT, *op. cit.*, I, f. 253. P. HARSIN, *Œuvres... de J. Law*, III, p. 341.
(4) H. LÜTHY, *La Banque protestante en France*, I, p. 299. FORBONNAIS, *op. cit.*, II, p. 558-9. Ci-dessous, p. 101 suiv.

être encore qu'à ses débuts, s'avère supérieur à ce qui a été fait jusque-là ; et il n'est pas exclu que son modeste capital ait pu subvenir à ces premières dépenses.

Il n'est pas impossible non plus que Law ait aidé la Compagnie de ses ressources personnelles. On sait que, à plusieurs reprises, il fit usage de sa fortune pour favoriser des desseins charitables ou philanthropiques, ou pour subventionner les armements de la Cie des Indes à destination de la mer du Sud (1). Une participation financière de la Banque générale paraîtrait, par contre, plus hypothétique. Outre que ses émissions de billets — moins de 150 millions de livres (2) —, coïncidant avec les retraits opérés par la Cie d'Occident, ne modifièrent pratiquement pas la circulation fiduciaire, son capital initial, réduit à 1 500 000 livres, dont 375 000 seulement avaient été versées en espèces, ne pouvait autoriser des « emplois considérables » (3). Les bénéfices qu'elle réalisa furent en grande partie absorbés par les distributions qu'on en fit aux actionnaires (4). Si elle accrut ensuite son capital jusqu'à 6 millions de livres, ce fut en billets de l'État : et, comme Law ne tarda pas à les convertir en actions d'Occident, la Banque, en fait, ne disposait pas de moyens de financement supérieurs à ceux de la Compagnie (5).

Celle-ci ne se trouvait donc pas complètement désarmée devant sa tâche colonisatrice. En dehors de toute action de la Banque générale, les accords passés avec le gouvernement du régent lui avaient fourni un petit capital pour ses premiers besoins. Mais, en abordant avec l'acquisition de la ferme du tabac la pleine formule de son Système, Law lui procura une base financière nouvelle, dégagée des aléas des dispositions antérieures, que devait renforcer l'extension démesurée de ses entreprises, et qui lui permit de réviser la conception de cette société aux fins limitées pour tenter l'application de l'idée qu'il avait précédemment exposée d'une compagnie appelée à dominer la vie économique et financière du royaume.

---

(1) A.N., G 7 443, Pièce anonyme, s. d., sur la philanthropie de Law. — P. Harsin, *Œuvres... de J. Law*, III, p. 246, 249-51. Dangeau, *Journal*, t. 18, p. 117.

(2) A.E., *Mém. et Doc.*, France, 1250, f. 158, Bordereau du compte de recette et dépense de la banque royale.

(3) A.E., *Mém. et Doc.*, France, 137, f. 64 v-65, Mémoire sur les banques publiques de l'Europe, 14 févr. 1718. — P. Harsin, *op. cit.*, III, p. 24, 63-64 ; *Crédit public et Banque d'Etat en France du XVIe au XVIIIe siècle*, p. 58.

(4) A.E., *Mém. et Doc.*, France, 137, f. 66-66 v, *op. cit.* — P. Harsin, *Œuvres de J. Law*, III, p. 24, 371.

(5) A.E., *Mém. et Doc.*, *op. cit.* — P. Harsin, *op. cit.*, III, p. 24-5.

CHAPITRE IV

SYSTÈME ET FINANCEMENT

La compagnie de commerce dont Law avait arrêté la formule dans son grand mémoire de 1715 ne répondait pas en effet à la destination initiale de la Cie d'Occident (1). Dans sa pensée, cette « compagnie générale du commerce maritime » (2) devait absorber toutes les compagnies existantes. Avec les ressources dont elle disposerait grâce aux actions, payables en « effets dus par le roi » (3), qu'elle émettrait, elle entreprendrait la restauration dans le royaume de la marine et du commerce, elle ferait valoir les fonds que tous les sujets du roi pourraient lui confier par l'achat de ses titres, elle étendrait son activité à toutes les branches du commerce étranger au détriment des nations concurrentes de la France (4). La Cie de Louisiane, que Crozat gérait alors, serait absorbée, au même titre que celles de la Chine, des Indes orientales, du Sénégal... (5). Lorsqu'il accepta de former une compagnie du Mississipi, Law l'envisageait comme le point de départ de sa grande compagnie. Graduellement, par suite, il devait s'appliquer à la renforcer par la fusion des organismes qui se partageaient le commerce maritime et colonial, et dont il pouvait espérer des bénéfices capables de compenser les mises de fonds qu'exigerait l'établissement de la Louisiane (6).

Mais à cette compagnie, il n'assignait pas seulement une mission commerciale. Élargissant l'opération de finances publiques qui se trouvait impliquée dans la Cie d'Occident, son intention était de lui faire attribuer la perception de tous les revenus de la Couronne, de la charger de « l'entretien » de l'État et du

---

(1) P. Harsin, *Œuvres complètes de J. Law*, II, p. 134 suiv.
(2) Id., *ibid.*, II, p. 138.
(3) B.N., Ms. F.F., N.A., 1431, f. 58, J. Law, *Histoire des finances sous la régence...*
(4) *Ibid.*, P. Harsin, *op. cit.*, II, p. 134-9, 141, 181-4, 186 ; III, p. 81-2.
(5) Id., *ibid.*, II, p. 139.
(6) Id., *ibid.*, III, p. 264, 323, 341 et n. — Du Hautchamp, *Histoire du Système des Finances sous la minorité de Louis XV*, I, p. 100.

remboursement de ses dettes (1). L'acquisition de la ferme du tabac n'était que la première étape de la mainmise qu'il projetait d'opérer sur les revenus publics. C'était le premier terme d'un programme dont deux conséquences résulteraient.

La concentration, d'abord, sous l'autorité de la Compagnie, de la perception des revenus du souverain simplifierait la fiscalité de l'Ancien Régime et affranchirait la monarchie de la tutelle de ce « corps monstrueux des traitants, de commis, ..., de receveurs, de fermiers »..., dont elle ne parvenait pas à se dégager (2). Ce serait l'application de l'idée que Law avait émise, dès 1715, de simplifier le système des impôts et des douanes, d'atténuer les frais de régie et de perception, de mettre un terme à un morcellement aussi onéreux pour les sujets que préjudiciable aux intérêts du souverain et à l'essor du commerce : le principe du « tabac marchand », qu'il discutait alors, exprimait cette conception nouvelle de la fiscalité (3).

En deuxième lieu, le remboursement des dettes de l'État et, avant tout, des rentes, dont le chiffre considérable immobilisait inutilement des capitaux, libérerait des fonds susceptibles d'alimenter le débouché plus lucratif des actions que la Compagnie emploierait à la restauration de l'économie nationale et dont la diffusion achèverait d'associer le pays tout entier à l'œuvre qu'elle poursuivrait (4).

La logique du Système exigeait donc que la Cᵉ d'Occident ne s'en tînt pas à la ferme du tabac, mais qu'elle procédât à l'annexion systématique des revenus de l'État, d'autant plus que la ferme ne pourrait donner la pleine mesure de ses possibilités qu'après un certain délai et que, dans l'intervalle, les fonds officiellement attribués à la Compagnie ne suffiraient pas à couvrir les frais de l'entreprise de Louisiane (5). Aussi bien serait-ce le moyen d'éliminer la concurrence de l'Anti-Système, que Paris-Duverney venait d'organiser avec l'appui du garde des Sceaux. Le capital, d'une valeur égale à celui de la Cᵉ d'Occident, en reposait sur la garantie du bail des fermes générales que Paris-Duverney avait acquis, sous le nom d'Aymard Lambert, à raison de 48 500 000 livres par an (6). On sait peu de

(1) P. Harsin, op. cit., III, p. 331. B.N., Ms. F.F., N.A., 1431, f. 58, op. cit.
(2) Id., ibid., III, p. 320-3.
(3) Id., ibid., II, p. 188-9, 195-6 ; III, p. 30-1, 36, 42-4, 320-3, 331. — B.N., Ms. F.F., N.A., 1431, f. 58, op. cit. — A.N., K 884, nº 5 bis, Law au régent.
(4) P. Harsin, op. cit., II, p. 202 ; III, p. 82, 104.
(5) A.C., F 2 A 15, Mémoire particulier sur la réunion des fermes générales à la Cᵉ d'Occident.
(6) A.N., K 885, 1 A, Mémoire personnel aux Srs Paris sur les affaires

chose de cette initiative ou des effets qu'elle put exercer. Plus
de six mois s'écoulèrent, quoi qu'en ait dit Paris-Duverney,
avant que les actions fussent « remplies », et elles ne contrarièrent
point les versements à la caisse d'Occident, puisque ceux-ci
atteignirent le total prévu dans les trois mois qui suivirent la
création de l'Anti-Système (1). Il y avait là, cependant, une
menace pour les projets de l'Écossais parce que, en proposant
de rembourser la dette publique par le moyen des profits de sa
compagnie, Paris-Duverney lui enlevait un des principaux
arguments de son Système, et qu'il disposait, du fait même de
l'adjudication des fermes générales, de possibilités d'action
contre la banque de Law suffisantes pour en épuiser l'encaisse
métallique (2). Cette menace ne prendrait fin que si Law se
rendait à son tour maître des fermes générales.

L'annexion des revenus de l'État permettrait en outre d'encourager le désir du gain, qui était, nous dit Law, le « vrai motif
de la confiance », qui expliquait le succès des premières actions
de la Compagnie et de la Banque, et qu'on ne pouvait entretenir
qu'en multipliant les opérations pour augmenter sans cesse les
profits (3).

Ainsi conçue, la Compagnie trouverait son auxiliaire indispensable dans la Banque royale, dont la Banque privée instituée
en 1716 réalisait déjà la formule par l'étendue de ses opérations
sur les billets de l'État et par la conversion virtuelle en une
monnaie officielle des récépissés qu'elle en délivrait aux déposi-
taires, par le payement obligatoire des impôts en billets de banque
et par la transformation de fait des caisses des receveurs de
province en autant de succursales de la Banque générale, par
la fonction enfin de « dépôt public et universel » de « tous les
fonds du roi » qu'elle était arrivée à remplir et à considérer
comme son premier objet (4). Aussi avait-on pu lui appli-

générales où ils furent employés, f. 46-52 ; KK 1005 D, Discours de Paris de
La Montagne..., f. 97 suiv. — A. GIRARD, La réorganisation de la Cⁱᵉ des Indes,
Rev. d'hist. mod. et contemporaine, 1908-9, p. 19-23. DUHAUTCHAMP, *op. cit.*, I,
p. 110 suiv.

(1) A.N., KK 1005 D, *op. cit.*, f. 100-102 ; KK 1325, Le régent au prince
de Birckenfeld, 15 avril 1719. — P. HARSIN, *op. cit.*, III, p. 338-9. *Lettres
historiques*, 1719 (t. 55), p. 461.

(2) DUTOT, *Réflexions polit. sur les finances et le commerce*, éd. Harsin, I,
p. XXXI. H. LÜTHY, *La Banque protestante en France*, I, p. 314-5.

(3) P. HARSIN, *Œuvres complètes de J. Law*, III, p. 371.

(4) ID., *ibid.*, III, p. 16, 21-4. — B.N., Ms. F.F., N.A., 1431, f. 51-55, *op.
cit.* — A.N., U 362, Extr. des registres... du Parlement, Arrêt du 10 avril 1717.
— A.E., *Mém. et Doc.*, France, 1220, f. 296 v-7, *Mém. instructif sur la Banque
générale*, 30 mai 1717. — A.N., AD IX 78, Arrêts du 10 avril, 12 sept. 1717,
1ᵉʳ juin 1718.

quer, dès le début de 1717, le terme de « Banque royale » (1).

Cette banque, Law l'envisageait en 1715 comme devant assumer le rôle de « caissier du roi » (2). Sa tâche consisterait à opérer « la recette et la dépense » de l'État « en faisant passer dans sa caisse tous les revenus du roi pour les distribuer », à solder par son « gouvernement » et son « économie » toutes les dettes du souverain, et surtout à créer un mouvement perpétuel de fonds qui ranimerait toute la vie économique du royaume : conséquence des entrées et des sorties d'espèces qui s'y succéderaient, du retour de confiance, lié à l'amortissement de la dette publique, qui remettrait en circulation une masse d'effets jusque-là inactifs, des importantes émissions de billets enfin auxquelles il serait procédé et de la valeur desquelles répondraient toutes les richesses du royaume et le crédit du roi lui-même (3). Dans une certaine mesure, les attributions de la Banque se confondaient donc, en principe, avec celles de la Compagnie. En fait, dans le Système, la Banque fera fonction d'organisme de dépôt des fonds publics et privés, et d'institut d'émission, chargé d'entretenir la circulation monétaire indispensable à la reprise économique (4). A la Compagnie incombera la mission d'enrichir le royaume par le commerce et de rembourser les dettes de l'État, la Banque intervenant pour lui avancer les fonds nécessaires et pour fournir aux particuliers, par la monnaie qu'elle émet, le moyen de souscrire à ses actions (5). Au même titre que la Compagnie, la Banque, devenue le centre de la recette du roi, contribuera à la simplification de tout le système fiscal (6). De là une solidarité étroite entre les deux organismes, qui achèvera de s'affirmer lorsque le régent, en les unissant par l'arrêt du 23 février 1720, consacrera une situation de fait.

A partir du jour où il acquiert la ferme du tabac, Law s'engage dans la réalisation définitive de son Système. Tandis que la Banque, par édit du 4 décembre 1718, reçoit la qualité de Banque royale, mesure qui, sans modifier son mécanisme, subordonne désormais ses émissions aux décisions du souverain, la Compa-

---

(1) *Gaz. de Leyde*, 8, 15 avril 1718. B.N., Ms. F.F. 13779, f. 200 v, Nouvelles à la main, 3 janv. 1717.
(2) P. Harsin, *op. cit.*, II, p. 277-9, 316.
(3) Id., *ibid.*, II, p. 202 ; III, p. 21-2, 77, 80-1, 316, 320-3, 337. Dutot, *op. cit.*, I, p. 253. A.E., *Mém. et Doc.*, France, 1257, f. 92 v, *Mémoire présenté... au duc de Bourbon*, 1724.
(4) P. Harsin, *op. cit.*, III, p. 330, 337.
(5) P. Harsin, *Crédit public et Banque d'État en France...*, p. 59. *Nouveau Mercure*, janv. 1720, p. 123.
(6) P. Harsin, *Œuvres complètes de J. Law*, III, p. 316.

gnie absorbe de pair et les monopoles commerciaux existants et
les grandes sources de revenu de l'État (1).

Dans le premier cas, elle obtient le privilège exclusif du
commerce du Sénégal, complément indispensable de la cession
de la ferme du tabac, en fusionnant avec la compagnie de ce
nom, dont les directeurs et les intérêts qu'ils personnifient vont
désormais jouer un rôle de plus en plus actif dans sa gestion (2).
Surtout elle annexe, en mai 1719, les Cies des Indes orientales et
de la Chine, fait capital qui détermine la création de la grande
Cie des Indes et lui confère un rayon d'action d'une ampleur
démesurée dont les mers du Sud ne sont pas exceptées (3). Peu
après, l'adjonction de la Cie d'Afrique, chargée du commerce des
États barbaresques, et de la Cie du Cap Nègre, vient encore
élargir le champ de ses opérations (juin 1719) (4). C'était bien
la concentration de tout le commerce maritime et colonial sous
l'autorité d'une seule compagnie, maîtresse d'un ensemble de
privilèges qui ne tardèrent pas à lui être reconnus à titre perpétuel (5). En septembre 1720, alors que le Système touche à
son terme, elle fait même rétablir à son profit, et à perpétuité,
le privilège exclusif de la traite des Noirs qu'elle avait faite
jusque-là « en concurrence avec les particuliers », et elle obtient
la cession du privilège et des effets de la Cie de Saint-Domingue
qui avait été révoquée quelques mois plus tôt (6). Autant de
mesures qui devaient avoir de graves répercussions à Saint-
Domingue, où l'intervention d'une compagnie plus puissante
accrut le mécontentement qu'avait suscité la gestion de l'organisme antérieur (7). En France, devant la constitution d'une

(1) P. HARSIN, Crédit public, p. 59. Nouv. Mercure, janv. 1719, p. 150. The
Post Man, January 13-15, February 10-12, March 31, 1719.
(2) A.N., M 1026, Délibération de la Cie d'Occident du 15 déc. 1718. —
A.C., B 41, f. 2-3 v, Arrêt qui autorise la... vente par la Cie du Sénégal...,
10 janv. 1719. — LÜTHY, La Banque protestante en France, I, p. 299, 313.
(3) Devenue Cie des Indes, la Cie d'Occident conserva les armes que lui
avaient attribuées les Lettres patentes d'août 1717. A.M., B 1 38, f. 367-8,
Marin au conseil de marine, 9 juin 1719. B.N., Ms. F.F. 21778, f. 308-308 v,
Edit du roi portant réunion..., mai 1719. — Nouv. Mercure, juin 1719, p. 106-8,
janv. 1720, p. 140. A. GIRARD, op. cit., p. 22.
(4) A. GIRARD, op. cit., p. 24.
(5) Journal de Dangeau, t. 18, p. 321, 325. Lettres historiques, 1720 (t. 58),
p. 199-201.
(6) A.N., M 1024, Chemise I, Mémoire au sujet des gratifications... pour la
traite des Noirs. M 1026, Réponses de la Cie aux mémoires des actionnaires ;
Dossier 18, Mémoire sur la Cie des Indes ; « Cies des Indes orientales et occidentales », Lettres pat. révoquant la Cie de Saint-Domingue, avril 1720, et
Arrêt du 27 sept. 1720. — A.C., C 13 C 4, f. 26 v, Mém. concernant la... Louisiane.
— Nouv. Mercure, mai 1720, p. 78 ; sept. 1721, p. 78-9.
(7) A.M., B 1 42, f. 133 v-137, 201 v, Conseil de marine, 27 juin, 15 août 1719.
— A.C., F 2 A 13, Mém. sur le commerce de Guinée, 10 nov. 1724 ; C 9 A 15,

entreprise aussi vaste, qui s'édifiait sur le dépouillement d'organismes plus anciens, les réactions furent diverses. Le Parlement, reprenant l'opposition à laquelle avaient donné lieu les compagnies à monopole, s'empressa de dénoncer l'édit qui en consacrait le rétablissement. Les directeurs des Cies des Indes orientales et de la Chine se soumirent. Les actionnaires, en revanche, exprimèrent leur mécontentement de ce que leurs intérêts ne fussent point sauvegardés dans la nouvelle compagnie. Enfin, les députés de Lyon et des grandes villes maritimes ne parvinrent pas à formuler d'avis unanime, sinon contre l'attribution du privilège de la mer du Sud à une seule compagnie. Mais les négociants de Saint-Malo s'élevèrent contre l'abrogation par l'édit de réunion du traité qu'ils venaient à peine de conclure avec la Cie des Indes orientales : ce fut effectivement le point de départ du déclin de leurs affaires, une des grandes « étapes » de leur « disgrâce » (1).

Dans le deuxième cas, la Cie d'Occident se fait successivement confier la gestion des grands revenus de la Couronne, sans hésiter à faire casser à son profit, comme pour le traité des négociants malouins avec la Cie d'Orient, les adjudications en cours. Dès le mois de janvier 1719, la cession de la ferme du tabac dans la principauté de Charleville étend le domaine de son bail et en accroît les profits (2). Au mois de juillet, un arrêt du conseil lui abandonne pour 9 ans le bénéfice sur la fabrication des monnaies (3). Le mois suivant, elle se porte adjudicataire du bail des fermes générales, qu'a récemment renforcé la réunion du domaine d'Occident et de tous les droits qui en dépendent, et dont la cassation avant la date d'expiration légale détruit l'opposition de l'Anti-Système (4). Elle y ajoute peu après la ferme des salines de Moyenvic, le bail des fermes et domaines de Franche-Comté et d'Alsace (5). En octobre, la cession des recettes générales, succédant à celle des fermes, lui permet d'assumer à la fois le recouvrement des impôts directs et indirects, et la met

---

Chasteaumorant et Mithon, Léogane, 29 oct. 1718 ; C 9 A 18, Mithon, à Paris, 12 oct. 1720.

(1) A.N., U 362, Extr. des registres... du Parlement, 9 juin 1719. — A.E., *Mém. et Doc.*, France, 1990, f. 397-8, *Les habitants de Saint-Malo au roi*, 1733.

(2) A.C., F 2 A 13, Arrêt du conseil, 9 mai 1719.

(3) A.N., M 1026, Projet de décharge de la Cie des Indes. — HARSIN, *Œuvres complètes de Law*, III, p. 345.

(4) HARSIN, *op. cit.*, III, p. 346-7. — A.E., *Mém. et Doc.*, France, 1229, f. 115-115 v, Arrêts de juill. 1719, des 12 août, 27 août, 1er sept. 1719. — A.C., C 9 A 16, D'Argenson à Sorel, 2 mars 1719.

(5) A.E., *Mém. et Doc.*, France, 1229, f. 115 v, Arrêt du 22 sept. 1719. — *Nouv. Mercure*, oct. 1719, p. 81.

en mesure, en se substituant aux receveurs généraux, en centralisant la perception des revenus royaux, d'achever de simplifier la fiscalité, d'en réduire le personnel et les rouages, et d'y introduire plus d'efficacité et d'exactitude (1). Enfin, en décembre 1719 et janvier 1720, il lui est accordé pour 9 ans les droits et émoluments pour les affinages et départs d'or et d'argent jusque-là attribués aux maîtres affineurs, dont les offices sont alors supprimés, et un droit de 10 % sur toutes les espèces et matières d'or et d'argent qui entreront dans le royaume (2).

On a souvent souligné le degré de puissance de la Cie des Indes et la prodigieuse étendue de ses ressources. Ses directeurs (32 en déc. 1719, 40 en févr. 1720), parmi lesquels on compte, depuis l'annexion des fermes générales, une proportion croissante de gens de finance, répartissaient leur activité entre un nombre impressionnant de départements, dont le détail montre qu'elle était devenue le point central de la vie économique et financière du royaume (3). A la tête du département de la Louisiane, Jean-Baptiste Martin d'Artaguiette d'Iron, le seul directeur qui eût une connaissance vécue du Mississipi, où il avait autrefois exercé les fonctions de commissaire de la marine, conservait le rôle prépondérant qu'il avait rempli dans la Cie d'Occident. Plusieurs assistants le secondaient dans sa tâche (4). Son bureau, dont les secrétaires Delaloe et Gaillardie devaient assumer la dirœction en 1721, centralisait la correspondance relative à la Louisiane, les états des troupes, des colons et des passagers, et tenait registre des comptes que la Cie ouvrait dans la colonie aux particuliers qui lui remettaient des effets en dépôt (5). Jean-Baptiste Duché, bien que n'appartenant pas officiellement au même département, s'autorisait de l'intérêt qu'il avait toujours porté à la Louisiane pour intervenir activement dans les questions la concernant. La Compagnie disposait d'un réseau

---

(1) Dutot, *Réflexions politiques...*, éd. Harsin, I, p. 256, II, p. 213. — B.N., Ms. F.F. 21751, f. 52 v-3, Arrêt du 12 oct. 1719. — A.N., K 885, 1 A, *Mémoire personnel aux Srs Paris...*, f. 34 v-5. — E. Levasseur, *Recherches historiques sur le Système de Law*, Paris, 1854, p. 116-9.

(2) A.N., M 1025 (4²), n° 5, *Mémoire des comptes (de)... la Cie des Indes...*, 22 juin 1724, f. 247 ; M 1025 (4²), 1er recueil de mémoires..., f. 165-6, Projet d'arrêt général sur les indemnités. *Nouv. Mercure*, déc. 1719, p. 74 ; janv. 1720, p. 203-4.

(3) *Nouv. Mercure*, sept. 1719, p. 104-110 ; janv. 1720, p. 154 ; févr. 1720, p. 104-6. *The Post Man*, 1er-3 sept. 1719. A. Girard, *La réorganisation de la Cie des Indes*, *Rev. d'histoire mod. et contemp.*, 1908-9, p. 20-24, 28.

(4) *Nouv. Mercure*, sept. 1719, p. 105. M. Giraud, *Hist. de la Louisiane française*, I, p. 117 et suiv.

(5) A.N., V 7 235, Procès-verbal et inventaire des registres de la Cie des Indes, f. 27 v-28.

de correspondants qui étendait son action à l'ensemble du territoire métropolitain et des possessions d'outre-mer.

Cette extension démesurée de ses opérations, cette emprise toute-puissante sur la fiscalité du royaume, s'accompagnaient, il est vrai, de contreparties onéreuses. L'absorption des principales compagnies de commerce, destinée en principe à suppléer à l'absence de profits dans les premières années de gestion de la Louisiane, comportait l'obligation, particulièrement lourde dans le cas de la Cie des Indes orientales, de rembourser leurs dettes et d'entrer « dans tous leurs engagements », elle supposait le versement d'indemnités diverses dont la responsabilité leur avait jusque-là incombé, ainsi que le rachat de tous les effets et établissements qu'elles cédaient à la compagnie subrogée dans leurs droits et propriétés (1). L'acquisition du privilège de la Cie de Saint-Domingue et le remboursement de ses dettes représentèrent une somme de près de 6 048 000 livres ; le rachat de la Cie du Sénégal fut conclu sur la base de 1 600 000 livres, chiffre qu'accrurent bientôt des avances de fonds supplémentaires et que la Cie des Indes ne parvint à récupérer qu'après plusieurs années (2). S'ajoutant aux frais d'entretien d'établissements lointains, aux dépenses d'armements qui en étaient inséparables, ces éléments ne pouvaient que retarder l'échéance des bénéfices réels du « commerce de marchandises » (3).

La mainmise sur les revenus fiscaux créait une contrepartie encore plus onéreuse, car, à chacune des annexions qu'elle opérait, la Compagnie s'engageait envers la Couronne à de grosses avances de fonds : 50 millions de livres, payables en 15 mensualités à partir du 1er octobre 1719, dans le cas du bénéfice des monnaies ; 1 430 000 livres pour le rachat du bail des fermes et domaines de Franche-Comté et d'Alsace ; 1 200 millions de livres, somme qui fut portée à 1 500 millions par l'arrêt du 12 octobre 1719, en échange de la cession du bail des fermes générales, que la Compagnie avait en outre accepté de majorer

---

(1) A.N., M 1026, *Mémoire sur la Cie des Indes* ; Délibération de la Cie d'Occident du 15 déc. 1718. A.M., B 1 38, f. 367 v-8, Marin au conseil de marine, 9 juin 1719 ; B 2 253, f. 377, au S. Marin, 26 juin 1719, B 2 257, f. 113-4, au gouverneur de Suratte, 19 févr. 1720 ; B 2 254, f. 506, à Law, 29 nov. 1719. A.C., B 41, f. 91 v, Arrêt (sur) le privilège du commerce... d'Afrique. *Nouv. Mercure*, juin 1719, p. 107.

(2) A.N., M. 1026, 2e *Mémoire des actionnaires sur le commerce de Guinée* ; *Mémoire sur la Cie des Indes* ; Délibération de la Cie d'Occident, 15 déc. 1718 ; Vaisseaux armés par la Cie des Indes pour le Sénégal. — A.M., B 1 52, f. 159-162 v, Conseil de marine, 10 sept. 1720, Projet d'arrêt qui subroge...

(3) A.N., M 1026, *Mém. sur la Cie des Indes*. — *Nouv. Mercure*, avril 1720, p. 93 suiv.

de 48,5 à 52 millions de livres par an. Au surplus, en assumant les fonctions des receveurs généraux elle prenait la responsabilité d'avances périodiques au souverain (1). Ces sommes avaient pour but de fournir au Trésor le moyen de rembourser les dettes qui grevaient ses ressources, ainsi que la finance des offices supprimés du fait de l'abandon à la compagnie des fermes et des recettes générales (2). Des 50 millions promis sur les bénéfices des monnaies, la monarchie se réservait d'employer une partie au règlement des arriérés de pension dont elle était redevable (3). Et, dès que la cession des fermes eût inauguré les avances de fonds décisives, les édits se succédèrent qui ordonnaient le remboursement des charges les plus lourdes du Trésor par une série d'assignations sur les versements que la Compagnie s'était obligée d'opérer : le retrait et le remboursement des billets de l'État et de la Caisse commune, le remboursement surtout des rentes perpétuelles de toute catégorie à 4 ou 5 % que le caissier de la Compagnie, sur présentation des récépissés du Trésor établis contre remise des titres en question, effectuerait « en billets de banque ou en espèces au choix » ou en actions rentières à 3 % sur la Cie des Indes (arrêts des 27 et 31 août 1719) (4). Les 4 millions de rente établis au profit de celle-ci sur la ferme du tabac furent eux-mêmes remboursés au moyen d'un prêt supplémentaire de 100 millions de livres que la Compagnie fit au Trésor, en échange de quoi elle reçut des contrats de rentes perpétuelles à 3 % assignés sur la même ferme (5).

Affranchie d'une grande partie de ses dettes tant par les remboursements qu'elle ordonnait que par les suppressions d'offices, la monarchie se trouva dès lors en mesure d'alléger

(1) A.N., K 885, n° 2, f. 66 v, Arrêts sur la Cie des Indes ; M 1025 (4^2), 1er recueil de mémoires, f. 167, Projet d'arrêt... sur les indemnités... ; V 7 235, Procès-verbal et inventaire des reg. de la Compagnie..., f. 234 v ; U 362, Extr. des reg. du Parlement, Arrêt du 27 août 1719. — B.N., Edits, déclarations et arrêts, F. 21083, p. 365-7, Arrêt du 23 sept. 1719. — P. Harsin, Œuvres complètes de J. Law, III, p. 346-7. — Dutot, Réflexions politiques..., éd. Harsin, II, p. 214. — Forbonnais, op. cit., II, p. 603. — Nouv. Mercure, août 1719, p. 61-2 ; sept. 1719, p. 130-3.
(2) P. Harsin, Œuvres... de Law, III, p. 346. — Les correspondants de la marquise de Balleroy, II, p. 32.
(3) P. Harsin, op. cit., III, p. 345-6. — Nouv. Mercure, août 1719, p. 80-1 ; janv. 1720, p. 145.
(4) Nouv. Mercure, oct. 1719, p. 84 ; nov. 1719, p. 94-5, 99-101 ; déc. 1719, p. 61-2, 74-5. — P. Harsin, op. cit., III, p. 346-7. — E. Levasseur, Recherches hist. sur le Syst. de Law, p. 127. — Forbonnais, op. cit., II, p. 600. — A.N., U 362, Extr. des reg... du Parlement, Arrêts du... 27 août, 31 août 1719.
(5) B.N., Edits, déclarations et arrêts, F 21083, p. 294, Arrêt du 31 août 1719. — Nouv. Mercure, sept. 1719, p. 130-3. — Forbonnais, op. cit., II, p. 600.

les charges fiscales de la population (1). Simultanément, elle
libérait le commerce du tabac et, dans une moindre mesure,
celui du castor, des entraves du monopole en en ouvrant l'exploitation, librement, à ses sujets par la substitution au privilège
exclusif de l'importation et de la vente d'un droit d'entrée perçu
au profit de la Cie des Indes (2).

A l'aide des avances de la Compagnie, le roi réalisait ainsi
une remarquable opération d'assainissement de la trésorerie,
en grande partie, il est vrai, au détriment des porteurs de rentes,
dont les revenus amoindris devaient être atteints, quelques mois
plus tard, par une nouvelle réduction du taux de l'intérêt
annuel (3). Il parvenait même à ressaisir les domaines qu'il
avait dû aliéner sous la pression des nécessités financières, et il
pouvait annoncer au gouverneur du Canada le prochain retrait
de la monnaie de cartes qui gênait les transactions commerciales
dans la Nouvelle France (4). C'est l'époque où les gazettes décrivent « l'admiration » que suscitent les « heureux succès » de la
Cie des Indes et les velléités d'imitation auxquelles son exemple
donne lieu jusqu'en Angleterre (5).

Mais les fonds que la Compagnie a pris l'engagement de fournir
au souverain, accrus des dépenses qu'exigent le rachat et la
gestion des entreprises commerciales dont elle s'est rendue
maîtresse, supposent des capitaux que ni celles-ci ni l'exploitation des grandes fermes de l'État ne peuvent encore lui procurer. Et les rentes à 3 % que la monarchie lui constitue en
compensation de ses avances ne la dédommagent que dans une
faible mesure. Pour les 100 millions de livres qu'elle a remis pour
le remboursement de la rente sur le tabac, la Compagnie reçoit une
rente annuelle de 3 millions de livres, ce qui la prive d'un million
de revenu sans diminuer les versements qu'elle doit effectuer au
Trésor sur le prix du bail (6). Pour les 1 500 millions de livres

(1) HARSIN, *op. cit.*, III, p. 362, 423-4. — *Nouv. Mercure*, sept. 1719,
p. 130-3. — J. BUVAT, *Journal de la régence*, I, p. 435-7.
(2) Arrêts de déc. 1719 et du 16 mai 1720. HARSIN, *op. cit.*, III, p. 423-4. —
A.C., C 11 A 39, f. 326-9, *Mém. pour le conseil de marine* ; C 11 A 41, f. 232,
au contrôleur général des Finances, 29 mars 1720. Pour le castor, ci-dessous
p. 83-4.
(3) *Nouv. Mercure*, mai 1720, p. 71-2. — *Mercure historique et politique*,
La Haye, 1720, p. 464, 546-562. — B.N., Table des édits, déclar. et arrêts...
pour l'établissement de la Banque, p. 662, 665.
(4) A.M., B 1 42, f. 76-76 v, à Vaudreuil et Bégon, Conseil de marine,
23 mai 1719. — *Nouv. Mercure*, nov. 1719, p. 95-6. — *Gazette de Hollande*, 1719,
15 déc.
(5) DUTOT, *Réflexions politiques...*, I, p. 106. — *Nouv. Mercure*, sept. 1719,
p. 166. — *Mercure historique et politique*, 1720, p. 229-230, 469-70.
(6) *Nouv. Mercure*, sept. 1719, p. 130-3.

correspondant à la cession des fermes générales, il lui est assigné une rente de 45 millions de livres sur le produit de celles-ci. Quant aux 50 millions promis pour le bénéfice des monnaies, ils doivent rester acquis au souverain sans contrepartie. En sorte que c'est par un revenu annuel de 48 millions de livres que la Compagnie se trouve dédommagée d'avances portant en principe sur plus de 1 600 millions de livres (1), qui, si elles n'atteignirent pas le total prévu, s'élevèrent pourtant, sous forme de verse-ments échelonnés au fur et à mesure des remboursements ordon-nés par le Trésor royal, à près de 1 110 millions de livres (2).

Pour faire face à la fois à cette obligation et aux mises de fonds nécessaires à ses opérations commerciales, la Compagnie eut alors recours à ces émissions répétées, suivies d'une inflation massive, qui constituent l'aspect le plus familier du Système et qui devaient, en dernière analyse, être cause de sa chute (3).

Dès le mois de mai 1719, elle procéda à une première augmen-tation de capital, qui correspond à l'absorption des Cies de la Chine et des Indes orientales. A cette date, Law convient que le capital de la Cie d'Occident, entièrement versé en billets de l'État, ne représente rien de réel (4). Pour remédier à cette situation, il obtint l'autorisation de créer 50 000 actions nouvelles à 500 livres, payables en argent et au prix d'émission de 550 livres, dont le « supplément » seul (50 livres) serait immédiatement exigible, le payement du capital de l'action devant s'effec-tuer en mensualités de 25 livres, sans préjudice toutefois du droit des souscripteurs d'acquitter, s'ils le désiraient, la tota-lité comptant (5). L'émission, la seule qui eut lieu contre argent comptant, devait assurer à la Compagnie un fond de 27 500 000 livres. Elle fut couverte, on le sait, dans l'espace de 20 jours. Ce fut le début de la hausse des actions, hausse qui entraîna simultanément les actions de « l'ancien Occident » et

---

(1) HARSIN, op. cit., III, p. 346-7.
(2) 1 109 208 945 livres, chiffre que donne l'inventaire des registres de la Cie des Indes, auquel il fut procédé par arrêt du conseil d'Etat du 7 avril 1721, A.N., V 7 235, f. 234 v-235 v. Le projet d'arrêt de décharge en faveur de la Compagnie, 22 mai 1723, donne un chiffre légèrement différent, 1 098 276 231, comme correspondant aux « assignations du Trésor royal que (la Cie) a payées depuis que les remboursements ont été ordonnés », A.N., M 1025 (4^2), 1er recueil, f. 151, 167-8.
(3) P. HARSIN, Crédit public et Banque d'Etat, p. 68-70. — DUTOT, op. cit., I, p. 253.
(4) HARSIN, Œuvres complètes de J. Law, III, p. 341. — DUTOT, op. cit., I, p. 253. — DU HAUTCHAMP, Histoire du Système des finances..., I, p. 104.
(5) Nouv. Mercure, juin 1719, p. 106-8. — HARSIN, op. cit., III, p. 247-8. — B.N., Ms. F.F. 23673, p. 111, Conseil de régence, 22 mai 1719.

celles de la nouvelle émission (1). Mais, en dépit de l'affirmation de Dutot que ces actions firent à la Compagnie « un fonds de 27 500 000 livres d'argent comptant » (2), il est permis de douter que la somme ait été versée comptant dès le début. Les commissaires désignés en 1721 pour procéder à l'inventaire des registres de la Cie des Indes notent en effet des souscriptions échelonnées « depuis le 26 juin 1719 (date de l'ouverture des souscriptions) jusqu'au 26 novembre 1720 », ce qui paraîtrait indiquer que le capital en question n'aurait été atteint qu'à la fin de novembre 1720, et que la Compagnie, dans ces conditions, n'aurait réuni le fonds en numéraire qu'il est coutume de lui attribuer qu'à la veille de l'effondrement du Système (3).

Une deuxième émission suivit de près (arrêt du 27 juillet 1719), destinée à faciliter le payement des 50 millions de livres que la Compagnie s'était engagée à verser en contrepartie de l'acquisition des profits sur les monnaies (4). Elle portait encore sur 50 000 actions à 500 livres de valeur nominale, mais une prime équivalente élevait le cours d'émission à 1 000 livres, payables en 20 mensualités égales, qui commencèrent le 5 août 1719 et qui furent peut-être acquittées en billets de banque ou billets de l'État, aucun texte ne spécifiant la nature exacte du payement (5).

Enfin, dans le courant de septembre-octobre, pour mettre la Compagnie en mesure de subvenir à ses 1 600 millions d'avances, eurent lieu les trois grandes émissions de 50 millions d'actions chacune (arrêt des 13, 28 septembre, 2 octobre), soit 300 000 actions répondant toujours à une valeur nominale de 500 livres, mais émises à 5 000 livres, et payables en dix mensualités dont la première s'effectuait comptant à la souscription, régime qui fut légèrement modifié peu après et remplacé par des payements trimestriels de déc. 1719 à juin 1720 (6). La majeure partie de la recette se fit en billets de banque. En principe, pour favoriser les porteurs d'effets remboursables prévus dans les arrêts du mois d'août, pour permettre surtout aux porteurs de rentes de convertir en actions leurs titres de

(1) B.N., Edits, Déclar. et Arrêts... F 21083, p. 103-4, Arrêt du 20 juin 1719. — DUTOT, *op. cit.*, I, p. 254. — HARSIN, *op. cit.*, III, p. 247-8, 339, 342.
(2) DUTOT, *op. cit.*, I, p. 254. — HARSIN, *op. cit.*, III, p. 187.
(3) A.N., V 7 235, Procès-verbal et inventaire des reg. de la Cie des Indes, f. 18.
(4) *Nouv. Mercure*, août 1719, p. 62-5 ; janv. 1720, p. 143.
(5) A.N., V 7 235, *op. cit.* — DUTOT, *op. cit.*, I, p. 255, 257.
(6) *Nouv. Mercure*, sept. 1719, p. 85-6 ; janv. 1720, p. 147-8. — H. LÜTHY, *La Banque protestante en France*, I, p. 318.

remboursement, le roi, aussitôt après l'émission du 13 septembre, prescrivit que les souscriptions s'acquitteraient en billets de l'État ou de la Caisse commune et en récépissés du Trésor, à l'exclusion des billets de banque ou des espèces monétaires (1). Mais, comme les liquidations de rentes et autres effets avaient à peine commencé et qu'il n'existait encore dans le public qu'un petit nombre de récépissés du Trésor, la recette s'effectua en billets de banque, en sorte que les porteurs de rentes ne bénéficièrent pas de l'opération, à l'exception de ceux qui étaient assurés de la protection « de quelque directeur ou commis de la Banque » (2).

Depuis sa création, la Compagnie avait émis au total 600 000 actions. Le 4 octobre, sur ordre du régent, 24 000 titres de plus s'y ajoutèrent, correspondant à un chiffre égal d'actions réservées pour le roi (3).

Simultanément, pour seconder les actions, dont la recette ne pouvait combler les avances de la Compagnie et suffire à l'extinction de la dette de l'État (4), et pour fournir au public la monnaie qui alimenterait les achats d'actions à mesure que les cours augmenteraient, la Banque engagea cette politique d'inflation qui grossit démesurément la circulation fiduciaire et qu'aggravèrent encore, au printemps de 1720, le renversement des cours et la vague de spéculation à la baisse qui se répandit alors parmi les actionnaires (5). De 1 milliard de livres à la fin de 1719, les émissions de billets atteignirent près de 1 200 millions au début de mars 1720, près de 2 700 000 000 au début de mai, et elles finirent par dépasser 3 milliards de livres (6).

Afin de soutenir la spéculation et la confiance, Law inspirait dans le *Nouveau Mercure* des articles publicitaires qui faisaient valoir la solidité du Système, il encourageait la hausse en liant

(1) Ci-dessus, p. 68. B.N., Edits, déclarat. et arrêts, F 21083, p. 375-375 v, Arrêt du 26 sept. 1719. — *Nouv. Mercure*, oct. 1719, p. 88 ; nov. 1719, p. 94-5. — BUVAT, *Journal de la régence*, I, p. 443.

(2) Pour un exposé complet des arrêts relatifs aux modalités de payement, v. le réquisitoire du Sr Tartel, contrôleur général des restes, B.N., F° fm 7704, p. 1-3 ; F° fm 7710, p. 1-2. — *Lettres historiques*, 1719, p. 337. — HARSIN, *op. cit.*, III, p. 350-1. — E. LEVASSEUR, *Recherches historiques*, p. 194-5.

(3) DUTOT, *op. cit.*, I, p. 254-6.

(4) *Ibid.*, I, p. XXXVIII, 86-7. — HARSIN, *op. cit.*, III, p. 354-5.

(5) *Ibid.*, I, p. 81. — FORBONNAIS, *Recherches et considérations...*, II, p. 595, 602. — P. HARSIN, *Crédit public et Banque d'Etat*, p. 59-60.

(6) DUTOT, *op. cit.*, I, p. 80. — *Mercure hist. et politique*, 1720, p. 467. — FORBONNAIS, *Recherches et considérations...*, II, p. 632-3. — A.E., *Mém. et Doc.*, France, 137, f. 16, Mém. copié sur la minute de Desmarets, mars 1720 ; 1250, f. 158, Bordereau du compte et dépense de la Banque royale. — B.N., Edits, déclarations et arrêts, F 21099, p. 207 v, Déclarat. du roi..., 5 juin 1725.

les uns aux autres les titres des différentes émissions, en faisant consentir par la Banque des prêts importants sur les actions, en distribuant et promettant aux actionnaires des dividendes toujours plus élevés (1). Puis, lorsque s'accusèrent les premières défaillances de l'édifice, il s'efforça de maintenir les cours en attribuant des promesses d'action aux porteurs de récépissés du trésor et en faisant acheter par la Banque, contre billets, les actions à raison de 9 000 livres (2). Graduellement, Law était parvenu à drainer vers les caisses de sa Banque une énorme proportion d'espèces monétaires, non seulement parce que le public s'en dessaisissait pour les convertir en billets destinés à « nourrir » ou acheter des actions, mais parce que les incessantes variations des monnaies répandaient le sentiment qu'il y avait tout lieu de leur préférer les billets dont un arrêt du 22 avril 1719, confirmé ultérieurement, avait stipulé la fixité, et dont le roi finit par prescrire l'usage obligatoire pour le payement des impositions (3). Dès l'été de 1719, les gazettes contemporaines notent l'afflux d'or et d'argent qui se produit à la Banque (4) : « Sotte » manœuvre du public, écrit le *Journal de la régence*, tandis que le marquis de Balleroy, pour qui « il est bien sûr » que le billet, n'étant pas sujet à diminutions, « vaut mieux que l'argent », l'approuve au contraire sans réserve (5). On sait que Law s'est défendu par la suite d'avoir été l'instigateur de la fixité du billet (6). C'est pourtant l'argument qui, plus qu'aucun des avantages que le roi faisait pour accréditer le billet, convainquit le public de la supériorité de la monnaie fiduciaire. C'est

---

(1) B.N., Edits, déclarations et arrêts, F 21083, p. 103-4, Arrêt du... 20 juin 1719. — A.E., *Mém. et Doc.*, France, 1250, *op. cit.*, *loc. cit.* — *Nouv. Mercure*, août 1719, p. 62-5 ; déc. 1719, p. 180-2 ; janv. 1720, p. 141-2 ; avril 1720, p. 114-5 ; juin 1720, p. 122-3 ; oct. 1720, p. 72-6. — *Merc. hist. et politique*, 1719, p. 193-5. — Dutot, *op. cit.*, I, p. 257. — Harsin, *Œuvres complètes de Law*, III, p. 367, 371.

(2) Harsin, *op. cit.*, III, p. 120, 367-9, 372. — Dutot, *op. cit.*, I, p. 78. — H. Lüthy, *La Banque protestante en France*, I, p. 320. — E. Levasseur, *op. cit.*, p. 215.

(3) *Gazette de Hollande*, 19, 23 mai, 11 août, 1ᵉʳ sept., 29 déc. 1719, 9 févr. 1720. — *Nouv. Mercure*, mai 1719, p. 68 ; janv. 1720, p. 192 ; avril 1720, p. 105-6. — Dutot, *op. cit.*, I, p. 83-4, 106. — Harsin, *op. cit.*, III, p. 219. — *Les correspondants de la marquise de Balleroy*, II, p. 92. — J. Buvat, *Journal de la régence*, I, p. 360, 386, 395-6. — Forbonnais, *op. cit.*, II, p. 592-3, 597, 604, 621. — A.N., G 7 1628-9, Arrêts du 21 déc. 1719 et du 5 mars 1720.

(4) 80 millions d'or en août 1719, d'après les *Lettres historiques*, 1719, p. 346-7, 679 ; 900 millions à la fin mars 1720 d'après le *Journal de Dangeau*, t. 18, p. 253, 256. — Dutot, *op. cit.*, I, p. 83-4, estime que, du 7 au 30 mars 1720, la Banque reçut près de 45 millions d'espèces.

(5) *Les correspondants de la marquise de Balleroy*, II, p. 129-30. — Buvat, *Journal de la régence*, I, p. 476-7.

(6) Harsin, *Œuvres complètes*, III, p. 219. — Dutot, *op. cit.*, I, p. 87. — Lüthy, *op. cit.*, I, p. 308-9, 315, 321.

celui que, en mai 1720 encore, au moment où le financement des marchés de l'État en billets de banque devient de plus en plus difficile, le conseil de marine invoque pour rendre à ces derniers la confiance des fournisseurs (1).

La montée des actions, se confondant avec les progrès de l'inflation, s'accentua, dans ces conditions, en dépit d'un fléchissement au mois de décembre, de mai 1719 à janvier 1720, et finit par porter les cours à un plafond qui variait, suivant les catégories d'émissions, de 8 000 à près de 10 000 livres (2). Dès la fin du mois de novembre, la spéculation, suivant les calculs de Dutot, avait donné à l'ensemble des titres correspondant aux six émissions de la Cie d'Occident et de la Cie des Indes une plus-value de 4 650 250 000 livres (3).

Inévitablement, cette masse énorme d'effets en circulation, de beaucoup supérieure au chiffre des espèces métalliques existant dans le royaume, ce « crédit trop étendu pour être solide » devaient entraîner la ruine du Système le jour où l'opinion cesserait de soutenir la spéculation (4). Or, dès la fin de 1719, les réalisations des papiers du Système commencèrent dans les milieux de spéculateurs, et elles se poursuivirent au début de l'année suivante : le banquier Jean Deucher, qui venait de s'inscrire dans une société de colonisation pour la Louisiane, eut alors, comme beaucoup, la prudence de mettre en lieu sûr les gains, convertis en argent, qu'il avait réalisés sur les différences de cours (5). A partir de mai 1720, le Système entre dans sa phase de désagrégation, malgré les efforts tardifs de Law pour proportionner les moyens de remboursement au capital des billets de banque par des mesures qui, pour prendre le contrepied d'affirmations antérieures, n'aboutirent qu'à détruire la confiance du public : tel l'arrêt du 21 mai 1720, qui stipulait la réduction graduelle de la valeur des actions et des billets, et dont l'abrogation, quelques jours plus tard, ne parvint plus à effacer le désarroi qu'il avait créé dans la population et à remettre « les billets dans leur premier état ». « On comptait entièrement sur les billets de banque », écrit la *Chronique* de Saint-Germain-des-Prés en exprimant sa consternation de l'arrêt du 21 mai, « parce qu'on ne croyait pas qu'ils pussent diminuer » (6).

(1) A.M., B 1 46, f. 251-251 v, Robert au conseil de marine, 6 mai 1720.
(2) DUTOT, *op. cit.*, I, p. 257. — LÜTHY, *op. cit.*, p. 318-320.
(3) DUTOT, *op. cit.*, I, p. 254, 255, 257-8.
(4) ID., *ibid.*, I, p. 82-5.
(5) FORBONNAIS, *op. cit.*, II, p. 605-6. — LÜTHY, *op. cit.*, p. 319, 344, 364. Ci-dessous, p. 187-9.
(6) DUTOT, *op. cit.*, I, p. 82, 86-8. — HARSIN, *Œuvres complètes de Law,*

Il n'y eut dès lors d'autre alternative que de procéder à la liquidation graduelle du Système, d'une part en décrétant la suppression des billets de banque (arrêt du 10 octobre), après avoir vainement essayé d'en ralentir le discrédit par une série d'expédients destinés à en amoindrir la circulation (nouvelles émissions d'actions de juillet à septembre 1720, création de rentes viagères et perpétuelles, ouverture de comptes en banque...) (1), d'autre part en réduisant le nombre des actions pour le ramener à un niveau correspondant aux ressources réelles de l'organisme émetteur (2). Toutes mesures qui préparaient le retour au régime antérieur à l'expérience de Law. La plus significative peut-être fut le rétablissement des rentes, de celles surtout sur l'Hôtel de Ville, dont une émission restaura le taux d'intérêt à 4 % (3). Conçue en principe comme un moyen de résorber la monnaie fiduciaire, cette réapparition des anciens titres de créance sur l'État attestait en fait l'abandon du Système qui avait prétendu convertir les rentes en effets commerciaux. Bientôt le rétablissement, avec tous leurs privilèges, des receveurs généraux des finances, la remise en vigueur de charges fiscales momentanément abolies, la suppression enfin, en octobre 1720, en raison des fraudes auxquelles le nouveau régime avait donné lieu, du droit d'entrée sur le tabac, suivie du retour au privilège exclusif de l'importation, sans préjudice, il est vrai, de la liberté du commerce à l'intérieur du royaume, devaient en effacer plus complètement la formule (4). De son côté, la Cⁱᵉ des Indes, cessant d'intervenir dans les finances du royaume, simplifiant sa gestion, s'apprêtait à se confiner dans des fonctions purement commerciales, sous un contrôle étroit de la monarchie (5).

III, p. 375-380. — B.N., Ms. F.F. 18817, Chronique de Saint-Germain-des-Prés, f. 327-8.

(1) DUTOT, *op. cit.*, I, p. 97-100, 109 ; II, p. 286. — HARSIN, *op. cit.*, III, p. 260-1, 381-4, 388. — FORBONNAIS, *op. cit.*, II, p. 628-30. — *Nouv. Mercure*, mai 1720, p. 82-3 ; sept. 1720, p. 81-2 ; oct. 1720, p. 72-6. — *Mercure hist. et pol.*, 1720, p. 205, 222-5.

(2) 200 000 par arrêt du 3 juin, HARSIN, *op. cit.*, III, p. 382. — DUTOT, *op. cit.*, I, p. 95, 255. — *Nouv. Mercure*, juin 1720, p. 121-2 ; nov. 1720, p. 141-2. — *Mercure hist. et pol.*, 1720, p. 677-8.

(3) HARSIN, *op. cit.*, III, p. 381. — *Nouv. Mercure*, juin 1720, p. 127 ; août 1720, p. 116.

(4) A.N., M 1025 (4²), 1ᵉʳ recueil de mémoires... f. 169 (Projet d'arrêt... sur les indemnités, 1ᵉʳ juin 1723). — A.C., C 2 57, f. 135, Arrêt du 5 janv. 1721. — A. GIRARD, La réorganisation de la Cⁱᵉ des Indes, *Rev. d'hist. mod. et contemp.*, 1908-9, p. 26. — E. LEVASSEUR, *op. cit.*, p. 117, 175-7. — Le retour au privilège exclusif de l'importation et la vente n'eut lieu pour le castor qu'en mai 1721, M 1026, Arrêt du 30 mai 1721.

(5) *Nouv. Mercure*, juill. 1720, p. 56-7 ; sept. 1720, p. 59-62. — A. GIRARD, *op. cit.*, p. 30-34.

Mais l'abondance de la monnaie créée par le Système avait ouvert des possibilités de financement jusque-là inconnues qui avaient simultanément permis des réalisations d'intérêt national et favorisé les entreprises coloniales et maritimes, œuvre à la fois de la Cie des Indes et de la monarchie, devenues solidaires l'une de l'autre.

La période de l'inflation et de l'essor des actions n'est pas seulement cette période de grande activité économique intérieure à laquelle contribue la rapidité des enrichissements et qui forme si souvent le thème des gazettes et des correspondances privées (1). C'est aussi la période des libéralités sans fin du Régent (2) et celle qui aborde, avec l'aide financière de la Cie des Indes, la restauration de la marine royale, si longtemps sacrifiée aux autres services publics. Le mois de juillet 1719 marque le point de départ de ce « rétablissement », lorsque le conseil de marine informe l'intendant du port de Brest de sa décision d'engager la construction de cinq gros navires, en annonçant que des fonds seront bientôt remis « pour payer ce qui est dû de vieux et de courant » et en faisant ressortir, dans une formule qui fait presque figure d'anachronisme, que « l'argent ne manquera pas » (3). A Rochefort, au Havre, à Toulon, le Conseil ordonne également la mise en chantier d'unités nouvelles, et, en traçant aux administrateurs le programme dont il envisage la réalisation pour les deux années suivantes, il a soin de spécifier que les adjudicataires n'auront plus à redouter les défauts de payement du trésor. Les fonds, écrit-il, « seront remis si exactement à l'avenir qu'il n'y aura plus de prétexte à cet égard sur lequel on puisse fonder quelque négligence dans ce service » (4). Toute la correspondance du Conseil reflète alors une confiance dans l'avenir qui avait depuis de longues années disparu des textes de la marine. Pour sa part, la correspondance des intendants des ports les plus durement atteints par le malaise des années antérieures cesse d'exprimer, pendant quelques mois au moins, ses perpétuelles doléances sur la misère qui accable la population (5).

---

(1) *Nouv. Mercure*, avril 1720, p. 107-8. — *Lettres historiques*, 1719, p. 682-3. — *Gazette de Hollande*, 26 janv. 1720. — *Les corr. de la marquise de Balleroy*, II, p. 96. — HARSIN, *op. cit.*, II, p. 291, 307-9. — DUTOT, *op. cit.*, I, p. 258-9.
(2) *Journal de Dangeau*, t. 18, p. 226.
(3) A.M., B 2 254, f. 11 v, 70-70 v, à Robert, 5 juill. 1719, à du Guay-Trouin, 26 juill. 1719.
(4) A.M., B 2 254, f. 124-124 v, 163 v, 170 v, 214, 236, 401 v-2, 468 v-9, 530, 534-534 v, 537-537 v, au S. Dionis, à Beauharnais, à Robert, Truc, Champigny, 14 août-11 déc. 1719.
(5) A.M., B 2 255, f. 302, 337, 526, à M. Le Bailly de Bellefontaine, à Hocquart, 26 juill., 16 août, 10 déc. 1719, B 2 257, f. 50 v, 100, 134, 396-396 v,

L'œuvre dont le Conseil avait souhaité le prompt aboutissement fut bientôt ralentie, en 1720, par la hausse des prix, consécutive à l'inflation et aux manipulations monétaires, qui compromit l'exécution des « marchés à prix fait », paralysa les possibilités de travail parmi les salariés, de nouveau incapables d'assurer leur vie matérielle, suspendit même les fabrications indispensables à la marine. Le discrédit des billets de banque, apparent dès le début de l'année, de plus en plus prononcé à partir du mois de juin, les difficultés que faisaient les ouvriers et les fournisseurs pour les accepter en payement de leur travail ou de leurs livraisons, aggravèrent encore la situation (1). Pourtant, le Conseil parvint à ne pas interrompre le programme qu'il venait d'engager. Il en fut du rétablissement de la marine royale comme de bien d'autres initiatives liées à l'expérience de Law : le mouvement n'aboutit qu'à des réalisations partielles, inférieures au programme initial, mais il ne s'éteignit point. Le régent accepta des délais, mais il persista dans sa décision, et, plutôt que de renoncer aux constructions de navires, il fit aux intendants les concessions qu'ils demandaient en accordant sur les petits salaires et sur les marchés conclus par l'État des augmentations provisoires et en supprimant l'usage des billets de banque pour le règlement des fournisseurs et des ouvriers (2). Le programme de restauration de la marine, finalement, survécut au Système qui avait permis de l'entreprendre, et il se poursuivit après le départ du financier (3).

Il en est de même de l'œuvre colonisatrice de la Cie des Indes. Bien que, dans la période d'épanouissement du Système, et dans le cadre général de celui-ci, la scène proprement coloniale, débordée par les spéculations de bourse et par la multiplicité des entreprises de la Compagnie, n'occupe qu'une place limitée, elle n'en a pas moins été l'objet de dépenses et d'une attention qui, dans le cas de la Louisiane, tranchent sur la politique de

---

à Beauharnais, Silly, Robert, 22 janv., 11 juin 1720 ; B 2 259, f. 249, 280, à La Vasseur, Hocquart, 26 juill, 20 août 1720.
(1) A.M., B 1 39, f. 277-277 v, Beauharnais, 28 oct. 1719. — B 1 45, f. 159, 272, 630, Hocquart, 19, 21 janv., 8, 11 févr. 1720, Dailly, 25 fév., 6, 9 juin 1720. — B 1 46, f. 189 v, 285 v, Robert, 18, 22, 27 mars, 7 juin 1720. — B 1 47, f. 40 v, Laudreau, 27, 30 juill. 1720... B 2 257, f. 100 v, au S. Silly, 11 févr. 1720. — B 2 258, f. 45-47 v, à Robert, 30 juill. 1720.
(2) A.M., B 1 46, f. 278 v, 284, 285 v, Robert, 31 mai, 2 juin, 7 juin 1720. — B 1 47, f. 3 v, 29 v, 63 v-4, 111-111 v, 140 v, 193-193 v, Robert, Dionis, Laudreau, juin, juill., août, sept., oct. 1720. — B 2 258, f. 81 v-82 v, 97 v, 104, 143, 186, 226 v, 298 v, à Robert, de Ricouart, Silly, 20 août, 27 août, 4 septembre, 26 sept., 17 oct., 7 nov., 9 déc. 1720.
(3) *Nouv. Mercure*, oct. 1719, p. 193 ; avril 1720, p. 107-8.

demi-abandon qu'elle avait connue jusque-là. C'est alors seulement qu'il devient possible de parler, à propos des établissements
du Mississipi, d'un effort colonisateur : effort qui fut, comme le
Système, de courte durée, qui s'accompagne en outre de très
graves faiblesses, mais qui jeta les bases d'une politique plus
active, appelée, aussi bien que la restauration de la marine, à
survivre à la chute de Law.

Dans les deux cas, les fonds nécessaires furent puisés dans les
ressources monétaires que la plus-value des actions offrait à la
Cⁱᵉ des Indes, dans la monnaie fiduciaire ou dans le capital métallique de la Banque. A partir surtout de l'union des deux insti-
tutions, la Compagnie put de plus en plus librement utiliser les
fonds de toute origine de la Banque, qu'ils provinssent des
émissions répétées de billets, ou des espèces monétaires que Law
avait su y attirer ou des bénéfices qu'elle faisait sur ses opérations (1). Au total, la Compagnie reçut de la Banque des sommes
considérables, voisines de 2 milliards de livres (2). S'ajoutant
au mouvement perpétuel de fonds lié au fonctionnement du
Système, elles lui permirent de faire face à ses obligations envers
la monarchie, et lui fournirent des capitaux pour ses entreprises
coloniales, pour ses « différents commerces » ou pour le redressement de la marine. Aussi bien est-ce sur les ressources de
la Banque que le roi assigna, par arrêt du 29 mai 1719, les
300 000 livres qu'il promit de verser à la Compagnie en dédommagement des frais qu'exigeait la défense militaire de la Louisiane, et qu'il fit prélever les avances destinées au remboursement
de la monnaie de cartes canadienne (3).

En comparaison des sommes dont la Compagnie put ainsi
disposer, les revenus que le roi lui avait constitués sur le tabac,
les monnaies, les fermes et les recettes générales, ce fonds permanent que Law et Dutot, en mai 1720, évaluent de 70,5 à 79 millions de livres et qu'ils citent comme garantie du payement des

---

(1) A.E., *Mém. et Doc.*, France, 1250, f. 158, Bordereau du compte de
recette et dépense de la Banque... — A.N., M 1025 (4²), n° 5, f. 245-6, *Mém.
des comptes... de la Cⁱᵉ des Indes*, 22 juin 1724. — B.N., Table des édits, déclarations et arrêtés rendus pour l'établissement de la Banque, Arrêt du
23 févr. 1720. — *Nouv. Mercure*, avril 1720, p. 107.
(2) 1 960 729 528 livres d'après le bordereau du compte de recette et
dépense de la Banque royale, A.E., *Mém. et Doc.*, France, 1250, *op. cit.*,
1 926 578 424 livres d'après la Balance de la caisse générale de la Banque,
paraphée par le S. Trudaine, le 6 mai 1721, A.N., V 7 235.
(3) B.N., Ms. F.F. 11332, f. 171-2, Arrêt... du 11 avril 1722. — A.N.,
M 1025 (4²), n° 5, f. 231-232, Mémoire sur le compte à régler entre le roi et la
Cⁱᵉ des Indes, 24 juin 1724. Le bordereau du compte... de la Banque royale
estime à 437 832 livres les avances relatives au retrait de la monnaie de cartes,
A.E., *Mém. et Doc.*, France, 1250, f. 158.

dividendes promis aux actionnaires, ne pouvaient représenter qu'un apport limité, d'autant plus que la Compagnie est loin de les avoir perçues dans leur totalité (1).

Dans le cas des bénéfices sur les monnaies, qui s'élevèrent à plus de 35 millions de livres pendant les quatorze mois où elle en eut l'administration (2), la Compagnie s'est toujours défendue devant la Chambre des Comptes d'en avoir rien encaissé. Apparemment, si elle se servit des fonds déposés dans les Hôtels des Monnaies, au point d'épuiser momentanément, à la fin de 1720, ceux de la Caisse de Tours, elle ne préleva point les bénéfices dont les 50 millions de livres qu'elle avait avancés à la monarchie auraient dû lui garantir la propriété (3). Ni le privilège des affinages et départs des matières d'or et d'argent, ni le droit de 10 % sur les entrées d'espèces et de matières, ne lui furent d'autre part d'aucun profit (4), et elle se trouva privée, par la rétrocession qu'elle en fit au roi, de la jouissance des 45 millions de rente qui lui étaient assignés sur les fermes générales en dédommagement de ses avances au Trésor (5).

Il ne reste, dans ces conditions, du fonds permanent que le souverain avait attribué à la Compagnie, qu'un assez petit objet : les droits sur les recettes générales, 1 ou 1,5 million de livres, le produit annuel de la ferme du tabac, que Dutot estime, à partir du 1er octobre 1718, à 6 437 860 livres, et dont il revenait à la Compagnie 5 417 860 livres, le surplus, aux termes des derniers accords, devant former la part de la monarchie, et enfin les bénéfices des fermes générales en excédent des 52 millions de livres qui représentaient le prix du bail (dont 7 millions étaient acquis à la monarchie, et 45 formaient en principe la rente annuelle de la Compagnie). Sur le chiffre exact de ces bénéfices,

---

(1) Dutot, *op. cit.*, I, p. 92. — Harsin, *Œuvres compl. de J. Law*, III, p. 213-4, 377.

(2) 1er août 1719-30 sept. 1720.

(3) A.N., M 1025 (4²), nᵒ 5, f. 244-5, *Mém. des comptes... de la Cᶦᵉ des Indes*, 22 juin 1724 ; M 1025 (4²), 1er recueil de mémoires..., f. 150, Projet d'arrêt de décharge... de la Compagnie, 22 mai 1723 ; M 1026, Mémoire qui renferme les motifs de l'arrêt... 30 nov. 1722 ; K 885, nᵒ 2, f. 66 v. — B.N., Édits, Déclarations et arrêts..., F 21099, p. 207 v, Déclaration du roi..., 5 juin 1725. — A.M., B 3 267, f. 343-343 v, Le Gendre, intendant à Tours, 22 déc. 1720. — Le chiffre des bénéfices sur les monnaies, que tous ces doc. s'accordent à estimer à 35 536 000 livres, est cependant porté à 52 millions dans le Projet d'arrêt général sur les indemnités..., établi le 1er juin 1723, A.N., M 1025 (4²), 1er recueil..., f. 166-7.

(4) A.N., M 1025 (4²), 1er recueil de mémoires..., f. 165-6, *op. cit.* ; M 1025 (4²) nᵒ 5, f. 247, *Mém. des comptes... de la Cᶦᵉ des Indes* ; M 1026, Projet de décharge de la Cᶦᵉ des Indes.

(5) A.N., M 1025 (4²), 1er recueil..., f. 151, 167-8, *op. cit.* ; M 1026, *Mém. qui renferme les motifs de l'arrêt...*, 30 nov. 1722. — Dutot, *op. cit.*, I, p. 96.

il est difficile de conclure avec certitude car, si Dutot les porte à plus de 38 millions de livres pour l'année exceptionnellement favorable d'octobre 1719 à octobre 1720, Law les réduit pour la même période à 28 millions de livres, et la Cie des Indes, dans sa requête au roi du 3 avril 1721, n'accuse plus que 15 millions de livres (1).

Quant aux entreprises commerciales de la Compagnie, quelque vaste qu'en fût le champ, et en dépit du bilan favorable que celle-ci accusa au début de juin 1720, il paraît douteux qu'elles aient pu efficacement contribuer à l'augmentation du fonds permanent. L'expérience de Law fut de trop courte durée pour leur permettre d'atteindre le stade des bénéfices. La Louisiane, nous le savons, ne pouvait donner lieu à un commerce rémunérateur puisque le pays exigeait au préalable une œuvre coûteuse de mise en valeur (2). L'absorption par la Cie d'Occident des compagnies plus anciennement établies avait été en partie calculée pour subvenir à la dépense par les profits de leurs opérations. Mais celles-ci supposaient à leur tour des mises de fonds considérables qui, dans le cas des commerces les plus importants, de ceux dont la Compagnie aurait dû attendre les gains les plus élevés, semblent bien avoir abouti, au cours de la période du Système, à des bilans négatifs.

C'est ainsi que les campagnes du Sénégal, en 1719-20, se chiffrent généralement par des pertes, la vente des cargaisons ne parvenant pas à couvrir les frais d'armement et de désarmement des navires. En réalité, le déficit de ces campagnes (122 545 livres) est compensé par les « retours » (928 475 livres) des bâtiments de la Cie du Sénégal qui se trouvaient en mer en décembre 1718, et qui rallièrent les ports de la métropole après la fusion (3). Mais les années 1719-1721 n'en restent pas moins des années déficitaires parce que les recettes ne parviennent pas à combler les dépenses liées à l'acquisition du privilège de la Cie du Sénégal et à l'entretien de sa concession. La situation ne se modifiera qu'à la fin de 1723, lorsque le commerce du Sénégal aura repris toute son activité (4). Le commerce des îles de Bourbon, France et Madagascar, d'autre part, accuse

---

(1) Harsin, op. cit., III, p. 213-5, 377. — Dutot, op. cit., I, p. 92 ; II, p. 186, 214, 224-6. — A.N., M 1025 (4²), 1ᵉʳ recueil de mémoires..., f. 151-2, op. cit. — A.E., Mém. el Doc., France, 1250, f. 158, Bordereau de compte de recette et dépense... — B.N., Factum, Fᵒ fm 7725, p. 2, Requête de la Cie des Indes contre l'arrêt du 26 janv. 1721.
(2) B.N., Ms. F.F. 11332, f. 171-2, Arrêt du... 11 avril 1722.
(3) A.N., M 1025, Dossier Sénégal, pièce nᵒ 5.
(4) A.N., M 1026, Vaisseaux armés par la Cie des Indes.

dans le bilan établi en 1725 un déficit continu depuis la formation de la Cie des Indes (1). Ni le commerce de Chine, enfin, ni celui de Moka et des Indes orientales ne paraissent avoir donné lieu à des bénéfices. Les armements — 3 à destination de la Chine, 2 à destination de Moka, 4 pour les comptoirs des Indes —, que la Compagnie effectua de la fin de 1719 à la fin de 1720, portaient sur des navires qui ne pourraient regagner la métropole qu'en 1721 ou 1722, dont les profits éventuels, par conséquent, ne pouvaient intéresser la période du Système (2). Ils ne pouvaient donc être qu'une source de dépenses, surtout dans le cas des vaisseaux à destination des Indes, par lesquels la Compagnie acheminait, indépendamment d'onéreux chargements de marchandises, les fonds nécessaires au règlement des dettes et au rachat des effets de la Compagnie antérieure (3).

Si quelques navires, partis depuis plusieurs années pour la Chine, Moka et les comptoirs des Indes, rentrent alors en France, leurs retours n'apportent qu'un faible dédommagement à la Compagnie, car, aux termes du traité de mai 1719, elle ne reçoit que 10 % du produit de la vente de ces cargaisons, et, quelque lucrative que soit la vente, elle ne saurait compenser les frais d'armement, mise hors et chargement des navires (4). En sorte

(1) A.N., M 1027, Bilan pour les îles de Bourbon, de France et de Madagascar.

(2) En 1720, la Compagnie arme pour la Chine *Le Maure*, *Le Prince-de-Conty* et *La Galathée*, qui appareillent de Saint-Malo au mois de mars et ne rentrent qu'en 1722, Archives du port de Lorient, 1 P 2, 1 P 118, pièce 13 ; 2 P 20-IV. — En déc. 1719 et déc. 1720, elle envoie à Moka *Le Dauphin* et *Le Triton*, qui reviennent en mars 1721 et mars 1722, 2 P 20-III, 2 P 20-IV. Pour les comptoirs des Indes, 4 départs s'échelonnent du 13 déc. 1719 au 6 mai 1720, *Le Solide* (Le Havre), *La Vierge-de-Grâce* (Nantes), *L'Amphitrite* (Saint-Malo), *La Sirenne* (Lorient), dont le retour aura lieu du 22 août 1721 au 11 sept. 1722, 2 P 20-III, 2 P 20-IV, 1 P 118, p. 12 ; 1 P 2. Telles sont les données des archives du port de Lorient. La liste est en grande partie conforme à celle qui figure dans A.E., *Mém. et Doc.*, France, 1247, f. 144, État général des vaisseaux de la Cie des Indes, et dans A.N., M 1027, Bilan du commerce pour les Indes orientales. Un 5e navire, *La Fortune*, est indiqué dans la corr. du commissaire de Saint-Malo comme étant en voie d'armement pour Surate, en juin 1720. Mais nous n'avons pas trace de son départ, A.M. B 3 264, f. 55-6, Marin, 12 juin 1720.

(3) B.N., F° fm 7708, p. 5, 8, Réponse du S. Tartel... — A.N., M 1027, Bilan du commerce de Pondichéry, Chandernagor... — A.C., C 2 15, f. 3, 4 v, *Mém. sur ce que la Cie des Indes peut tirer... de son commerce.*

(4) B.N., F.F. 21778, f. 308 v, Edit du roi..., mai 1719. — Il s'agit de *La Comtesse-de-Pontchartrain* et de *La Paix* (Moka), du *Comte-de-Toulouse* et des *Deux-Couronnes* (Inde), du *Comte-de-Pontchartrain* (Chine) : B 1 39, f. 108 v-9, 130, Marin, Saint-Malo, 6 et 16 août 1719 ; B 1 46, f. 245 v, Marin, Saint-Malo, 28 avril 1720 ; B 2 253, f. 345 v, à la Cie des Indes à Saint-Malo, 9 juin 1719 ; B 2 257, f. 334 v, à Marin, 13 mai 1720 ; B 3 264, f. 43, Marin, 3 avril 1720 ; B 3 267, f. 55-55 v, Law, 19 mars 1720. — A.C., C 2 57, f. 17 s., Arrêt du 13 août 1719. La vente des cargaisons de *La Comtesse-de-Pontchartrain* et du *Comte-de-Toulouse* aurait atteint le chiffre de 15 969 612 livres, dont le 1/10

que les bénéfices qu'atteste le bilan de 1725 sur le commerce
de Moka et sur celui des Indes pour l'ensemble des six années
consécutives à l'union des compagnies (1) ne semblent pas
pouvoir s'appliquer à la période du Système de Law. Pour les
principaux commerces dont la Cie des Indes acquit le privilège
au cours des années 1719 et 1720, le Système fut une phase de
réorganisation et d'équipement plus que d'exploitation rémunératrice (2). En avril 1720, les articles de propagande que Law
fit insérer dans le *Nouveau Mercure* conviennent que la Compagnie n'a « encore dû retirer presque aucun profit de son commerce
maritime » (3). Et, au mois de novembre, l'emprunt qu'elle fut
autorisée à contracter parmi les actionnaires procédait en partie
de la nécessité de faire face aux charges des « différentes parties
de commerce » qu'elle avait réunies (4). A une date ultérieure,
le Conseil d'État justifiera l'aide financière du souverain à la
Compagnie en opposant de nouveau la lenteur de ses bénéfices
commerciaux à l'importance de ses mises de fonds initiales (5).

Même les armements pour la mer du Sud, dont les premiers,
alimentés peut-être par les fonds personnels de Law, eurent lieu
à la fin de 1719, ne pouvaient former une source de profits en
raison de la date lointaine du retour des navires (6). C'étaient
d'ailleurs des entreprises aléatoires, sujettes aux agressions des
Espagnols, et dont les bâtiments couraient risque de confiscation
dans les ports de l'Amérique latine lorsqu'ils s'y hasardaient
contre les consignes officielles. Le seul gain qu'elles permirent
de réaliser — encore est-il étranger aux armements de la Cie des
Indes — fut l'acquisition par la Monnaie de Rennes, en avril 1720,
de 21 191 marcs « en matières et espèces d'argent » qu'apporta

fut versé à la Compagnie. Or celle-ci estimait à 1 million de livres au moins la
dépense qu'elle engageait pour chacun des navires destinés aux Indes orientales,
B.N., Factum F° fm 7708, p. 3, 5, Réponse du S. Tartel, *Nouv. Mercure*,
août 1720, p. 114.

(1) 1 359 922 livres et 7 538 786 livres, M 1027, Bilans pour les îles de
Bourbon..., du commerce de Moka, du commerce de Pondichéry, Chandernagor...
(2) *Mercure histor. et polit.*, 1720, p. 73-4.
(3) P. 114-5.
(4) *Nouveau Mercure*, nov. 1720, p. 141-2.
(5) B.N., Ms. F.F. 11332, f. 172, Arrêt du... 11 avril 1722.
(6) P. Harsin, *Œuvres complètes de J. Law*, III, p. 249. Les archives du
port de Lorient permettent de fixer à 9 le nombre des navires que la Compagnie
arma pour la mer du Sud en 1719-20, *Le Neptune*, *La Badine*, *La Thétis*,
L'Achille, *Le Duc-de-Chartres*, *La Découverte*, *Le Joseph-Royal*, *Le Diligent*,
Le Content, 1 P 119, 1 P 304, 2 P 20-V, 1 P 2, et Dahlgren, *Voyages français
à destination de la mer du Sud avant Bougainville, 1695-1749*, Paris, 1907,
p. 424-568. L'état général des vaisseaux de la Cie des Indes, A.E., *Mém. et
Doc.*, France, 1247, f. 144 v, indique inexactement (à dessein peut-être) 5 de
ces navires comme destinés aux comptoirs des Indes.

du Pérou le navire *Le Conquérant*, armé en France en 1714 par le lieutenant Jean-Nicolas Martinet pour le compte du roi d'Espagne (1). *Le Triomphant*, armé dans les mêmes conditions, avait aussi rapporté une certaine quantité d'argent en octobre 1719, mais les précisions font défaut (2). Matières et espèces métalliques représentaient les appointements et soldes des officiers et matelots français de l'équipage et le produit de la longue campagne qu'ils venaient d'effectuer dans les mers du Sud. Elles furent remises à la Monnaie de Rennes, qui les échangea contre des billets de banque au cours fixé par l'arrêt du 21 mai 1720, c'est-à-dire à 20 % de perte pour les membres de l'équipage (3). Le Trésor ne retira d'ailleurs de l'opération qu'un bénéfice limité. L'apport de matières et d'espèces du *Conquérant*, calculé sur le pied de 80 livres le marc, valeur fixée par l'arrêt du 5 mars 1720 (4), n'atteignait pas 1 700 000 livres. D'autre part, du fait de l'annulation de l'arrêt du 21 mai aussitôt après sa promulgation, la Monnaie dut renoncer à la réduction de 20 % qu'elle avait d'abord imposée à l'équipage, et, comme les billets cessèrent bientôt d'avoir cours, elle versa finalement à l'équipage et aux créanciers de l'armement, en numéraire, une partie des fonds qu'elle s'était appropriés (5).

Il paraît difficile, dans ces conditions, d'admettre que la Compagnie ait pu être assurée, dès le mois de mai 1720, comme le disent Law et Dutot, d'un revenu commercial annuel de 10 à 12 millions de livres (6). En regard des dépenses qu'exigeait la préparation de nouveaux armements, aucun des grands commerces dont elle avait acquis le privilège n'était encore susceptible de donner des bénéfices réguliers.

Il est possible, en revanche, que le commerce du castor soit devenu pour la Compagnie, du jour où le monopole en entra en

---

(1) A.M., B 2 256, f. 9 v, Arrêt qui accorde une surséance..., 24 févr. 1720 ; B 2 257, f. 368 v, à Clairambault, 31 mai 1720 ; Arch. de Lorient, 1 E 4 26, f. 237, 255, à Clairambault, à Renault, 31 mai, 19 juin 1720. — A.M., B 146, f. 268, Clairambault, 10, 13, 17, 20 mai 1720.

(2) A.M., B 2 254, f. 403 v-404 v, à Robert, 28 oct. 1719, B 2 257, f. 149-51, à Law, 4 mars 1720.

(3) A.N., AD IX 78, Arrêt... du 21 mai 1720.

(4) A.N., AD IX 78, Arrêt du 5 mars 1720.

(5) A.M., B 1 46, f. 278 v-9, Clairambault, 31 mai, 3 juin 1720, B 1 47, f. 14 v, Renault, 5 et 8 juill. 1720 ; B 2 257, f. 284-5, à Clairambault, 29 avril 1720 ; f. 341 v, à Robert, 15 mai 1720 ; B 2 258, f. 26 v, 123-123 v, 181 v-2, 221-221 v, 239, à Renault, à Desforts, 16 juill., 16 sept., 12 oct., 31 oct., 13 nov. 1720 ; B 3 264, f. 90-1, le S. Le Brun, 23 nov. 1720. — A.C., C 9 A 15, Mithon, 14 mars 1718. L'affirmation de LEVASSEUR, *Recherches histor. sur le Système de Law*, p. 152, que l'escadre de Martinet revint avec une cargaison de 12 millions de livres est purement gratuite.

(6) DUTOT, *op. cit.*, I, p. 92. — HARSIN, *op. cit.*, III, p. 213-4.

vigueur, une source de profits. C'est ce qu'affirmèrent en 1721 les négociants canadiens (1). Mais, sur ces profits, on ne peut se prononcer exactement, et le commerce du castor ne représentait, comparé aux précédents, qu'un élément d'une importance secondaire, qui ne pouvait compter beaucoup dans les revenus de la Cie des Indes. En novembre 1717, dans le projet de réorganisation de ce commerce que les négociants canadiens remirent au conseil de marine, les bénéfices qu'ils prévoyaient pour la Compagnie n'atteignaient même pas 200 000 livres (2). Même si l'on tient compte du privilège du transport gratuit sur les navires du roi que la Compagnie avait obtenu, et du fait que, jugeant les propositions des négociants trop onéreuses pour garantir le bénéfice en question, elle abaissa ses prix d'achat et s'efforça de sélectionner les peaux plus rigoureusement que par le passé, ses gains ne purent sensiblement excéder les prévisions des Canadiens et former une réserve de fonds pour ses entreprises coloniales (3). L'abandon momentané du monopole en mai 1720, remplacé par un droit d'importation sur les castors, ne modifia point la situation. D'une part, on manque de précision sur le produit de ce droit et rien ne permet de conclure à un accroissement des profits de la Compagnie dans ces derniers mois du Système (4). D'autre part, les Canadiens qui, mécontents des prix qu'offrait la Compagnie, avaient eux-mêmes sollicité l'établissement de la liberté du commerce à l'intérieur du royaume et la substitution d'un droit fixe au privilège exclusif, ne se montrèrent pas plus satisfaits du nouveau régime en raison du chiffre, trop élevé à leurs yeux, des droits qui furent alors perçus, de l'interdiction que leur fit la Compagnie d'exporter les castors hors de la métropole, des perturbations enfin que le discrédit des papiers du Système et l'enchérissement général des marchandises ne tardèrent pas à produire dans le négoce des pelleteries (5). Les fonds destinés à l'effort qu'elle accomplit en Louisiane, la Compagnie, en d'autres termes, ne paraît les avoir trouvés ni dans les revenus de son commerce, ni dans ceux que le roi, en

(1) A.M., B 1 55, f. 614-5, Requête des négociants..., 13 mars 1718.
(2) A.C., C 11 A 39, f. 202 v-207 v, Conseil de marine, 5 janv. 1718.
(3) A.C., C 11 A 39, f. 270-4, 304-314, Observations de la Cie d'Occident ; C 11 A 41, f. 15-16, Vaudreuil & Bégon, 14 nov. 1719 ; B 40, f. 150-150 v, Arrêt concernant le castor, 11 juill. 1718. — A.M., B 1 41, f. 113-4, Vaudreuil & Bégon, 8 nov. 1718.
(4) A.C., C 2 15, f. 91-2, 95 v, Extrait des ordres... du duc d'Orléans.
(5) A.C., C 11 A 41, f. 232, Les négociants du Canada au contrôleur général, 29 mars 1720 ; C 11 A 42, f. 137-146, Vaudreuil & Bégon, 6 nov. 1720. — A.M., B 1 55, f. 522-525, La veuve Pascaud, à La Rochelle, 2 mars 1721 ; f. 612-7, Les négociants du Canada, 13 mars 1721.

principe, lui avait constitués, mais dans les ressources du Système, dans l'abondance de la monnaie, dans les capitaux surtout de la Banque.

Sur l'importance exacte de ces fonds, les textes fournissent rarement des données précises. Souvent ils parlent en termes généraux, qui ne permettent pas de conclure, des « grosses » ou des « immenses » dépenses que la Compagnie a faites en Louisiane sans récolter aucun profit (1). Faute de posséder les registres de comptabilité que centralisait à Paris le bureau de la Louisiane, faute de documentation dans les ports atlantiques, à La Rochelle et Lorient notamment, relative au coût des armements, nous n'avons d'autre base d'information que quelques textes épars, dont on peut seulement dégager des données incertaines. Il importerait surtout de connaître les frais occasionnés par le transport du personnel et du matériel des concessions de la métropole en Louisiane ; c'est la plus forte dépense à laquelle ait donné lieu l'établissement de la colonie. Les chiffres que la Compagnie nous a transmis sur le coût moyen d'un armement de navire négrier (220 503 livres) et de navire de marchandises (223 350 livres) à destination du Mississipi après 1721 (2) ne sont qu'une base d'estimation très imparfaite, d'abord parce que, dans la courte période du Système, la Compagnie n'a que rarement acheminé des bâtiments de ces deux catégories vers la Louisiane, ensuite parce que ces chiffres s'appliquent respectivement à des bâtiments de 300 et 350 tonneaux, alors que les navires armés pour la colonie présentent une très grande diversité de tonnage, enfin parce qu'ils ont trait à une époque où les prix n'étaient pas ce qu'ils avaient été dans les années de l'inflation et des spéculations de bourse. De septembre 1717 à la fin de 1720, les bâtiments de beaucoup les plus nombreux sont ceux que la Compagnie affecte au transport des directeurs, des employés et des effets des « concessions ». Mais, dans la plupart des cas, ces bâtiments acheminent aussi des vivres et des marchandises pour les besoins généraux de la colonie, des troupes, des gens de force, et ce défaut de spécialisation ne permet d'utiliser qu'avec beaucoup de réserves les quelques données numériques que la Compagnie nous a laissées.

Si, toutefois, et sans tenir compte des risques d'erreur que

(1) A.C., G 1 465, *Mémoire des intéressés en la colonie de Sainte-Reyne*, 1725 ; C 13 C 1, f. 154, *Mémoire sur la Cie des Indes* ; C 13 A 5, f. 164 v, Bienville, 25 sept. 1718.
(2) A.C., C 13 C 1, f. 321 v-322, Réponse de la Compagnie au mémoire du conseil de la Louisiane.

comporte tout essai de comparaison basée sur les chiffres de la Compagnie, nous partons de ces données, les seules dont nous disposons, pour tenter de calculer sommairement la dépense des armements pour la Louisiane dans les années du Système, nous aboutissons à un total approximatif de 7 668 400 livres (1). Pour apprécier la dépense globale de l'entreprise de Louisiane dans la période que nous considérons, il faudrait majorer ces chiffres des frais de gestion et de défense de la colonie, des charges qu'occasionnèrent la guerre avec l'Espagne et les mouvements des escadres royales détachées pour la protection du Mississipi. Sur ce dernier point, nous ne possédons que des données fragmentaires dont les détails qu'elles fournissent ne permettent pas une estimation d'ensemble (2). En revanche, pour les frais de gestion de la colonie, la Compagnie, à la fin de son monopole, en 1731, les évalue pour la période écoulée à 5 ou 600 000 livres par an (3), ce qui augmenterait de 1 500 000 livres environ le coût des armements dans les années du Système et porterait à 9 100 000 livres, approximativement, le capital engagé dans l'établissement de la colonie. Comme le Conseil d'État du roi, dans son arrêt du 11 avril 1722, estime à plus de 6 millions de livres les sommes dépensées par la Compagnie pour « le soutien et l'établissement de la Louisiane », on peut considérer le total de 9 100 000 livres comme la limite extrême de ce que la colonie a pu coûter à la Cie des Indes (4). D'autre part, l'étude des armements permettra de conclure que la dépense s'en est effectuée, dans une forte proportion au moins, en « espèces réelles » et non en billets de banque, ce qui confirme que l'entreprise fut surtout financée par les capitaux de la Banque royale. Dans les années qui suivirent la rétrocession de la colonie au souverain, la Compagnie se plaignit que la Louisiane eût ainsi absorbé la « portion la plus précieuse de ses fonds » (5). Les années initiales, celles du Système de Law, furent certainement la période la plus

(1) Total qui se répartit comme suit : 5 742 000 livres pour 18 armements de 350 à 400 tx, 9 de 250 tx, 3 de 130 à 180 tx ; 893 200 livres pour 7 armements de tonnage indéterminé, que nous estimons à 200 tx (l'ensemble calculé sur la base de 223 300 livres pour un navire de 350 à 400 tx), et 1 033 200 livres pour 7 armements de navires négriers de 180, 200 et 350 tx (sur la base de 220 500 livres pour un navire de 350 tx).

(2) A.C., C 9 A 18, Mithon, 12 févr., 18 avril 1720 ; Duclos, 30 janv. 1720 ; Etat des frais faits par la Cie des Indes pour Le Maréchal-de-Villars, Le Content ; Etat des vivres et rafraîchissements pour Le Triton ; Etat de ce qui a été fourni... pour Le Triton ; Etat de ce qui a été fourni pour L'Achille.

(3) A.C., C 2 15, f. 11 v, Mémoire sur ce que la Cie des Indes peut tirer... de son commerce (1720), C 13 C 1, f. 323-323 v, op. cit.

(4) B.N., Ms. F.F. 11332, f. 171-2.

(5) A.C., C 13 C 1, f. 323 v, 325, op. cit.

onéreuse de l'effort colonisateur en raison de l'important mouvement de navires et des nombreux passages de « concessions » qui se produisirent alors, et dont l'activité diminua dans les années suivantes (1). Le bilan financier que la Compagnie établit en 1731, à l'issue de ses longues années de gestion, et qui enregistra pour la Louisiane une dépense totale de 20 millions de livres, accuse en effet comme principal article de dépense les « sommes immenses » causées par « l'armement des vaisseaux qui ont transporté les ustensiles, vivres et ouvriers des concessionnaires » (2).

Pourtant, les sommes déboursées dans les premières années ne suffirent pas aux besoins de la colonisation. Trop souvent, la Compagnie sacrifia les intérêts des concessionnaires, et, faute d'avoir engagé des moyens appropriés, elle laissa inachevée l'œuvre du peuplement et de la mise en valeur : conséquence de la mentalité de Law, plus préoccupé de l'aspect proprement financier de son Système que d'expansion coloniale, mais aussi du fait que, lorsque le mouvement colonisateur prit toute son ampleur dans la deuxième moitié de 1720, avec l'acheminement des grandes concessions, le Système était déjà en voie de désagrégation, et que la Compagnie ne disposait plus alors des ressources dont elle avait bénéficié dans sa période d'épanouissement.

Un effort n'en avait pas moins été réalisé, qui se manifeste aussitôt après la création de la Cie d'Occident par l'activité plus grande des armements, qui s'accroît ensuite avec la formation de la Cie des Indes, et aboutit en dernière analyse à donner à l'occupation de la Louisiane, sur une surface qui déborde désormais la frange littorale des années précédentes, le caractère de permanence qui lui faisait encore défaut à la fin du monopole de Crozat.

(1) Le terme « concession » est employé indifféremment pour désigner la concession accordée en Louisiane et la société qui en est la bénéficiaire.
(2) A.C., C 13 C 1, f. 323-323 v, *op. cit.*

DEUXIÈME PARTIE

L'EFFORT COLONISATEUR

Chapitre Premier

L'ENTRÉE EN SCÈNE
DE LA COMPAGNIE D'OCCIDENT

Le nom de la Cie d'Occident paraît être entré tardivement dans le vocabulaire administratif. Bien après l'enregistrement des Lettres patentes, le conseil de marine la désigne dans ses délibérations sous le nom de « Cie de la Louisiane », comme s'il s'agissait encore de la Cie de Crozat (1). Parfois, pour dissiper toute équivoque, il parle de la « nouvelle compagnie de la Louisiane » ou, plus simplement, de la « nouvelle compagnie » (2). Mais l'usage fréquent du terme « Cie de la Louisiane », surtout lorsqu'il est appliqué indistinctement à la compagnie dissoute et à celle qui a pris sa succession, engendre quelque confusion (3). Aussi bien dans les actes notariés, dans la correspondance adressée au conseil de marine, le nom officiel ne parvient-il pas à s'imposer : il y est question de la « Cie royale de la Louisiane », de la « Cie du Mississipi », plus souvent que de la Cie d'Occident (4). L'incertitude ne disparaît qu'à la fin de l'année 1717 avec l'adoption définitive du terme fixé par les Lettres patentes (5).

Cette lenteur s'explique peut-être par l'activité que Crozat manifestait encore au moment de la création de la Cie d'Occident. Au début de juillet, du fait sans doute de la pression qui s'exerçait sur le conseil de marine en faveur d'une aide immédiate à la Louisiane, la décision avait été prise d'armer sans délai la flûte la *Dauphine* dont le financier aurait souhaité l'appareillage dès le mois de mars précédent. Le départ en était prévu pour les

(1) A.M., B 1 20, f. 523 v, Beauharnais, 19 août 1717 (note marginale) ; B 1 21, f. 71, du Sault, 18 sept. 1717 (note marginale).
(2) A.M., B 1 20, f. 413 v, Crozat, 12 juill. 1717 (Observation) ; B 1 21, f. 48, Beauharnais, 7 sept. 1717, f. 59-59 v, Rémonville, 21 sept. 1717. — A.C., B 39, f. 86.
(3) A.M., B 1 21, f. 48, *op. cit.*, f. 71, *op. cit.*
(4) Arch. Char-.Mar., Reg. Desbarres, 1717-1719, f. 58 v, Engagement du 24 sept. 1717. — A.M., B 1 20, f. 526 v, Conseil du 31 août 1717.
(5) B 1 21, f. 328-9, Conseil du 21 déc. 1717.

premiers jours de septembre (1). Le navire, ainsi que deux petits
bâtiments destinés à la navigation du Mississipi, devait être
armé par la compagnie sortante, en attendant que la Cie d'Occident vînt la relayer : et il devait lui être tenu compte de la dépense
soit sur les crédits que le conseil affecterait à la colonie pour
l'année 1717, soit sur la valeur des effets que Crozat remettrait
au souverain en lui rétrocédant son privilège (2). Le commissaire
du financier à La Rochelle, Paul de Pont, qui gérait les intérêts
de nombreux négociants des Iles et de Cayenne (3), se chargea
des détails de l'opération, comme il s'était chargé des préparatifs
des armements antérieurs, si bien que tout se régla suivant les
mêmes modalités que dans les années du monopole de Crozat.
En juillet-août, Paul de Pont achète les farines destinées à la
garnison de la colonie, les vêtements, branles et couvertures
que le conseil a ordonné de livrer aux soldats qui n'ont pu
s'embarquer en 1716 et aux quelque 60 faux sauniers qui attendent dans les prisons de Chapus et de Fouras, il acquiert les
médicaments et l'eau-de-vie qu'exigent les soins des malades en
Louisiane, 100 livres de bougie pour les chapelles de la colonie,
il règle enfin les arriérés de solde des officiers de la compagnie
de Bonnille (4).

L'avènement de la Cie d'Occident ne modifia guère la situation. Elle assuma désormais la responsabilité des payements,
et les achats cessèrent de se faire « pour le compte du roi » (5).
Mais Paul de Pont, devenu son correspondant, continua les
préparatifs engagés, en faisant usage de locaux plus vastes que
la nouvelle compagnie mit à sa disposition pour l'entreposage
des marchandises (6). La Cie d'Occident racheta *La Dauphine*
de Crozat, flûte hollandaise du port de 250 tx, et elle reprit à son
service le capitaine Pierre Arnaudin, auquel elle laissa le commandement du navire lorsque celui-ci accomplit à la fin de l'année
sa première traversée du Mississipi sous le nouveau pavillon (7).

---

(1) A.C., C 13 A 5, f. 99, Conseil de marine, 5 juill. 1717.
(2) A.M., B 1 20, f. 406-406 v, Conseil de marine, 20 juill. 1717. — A.C.,
C 13 A 5, f. 100 v-102, Conseil de marine, 5 juill. 1717. — M. GIRAUD, *Histoire
de la Louisiane française*, II, p. 65-9.
(3) Arch. Char.-Mar. Papiers Paul Depont, E 486.
(4) A.C., B 39, f. 79-80, à Beauharnais, 24 juill. 1717. — A.M., B 1 20,
f. 523-4, Beauharnais, 19 août 1717. — M. GIRAUD, *Histoire de la Louisiane
française*, II, p. 114-5, 119.
(5) A.M., B 1 20, f. 523 v, *op. cit.* — A.C., B 39, f. 86, à Beauharnais,
1er sept. 1717.
(6) Arch. Char.-Mar. E 486.
(7) *Ibid.*, B 5714, Déclar. de Paul Depont, 18 août 1717 ; B 5715, pièce 15,
24 oct. 1718.

En dépit de l'arrivée à La Rochelle, en septembre 1718, d'un directeur, Jacques-François de Lestobec, et de la nomination d'un garde-magasin, chargés l'un et l'autre des intérêts de la Cie d'Occident, Paul de Pont garda des relations étroites avec celle-ci, lui faisant des avances de fonds, procédant à sa demande à des achats de navires, et il conserva son activité sous la Cie des Indes et même après la chute de Law (1).

Logiquement, cette reconduction d'une gestion dont les apparences n'avaient pas varié ne pouvait que favoriser la confusion des noms en donnant l'impression que la Cie de Crozat était toujours en fonction. L'intérêt que le financier portait encore à la colonie achevait de confirmer ce sentiment. Dans le courant du mois de septembre et jusqu'à la mi-octobre, Paul de Pont recrute sous le nom de Crozat un certain nombre d'engagés pour la Louisiane, et, dans les actes notariés, celui-ci conserve son titre de « propriétaire par engagement du pays de la Louisiane », comme si son privilège subsistait dans son intégrité (2). A la fin d'août, Crozat négocie même l'achat des deux brigantins, *Le Neptune* et *La Vigilante*, qui doivent se rendre au Mississipi avec *La Dauphine*, et, la Compagnie une fois constituée, c'est encore lui qui, par l'intermédiaire de son correspondant, lève leurs équipages dans la région de Marennes (3).

Dans la deuxième moitié d'octobre, les textes cessent toute allusion à l'action de Crozat. La Cie d'Occident a pris la situation en main. Le 1er octobre, ses directeurs établissent eux-mêmes les instructions dont le capitaine de *La Dauphine* devra s'inspirer dans le voyage qu'il se dispose à effectuer (4). Le conseil de marine transmet à la Compagnie tous les mémoires qui lui parviennent relatifs à la Louisiane, à l'agrandissement éventuel de ses frontières, aux projets d'exploitation des mines du Missouri : lui-même dégage sa responsabilité par la formule que « tout ceci ne demande point de réponse de sa part » (5). Il s'occupe du remboursement des sommes que Crozat a fournies au nom du souverain (6). Mais, pour toutes les dépenses concernant l'entre-

(1) *Ibid.*, E 486. — A.M., B 3 252, f. 459-60, le Sr Foret, 20 nov. 1718.
(2) *Ibid.*, Registre Rivière & Soullard, 1715-8, f. 170-1, 177 v, 184 v, 185, 188.
(3) *Ibid.*, f. 183-4 ; B 5714, Déclar. de Paul Depont, 20, 23 août 1717. — A.C., B 39, f. 83 v, à M. Charlot, 11 août 1717. — A.M., B 1 20, f. 516-516 v, M. Charlot, 17 août 1717 ; B 1 21, f. 50 v, Jacob, 11 sept. 1717.
(4) A.C., B 42 *bis*, f. 173-5, Instructions... pour le capitaine Arnaudin...
(5) A.C., C 13 A 5, f. 139 suiv., *Mémoire sur la colonie de la Louisiane.* — A.M., B 1 30, f. 91-2, 94, Hubert, 27 nov. 1717 ; B 1 32, f. 63-63 v, du Bourg, 16 juill. 1717.
(6) F 3 241, f. 212, Requête de Crozat, 30 mai 1718.

prise dont elle a maintenant la direction, il s'en remet à la seule Cie d'Occident, qu'il s'agisse des frais de séjour dans les ports d'embarquement des faux sauniers ou déserteurs que le gouvernement destine à la Louisiane, de la dépense encourue pour les enchaîner à bord des navires, des dettes relatives à des fournitures antérieurement faites à la colonie dont Crozat a suspendu le payement, ou enfin des fonds à remettre à l'ordonnateur de Louisiane pour le règlement des appointements et des soldes et de toutes dépenses relevant jusque-là du souverain (1). A la Compagnie d'assister dorénavant les familles des maîtres de chaloupe ou des artisans qui ont été envoyés en 1716 sur l'ordre du conseil pour servir dans la colonie, et d'acquitter, à partir du jour où Crozat les a interrompus, les appointements des officiers majors de Louisiane, ce qui ne devait pas aller sans difficulté étant donné que Crozat s'était démis de ses obligations bien avant l'établissement de la nouvelle compagnie (2).

Il en résultait pour celle-ci une charge assez lourde, qui débordait le cadre d'une gestion dont la création de la Compagnie aurait dû marquer le point initial : d'autant plus que, ne disposant encore d'aucun capital, elle n'avait en principe, pour y subvenir, que les fonds privés de Law. Apparemment, une aide financière de la monarchie fut alors envisagée, de l'ordre de 200 000 livres, avec l'approbation et le soutien du duc de Noailles (3). Le fonds préliminaire de 250 000 livres, qui fut attribué à la Compagnie dès la fin de 1717 (4), procède peut-être de cette suggestion.

Son privilège étant devenu effectif, la Compagnie prit officiellement possession des effets qui constituaient la propriété du roi à l'île Dauphine et au fort de la Mobile, et dont la cession avait été prévue par les Lettres patentes, bâtiments de terre et de mer, matériel d'artillerie, munitions, instruments de mathématiques, ornements du culte. La remise en fut effectuée le 1er mars 1718, après inventaire dûment dressé par l'ordonnateur Hubert, qui était maintenant chargé de régir les affaires

(1) A.M., B 1 21, f. 71, Saint-Julien, 19 sept. 1717 ; B 1 29, f. 219-220, Beauharnais, 10 févr. 1718, f. 231 v-2, Les directeurs de la Cie d'Occident, 27 févr. 1718 ; B 1 33, f. 481 v, Beauharnais, 19 juin 1718. — A.C., B 40, f. 91 v, aux directeurs de la Cie d'Occident, 19 janv. 1718 ; B 42 *bis*, f. 244, Etat de la dépense... ordonnée en Louisiane en 1718.

(2) A.M., B 1 21, f. 48, Beauharnais, 7 sept. 1717 ; B 1 29, f. 336 v, Montholon, 19 mars 1718 ; B 1 41, f. 31-31 v, Conseil de marine, 10 janv. 1719. — A.C., B 39, f. 91 v, à Beauharnais, 22 sept. 1717.

(3) A.E., *Mém. et Doc.*, Amérique, I, f. 468-470, Projet de dépenses à faire à la Louisiane ; f. 471, Projet d'arrêt pour les 200 000 livres.

(4) Ci-dessus, p. 38.

de la Cⁱᵉ d'Occident (1). A la fin de 1718, celle-ci entra également en possession de « tous les établissements..., marchandises, vaisseaux et effets » que Crozat avait abandonnés au roi dans la colonie moyennant une somme de 2 millions de livres. Le roi, par un arrêt du 20 juin, confirmé par Lettres patentes du 26 août, venait d'accepter la renonciation de Crozat au commerce exclusif de la Louisiane et à tout ce qui lui appartenait dans la colonie (2). La convention définitive, fixant les conditions du « délaissement » et le montant de l'indemnité de rachat, fut signée par-devant notaire le 26 novembre (3). Elle entra en vigueur quelques jours plus tard, avec la réception par les directeurs de la Compagnie en Louisiane des effets du financier, dont Hubert avait arrêté le compte exact (4).

L'apparition de cette Cⁱᵉ d'Occident, plus favorisée que celle de Crozat, mieux dirigée en apparence, maîtresse d'une plus vaste étendue de pays, ne pouvait manquer de préoccuper les puissances qu'intéressait l'avenir colonial de la France. On sait quelles réactions hostiles la Cⁱᵉ de Crozat avait suscitées à son avènement (5). En présence d'une compagnie dont le conseil de marine, dans sa correspondance, exagérait délibérément la puissance et les moyens financiers, et qui, dès le début, produisit effectivement sur la population de la Louisiane une impression de force et de richesse (6), l'inquiétude était inévitable parmi les nations maritimes. Avant même sa formation, le conseil avait appréhendé les dispositions de ces puissances. Et, lorsque le Suisse Jean-Pierre Purry, après la dislocation du Système de Law, vint proposer au régent d'acheminer vers la Louisiane une population de Suisses et d'Allemands capables de faire œuvre colonisatrice, la crainte des réactions de l'Espagne et de l'Angleterre fut la raison du refus qu'on lui opposa (7).

L'Espagne réagit aussitôt avec une extrême vivacité. Depuis

---

(1) A.C., B 39, f. 451, à L'Epinay et Hubert, 27 sept. 1717 ; C 13 A 5, f. 174-183, Inventaire de tous les effets appartenant au roi... — A.M., B 1 30, f. 429 v, Hubert, 10 juin 1718.

(2) A.C., A 22, f. 70-71 v. Lettres patentes sur l'arrêt du 20 juin 1718, Paris, 26 août 1718.

(3) A.N., Min. central, Et. CXIII-277, Délaissement, 26 nov. 1718.

(4) A.C., A 22, f. 33, Enregistrement des Lettres patentes de la Cⁱᵉ d'Occident, 9 déc. 1718. — B 42 *bis*, f. 183-4, Ordre de la Compagnie portant pouvoir à Hubert, 24 sept. 1717.

(5) Giraud, *Histoire de la Louisiane française*, I, p. 233-4.

(6) A.C., B 39, f. 259 v, à Vaudreuil & Bégon, 22 août 1717. — C 13 A 5, f. 117-117 v, La Tour à Hubert, 17 mars 1718.

(7) A.C., C 13 A 5, f. 75 v, Purry au duc d'Orléans. — A.E., *Mém. et Doc.*, Amérique, I, f. 280, Réflexions sur... l'établissement de la colonie du Mississipi, 3 avril 1717 ; f. 439, *Mém. sur l'établissement de la Louisiane.*

de longues années, la tension grandissait entre les possessions coloniales des deux couronnes, et les fréquents incidents qui avaient lieu dans les mers antillaises entretenaient un état de guerre latent. Aux Canaries et, davantage encore, à Saint-Domingue, où le marquis de Châteaumorant commençait à prendre des mesures de protection, la conviction s'exprimait fortement qu'une rupture était proche et que le premier choc se produirait entre le Mexique et la Louisiane (1). L'évolution de la politique du régent, le rapprochement qui s'esquissait avec l'Angleterre compromettaient enfin de plus en plus les rapports franco-espagnols. Dans une atmosphère aussi tendue, la création de la Cie d'Occident apparut comme une nouvelle provocation : elle semblait indiquer la volonté de renforcer la puissance française en Louisiane, sinon d'engager contre le Mexique une offensive soutenue par les Indiens traditionnellement hostiles à la domination espagnole (2).

La Cour de Madrid répliqua par le décret du 1er novembre 1717, dirigé contre les intérêts du commerce français dans la péninsule. Une fois de plus, c'est contre le négoce de « la nation », toujours exposé à la malveillance des pouvoirs publics en dépit des garanties prévues par les accords des deux Couronnes, que s'exprima le ressentiment des Espagnols. Le roi, proclamait le décret, ayant appris que le gouvernement français « travaillait à former une nouvelle compagnie..., appelée Cie des Indes occidentales », interdit l'entrée de « tous les fruits et marchandises des Indes » importés par « les mains des Français » (3). En conséquence, l'intendant de la douane de Cadix annonça que « les fruits des colonies françaises », en provenance directe du lieu de production ou acheminés par le détour du territoire métropolitain, seraient indistinctement exclus des ports espagnols (4). Quelques jours après la promulgation du décret, d'autre part, le 10 novembre, le souverain adressa au vice-roi du Mexique l'ordre secret de détruire la colonie française (5). Les deux décisions, visiblement, procédaient de la crainte et du

---

(1) A.M., B 1 18, f. 123 v, Porlier, à Ténérif, 10 juin 1717 ; B 1 21, f. 109, Châteaumorant & Mithon, 20 juin 1717.
(2) A.N., M 1024, Chemise III (Louisiane), Réflexions sur les instructions présentées au conseil par Drouot de Valdeterre. — DUHAUTCHAMP, *Histoire du Système des Finances...*, I, p. 102.
(3) A.M., B 1 18, f. 212 v-3, Partyet, Cadix, 14 nov. 1717 ; B 7 33, f. 175 v-6, Partyet, 14 nov. 1717 ; B 7 110, f. 598-9, *Mémoire à l'archevêque de Cambrai*, 5 oct. 1720.
(4) A.M., B 7 33, f. 175 v-6, *op. cit.*
(5) A.M., B 1 50, f. 198-9, Conseil de marine, 23 janv. 1720.

« dépit » que causaient l'entrée en scène de la nouvelle compagnie et la menace qu'elle pouvait impliquer pour l'empire espagnol (1). La réalité, en ramenant à sa vraie mesure la puissance de la Cᵗᵉ d'Occident, démentira bientôt les appréhensions de la Cour de Madrid. Mais, sur le moment, l'inquiétude de l'Espagne pour son empire mexicain pouvait paraître justifiée. Si les consuls de France refusent d'en convenir, s'ils font de toute l'affaire une question de « dépit », Champmeslin, à son retour du Mississipi, estimera au contraire que ce n'est pas « sans raison » que l'Espagne souhaite l'anéantissement d'une colonie dont le maintien peut avoir pour elle de graves conséquences (2).

Pour les marchands français, le préjudice était d'autant plus sérieux que le décret du 1ᵉʳ novembre suivait de près l'interdiction du commerce de Cadix avec la côte de Barbarie, dans lequel ils avaient de gros intérêts, et celle du commerce des chemises ou « bretonnes », qui leur donnait aussi depuis longtemps d'importants bénéfices (3). Le décret, de l'aveu du gouverneur de Cadix, n'était pas moins contraire aux intérêts des Espagnols puisque la majeure partie du sucre et du cacao qu'ils consommaient provenait des colonies françaises (4).

Le régent, de nouveau, protesta au nom des privilèges commerciaux traditionnels des ressortissants français, il fit valoir l'argument, si souvent invoqué déjà par la Cour de Versailles, de la violation des traités conclus avec le Roi Catholique, il ajouta que la nouvelle compagnie n'avait « aucun rapport à l'Espagne » et que celle-ci avait toute latitude de « faire chez elle pareils établissements » sans que la France eût le droit de s'en formaliser (5). Le décret n'en fut pas moins appliqué avec rigueur : dès le 21 novembre, le consul de France à Cadix note la décadence rapide du commerce de la nation, et il l'oppose aux progrès de celui des Anglais et des Hollandais, que rien ne contrarie (6). Si la sévérité s'atténue par la suite, c'est surtout

---

(1) A.M., B 1 32, f. 365-365 v, Partyet, 22 mai 1718.
(2) *Ibid.*, B 1 50, f. 198-9, Conseil de marine, 23 janv. 1720 ; B 7 110, f. 598-9, *op. cit.* — Sur Champmeslin, ci-dessous, p. 301.
(3) Il s'agissait des chemises que les matelots bretons revendaient, après les avoir portées, à l'issue de leurs campagnes. A.M., B 7 33, f. 68 v-9, 70-70 v, Partyet, 13 sept. 1717 ; f. 146-146 v, Partyet, 31 oct. 1717 ; B 7 106, f. 814-7, Conseil de marine au duc de Saint-Aignan, 30 déc. 1717.
(4) A.M., B 1 18, f. 213 v-4, Partyet, 14 nov. 1717 ; B 7 33, f. 176 v-7, Partyet, 14 nov. 1717.
(5) A.M., B 7 106, f. 781-3, au duc de Saint-Aignan, 19 déc. 1717 ; B 7 110, f. 600-601, *Mém. pour l'archevêque de Cambrai*, 5 oct. 1720.
(6) A.M., B 1 18, f. 220-220 v, Partyet, 21 nov. 1717 ; B 7 33, f. 190-1, Partyet, 21 nov. 1717.

en raison de la bienveillance personnelle de l'intendant de Cadix, qui avait à maintes reprises donné aux marchands français des preuves de sympathie et d'équité (1). Grâce à lui, grâce au dévouement du consul Partyet, l'application du décret fut suspendue à la fin de décembre, l'interdiction du commerce de Barbarie perdit de sa rigueur, et des pourparlers furent engagés en vue de l'établissement d'un tarif général des droits de douane susceptible de favoriser les intérêts des Français (2).

Mais cet effort de compréhension se limitait à la région de Cadix (3), et le répit fut de courte durée. La Cour, malgré les représentations de l'ambassadeur de France, refusa d'abroger le décret. Dès le printemps de 1718, la prohibition reprit toute sa force, le commerce entra de nouveau dans une phase de régression. Si l'interdiction fut étendue aux opérations des Anglais et des Hollandais, la mesure ne valut à la France qu'une satisfaction d'amour-propre, elle ne lui rendit aucun des avantages dont elle avait été frustrée et la laissa en état d'infériorité sur les nations concurrentes, car le décret l'atteignait plus durement que celles-ci (4). La consigne, en fait, demeura en vigueur pendant toute la durée de la guerre qui, au début de 1719, éclata entre la France et l'Espagne. Et, malgré la reprise des relations commerciales entre les territoires des deux puissances à la fin des hostilités, les denrées coloniales restèrent exclues du droit d'entrée dans les ports espagnols : en 1720, ni les démarches ni les protestations de l'ambassadeur de France, ni l'invocation de la paix des Pyrénées ne parvinrent à fléchir l'obstination de la Cour de Madrid (5).

Jamais encore l'Espagne n'avait opposé un ressentiment aussi tenace aux initiatives coloniales de la France. La Cie de Crozat avait donné lieu à des protestations, elle n'avait pas provoqué de représailles contre les intérêts économiques de la France. La formation de la Cie d'Occident, suivie d'hostilités ouvertes, a modifié la situation. Survenant dans une période de rapports difficiles, la Compagnie a créé une nouvelle cause de

(1) A.M., B 1 32, f. 129, 205 v, 243 v, 299 v, Partyet, 30 janv., 7 mars, 28 mars, 24 avril 1718.
(2) A.M., B 7 34, f. 7-7 v, 50 v, 74 v, 86 v, 231, Partyet, 5 déc., 20 déc. 1717, 2 janv., 9 janv., 7 mars 1718 ; B 7 35, f. 38 v-9, 139 v-140, Partyet, 24 avril, 5 juin 1718 ; B 7 110, f. 599-600, *op. cit.*
(3) B 7 36, f. 162-162 v, Partyet, 24 oct. 1718.
(4) A.M., B 1 32, f. 327 v, 347 v, 365-365 v, Partyet, 2, 16, 26 mai 1718 ; B 1 35, f. 84-84 v, 220, 241-2, 16 17, 31 juill. 1718.
(5) A.M., B 7 41, f. 28 v-29, 44, Faure, à Barcelone, 21 avril, 5 mai 1720 ; B 7 110, f. 600-601, *op. cit.*

tension qui n'a peut-être pas été étrangère à la rupture décisive de 1719. Et si, en 1720, la Cie d'Occident elle-même n'est plus qu'un fait lointain, les rancunes léguées par la guerre qui vient de sévir sur le front colonial et sur le front européen entretiennent et expliquent la malveillance persistante du gouvernement espagnol. L'Espagne s'est inclinée devant la supériorité des armes françaises, mais elle n'a pas abdiqué ses préventions envers la politique qui a brisé l'alliance du règne précédent. Les réticences qu'elle manifeste, les mesures d'exception qu'elle maintient à la fin de la guerre contre le commerce français, alors que, de nouveau, elle favorise celui des pays concurrents (1), traduisent l'aggravation générale des rapports des deux nations.

En Angleterre, au contraire, la création de la Cie d'Occident n'éveilla point de réaction hostile. Le rapprochement qui était sur le point de s'opérer avec la France, les négociations que l'abbé Dubois engageait à Londres à cet effet (sept. 1717) créaient alors un esprit de conciliation suffisant pour écarter toute éventualité de représailles. Les journaux anglais et les gazettes de Hollande ne paraissent s'intéresser qu'à l'aspect financier du nouvel organisme. A la différence de ce qui s'était produit à l'avènement de la Cie de Crozat (2), ni les uns ni les autres ne font allusion au début aux conséquences qui pourront en résulter pour la colonie du Mississipi et pour le commerce de la métropole, ni à la menace que l'événement peut impliquer pour l'économie des nations maritimes. Les *Lettres historiques*, qui s'étaient montrées si agressives en 1713, expriment plus de scepticisme que d'inquiétude : la Cie d'Occident ne leur paraît pas susceptible de faire une concurrence efficace à la Grande-Bretagne, nantie par la supériorité de son régime politique d'une organisation bancaire et commerciale autrement éprouvée (3).

On s'étonne de lire dans une lettre du marquis de Balleroy du 29 septembre 1717 que l'ambassadeur d'Angleterre « s'oppose à l'établissement de la Cie du Mississipi », et que l'abbé Dubois s'est rendu à Londres pour essayer d'aplanir la difficulté (4). La volumineuse correspondance à laquelle a donné lieu la mission de celui-ci en Angleterre est en tout cas muette sur ce point (5). L'Angleterre, inévitablement, a dû se juger menacée dans ses intérêts coloniaux par l'apparition de la Cie d'Occident. Mais

---

(1) A.M., B 7 41, f. 28 v-9, *op. cit.*
(2) M. GIRAUD, *op. cit.*, I, p. 233.
(3) *Lettres historiques*, t. 52 (1717), p. 460-462.
(4) *Les correspondants de la marquise de Balleroy*, I, p. 213.
(5) A.E., *Correspondance politique*, Angleterre, t. 295, 296, 301, 302, 303.

elle n'a manifesté d'inquiétude qu'à une date ultérieure, lorsque le succès apparent de l'expérience de Law, les promesses qu'éveillaient la colonisation et le peuplement de la Louisiane sous l'impulsion de la Cie des Indes, l'ouverture enfin d'un champ d'action illimité au commerce français, devinrent autant de sujets d'alarme pour le gouvernement britannique (1).

Dans quelle mesure l'action de la nouvelle compagnie était-elle de nature à justifier l'appréhension et le mécontentement qu'avait si vivement exprimé la Cour de Madrid ?

---

(1) J. Buvat, *Journal de la régence*, II, p. 14. — *Lettres historiques*, t. 57 (1720), p. 92. — A.E., *Mém. et Doc.*, France, 311, f. 201-202.

CHAPITRE II

LES ARMEMENTS

Avec la création de la Cie d'Occident, les armements à destination de la Louisiane entrent incontestablement dans une période d'activité nouvelle. Les débuts de la Compagnie n'eurent assurément pas « l'éclat » que leur attribue Bénard de La Harpe (1). Mais il est certain que, pour une colonie aussi pauvrement desservie que la Louisiane, l'avènement de la Compagnie marque une amélioration considérable dans les rapports qu'il lui est permis d'entretenir avec la métropole. Le pays cesse, alors seulement, de faire figure de possession délaissée, virtuellement isolée, pour se classer au niveau dès Iles et du Canada, qu'il ne tardera pas à dépasser.

Aussitôt constituée, la Compagnie procède en effet à l'acquisition des premiers bâtiments qui devront effectuer la traversée du Mississipi. Outre la flûte *La Dauphine*, elle rachète à Crozat un navire, d'une capacité de 130 tx, *La Paix*, qui est revenu de Louisiane au mois d'août 1717 et qui, en décembre, sera de nouveau armé pour le Mississipi (2). Elle acquiert ensuite à La Rochelle une flûte hollandaise, de 250 tx, *Le Timbreman*, pour la somme de 13 500 florins, qu'elle se propose de faire naviguer « dans ses concessions » sous le nom de *La Marie* (3). Au début de 1718, elle entre en possession de deux nouveaux bâtiments, *La Victoire*, armée de 24 canons, et *La Duchesse-de-Noailles*, qui jaugent respectivement 350 et 300 tx (4), et, dès le mois de mai 1718, elle aura été en mesure d'organiser deux importants

---

(1) A.M., 3 JJ 201 (10).
(2) Arch. Char.-Mar. B 5714, Déclaration de Paul Depont, 4 nov. 1717. — A.E., *Mém. et Doc.*, Amérique, I, f. 299, Etat de ce qui est dû au Sr Crozat. — A.C., B 42 *bis*, f. 185, Instruction pour le capitaine Voyer..., déc. 1717. — *Gazette*, Paris, 14 sept. 1718. On peut estimer le prix d'achat à 10 000 livres par comparaison avec un bâtiment de même capacité qu'un négociant de La Rochelle acquit à la même date.
(3) B 5714, Déclaration de Paul Depont, 23 déc. 1717. — A.M., B 1 29, f. 318 v-9, Conseil de marine, 21 mars 1718.
(4) Arch. Char.-Mar. B 5716, pièce 21, 11 juill. 1719. — B.N., Ms. F.F. 8989, B. de LA HARPE, *Journal du voyage de la Louisiane*, f. 1.

armements pour la Louisiane. En février 1718, elle a également négocié l'achat d'un navire de 200 tx, *L'Aurore*, et elle y ajoute, quelques mois plus tard, un bâtiment de 250 tx, vraisemblablement *Le Saint-Louis*, deux unités qu'elle se propose d'employer au transport des esclaves noirs, mais dont la première seulement remplira ce rôle (1). Au mois de septembre de la même année, *Le Maréchal-de-Villars* (250 tx) et *Le Comte-de-Toulouse*, puis, deux mois plus tard, *Le Philippe* (300 tx) viennent encore renforcer ses moyens ; et, à la fin de l'année, elle rachète à Saint-Malo un navire de 450 tx, *L'Union*, armé de 40 pièces de canon (2).

Lorsque la fusion s'effectua avec la Cie du Sénégal, la Cie d'Occident non seulement possédait déjà une flotte d'une certaine importance, dont l'acquisition n'aurait pas été possible sans l'aide financière que la monarchie lui fournissait (3), mais elle avait loué à un armateur de Saint-Malo, de La Motte Gaillard, le navire *Le Grand-Duc-du-Maine*, de 350 tx, qui avait appareillé au mois d'août pour la côte de Guinée et la Louisiane (4). L'absorption de la Cie du Sénégal se solda naturellement par un nouvel apport de forces, 17 navires au moins dont quelques-uns, notamment *Le Duc-d'Orléans* et *Le Maréchal-d'Estrées*, participeront aux relations de la métropole avec le Mississipi (5).

Également significative de l'activité de la Cie d'Occident est la mise en chantier, aussitôt après sa fondation, d'un certain nombre de bâtiments neufs. Dès la fin de 1717, elle passe un marché avec des entrepreneurs de Bayonne pour la construction de trois frégates de 26 canons (6). Les travaux ne semblent avoir été sérieusement engagés qu'au début de 1719. A cette date, autant qu'il est possible d'en juger, ils portent sur 4 frégates de 5 à 600 tx, ce qui impliquerait une révision du marché initial (7). Avec la formation de la Cie des Indes, le nombre des navires s'accrut rapidement tant du fait de l'absorption des

(1) Arch. port de Lorient, 2 P 20, I (1719), Rôle de l'équipage de *L'Aurore*. — A.C., B 42 *bis*, f. 225-7, Instruction pour le capitaine du Coulombier. — A.M., B 3 254, f. 431-2, Hardancourt au comte de Toulouse, 16 août 1718.

(2) Arch. Char.-Mar. B 5715, pièce 17. — Arch. port de Lorient, 2 P 20-II (1720), Rôle de l'équipage du *Philippe* et de *L'Union*. — B.N., F° fm 7708, p. 12, Réponse du S. Tartel... — *Nouv. Mercure*, sept. 1718, p. 214.

(3) Ci-dessus, p. 39.

(4) Arch. port de Lorient, 2 P 20-I, Rôle de l'équipage du *Grand-Duc-du-Maine*.

(5) A.N., M 1026, Dossier Sénégal, n° 2. Inventaire pour la Cie royale du Sénégal fait... à Rouen le 1er oct. 1718, qui infirme l'estimation donnée par FORBONNAIS (*op. cit.*, II, p. 594) de 11 navires.

(6) A.M., B 1 21, f. 328-9, Conseil de marine, 21 déc. 1717.

(7) A.C., B 40, f. 89 v, à M. Laudreau, 10 janv. 1718 ; B 41, f. 127-127 v, à M. de Lesseville, 22 sept. 1719. — A.M., B 1 39, f. 173 v-4, Conseil de marine, 5 sept. 1719 ; B 2 254, f. 208 v-9, à M. Laudreau, 4 sept. 1719.

compagnies de commerce et de leur capital que du fait des nouvelles acquisitions qui furent alors réalisées, à l'aide parfois des ressources de la circulation fiduciaire, dans la métropole ou dans les ports étrangers. C'est ainsi que, dès le mois de juillet 1719, la Cie des Indes achète à Saint-Malo le navire *L'Affriquain* (184 tx), qu'elle destinera à la traite des Noirs (1). A Nantes, elle reprend aux armateurs Darquistade & Cie *La Vierge-de-Grâce*, du port de 350 tx, moyennant la somme de 90 000 livres payée comptant en billets de banque et louis d'or (2). A La Rochelle, elle rachète au marchand Alard Belin, pour le prix de 150 000 livres, le navire *Les Deux-Frères* (300 tx), qui restera célèbre dans l'histoire des déportations au Mississipi ; à Lorient enfin, elle négocie l'achat du *Profond*, qui se rendra aussi en Louisiane (3). A l'étranger, on note des acquisitions de navires en Hollande, à Hambourg, en Angleterre.

Surtout, la Cie des Indes élargit le programme de constructions navales engagé par la Cie d'Occident. En 1719, elle prend des mesures pour mettre en chantier chaque année, dans le port de Bayonne, des bâtiments de même grandeur que les frégates déjà commencées (4). Son activité se manifeste au Havre, où elle commande, dès septembre 1719, un navire de 40 canons, à Marseille où, la même année, elle entreprend la construction du *Duc-de-Chartres* qu'elle enverra dans les mers du Sud (5). Les chantiers britanniques, de leur côté, construisent beaucoup pour la Cie des Indes : quelques mois seulement après sa formation, Depford lui a déjà livré 2 navires de guerre et en prépare 2 autres ; Linnehouse (Limehouse) lance au mois de décembre *Le Saint-André*, dont un équipage français vient prendre possession sur les lieux ; Bristol, en juillet 1720, fournit deux navires de 50 canons ; et, à la fin de l'année, *Le Lys* et *Le Bourbon*, dont la dépense, du fait de l'échec du Système, incombera finalement à la monarchie, sont en construction dans le port de Londres (6).

(1) Arch. Char.-Mar., B 5717, pièce 68.
(2) A.N., Min. central, Etude XLV-360, Vente, 24 mai 1719.
(3) Arch. Char.-Mar., B 5716, pièce 15 ; B 5717, pièce 42.
(4) A.M., B 1 39, f. 174, Conseil de marine, 5 sept. 1719 ; B 1 47, f. 118 v-9, Conseil de marine, 29 sept. 1720 ; B 1 52, f. 265 v, Conseil de marine, 12 nov. 1720. — A.E., *Mém. et Doc.*, France, 1247, f. 146 v, Etat général des vaisseaux de la Cie des Indes.
(5) A.M., B 2 255, f. 409 v, au Bailly de Bellefontaine, 23 sept. 1719 ; à M. Law, 11 mars 1720 ; B 3 259, f. 389, à Hocquart, 29 oct. 1719.
(6) Arch. port de Lorient, 2 P 20-IV, Rôle d'embarquement du navire *Le Lis*. — A.M., B 1 46, f. 79, M. de Norey, 26-27 janv. 1720. — B.N., F° fm 7707, Réponse de G. Tartel à la requête des Srs Morin et Duval de Premenil. — *Nouv. Mercure*, oct. 1719, p. 148, déc. 1719, p. 150. — *Gazette de Hollande*, 23 janv., 16 juill. 1720.

A Hambourg enfin, la correspondance consulaire signale en avril 1720 la mise en chantier de 5 navires de 40 canons au moins pour le compte de la Compagnie (1).

Ces indications éparses ne nous renseignent pourtant pas sur l'effectif total des bâtiments dont la Compagnie a pu disposer sous la gestion de Law. Au début de juin 1720, l'assemblée générale des directeurs aurait conclu à la possession de 105 vaisseaux, « non compris les brigantins et les frégates », chiffre que Dutot reproduit sur la foi de cette même délibération dont, en fait, nous ne savons que ce qu'en disent les gazettes (2). Le chiffre paraît trop élevé pour être vraisemblable, surtout s'il ne comprend ni les brigantins ni les frégates, d'autant plus que les circonstances dans lesquelles eut lieu l'assemblée, à un moment où il importait de ranimer la confiance du public, en rendent les conclusions suspectes (3). Le bilan général de la Compagnie présenté aux actionnaires le 15 mars 1724 n'accusera que 75 bâtiments, et rien ne permet de supposer que l'effectif de la flotte ait été supérieur dans les années du Système (4).

La période de Law se distingue d'ailleurs moins par l'accroissement de la puissance navale de la Compagnie que par l'élan que celle-ci a su donner à ses armements, au Havre, à Dunkerque, à Saint-Malo, Brest, La Rochelle, Bayonne, et, à plus forte raison, à Lorient. Il n'est guère de ville maritime qui, au cours de ces quelques années, n'ait été témoin de l'activité de la Compagnie. De ces armements, la Louisiane bénéficia dans une très forte proportion. L'appareillage de *La Dauphine* et des 2 brigantins, *Le Neptune* et *La Vigilante*, le 25 octobre 1717, puis de *La Paix* au mois de décembre, partis les uns et les autres des rades de La Rochelle, inaugure un mouvement de navigation qui ne cessera de s'amplifier dans les 3 années suivantes (5). *La Dauphine* et *La Paix* atteignirent la Louisiane en février et mars 1718 (6), pour regagner le Port Louis au mois de septembre. Les gazettes signalèrent leur retour, et, à cette occasion, elles insérèrent sur les établissements du Mississipi une première note publicitaire à l'effet d'encourager le désir d'émigration qui

---

(1) A.M., B 7 40, f. 200-200 v, Poussin, Hambourg, 8 avril 1720.
(2) Dutot, *Réflexions politiques sur les finances*, éd. Harsin, I, p. 91. — *Mercure histor. et politique*, t. 68, p. 677.
(3) Ci-dessus, p. 74-5.
(4) A.N., M 1027, n° 14, Etat de la Cie des Indes au 15 mars 1724.
(5) Lorient, 1 P 274, liasse 2, pièce 16. — A.C., B 42 *bis*, f. 185, 215, Instructions pour le capitaine Voyer et l'ingénieur Perrier. — B.N., F° fm 17257, p. 5-6, *Mémoire pour Willart d'Auvilliers.*
(6) A.E., *Mém. et Doc.*, Amérique, I, f. 82 v, Legac, *Etat... (de) la colonie de la Louisiane.*

commençait à se manifester dans la population (1). Mais, au moment où *La Paix* quittait la métropole, en décembre 1717, la Compagnie préparait au Havre l'armement de la frégate *La Duchesse-de-Noailles*, qui partit de La Rochelle avec *La Marie* et *La Victoire* en mai 1718 et arriva dans la dernière semaine d'août à l'île Dauphine, où les 3 navires séjournèrent jusqu'à la mi-novembre. Jamais encore la colonie n'avait été l'objet d'un armement aussi considérable (2). A cette date, pourtant, *Le Maréchal-de-Villars*, réparé et caréné dans le port de Rochefort, et *Le Comte-de-Toulouse*, armé dans le port de Bayonne, étaient déjà sur le point d'appareiller pour le Mississipi. Les 2 frégates partirent de La Rochelle à quelques semaines d'intervalle, en novembre-décembre 1718, pour aborder à l'île Dauphine, *Le Comte-de-Toulouse* le 17 mars, et *Le Maréchal-de-Villars* un mois plus tard, en même temps que *Le Philippe*, qui avait été armé à Bayonne (3). La colonie avait donc bénéficié de 2 armements d'égale force, à peu de distance l'un de l'autre, et, dans l'espace de 16 mois, elle avait reçu plus de navires que pendant toute la durée du monopole de Crozat. Arrivant en Louisiane au printemps de 1719, alors que la guerre venait d'éclater entre la France et l'Espagne, les 3 derniers navires devaient utilement coopérer à la défense de la colonie. La capture du *Comte-de-Toulouse* et du *Maréchal-de-Villars* en rade de La Havane, les vicissitudes qu'ils subirent aux mains des Espagnols, la condition de leurs passagers vaudront aux 2 frégates une certaine notoriété dans l'histoire de la Louisiane. La Compagnie faillit les perdre au cours de la campagne. Gravement endommagées par les Espagnols, puis ressaisies par une escadre du roi de France, elles auraient dû, en qualité de « prises de mer », devenir propriété du souverain. Mais celui-ci, en considération de la part qu'elles avaient eue dans les opérations navales de la guerre, en fit don « purement et simplement » à la Compagnie « pour les employer au commerce de la Louisiane » (4).

(1) *Nouv. Mercure*, sept. 1718, p. 214. — *Gazette*, 14 sept. 1718.
(2) B 42 *bis*, f. 184-5, Commission pour le S. Foubert, 10 déc. 1717. — A.E., *Mém. et Doc.*, Amérique, I, f. 84, 86 v, *Journal de Legac* (1718-21). — A.M., B 1 42, f. 123 v, de Rossel, 6 avril 1719 ; B 2 251, f. 105, Aux directeurs de la Cte d'Occident, 9 mars 1718.
(3) A.C., B 40, f. 54 v, à Beauharnais, 30 sept. 1718 ; B 42 *bis*, f. 210, 223, Instructions pour le S. Thopin, pour M. Méchin. — A.M., B 1 30, f. 321, Beauharnais, 12 sept. 1718. — A.E., *Mém. et Doc.*, Amérique, f. 86 v-87, *op. cit.* — Lorient, 2 P 20-II, Rôle du navire *Le Philippe.*
(4) Lorient, 1 E 4 26, f. 436, au S. Renault, 7 nov. 1720 ; f. 472-4, 474, Arrêt du conseil d'Etat, Etat... de liquidation..., 27 nov. 1720, 10 mars 1721 ; 1 E 4 27, f. 107, 118 v, au S. Renault, 29 mars 1721. — A.M., B 2 258, f. 19 v, à l'archevêque de Cambrai, 15 juill. 1720. — A.C., C 9 A 17, Sorel et Mithon, 18 févr. 1720.

L'ouverture des hostilités ne ralentit point les armements de la Compagnie. La seule différence est qu'elle réclame alors la protection du souverain et que plusieurs de ses navires furent acheminés sous escorte d'une escadre royale. De la fin du mois de juin à la mi-novembre 1719, 6 bâtiments, en provenance de La Pallice et La Rochelle, dont certains venaient à peine de rentrer du Mississipi, abordèrent en Louisiane : *Le Saint-Louis* et *La Dauphine* à la fin du mois de juin (1), *L'Union* et *La Marie*, qui arrivèrent au début de septembre, escortés par les navires de Champmestin (2), *La Duchesse-de-Noailles* (octobre) dont la mission était précisément de ravitailler les bâtiments du roi, mais dont le voyage, en raison de l'abandon qu'elle fit à la population d'une partie des 80 000 rations qu'elle transportait, fut aussi utile à la colonie qu'à l'escadre (3), *Les Deux-Frères* enfin, le premier navire qui appareilla pour la Louisiane sous la gestion de la Cie des Indes (4).

Lorsque *Les Deux-Frères* abordèrent dans la colonie, à la mi-novembre, le danger d'une agression espagnole était définitivement écarté. L'effort tenté contre la position française avait été médiocre et n'avait pas soutenu la riposte de Champmeslin. Aussi les rapports entre la métropole et la Louisiane deviennent-ils de plus en plus actifs au cours de l'année 1720. Ils ne prennent toute leur ampleur, cependant, que dans le 2e semestre, lorsque la suspension d'armes devient vraiment effective et que le mouvement colonisateur entre dans sa phase décisive avec l'acheminement du personnel des grandes « concessions ». Les 6 premiers mois accusent au contraire un léger fléchissement en raison de la disparition de *L'Aurore*, brûlée accidentellement par les Espagnols à La Havane, de l'échec du voyage du *Maréchal-d'Estrées*, et de l'incertitude qui entoure celui du *Père-Éternel* dont nous ne savons s'il parvint en Louisiane — il avait appareillé de Lorient, ainsi que *L'Aurore*, à la fin de février ou au début de mars (5). En sorte que 2 bâtiments seulement, *La*

---

(1) A.C., G 1 464, pièce n° 9 (Passagers). — Char.-Marit., B 5584, Etat des vaisseaux de la Cie des Indes... — A.E., *Mém. et Doc.*, Amérique, f. 89 v-90, *Journal de Legac.*

(2) A.E., *Mém. et Doc.*, Amérique, I, f. 93, *op. cit.* — Lorient, 2 P 20-II, Rôle de l'équipage de *La Marie.* — A.M., B 1 43, f. 40 v, Champmeslin, 10 août 1719.

(3) A.C., B 41, f. 466-7, à Champmeslin, 15 mai 1719 ; F 3 24, f. 124, Sérigny, 26 oct. 1719. — A.M., B 1 42, f. 96 v, 103, 218 v, Beauharnais, 23 mai, 10 juin, 22 juill. 1719 ; B 2 258, f. 243 v, à M. Buisson, 13 nov. 1720.

(4) A.E., *Mém. et Doc.*, Amérique, I, f. 96, *Journal de Legac.* — A.C., G 1 464, Passagers, pièce n° 17.

(5) Lorient, 1 P 2, Répertoire général des papiers du bureau des arme-

Mutine, frégate de 180 tx armée dans le port du Havre, et *Le Duc-de-Noailles*, peuvent être considérés comme ayant certainement atteint la colonie (fin février 1720) : l'un et l'autre avaient fait route sous la protection de Campet de Saujon dont l'escadre était chargée de surveiller les mouvements des Espagnols (1).

Mais, à partir de juin 1720, date de l'arrivée d'une frégate de Lorient, *La Driade*, que des vaisseaux du roi ont prise sous escorte à Saint-Domingue, les navires abordent de plus en plus nombreux en Louisiane. En juillet, c'est la frégate *Le Duc-d'Orléans*, puis, à la mi-août, la flûte *Le Tilleul*, parties l'une et l'autre de Dunkerque sous le commandement respectif des capitaines Pierre Henri Staph et Jacoby Canno, auxquelles s'ajoute *Le Comte-de-Toulouse* ; le 19 septembre, c'est la flûte du roi *Le Portefaix* qui, destinée en principe, comme naguère *La Duchesse-de-Noailles*, à ravitailler les escadres de guerre, mais survenue après leur départ, subviendra utilement à l'approvisionnement de la colonie (2). Surtout, les mois d'août et de septembre correspondent à l'arrivée du *Profond*, du *Saint-André*, de *L'Alexandre* et de *L'Aventurier*, importantes unités de 350 à 400 tx dont les 2 premières transportent de gros effectifs d'engagés recrutés pour le compte des grands concessionnaires (3) : première étape d'un mouvement qui se poursuivra en novembre et décembre avec le flot presque ininterrompu de « concessions », de troupes et de personnel administratif qu'apporteront 5 flûtes de la Cie des Indes, du port de 360 à 400 tx, *Le Chameau*, *La Loire*, *L'Éléphant*, *Le Dromadaire*, *La Seine* et la flûte *La Marie*, plus légère (250 tx) (4). L'arrivée au début de 1721 de navires qui auront appareillé de la métropole dans les derniers mois du Système de Law terminera la phase active de ce mouvement d'émigration : deux « concessions » atteindront encore à cette

---

ments..., 2 P 20-II, Rôle de *L'Aurore*. — A.C., G 1 465, *Mémoire à... la Cie des Indes par les intéressés en la concession de Sainte-Catherine.* — Reg. paroissial de Port-Louis, f. 258, 15 mars 1720.

(1) Lorient, 1 P 2, *op. cit.* ; 2 P 20-II, Rôle de *La Mutine*. — A.E., *Mém. et Doc.*, Amérique, I, f. 96 v, *op. cit.*

(2) Lorient, 1 P 2, *op. cit.* ; 2 P 20-II, Rôle de *La Driade* ; 2 P 20-IV, *Duc-d'Orléans* ; 1 P 274, liasse 2, pièce 15. — A.M., B 1 52, f. 21, Saint-Villiers, 14 mai 1720 ; B 1 55, f. 88-95, Bigot, 20 déc. 1720 ; B 4 37, f. 410, J. Canno, 21 mai 1720 ; f. 411-413, Meulebeque, 24 mai 1720. — A.C., C 13 A 6, f. 142 v, Déclaration du conseil de commerce, 26 sept. 1720. — A.E., *Mém. et Doc.*, Amérique, I, f. 99 v-101, *Journal de Legac.*

(3) A.E., *Mém. et Doc.*, Amérique, I, f. 100-101, *op. cit.* — Lorient, 2 P 20-II, Rôle du *Saint-André* ; 2 P 20-III, Rôle du *Profond*. — B. de LA HARPE, *Journal historique de l'établissement des Français*, p. 223-4, 229.

(4) A.E., *Mém. et Doc.*, Amérique, I, f. 102 v-104 v, *op. cit.* — Lorient, 2 P 20-III, Rôles du *Chameau*, *La Loire*, *L'Eléphant*, *La Seine*.

date la côte de Louisiane à bord de *La Gironde*, mais, à côté des
émigrants d'origine française que transportent *La Gironde* et *La
Baleine*, *La Mutine* et *Les Deux-Frères* introduiront dans la colonie
un premier contingent de Suisses et d'Allemands dont la présence
exprimera la contribution personnelle de Law à la colonisation
du Mississipi (1). Pendant plusieurs mois, les quelques havres
de la côte de Louisiane auxquels se limitaient les possibilités
d'ancrage des navires connurent une animation extrême qui
tranche sur l'abandon des années précédentes. Il n'est pas rare
que 3 et 4 navires de fort tonnage se trouvent réunis en un
même point du littoral (2).

En dehors de ces bâtiments préposés aux transports de
passagers et de marchandises, il y a lieu de tenir compte des
navires en provenance des comptoirs africains qui, à partir
de 1719, livrent à la colonie ses premiers esclaves noirs : c'est
le cas, en juin 1719, de *L'Aurore* et du *Duc-du-Maine*, armés à
Saint-Malo en juillet-août 1718 pour le comptoir de Juda et la
Louisiane, et, en juillet 1720, de navires moins importants,
L'Hercule et *Le Rubis* ; ce sera surtout le cas, dans les 4 premiers
mois de 1721, du *Duc-du-Maine* (2ᵉ voyage), de *L'Affriquain* et
de *La Néréide*, qui effectueront des transports de Noirs à plus
grande échelle et dont on notera la présence simultanée dans la
rade de l'île aux Vaisseaux (3).

Il importe aussi d'ajouter au mouvement général de la
navigation un certain nombre de petits bâtiments qui arrivent
isolément ou en compagnie de gros navires de transport, et dont
le rôle est de subvenir aux besoins de la navigation locale. La
série en fut ouverte par les 2 brigantins, *Le Neptune* et *La Vigilante*, du port de 60 tx, qui partirent avec *La Dauphine* en
octobre 1717, chargés de 10 chaloupes et bateaux plats et d'un

---

(1) A.E., *Mém. et Doc.*, Amérique, I, f. 103-4, *op. cit.* — Lorient 1 P 2,
op. cit. ; 2 P 20-III, Rôles de *La Mutine*, *Les Deux-Frères*, *La Baleine*, *La
Gironde*.
(2) Ci-dessous 2ᵉ partie, chap. IV.
(3) A.E., *Mém. et Doc.*, Amérique, f. 89, 99 v, *Journal de Legac.* — A.C.,
C 13 A 5, f. 211, Bienville & Larcebault, 18 juin 1719. — Lorient, I P 118,
pièce 1, Rôle du *Duc-du-Maine* ; 1 P 274, liasse 2, pièce 20, Bienville,
25 avril 1721 ; 2 P 20-III, Rôle de *La Néréide* ; 2 P 20-I, Rôles de *l'Aurore* et
du *Grand-Duc-du-Maine* (1719). — A. LAVAL, *Journal du voyage de la Louisiane*, p. 112-3. — M***, *Journal d'un voyage à la Louisiane*, p. 248.
B. de LA HARPE, *Journal historique de l'établissement...*, p. 223-4. *La Néréide*
et *Le Grand-Duc-du-Maine* avaient appareillé de la métropole en avril-mai 1720.
L'Affriquain, parti de Saint-Malo en nov. 1719, avait dû relâcher à Port-
Louis en raison du mauvais temps et n'était parti qu'en févr. 1720, A.M.,
B 3 264, f. 146 ; 4 JJ-14, dossier 11 ; A.C., C 13 C 1, f. 329 v.

nombre égal de pirogues (1). *Le Philippe* et *Le Maréchal-de-Villars*, en 1719, escortent de leur côté une caiche, bâtiment de transport beaucoup plus léger que *Le Neptune* et *La Vigilante* (2). L'année suivante, la Cie des Indes confie à des maîtres charpentiers de La Rochelle la construction de 3 traversiers, *La Diligente*, *La Légère* et *Le Volage*, petites unités d'une trentaine de tonneaux qu'elle destine à « naviguer de port en port » dans la colonie, où Legac note leur arrivée d'octobre 1720 à février 1721, en même temps que celle d'un brigantin armé à Lorient (3). Trois brigantins, de 15 à 18 tx seulement, *Le Foudroyant*, *Le Saint-Édouard* et *La Sainte-Élisabeth*, quittent aussi Lorient en novembre 1720 pour le Mississipi, et, quelques mois plus tard, la Compagnie fera construire à La Rochelle 4 traversiers de plus, qui seront acheminés en 1721 (4). Tous ces bâtiments ne représenteront au total qu'un assez faible tonnage. Mais ils apportent à la fois les éléments d'une navigation locale et un personnel de matelots spécialisés, dont l'effectif s'accroît de loin en loin de quelques nouvelles recrues, matelots ou patrons de chaloupe, que des navires de passage, *La Dauphine* en 1719, *La Mutine* en 1720, cèdent à la colonie pour une durée plus ou moins longue, parfois pour une année entière (5).

Il en résultera, dans la période du Système, des relations plus faciles entre les positions littorales, tandis que des rapports intermittents s'établiront entre la côte et l'agglomération qui prend naissance sur le cours inférieur du Mississipi (6). Malheureusement, ni l'effectif de ces embarcations ni celui des équipages ne répondent aux besoins réels de la navigation au moment où l'arrivée massive du personnel des concessions et la nécessité de le transporter sans délai dans l'intérieur exigeraient des moyens de déplacement rapides et abondants et de nombreux matelots. Quelques traversiers ou brigantins, un petit nombre de bateaux plats d'une capacité de 4 tx — 24 à 25 au total d'après Legac — ne pouvaient suffire à une tâche aussi vaste, et ce n'étaient pas les quelques prises effectuées sur les Espagnols

---

(1) Char.-Mar., Reg. Rivière & Soullard (1715-8), f. 183-4, Engagements des équipages. — A.E., *Mém. et Doc.*, Amérique, I, f. 83, *Journal de Legac.*
(2) A.E., *Mém. et Doc.*, Amérique, I, f. 87 v, *op. cit.*
(3) Char.-Mar., B 5717, pièces 24, 42, 43, 52 ; Liasse Desbarres, 1720, n°s 51, 52, 53, Rôles de *La Diligente..* — A.E., *Mém. et Doc.*, Amérique, I, f. 103 v, *op. cit.*
(4) Lorient, 1 P 118, pièces 14-15-16, Rôles du *Foudroyant*, *Saint-Edouard*, *Sainte-Elizabeth.* — Char.-Mar., B 5718, pièces 5, 6, 160, 162.
(5) Lorient, 1 P 274, liasse 2, pièce 15 ; 2 P 20-II, Rôle de *La Mutine* (1720).
(6) B.N., Ms. F.F. 8989, f. 2 v, B. de LA HARPE, *Journal du voyage de la Louisiane.*

pendant la guerre, trop lourdes et généralement en mauvais
état et difficilement utilisables, ou *Le Saint-Louis*, que ses avaries
immobilisèrent sur la côte à la fin des hostilités, qui auraient pu
remédier à cette insuffisance (1).

Depuis 1717, la colonie vit néanmoins en contact plus étroit
avec la métropole, elle connaît en 1720 une période de rapports
presque ininterrompus avec la France, elle possède une flottille
de petits bâtiments, utile en dépit de son insuffisance. Surtout,
un indice particulièrement significatif de l'effort qui a été réalisé
est le fait que le nombre des navires armés pour la Louisiane
de 1717 à 1720 dépasse de loin celui des bâtiments que la Compagnie affecte à ses autres concessions. Même si on se limite à la
période mai 1719-décembre 1720, l'écart est considérable. Les
archives du port de Lorient, complétées par les rôles d'embarquement et les données des archives de la marine et des colonies,
par la correspondance de Charles Legac en Louisiane, par le
registre paroissial enfin du Port-Louis, accusent au cours de
ces 19 mois 33 armements pour le Mississipi, non compris les
brigantins et traversiers, contre 7 pour les comptoirs des Indes,
1 pour Moka, 1 pour les îles de France et de Bourbon, 1 pour
Madagascar, 3 pour la Chine, 6 pour la mer du Sud (2).

Normalement, les navires de Louisiane empruntaient la
route de Saint-Domingue. Là se situait, au Cap français, l'escale
habituelle de cette longue traversée. Pour les navires du roi,
chargés d'une mission de défense dans la colonie, les points
d'escale étaient plus nombreux : en 1720, les bâtiments que
commande M. de Saint-Villiers, *L'Amazone* et *La Victoire*, touchent
à la Martinique et au Cap français ; ceux de M. de Caffaro, *Le
Henry* et *Le Toulouse*, s'arrêtent successivement à Madère, la
Martinique et Saint-Domingue (3). Mais, dans tous les cas, une
escale se situe à Saint-Domingue, de longue durée parfois — un
mois pour l'escadre de Campet de Saujon (janvier-février 1720) —,
et il est rare que les vaisseaux de la Compagnie ne suivent pas
la règle habituelle : il n'y a d'exception que pour quelques navires

(1) A.E., *Mém. et Doc.*, Amérique, I, f. 106 v-107, *Journal de Legac.* —
A.M., B 1 47, f. 246 v, Robert, nov. 1720 ; B 2 256 (1721), f. 1 v, 2, 3, Arrêt...
du 24 janv. 1721 ; B 2 258, f. 329 v-330, à M. Robert, 23 déc. 1720. — A.C.,
F 3 24, f. 124 v, Sérigny, 26 oct. 1719.

(2) Les quelques incertitudes qui apparaissent dans les rôles de Lorient
sur la destination des navires ne modifient pas sensiblement la proportion des
armements. L'état général des vaisseaux de la Cⁱᵉ des Indes qui figure dans
A.E., *Mém. et Doc.*, France, 1247, f. 144-6, est trop souvent erroné.

(3) A.M., B 1 50, f. 334-340, Projet de mémoire au S. de Caffaro,
13 févr. 1720 ; f. 495, Hocquart, 25 févr. 1720 ; B 1 52, f. 17, 21, Saint-Villiers,
1, 15 mai 1720 ; f. 43-43 v, Caffaro, 17 mai 1720.

en provenance de la côte de Guinée qui font route par la Grenade (1). A Saint-Domingue, les représentants de la Compagnie, les Srs Morin et de Boismorand, leur procurent les « rafraîchissements » indispensables aux équipages (2). Les bâtiments repartent ensuite en direction de la Louisiane, en passant entre la Jamaïque et l'île de Cuba, qu'ils longent jusqu'à la hauteur du cap Saint-Antoine (3). L'escale de Saint-Domingue est parfois décevante, il est vrai : les vivres y sont rares et coûteux, et les habitants hésitent à se dessaisir de leurs volailles, qui tiennent lieu de viande fraîche, surtout lorsqu'il s'agit de répondre aux exigences plus élevées des navires du roi (4). Elle comporte en outre des risques assez graves : risques d'évasion ou de désertion parmi les passagers et surtout parmi le personnel de l'équipage, et les cas sont assez fréquents pour que la Compagnie recommande de ne laisser débarquer personne ; risques de maladie tant du fait du climat que des épidémies, peste, maladie de Siam ou fièvre jaune, auxquelles l'île est souvent exposée et qui peuvent en quelques jours décimer les équipages, comme ce fut le cas de celui du *Portefaix* en avril 1718 (5).

Les effets du climat pouvaient être d'autant plus meurtriers que les passagers et les matelots se trouvaient affaiblis par la durée des traversées, 2 mois 1/2 au moins. Encore étaient-elles, dans ce cas, singulièrement rapides : le voyage de *La Mutine*, partie du Havre le 12 décembre 1719, arrivée en Louisiane le 27 février 1720, compte parmi les plus courts qui aient été effectués (6). Le plus souvent, la traversée de Louisiane durait 3 mois ou plus, et il n'était pas rare qu'elle se prolongeât sur 4 mois, comme pour *La Gironde* ou *La Seine* (7). Exceptionnelle-

---

(1) A.C., B 42 *bis*, f. 200, 202-3, 207, Instructions pour les Srs Berault, Herpin, Laudouine ; f. 173-175, Instructions pour le capitaine Arnaudin ; C 9 A 16, Châteaumorand & Mithon, 15 févr. 1719 ; C 9 A 18, le comte d'Arquian, 14 févr. 1720.

(2) A.C., B 42 *bis*, f. 185, 196, 200, Instructions pour le capitaine Voyer, M. de Rossel, le S. Bérault. — A.M., B 1 43, f. 40, 42, Champmeslin, 10, 12 août 1719 ; B 1 51, f. 1001-1002, Sorel & Mithon, 18 févr. 1720.

(3) A.C., B 42 *bis*, f. 185, 197, *op. cit.* — Le Page du Pratz, *Histoire de la Louisiane*, I, p. 34.

(4) Le Page du Pratz, *op. cit.*, I, p. 31-2. — A.M., B 1 43, f. 40-40 v, Champmeslin, 10 août 1719. — A.C., C 9 A 18, Mithon, 21 févr. et 18 avril 1720 Duclos, 30 janv. 1720.

(5) Lorient, 2 P 20-III, Rôles de *L'Aventurier*, de *L'Eléphant*, de *La Gironde*. — A.C., B 42 *bis*, f. 197, Instructions pour M. de Rossel. — A.M. B 1 43, f. 40-40 v, *op. cit.*

(6) Lorient, 2 P 20-II, Rôle de *La Mutine*. — A.E., *Mém. et Doc.*, Amérique, I, f. 96, *Journal de Legac*.

(7) 10 août 1720-janv. 1721 pour *La Gironde*, 3 août 1720-janv. 1721 pour *La Seine*, Lorient, 2 P 20-III, Rôles de *La Seine* et *La Gironde*. Il n'est pas

ment, comme dans le cas de *La Baleine*, qui transporte en Louisiane un gros effectif de femmes de la Salpêtrière, elle pouvait,
en raison d'une escale prolongée, dépasser une durée de 5 mois (1).
Ces longues campagnes, sur des navires médiocrement équipés,
entraînaient, surtout après le passage à Saint-Domingue, la
« mortalité de bien du monde » (2). Lorsque les navires atteignent
la Louisiane, les malades sont généralement nombreux parmi
les membres de l'équipage, et la difficulté que ceux-ci éprouvent,
dans une colonie où la disette est toujours à l'état latent, à se
procurer des vivres pour le voyage de retour, aggrave dans la
deuxième partie de la campagne leur état de faiblesse (3). Les
rôles des navires mentionnent fréquemment l'obligation où se
trouvent les commandants de laisser en Louisiane un certain
nombre d'officiers mariniers et de matelots incapables de rentrer
en France (4). Bienville, en 1721, signale aux directeurs de la
Cie des Indes que les équipages « arrivés jusque-là » ont toujours
été « malades et inutilisables », et hors d'état pendant leur séjour
dans la colonie d'accomplir les durs travaux qu'on prétend leur
imposer (5). A l'issue des campagnes, enfin, les rôles accusent
une mortalité considérable : *Le Philippe*, armé à Bayonne, et
muni d'un personnel entièrement basque, perd 20 hommes
d'équipage sur 52, et 5 passagers, *L'Aventurier* 9 membres de
l'équipage sur 49, *L'Alexandre* 7 matelots sur 20, *Le Chameau*
7 officiers mariniers sur 22, 6 matelots sur 18, 3 mousses sur 7,
La Baleine enfin 5 officiers mariniers sur 13 et la totalité de
ses 11 matelots, et l'on pourrait ajouter d'autres exemples
également significatifs (6).

Les conditions n'étaient pas meilleures sur les navires du roi.
Elles pouvaient même revêtir un caractère de gravité excep-
tionnelle lorsqu'ils transportaient des équipages ou des soldats
qui ne servaient que sous l'effet de la contrainte. Il n'est point
de navire de guerre qui, lorsqu'il pénètre dans les eaux de la

---

toujours possible d'établir la durée exacte des traversées. Les archives de
Lorient, complétées par le *Journal de Legac*, nous renseignent avec précision
sur celles de *L'Alexandre*, du *Chameau*, de *La Loire*, du *Profond*, des *Deux-
Frères*, de *L'Eléphant*, 2 P 20-III. — A.E., *Mém. et Doc.*, Amérique, I, f. 100-
103 v.
   (1) Lorient, 2 P 20-III, Rôle de *La Baleine*. — A.E., *Mém. et Doc.*, Amérique, I, f. 103, *op. cit.*
   (2) Lorient, I P 274, liasse 2, pièce 21.
   (3) *Ibid.*, pièce 20, Bienville, 25 avril 1721.
   (4) *Ibid.*, 2 P 20-II, Rôle de *La Marie* et du *Philippe* ; 2 P 20-III, Rôle de
L'Aventurier.
   (5) *Ibid.*, 1 P 274, liasse 2, pièce 20, *op. cit.*
   (6) *Ibid.*, 2 P 20-II, Rôle du *Philippe* ; 2 P 20-III, Rôles de *L'Aventurier*,
de *L'Alexandre*...

colonie, ne soit en proie à la maladie : la peste sévit à bord des navires de Champmeslin, et le scorbut atteint en presque totalité les 450 hommes de l'escadre de Saujon (1). Mais le cas le plus impressionnant est celui du *Henry* et du *Toulouse*, qui appareillent du port de Toulon en mars 1720 pour effectuer sur les côtes de Louisiane une mission de reconnaissance et de protection. Les équipages se composaient d'hommes enrôlés de force, mécontents, inquiets. Beaucoup tombèrent malades au départ, et le « mauvais air » de Saint-Domingue aggrava l'état sanitaire de l'escadre. Le commandant, M. de Caffaro, mourut, atteint de la fièvre jaune, aussitôt après l'escale du Cap français, et les conditions devinrent telles que, faute d'officier valide, un aide d'artillerie dut prendre le commandement du *Henry* (2). Finalement l'expédition, la plus meurtrière qui ait eu lieu dans le golfe du Mexique, se solda, par le seul effet de la maladie, en dehors de tout engagement naval, par la mort de 77 officiers, enseignes et matelots (3).

En revanche, les campagnes de Louisiane sont rarement l'occasion de pertes matérielles graves. Les avaries sont fréquentes, elles sont inévitables dans ces mers chaudes sur des navires trop légèrement construits, dont certains ne « portent point la voile » ou dont les bords, insuffisamment doublés, ne résistent pas à la piqûre des vers aussitôt que l'ancrage se prolonge (4) : *La Victoire*, à la fin d'un séjour de 3 mois à l'île Dauphine, en 1718, tente inutilement de regagner la métropole parce que les vers ont détaché le doublage du franc bord, elle doit interrompre son voyage de retour et se réfugier dans le port de La Havane pour effectuer les réparations nécessaires (5) ; même un navire neuf et de bonne qualité comme *Le Maréchal-d'Estrées* court le risque d'accidents du même ordre en raison de l'épaisseur insuffisante des doublages (6). Pourtant ces bâtiments, incapables de satisfaire aux exigences des mers chaudes, effectuent les

---

(1) A.C., C 9 A 18, Mithon, 21 févr. 1720 ; F 3 24, f. 126, Sérigny, 26 oct. 1719. — A.M., B 4 37, f. 408, Conseil de marine, juin 1720.
(2) A.M., B 1 45, f. 198, Hocquart, 28 janv., 1, 4 févr. 1720, f. 279, Le commandeur Dailly, 3, 5 mars 1720 ; B 1 52, f. 233 v-234 v, Conseil de marine, 20 oct. 1720.
(3) A.M., B 1 52, f. 235 v, Conseil de marine, 20 oct. 1720. — M***, *Journal d'un voyage à la Louisiane*, p. 250-1, 273...
(4) A.C., F 3 24, f. 123, 126, Sérigny, 26 oct. 1719. — A.M. B 1 42, f. 123 v-4, de Rossel, 6 avril 1719.
(5) A.M., B 1 42, f. 123 v-124, *op. cit.*
(6) A.C., C 9 A 17, Sorel & Mithon, 15 mai 1720. La correspondance du commandant de Port-Louis atteste que les navires construits ou achetés en Angleterre n'étaient pas toujours eux-mêmes de bonne qualité, A.M. B 3 264, f. 156 v.

traversées normalement et regagnent habituellement leurs bases de départ. Les quelques pertes que subit la Compagnie furent le fait de la guerre avec l'Espagne : *La Dauphine* et *L'Aurore* disparurent ainsi, dans les mêmes conditions, au cours de leur seconde traversée, toutes deux furent anéanties par un incendie, *La Dauphine* sur les côtes de Louisiane pendant les opérations contre l'escadre espagnole, *L'Aurore*, accidentellement et avant qu'elle n'eût atteint sa destination, dans la rade de La Havane où elle se trouvait, en dépit de la suspension d'armes, prisonnière des Espagnols (juin 1720) (1). L'arraisonnement de *La Victoire* par un navire britannique, à sa sortie du port de La Havane où elle avait dû relâcher, n'aboutit qu'à la confiscation de sa cargaison, qu'elle avait prise à fret pour le compte du roi d'Espagne : la frégate fut libérée après avoir été retenue quelques mois à New York comme prise de guerre (décembre 1718-avril 1719) (2). En dehors des 2 bâtiments dont la destruction est liée aux hasards de la guerre, et d'un petit brigantin qui s'échoua près de La Havane, la Compagnie, pendant la période du Système de Law, ne perdit aucun des vaisseaux qu'elle achemina sur la Louisiane.

Le commandement de ses navires paraît d'ailleurs avoir été assumé par un personnel compétent. Là encore, les exceptions sont rares. On connaît peu de cas d'impéritie ou d'inconduite assez accusés pour avoir donné lieu à la révocation des commandants : celui du capitaine du brigantin *La Sainte-Élizabeth*, l'Écossais Cornelis Macarty, qui profita du naufrage de son navire à l'entrée de La Havane pour négocier une partie des cordages et des agrès pour son compte personnel (3), celui, particulièrement grave, du commandant du *Maréchal-d'Estrées*, Gervais de La Gaudelle, qui égara son navire sur les côtes de Louisiane et dont l'incapacité faillit entraîner la perte du bâtiment. En fait, la responsabilité du commandant n'était pas seule engagée. La mésentente et la négligence des officiers ne furent pas étrangères à l'échec de la campagne. Le navire, parti de La Rochelle en août 1719, avait fait voile directement pour la Louisiane, sans s'arrêter au Cap, malgré les instructions de la Compagnie. Le commandant dépassa, sans les reconnaître, les bouches du Mississipi, il erra jusqu'au début de 1720 sur la côte

---

(1) A.M., B 1 48, f. 439, Partyet, Cadix, 26 août 1720 ; B 1 52, f. 234 v, Conseil de marine, 20 oct. 1720. — Lorient, 1 E 4 27, f. 9-10, à M. Renault, 15 janv. 1721. — A.C., C 13 A 5, f. 275, Bienville, 20 oct. 1719.
(2) A.M., B 1 42, f. 143 v-4, de Rossel, New York, 6 avril 1719.
(3) Lorient, 1 P 274, liasse 2, pièce 20, Bienville, 25 avril 1721 ; I P 118, pièce 16, Rôle de *La Sainte-Elizabeth*.

qui s'étend à l'ouest du fleuve, où son navire, à deux reprises, fut sur le point de s'échouer, puis il repartit en direction de Saint-Domingue, abandonnant sur le littoral 3 hommes, dont l'enseigne Simard de Bellisle, qui étaient descendus à terre dans l'espoir d'atteindre la colonie par leurs propres moyens. Lorsqu'il arriva au petit Goave, la maladie avait emporté 110 passagers sur 150 qui s'étaient embarqués à La Rochelle pour la Louisiane, et une trentaine de membres de l'équipage. Le directeur de la Compagnie à Saint-Domingue, en conséquence, ordonna de « démonter » le commandant et deux officiers, dont il put établir les responsabilités, et il les fit reconduire en France à bord du *Maréchal-d'Estrées* sous la surveillance d'un officier du roi. Les effets et les munitions du navire, ainsi que les quelques passagers qui avaient survécu aux épreuves de la campagne, furent transférés sur *L'Aurore*, qui se trouvait alors dans les eaux de Saint-Domingue et dont nous savons que le voyage prit fin à La Havane (1).

Mais l'exemple du *Maréchal-d'Estrées* répond à un cas exceptionnel. Les fautes que l'on reproche aux capitaines ne sont généralement pas de nature à compromettre la marche du navire : leur manque d'égards envers les passagers, les brutalités de certains envers les engagés des concessions, le refus qu'ils opposent de leur distribuer les « rafraîchissements » nécessaires à l'alimentation du bord, au risque d'aggraver la mortalité des traversées, ou les fraudes qu'ils commettent au détriment de la colonie, sont les faits les plus répandus (2).

Pour commander ses bâtiments, la Compagnie n'hésite pas à prendre à son service des officiers de la marine royale : tel l'enseigne de vaisseau de Rossel, qui prend en mai 1718 le commandement de *La Victoire*, ou le lieutenant de vaisseau Desforges, qui commande le 2e voyage de *L'Aurore*, ou l'enseigne de Bourges, auquel est confié le soin de reconduire en France *Le Maréchal-d'Estrées* (3). De même, le commandement du *Maréchal-de-Villars*, à son départ de la métropole, est assumé

---

(1) A.C., C 9 A 17, Sorel & Mithon, 25 févr., 15 mai 1720 ; C 9 A 18, Sorel, 5 août 1720. — A.M., B 1 52, f. 85 v-87, Sorel & Mithon, 15 mai 1720, f. 87 v-91, Plainte faite par le S. de La Godelle ; 3 JJ 201 (6), Relation de Simard de Bellisle.

(2) Lorient, 1 P 274, liasse 2, pièce 2, Bienville, 25 avril 1721. — A.C., B 42 *bis*, f. 402-3, ordonnance du 29 mars 1721 ; C 13 A 6, f. 37, 121-121 v, 124, Leblond de La Tour, 18 déc. 1720, 8 janv. 1721. — B.N., Ms. F.F. 8989, f. 35 v, *Journal de B. de La Harpe*.

(3) A.M., B 1 29, f. 216 v, Demande de la Cie d'Occident ; B 1 48, f. 439, Partyet, 26 août 1720 ; B 1 52, f. 86 v, Sorel & Mithon, 15 mai 1720.

par Lemoyne de Sérigny, capitaine des frégates du roi (1).
Lorsqu'elle est en mesure de le faire, la Compagnie peut s'adresser
à des hommes qui, du fait de voyages antérieurs, ont acquis la
connaissance directe du littoral de la colonie : Pierre Arnaudin,
qui reprend en 1718 le commandement de *La Dauphine* qu'il
avait exercé sous le privilège de Crozat, Élie Jappie, l'ancien
capitaine de *La Paix*, qui dirige *La Marie* en mai 1718, Jean
Béranger enfin, qui retourne en Louisiane en qualité de capitaine
du brigantin *Le Neptune* et dont l'expérience de la zone côtière
sera mise à profit pendant les hostilités par l'escadre de Campet
de Saujon (2).

Parmi les officiers qui ont servi dans la marine royale figure
le chevalier Jean-Gaston de Grieu, dont le seul titre de notoriété
provient de la réputation que le nom de sa famille doit au roman
de l'abbé Prévost. Ni le fait d'avoir commandé *Le Comte-de-
Toulouse* en 1718-1719, ni la captivité qu'il subit à La Havane
où il fut arrêté, en même temps que le capitaine Méchin qui
avait succédé à Sérigny à la tête du *Maréchal-de-Villars*, alors
que tous deux venaient remettre aux officiers du port les prisonniers espagnols de Pensacola, n'auraient pu lui donner une
célébrité quelconque. Sa famille occupait un rang social assez
élevé : son père, Simon de Grieu, seigneur d'Autheuil (bailliage
de Compiègne) et arrière-petit-fils de Gaston de Grieu, prévôt
des marchands de la ville de Paris, avait figuré parmi les gentilshommes ordinaires de la maison du roi. Ses oncles, Nicolas
et Gaston de Grieu, étaient, le premier, seigneur de Vincelles et
écuyer ordinaire du roi, le deuxième, seigneur de Saint-Aubin
le Vertueux en Normandie (3). Les enfants de celui-ci semblent
s'être classés par leur position sociale et leur degré de fortune
au-dessus des enfants de Simon de Grieu : le fils aîné, Jérôme-
Gaston, hérita de la seigneurie de Saint-Aubin ; un de ses frères,
Charles-Alexandre était en 1720 chevalier non profès de l'ordre
de Saint-Jean de Jérusalem ; sa sœur, Marguerite-Geneviève,
épousa Gaspard de Réal, seigneur de Curban et grand sénéchal
de Forcalquier (4). La situation de fortune de l'autre branche

(1) Char.-Mar., Reg. Desbarres (1718-21), f. 28 v, 26 avril 1719.
(2) A.C., B 42 *bis*, f. 173-6, Instructions pour le capitaine Arnaudin et le
capitaine Béranger ; C 13 C, 4, f. 73 v, *Mémoire des connaissances...*
(3) A.N., Min. central, Et. CV-1125, Inventaire, 13 avril 1719 ; Et. CI-
195, Partage, 3 nov. 1717 ; Et. LXXXII-143, Présentation, 26 août 1718 ;
Et. LXVII-342, Vente, 29 févr. 1720. Le nom « de Grieu » figure sous cette
forme dans les minutes des notaires de la famille.
(4) A.N., Min. central, Et. LXVII-345, Vente de greffes, 6 mai 1720 ;
CV-1130, Renonciation, 20 déc. 1719.

paraît avoir été plus modeste, et elle ne s'améliora point dans les années du Système. Peu après le départ pour la Louisiane de Jean-Gaston de Grieu, qui avait donné pouvoir à sa sœur aînée Marie-Louise de gérer ses intérêts en son absence, son oncle, Nicolas de Grieu, mourut sans enfant, laissant une succession médiocre, en partie formée par des effets dont la plupart furent bientôt remboursés par le Trésor (1). C'est grâce à cette succession, pourtant, que ses 4 neveux parvinrent à constituer à leur père, Simon de Grieu, en échange de « l'abandonnement » général qu'il leur avait fait de tous ses biens, une pension annuelle de 2 000 livres : le montant en fut prélevé sur le produit de la vente des greffes du bailliage et vicomté d'Orbec en Normandie dont ils venaient précisément d'hériter du seigneur de Vincelles, leur oncle (2). La terre et seigneurie d'Autheuil, échue au fils aîné de Simon, Nicolas de Grieu, ne tarda pas à être vendue contre une somme en billets de banque, et le patrimoine, déjà réduit par une vente antérieure (3), paraît s'être rapidement amoindri, comme tant d'autres, dans la poussée inflationniste de l'époque.

De Jean-Gaston de Grieu lui-même nous savons seulement qu'il avait commencé à servir comme garde-marine en 1703 et qu'il fit « plusieurs campagnes sur les vaisseaux du roi » (4). Mais, lorsque, en 1721, à son retour de Louisiane, il demanda le titre d'enseigne de vaisseau, en considération sans doute de la campagne qu'il venait d'effectuer, le conseil de marine le lui refusa, ce qui paraît indiquer qu'il n'appartenait plus à la marine royale. Le titre de « capitaine de vaisseau » que lui attribuent les actes des notaires a trait au commandement du *Comte-de-Toulouse* que la Cie d'Occident lui confia en 1718 (5). A cette date, il occupait un logement dans le quartier du Marais, rue Sainte-Croix-de-la-Bretonnerie, non loin de celui de son père, et, comme beaucoup de cadets de famille, il ne disposait que de

(1) A.N., Min. central, Et. LXXXIX-299 (42), Procuration, 19 juin 1718 ; Et. CV-1130, *op. cit.* ; CV-1133, Reconnaissance, 4 mars 1720 ; CV-1134, 4 mai 1720.

(2) A.N., Min. central, Et. CV-1132, Remboursement, 16 févr. 1720 ; CV-1134, 30 avril 1720, 4 mai 1720.

(3) A.N., Min. central, Et. LXXXV-384, Vente, 29 janv. 1720 ; Et. LXXXIX-299 (42), Transport de rentes, 18 juin 1718 ; Et. LXVII-342, Vente, 29 févr. 1720 ; Et. LXXVII-160, Foy et Hommage, 19 déc. 1719.

(4) A.M., B 1 55, f. 708, Conseil de marine, 13 mai 1721.

(5) *Ibid.*, A.N. Min. central, Et. LXXXIX-299 (42), Transport de rentes, 18 juin 1718. Le de Grieu que l'alphabet Laffilard porte « rayé par absence », en 1713, sur l'état des officiers de marine, n'est pas J.-G. de Grieu, mais son cousin, Jérôme Gaston, le seigneur de Saint-Aubin, A.M., C 1 161, f. 271.

moyens de fortune limités : avant de partir, il put récupérer une somme d'argent qu'il avait avancée à son frère aîné, et il réussit à s'acquitter d'une dette équivalente envers sa sœur en lui cédant la modique part d'héritage qu'il avait déjà reçue à la faveur de l'abandon général des biens de Simon de Grieu (1). Un incident qui survint alors qu'il s'apprêtait à se rendre à Bayonne pour y prendre le commandement du *Comte-de-Toulouse* le montre d'une nature emportée : il se trouva impliqué dans une querelle qui, apparemment, fit quelque bruit puisque, sur les plaintes qui en résultèrent, le garde des sceaux le fit arrêter par l'intendant de La Rochelle, à son arrivée de Bayonne, au début d'octobre 1718 (2). Peut-être a-t-il dans une certaine mesure inspiré à l'abbé Prévost la personnalité de son héros. Peut-être aussi a-t-il été à son retour en France, un des informateurs de l'auteur de Manon Lescaut. L'incident n'eut d'ailleurs pas d'autre suite, et le chevalier de Grieu partit peu après pour le Mississipi, à la tête du navire qu'il commandait depuis Bayonne. Nous ne savons rien de sa captivité à La Havane, sinon qu'il s'y employa à procurer des vivres aux équipages du *Comte-de-Toulouse* et du *Maréchal-de-Villars*, prisonniers des Espagnols, en contrepartie de lettres de change qu'il tirait sur la Cie des Indes (3). Ni sa campagne ni sa participation à la défense de la Louisiane ne lui permirent d'obtenir le titre d'enseigne de vaisseau. Le conseil de marine lui accorda seulement, en 1721, une expectative de lieutenance dans les compagnies de Saint-Domingue (4).

Nous observerons bientôt que les armements de la Cie des Indes dissimulaient un défaut d'organisation fondamental qui devait rapidement compromettre les bienfaits de l'effort colonisateur. Le mouvement de navigation qu'elle avait créé entre la France et la Louisiane était pourtant le point qui préoccupait le plus les nations maritimes, non seulement en raison de l'ampleur apparente de la tâche qu'elle avait assumée, mais en raison de l'appui que le conseil de marine donnait ouvertement aux opérations d'une compagnie qui représentait à ses yeux une entreprise nationale : « Favorisez », écrivait-il aux intendants, « cette compagnie dans laquelle S.M. est intéressée avec tous ses sujets » et dont les vaisseaux « doivent être regardés différemment

(1) A.N., Min. central, Et. LXXXIX-299 (42), Transport de rentes, 18 juin 1718 ; Et. LXXXII-143, Présentation, 26 août 1718.
(2) A.N., G 7 778, liasse, M. de Creil, La Rochelle, 4 oct. 1718.
(3) A.M., B 1 52, f. 189, Conseil de marine, 22 sept. 1720.
(4) A.M., B 1 55, f. 708, Conseil de marine, 13 mai 1721.

des bâtiments marchands » (1). Jamais le souverain n'hésite à mettre à sa disposition, pour protéger ses routes de navigation, les navires de ses propres escadres. En fait, c'est la Louisiane, en raison de la guerre avec l'Espagne, qui bénéficia au premier chef de l'appui des forces navales du roi, puisque 4 escadres furent successivement dirigées sur la colonie en 1719-1720, sous le commandement respectif de Champmeslin (*L'Hercule*, *Le Mars* et *Le Triton*), de Saujon (*L'Achille*, *Le Mercure* et *Le Content*), de Saint-Villiers (*L'Amazone* et *La Victoire*), de Caffaro et de Valette (*Le Henry* et *Le Toulouse*) (2).

D'autre part, dans les ports du royaume, il n'est point de facilité qu'on ne fasse à la Cie de Law. La consigne du conseil de marine est de lui « donner toutes sortes de secours et de facilités » (3). Dès le début, les privilèges qu'elle sollicite en vue des constructions navales qu'elle entreprend à Bayonne permettent au souverain de lui donner la pleine mesure de sa sympathie et de sa protection. A toutes les demandes qu'elle présente, le conseil de marine accède sans réserve et avec une libéralité croissante à mesure que s'amplifie le programme des constructions (4). Bientôt elle obtient le droit de disposer des ateliers, des magasins et du matériel du port de Bayonne, et même des grands soufflets de forge que l'armée française a enlevés aux installations espagnoles du Passage et que la Compagnie réclame pour la fabrication des ancres de ses frégates (5). En matière d'exploitation des bois, la Compagnie est aussi l'objet d'un régime de faveur. Les forêts du Béarn et de basse Navarre, où le roi s'était d'abord réservé les grosses pièces nécessaires à la construction des navires de 60 canons, lui sont librement ouvertes, le conseil de marine renonçant à rien y prélever afin qu'elle puisse disposer, à proximité du port de Bayonne, d'un lieu d'approvisionnement aisément accessible (6). La monarchie lui abandonne même, peu après, les grosses pièces déjà marquées

(1) A.C., B 41, f. 127-127 v, à M. de Lesseville, 22 sept. 1719.
(2) A.E., *Mém. et Doc.*, Amérique, I, f. 96 v, *Journal de Legac.* — A.M., B 1 43, f. 8 v-9, Conseil de marine, 5 sept. 1719 ; B 2 254, f. 245-245 v, à M. Robert, 23 sept. 1719 ; B 2 255, f. 299 v-300, à Le Bailly de Bellefontaine, 26 juill. 1719 ; B 2 257, f. 113, à M. de Sainvilliers, 19 févr. 1720 ; f. 128 v-129, à Robert, 26 févr. 1720.
(3) A.M., B 1 41, f. 177 v, Beauharnais, 10 févr. 1719.
(4) A.M., B 1 21, f. 328-9, Conseil de marine, 21 déc. 1717. — A.C., B 39, f. 179, à M. Laudreau, 22 déc. 1717.
(5) A.M., B 2 254, f. 208 v-9, à M. Laudreau, 4 sept. 1719 ; B 2 257, f. 12 v-13, 119 v, 223, à M. Laudreau, 8 janv., 21 févr., 8 avril 1720 ; f. 121 v-2, à M. Le Blanc, 21 févr. 1720.
(6) A.C., B 40, f. 89 v, à M. Laudreau, 10 janv. 1718. — A.M., B 2 254, f. 241-241 v, à M. Laudreau, 21 sept. 1719 ; f. 528, à M. Law, 6 déc. 1719.

pour les bâtiments de guerre, au risque de compromettre le
service de la marine royale (1). La possibilité qu'a la Compagnie
de recourir, en cas de difficulté, à l'autorité du roi renforce
encore ses moyens d'action : si les propriétaires ou les communautés hésitent à lui céder les bois de leurs forêts, le souverain
les fait estimer et vendre au prix fixé par ses représentants ; si
les mouvements des armées raréfient les charrois dans les Pyrénées, l'intendant lui délivre aussitôt des ordres de réquisition à
l'effet de lui assurer le personnel et les véhicules qui achemineront
le bois jusqu'à Bayonne sans augmentation sur les prix des années
normales (2). Le conseil de marine intervient auprès de l'intendant
d'Auvergne pour que la Cie d'Occident soit dispensée d'observer
les règlements relatifs au commerce des chanvres, et qu'elle puisse
en négocier les quantités nécessaires à ses armements même dans
la période d'automne, où la vente est généralement suspendue
pour permettre l'approvisionnement des navires du roi (3).

Dans tous les ports de la métropole, la Compagnie bénéficie
des mêmes faveurs et de facilités égales. Pour hâter la construction du *Duc-de-Chartres* dans les chantiers de Marseille, il lui est
permis de faire abattre des arbres dans les vallées alpestres
jusque-là destinées au « seul usage de S.M. », et, lorsque le navire
est en voie d'armement, la corderie des galères contribue activement, avec l'aide des forçats, à la confection de ses cordages,
tandis que le magasin de Toulon lui fournit des canons de fer et
des boulets (4). A Brest, elle demande et obtient des canons et
des « munitions de service », contrairement aux règlements qui
en interdisent formellement la vente (5). Presque toujours, la
Compagnie obtient des tarifs réduits. Il peut même lui arriver
de fixer ou d'imposer ses propres conditions (6). Et, dans un cas,

---

(1) A.M., B 1 46, f. 33-33 v, Laudreau, 2 janv. 1720 ; B 2 257, f. 183, à
Beauharnais, 24 mars 1720.

(2) A.M., B 1 39, f. 173 v-4, Conseil de marine, 5 sept. 1719 ; B 1 47,
f. 118 v-9, Projet d'arrêt, Conseil de marine, 29 sept. 1720 ; B 2 254, f. 226-226 v,
à M. de Lesseville, 12 sept. 1719 ; B 3 261, f. 144-144 v, de Lesseville,
22 sept. 1719. — A.C., B 41, f. 127-127 v, à M. de Lesseville, 22 sept. 1719.

(3) B 40, f. 190 v-1, B 41, f. 16 v-17, à M. Boucher, 24 oct. 1718,
18 janv. 1719. — A.M., B 2 254, f. 310, au président Boucher, 13 oct. 1719 ;
B 3 261, f. 213, le président Boucher, 8 déc. 1719.

(4) A.M., B 1 45, f. 305-6, M. Chaluet, 10 mars 1720 ; B 1 49, f. 127 v,
A. et B. Blanchet, maîtres cordiers, 16 juin 1720 ; B 2 259, f. 81 v, à M. Law,
11 mars 1720 ; f. 155, à M. Hocquart, 8 mai 1720 ; B 3 259, f. 389, Hocquart,
29 oct. 1719.

(5) A.M., B 1 46, f. 114, Robert, 19 févr. 1720 ; B 2 254, f. 325 v, 517 v,
à Clairambault, 18 oct., 4 déc. 1719.

(6) A.C., B 39, f. 177 v, 179 v, B 40, f. 147, Aux directeurs des poudres,
18 déc., 22 déc. 1717, 10 juill. 1718. — Lorient, 1 E 4 26, f. 402, au S. Renault,
27 sept. 1720.

exceptionnel il est vrai, le souverain avance les frais de radoub et de carène des navires qu'il met à la disposition de la Compagnie, quitte à s'en faire rembourser ultérieurement, ce qui équivaut à un complet renversement de la situation des années précédentes (1).

Pour le recrutement de ses équipages, la Compagnie trouve auprès du roi un appui sans réserve. A plusieurs reprises, le souverain lui accorde des soldats des troupes de la marine pour renforcer les moyens de défense de ses bâtiments : *La Victoire* en 1718, *Le Duc-de-Chartres*, en 1720, appareillent pour la Louisiane et la mer du Sud avec des détachements de 20 et 30 soldats dont la Compagnie s'engage à régler la solde tout en promettant de verser aux capitaines de leurs régiments une indemnité de 30 livres par homme en cas de mort ou de désertion pendant la campagne (2). Lorsqu'il s'agit de matelots, il lui est permis de faire des levées d'autorité, avec l'aide des commissaires des classes, qui ont l'ordre de procéder pour la Compagnie comme pour le service du roi, la seule condition exigée étant qu'elle garantisse aux équipages une solde d'un quart supérieure à celle des navires royaux (3). A La Rochelle, les négociants accusent la Compagnie de les priver ainsi de la main-d'œuvre nécessaire au commerce de la pêche qui, en 1720, s'en trouve virtuellement interrompu (4). Le conseil intervient en outre pour garantir à la Compagnie, contre la concurrence des armateurs privés, les ouvriers qu'elle réclame pour ses armements, ou pour modérer les prétentions des charpentiers et des calfats qui s'efforcent d'obtenir des hausses de salaires à la faveur de la pénurie de la main-d'œuvre (5).

La cession enfin de Lorient et de Belle-Isle à la Cⁱᵉ des Indes acheva de renforcer sa puissance. En raison de l'insuffisance du port de La Rochelle, où ses gros navires ne pouvaient entrer, la Cⁱᵉ d'Occident, dès 1718, avait envisagé d'armer ses vaisseaux dans d'autres ports ou de créer un établissement qui lui fût propre

(1) A.M., B 1 52, f. 165-165 v, Robert, Brest, 9 sept. 1720.
(2) A.M., B 129, f. 216 v, Conseil de marine, 22 févr. 1718 ; B 2 255, f. 409 v, au Bailly de Bellefontaine, 23 sept. 1719 ; B 2 259, f. 155-155 v, à Hocquart, 8 mai 1720.
(3) A.C., B 41, f. 114 v-5, à Robert, 27 août 1719. — A.M., B 1 42, f. 351 v, Cⁱᵉ des Indes, 29 août 1719 ; B 2 257, f. 163 v, au S. de Bellefonds, 13 mars 1720. — Lorient, 1 P 278 a, liasse 3, pièce 2, à Renault, 16 août 1721 ; 1 E 4 25, f. 493-4, à Clairambault, 27 août 1719.
(4) B 1 52, f. 260 v, Les négociants de La Rochelle, 27 oct. 1720.
(5) A.M., B 1 39, f. 218 v, Marin, Saint-Malo, 27 sept. 1719 ; B 1 52, f. 265 v, Conseil de marine, 12 nov. 1720 ; B 2 254, f. 280-1, au Mⁱˢ de Coetquin, 29 sept. 1719.

et que l'intendant Beauharnais suggérait de situer aux environs
de Rochefort, en raison de la misère qui accablait la population (1). Mais la position de Lorient, où la misère et le chômage
étaient au moins aussi graves, parut préférable à la Compagnie
et, par la suite, les expériences qu'elle fit au Havre et sur la
rivière de Rochefort confirmèrent son choix (2). L'ordonnateur
Clairambault, tout en convenant que le port de Lorient répondait
aux besoins de la Compagnie, conseillait au roi de ne pas abandonner la base, de juxtaposer plutôt les deux services, car, à son
avis, la monarchie avait intérêt à ne pas céder une position du
littoral breton « à la discrétion de quelques étrangers » que
l'opinion accusait de vouloir « y être les maîtres absolus » (3).

Mais, en juin 1719, le conseil de marine signifie à l'ordonnateur
que « la résolution a été prise de laisser (le) port en entier à la
Cᵢᵉ des Indes » et que le roi renonce même à sa première intention,
qui était d'y entretenir « un petit corps de marine » (4). Il le
prie en conséquence de fixer désormais sa résidence au Port-
Louis, où se rendront également les officiers de plume et d'épée,
en attendant qu'on les affecte au port de Brest, et il autorise les
officiers subalternes, maîtres d'ouvrages et autres entretenus
du roi qui ne sont pas admis à la demi-solde à prendre de l'emploi
auprès de la nouvelle compagnie (5). Les locaux loués pour le
service du roi furent rendus à leurs propriétaires. Ce fut le cas
notamment du château de Trifaven, dont le vieil édifice, partiellement délabré, servait à entreposer les poudres de la marine (6).
Les munitions en furent transférées dans la citadelle de Port-
Louis, et le château fut remis à la disposition de ses propriétaires
qui, à leur tour, le louèrent à la Compagnie (7). Quelques mois

(1) A.M., B 1 30, f. 321 v, Beauharnais, 12 sept. 1718 ; B 1 33, f. 517-9,
Plainte des ouvriers de Rochefort, juill. 1718.
(2) A.N., M 1026, Réponses de la Cᵢᵉ des Indes aux mémoires des actionnaires sur le commerce de Guinée. — A.M., B 1 27, f. 89, Clairambault, 28 et
31 janv. 1718, f. 156-156 v, 167 v, 177, Clairambault, 18, 24 févr., 28 févr.,
14 mars 1718.
(3) A.M., B 3 257, f. 207, Beauregard, 22 mai 1719 ; B 3 258, f. 174-179 v,
188-189 v, Clairambault, 22, 24 mai 1719.
(4) A.M., B 2 254, f. 16 v, 23, à la Cᵢᵉ des Indes, 5 juill. 1719, f. 119-119 v,
277-8, 428 v-429 v, à Clairambault, 9 août, 29 sept., 3 nov. 1719 ; B 3 258,
f. 235-7, Clairambault, 3 juill. 1719.
(5) A.M., B 2 254, f. 37 v, à Clairambault, 12 juill. 1719, f. 39-39 v, à Beauregard, 12 juill. 1719, f. 428 v-429 v, à Clairambault, 3 nov. 1719 ; B 3 258,
f. 453 v, 474 v-5, Clairambault, 10, 27 nov. 1719. — Lorient, 1 E 4, 26, f. 58,
Liste des 7 bas-officiers... que le roi autorise...
(6) A.M., B 3 258, f. 126, Clairambault, 27 mars 1719, f. 152, Plan du
château de Trifaven.
(7) Lorient, 1 E 4 25, f. 621-3, 1 E 4 26, f. 11, à Clairambault, 3 nov. 1719,
10 janv. 1720. — A.M., B 2 254, f. 431, à Clairambault, 3 nov. 1719, f. 432, à
M. de Barrère, 3 nov. 1719 ; B 3 258, f. 455 v, Clairambault, 10 nov. 1719.

plus tard, il servira d'abri aux convois de déportés qui s'arrêteront à Lorient pour attendre l'appareillage des navires de Louisiane.

L'abandon du port et de ses installations constituait un événement important dont les gazettes s'empressèrent de souligner l'accroissement de force et de prestige qu'il devait apporter à la Cie des Indes : les *Lettres historiques*, la *Gazette de Hollande* annoncèrent que la Compagnie, parvenue à un état virtuel d'indépendance, était sur le point de nommer un vice-amiral, et qu'elle disposait, dans le nouveau réduit de sa puissance, du droit de faire la guerre ou la paix (1). Effectivement, la cession, en 1720, sous réserve de l'hommage au roi et du versement d'une rente annuelle, du domaine utile de l'île et du marquisat de Belle-Isle, qui couvrait la côte Sud de la Bretagne, s'ajoutant à la cession de Lorient, lui conféra dans le royaume une situation hors pair qu'aucune compagnie de commerce n'avait encore occupée (2).

Mais cette même situation pouvait aussi devenir une source de conflits ou de difficultés avec les représentants de la monarchie. Le personnel qu'emploie la Compagnie s'autorise souvent du régime privilégié dont elle bénéficie pour formuler des exigences inconciliables avec les besoins de la marine royale. C'est le cas du Sr Morin et surtout du capitaine de vaisseau Édouard de Rigby qui remplissaient les fonctions de directeur de la Compagnie, respectivement, à Saint-Malo et à Lorient (3). Les procédés dont usa Rigby en prenant le commandement du port de Lorient équivalaient à une franche dépossession de l'administration royale. Après avoir fait sommer par deux notaires le commissaire ordonnateur de lui remettre sans délai les établissements du souverain et de l'ancienne Cie des Indes, et avant même que le personnel du roi n'eût évacué Lorient, il s'attribua le titre de commandant du port et les prérogatives de commissaire de la marine (4).

---

(1) *Merc. hist. et politique*, 1719 (66), p. 407-8. — *Lettres historiques*, 1719 (56), p. 457. — *Gaz. de Hollande*, 11 avril 1719.
(2) *Lettres historiques*, 1719 (55), p. 166. — *Les correspondants de la marquise de Balleroy*, II, p. 157. — *Journal de Dangeau*, t. 18, p. 272-3. — B.N., 4° fm 2380, *Mém. du Cte de B.-Isle sur l'échange du marquisat...* ; 4° fm 2381, *Contrat d'inféodation de l'île...*
(3) A.M., B 1 39, f. 229-229 v, Robert, 29 sept., 6, 9 oct. 1719. — A.C., F 2 A 13, f. 8, Nomination du S. de Rigby.
(4) A.M., B 1 39, f. 81 v-2, 145 v, à Clairambault, 1, 24 juill., 21 août 1719, f. 232, Beauregard, 2, 6 oct. 1719 ; B 1 46, f. 233 v-4, Clairambault, 22 avril 1720; B 2 254, f. 321 v, à Beauregard, 16 oct. 1719 ; B 3 257, f. 301, 302 v, Bigot, 24 juill. 1719 ; B 3 258, f. 293 v-294 v, 300-300 v, 432 v, Clairambault, 24 juill., 28 juill., 27 oct. 1719. ; B 3 264, f. 103-103 v, Rigby, 6 mai 1720.

Le conseil de marine, bien qu'il excuse facilement les prétentions ou les abus de pouvoir des représentants de la Compagnie,
n'hésite pourtant pas, en plusieurs circonstances, à soutenir les
refus catégoriques que leur opposent les administrateurs des
ports : lorsque la Compagnie prétend dégarnir les magasins de
Dunkerque pour faciliter ses propres armements, ou qu'elle
revendique le droit d'extraire des forêts de Provence et d'Hennebont une quantité d'arbres dont le défaut paralyserait les
constructions de la marine royale, ou, enfin, lorsqu'elle tente de
s'approprier à Lorient les mâts, les canons et les ancres réservés
pour les besoins de la Nouvelle France (1). Le roi ne permet pas
non plus à la Compagnie d'user d'une autorité discrétionnaire
à l'égard des matelots dont elle compose ses équipages. Elle est
tenue de respecter les conditions que lui a posées le conseil de
marine, l'obligation de majorer la solde du roi, celle d'attribuer
aux hommes, pendant les travaux de l'armement, la 1/2 solde
et la ration, et, pour garantir l'application des règlements, il lui
est prescrit d'effectuer les payements dans les bureaux des
classes en présence des commissaires du roi (2). Aussi bien le
conseil de marine s'élève-t-il contre les procédés arbitraires
auxquels peut donner lieu le recrutement des équipages de la
Compagnie, contre la prétention, par exemple, d'Édouard de
Rigby de prendre, à leur passage à Lorient, pour le service de
ses navires, les matelots qui relèvent d'autres départements,
sans le consentement du commissaire ordonnateur (3).

Mais ces conflits localisés se compliquaient d'un conflit
d'ordre plus général, qui opposait en bien des cas le service de
la marine royale à celui de la Cie des Indes. Celle-ci, en raison
des conditions qu'elle était en mesure d'offrir, s'érigeait alors
en un organisme concurrent de la monarchie. La solde qu'elle
versait aux matelots, supérieure d'un quart à celle du roi, en
portait un grand nombre à donner la préférence à ses navires.
La modicité de la solde officielle est une des causes qui expliquent
les difficultés que les commandants du *Henry* et du *Toulouse*
éprouvèrent à recruter des équipages pour la campagne de

(1) A.M., B 1 39, f. 236, Conseil de marine, 4 oct. 1719 ; B 2 259, f. 81-81 v,
à Law, 11 mars 1720 ; B 3 257, f. 78-78 v, Marin, 4 oct. 1719 ; B 3 258, f. 501-
501 v, Clairambault, 15 déc. 1719.
(2) A.M., B 1 42, f. 351 v, Cie des Indes, 29 août 1719 ; B 1 47, f. 79-79 v,
Renault, 19 août 1720. — A.C., B 41, f. 114 v-5, à Robert, 27 août 1719. —
Lorient, 1 E 4 27, f. 347-8, Au S. Renault, 22 sept. 1721.
(3) B 1 46, f. 16 v-17, Le Seu, Port-Louis, 20 déc. 1719 ; f. 60 v-61, Clairambault, s. d. ; f. 146 v, 194, Rigby, 28 févr., 15 mars 1720.

Louisiane en 1720 (1). Aussi, dans tous les ports où la Cⁱᵉ des Indes procédait à de nombreux armements, déplorait-on communément la pénurie des matelots : à Nantes, à La Rochelle, c'était le fait des armateurs privés ; à Saint-Malo, où les armements de la Cⁱᵉ avaient beaucoup augmenté le mouvement du port, c'était le fait des représentants du roi aussi bien que des armateurs (2). Comme les Malouins, en raison de leurs qualités de navigateurs, formaient généralement « la tête et la force des vaisseaux de S.M. », le conseil de marine, à la demande de l'intendant de Brest, dut enjoindre à la Compagnie d'étendre le choix de ses équipages aux autres départements de Bretagne et de Normandie afin de ne pas épuiser le recrutement de Saint-Malo : il fit observer à Law que le naufrage d'un navire exclusivement composé de ce personnel d'élite constituerait une perte irréparable pour la marine royale (3). A Brest et à Lorient, les officiers du roi, dans certains cas, ne parvenaient pas à trouver de matelots pour les bâtiments de guerre du fait des prélèvements qu'opérait la Cⁱᵉ des Indes (4).

La concurrence de la Compagnie s'exerce en fait dans tous les domaines. Partout on note son activité envahissante, favorisée par les moyens financiers dont elle dispose. Elle seule peut offrir 22 et 24 sols par jour aux calfats et charpentiers de Saint-Malo (sept. 1719), et jusqu'à 30 et 40 sols aux charpentiers de Bayonne (oct. 1720), et soutenir la hausse des prix consécutive à l'inflation. Elle seule, par suite, peut se procurer des charpentiers basques dans la saison où ils sont généralement accaparés par la pêche à la morue ou à la baleine (5). A Rochefort, où le marquis de La Galissonnière attribue la rareté des soldats de recrue, dans une large mesure, « aux grosses levées » de la Compagnie, les achats de lard, légumes et farines qu'elle effectue pour ses campagnes, au début de 1720, compromettent le ravitaillement des navires du roi et portent un grave préjudice aux munitionnaires attitrés de la marine : tandis que, à Brest, le port se trouve privé de fer du fait des achats qu'elle multiplie dans les forges de

(1) A.M., B 2 255, f. 485-485 v, à Hocquart, 15 nov. 1719 ; B 3 259, f. 147, Le Bailly de Bellefontaine, 29 oct. 1719.
(2) A.M., B 1 51, f. 1028, M. Bénard, 4 mai 1720 ; B 1 52, f. 261 v, Les négociants de La Rochelle, 27 oct. 1720 ; B 2 254, f. 380, 427, à Law, à Robert, 18 oct., 3 nov. 1719 ; B 3 264, f. 35-35 v, 56, Marin, 6 mars, 12 juin 1720.
(3) A.M., B 1 39, f. 229-229 v, Robert, sept.-oct. 1719 ; B 2 257, f. 389 v-90, à Marin, 7 juin 1720 ; B 3 264, f. 35-35 v, *op. cit.*
(4) A.M., B 1 39, f. 146, Beauregard, 21 août 1719 ; B 1 46, f. 194, Robert, mars 1720.
(5) A.M., B 1 39, f. 218 v, Marin, 27 sept. 1719 ; B 1 47, f. 2 v, Laudreau, 15, 22, 25 juin 1720.

Paimpont pour ses chantiers de Lorient (1). Les administrateurs des ports sont unanimes à rejeter sur la Compagnie et sur les prix qu'elle pratique la responsabilité partielle des hausses qui se produisent dans les premiers mois de 1720 : hausse des denrées alimentaires dans la région de Rochefort, augmentation des exigences des matelots et des pilotes dans la région de Saint-Malo, hausse des chanvres et des fils de chanvre ainsi que des salaires des tisserands bretons en raison des prix proposés par les manufactures de toiles que la Compagnie fait établir à Lorient (2).

Son action colonisatrice, l'abondant recrutement de main-d'œuvre auquel donne lieu dans les ports ou dans les régions avoisinantes la formation de sociétés de colonisation pour la Louisiane ajoutent un nouvel élément à la conjoncture de hausse dont la cause initiale remonte à l'accroissement de la circulation fiduciaire.

Le fait surtout que la Cie des Indes effectue les dépenses de ses armements en espèces aggrave singulièrement la concurrence qu'elle est en mesure de faire au service du roi. En avril 1720, l'intendant de Brest fait observer que, dans ces conditions, « si l'on ne donne pas d'argent aux fournisseurs, on ne pourra plus soutenir le service » (3). A cette date, effectivement, le conseil de marine a largement recours au billet de banque, dont le discrédit ne cesse d'augmenter, et il se trouve par suite en état d'infériorité manifeste auprès des fournisseurs, qui n'hésitent pas à le menacer de vendre à la Cie des Indes si le roi refuse leurs conditions (4). Auprès des maîtres de forge, le souverain se heurte aussi à la concurrence de la Compagnie. Aussitôt après la création de la Cie d'Occident, les forges de Rancogne, dans l'Angoumois, avaient proposé de lui fournir toutes les pièces d'artillerie dont elle pourrait avoir besoin (5). Apparemment, les relations d'affaires qui s'établirent alors avec la Compa-

---

(1) A.M., B 1 46, f. 265, Robert, mai 1720 ; B 1 50, f. 415-6, Pierre Calandre, 17 févr. 1720 ; B 1 51, f. 659, La Galissonnière, 14 mars 1720 ; B 1 53 (2), f. 8, Conseil de marine, 28 janv. 1720.

(2) A.M., B 1 39, f. 340, Robert, 13 nov. 1719 ; B 1 46, f. 129 v-30, Beauharnais, 18 et 24 févr. 1720 ; f. 243, Robert, 24, 29 avril 1720 ; B 1 50, f. 452-3, Beauharnais, 20 févr. 1720 ; B 3 264, f. 29, Marin, 1er mars 1720.

(3) A.M., B 1 45, f. 401-2, Hocquart, 7, 11 avril 1720 ; B 1 46, f. 221 v, Robert, avril 1720.

(4) A. M., B 1 46, f. 252 v, Robert, 6 mai 1720 ; B 2 257, f. 100 v, au S. Silly, 11 févr. 1720, f. 418, au S. Dionis, 24 juin 1720 ; B 2 258, f. 45-45 v, 46 v, à Robert, 30 juill. 1720.

(5) C 13 A 5, f. 72-4, Rambaud à Duché, Angoulême, 16 nov. 1717; f. 74, État des canons... de la forge de Rancogne...

gnie ne portèrent aucun préjudice au roi tant que le billet de banque resta d'usage courant. Les deux services n'entrèrent en conflit qu'à partir de juin 1720, lorsque les maîtres de forge, contrairement aux stipulations des marchés qu'ils avaient conclus avec le souverain, commencèrent à refuser la monnaie fiduciaire. Comme la Cie des Indes offrait de faire de gros achats de canons dans le Périgord et l'Angoumois à des prix élevés et contre payement comptant et en argent de la totalité de la somme, les fournisseurs exigèrent de la monarchie qu'elle réglât en espèces les 3/4 au moins de la valeur de ses commandes (1). Et le conseil de marine se vit dans l'obligation de suspendre provisoirement l'exécution de ses contrats (2). Sur le marché des chanvres, également, les prix de la Compagnie sont supérieurs à ceux du souverain et lui permettent de réaliser des achats qui ne sont pas à la portée du service de la marine (3).

C'est ce qui explique, dans une très large mesure au moins, que le Conseil ait finalement chargé la Compagnie d'assumer elle-même la responsabilité des fournitures de base nécessaires à la marine royale, et qu'elle ait pris en dernière analyse une part plus considérable que le roi à la gestion de celle-ci. A la fin de 1719, la Compagnie accepte de se charger des fournitures de chanvre. Désormais, le conseil lui envoie un état régulier des quantités qu'en exige la marine et de la répartition qu'il convient d'en opérer entre le Ponant et la Méditerranée, et elle y satisfait par des importations en provenance surtout de la Baltique (4). Le Conseil souhaiterait même qu'elle se chargeât de procurer les toiles de voile des navires de guerre, dans l'espoir que l'élimination de la concurrence entraînerait la baisse des prix (5). Bientôt il lui demande d'approvisionner les magasins de Brest et de Rochefort de plomb en saumon, d'étain et de cuivre pour les besoins à la fois de la marine et de l'artillerie de terre (6). Parti-

(1) A.M., B 1 46, f. 296 v, du Teillay, 12 juin 1720 ; B 1 47, f. 56-7, Beauharnais, 3 août 1720 ; B 1 52, f. 72 v-74, Beauharnais, 25 et 28 juill. 1720.
(2) A.M., B 1 47, f. 99-99 v, Beauharnais, août-sept. 1720.
(3) A.M., B 1 38, f. 95 v-6, Robert, 1er et 3 févr. 1719, f. 141, Feydeau de Brou, 1er mars 1719 ; B 2 253, f. 174-174 v, à Robert, 22 mars 1719.
(4) A.M., B 1 45, f. 364, Hocquart, 6 et 9 juin 1720 ; B 1 46, f. 196, 237, Beauharnais, mars-avril 1720 ; B 1 47, f. 37, 113 v, 232 v-3, Robert, 26, 29 juill., sept., nov., 1720 ; B 2 257, f. 417 v, à Robert, 24 juin 1720 ; B 2 258, f. 38 v-9, 60, 273 v, à Robert, 24 juill., 6 août, 27 sept. 1720.
(5) B 2 254, f. 506 v-508, à M. Law, 29 nov. 1719.
(6) A.M., B 1 46, f. 47, Robert, 12-13 janv. 1720, f. 127 v, Beauharnais, 18, 24 févr. 1720, f. 275 v-6, Law, 26 mai 1720 ; B 2 254, f. 525-525 v, à Robert, 6 déc. 1719 ; B 2 257, f. 136 v, à Law, 26 févr. 1720, f. 158 v, à Robert, 11 mars 1720, f. 170, à Law, 13 mars 1720, f. 215, à M. Le Blanc, 2 avril 1720, f. 430, à M. Law, 25 juin 1720 ; B 2 258, f. 17 v-18, à M. Law, 10 juill. 1720.

culièrement significatif est l'accord de novembre 1720, aux
termes duquel elle devient le fournisseur officiel des canons des
bâtiments de guerre (1). En réalité, il n'est guère de rouage de
la marine qui ne relève alors de Law et de sa Compagnie. Lorsque
celle-ci envoie ses propres frégates dans le golfe du Mexique pour
ravitailler les escadres royales, on a le sentiment qu'elle substitue
de plus en plus son action à celle du souverain. Même pour le
ravitaillement des galères, le roi sollicite le concours de la Compagnie (2). Et, quand la dépréciation de la monnaie de banque et
la hausse des changes étrangers — dès février 1720, on note
70 % de hausse sur le florin hollandais — interrompent l'exécution des contrats de la marine relatifs aux fournitures de bois
en provenance des pays du Nord, c'est de nouveau à Law et à
la Cⁱᵉ des Indes que les pouvoirs publics s'adressent pour essayer
d'obtenir des moyens de financement qui dépassent leurs possibilités (3).

Il est logique que les puissances maritimes se soient émues,
à des degrés divers, de cette situation. Le rôle prépondérant de
la Compagnie dans le fonctionnement de la marine royale,
l'activité qu'elle manifestait dans les ports du royaume avec
l'appui officiel de la monarchie, auraient suffi à justifier leur
inquiétude. Mais l'avenir de la marine marchande et de la marine
de guerre n'était pas seul en jeu dans cette activité. Un effort
colonisateur nouveau, dont on pouvait redouter un rapide
accroissement de la puissance française en Amérique, s'y trouvait
impliqué, d'autant plus menaçant pour les nations concurrentes
que le mouvement d'opinion favorable qu'il avait suscité dans
la population, les moyens financiers que la Compagnie était
susceptible de mettre en œuvre semblaient lui apporter autant
de gages de succès.

(1) A.M., B 1 47, f. 269-273, Contrat du 9 déc. 1720, f. 288 v-290, *Mémoire
sur le projet que le conseil a formé...*, B 1 52, f. 247 v-248, Beauharnais,
22 oct. 1720.
(2) B 1 49, f. 41 v, 61 v, 71, 89 v, Vaucresson, janv., mars, mars-avril,
3 mai 1720.
(3) B 1 46, f. 114 v, Robert, 19 févr. 1720 ; B 1 47, f. 153 v-154 v, Robert,
7, 9, 11 oct. 1720 ; B 2 258, f. 140, à Beauchesne, 26 sept. 1720 ; f. 152-152 v,
299-299 v, à Champigny, 29 sept., 9 déc. 1720, f. 169-169 v, à Beauharnais,
10 oct. 1720.

Chapitre III

INFORMATION ET PROPAGANDE

L'effort colonisateur n'aurait pas suscité les adhésions auxquelles il donna lieu si la Louisiane, du fait de l'institution de la Cie d'Occident, préposée en principe à sa mise en valeur, du fait surtout de la position dominante de la Cie des Indes dans la vie économique du royaume et de la vague de spéculation que provoquèrent les papiers du « Mississipi », ne s'était brusquement trouvée portée, de l'obscurité où elle avait toujours vécu, au premier plan de l'attention du public.

Jusque-là, les milieux scientifiques s'étaient seuls sérieusement intéressés à la colonie (1). Avec la création de la Cie d'Occident, les préoccupations proprement scientifiques n'accusent aucune régression. Mais elles s'accompagnent désormais d'un intérêt d'ordre plus général, qui s'applique au grand public et répand la connaissance de la Louisiane dans tous les milieux, surtout lorsque grands seigneurs et enrichis du Système commencent à participer eux-mêmes à la colonisation du Mississipi.

Scientifiquement, ni les raisons de s'intéresser à la Louisiane ni les personnalités qui partagent cet intérêt ne diffèrent de celles des années précédentes. Le groupe qui s'était jusque-là si activement préoccupé des problèmes géographiques de la colonie s'efforce toujours d'y apporter des solutions. Il bénéficie encore de la sympathie et, le cas échéant, de la protection du maréchal d'Estrées ou du comte de Toulouse, que l'ordonnateur Hubert tient au courant des « curiosités naturelles » de la Louisiane, et il conserve son meilleur informateur dans la personne du missionnaire François Le Maire (2). Bien qu'il soit sur le point de regagner la métropole, Le Maire, plus épris de science que d'apostolat,

---

(1) M. Giraud, *Histoire de la Louisiane française*, II, chap. II.
(2) A.C., C 13 A 5, f. 286 v-287 v, Hubert, 25 avril 1719. — A.M., 3 JJ 387 (26 R), Copie d'une lettre de G. de L'Isle à Bobé, 1718.

continue de se distinguer par ses mémoires, par les cartes qu'il
établit dans la pensée de préciser ou de rectifier les notions
antérieurement acquises : les données qu'il fournit sur la disposition et le tracé des rivières littorales, sur la répartition des
tribus indigènes, sur l'emplacement des positions espagnoles à
l'Est de Pensacola, apportent aux cartographes de profession
une documentation assez intéressante pour que Guillaume de
l'Isle, en 1718, envisage d'attendre l'arrivée du courrier du
missionnaire avant de mettre la dernière main à la carte d'ensemble qu'il s'apprête à publier de la colonie (1). Pour le lazariste
Jean Bobé, pour l'intendant de la marine et inspecteur général
des classes Antoine-Denis Raudot (2), la correspondance de
Le Maire forme la source essentielle de leur connaissance de la
Louisiane. La situation que nous avons décrite dans les années
de transition ne varie pas dans la période du Système (3). De
l'Isle et Bobé, les deux principaux promoteurs de l'étude scientifique de la colonie, continuent leurs discussions et leurs échanges
de vues autour des lettres de François Le Maire et, comme ils
résident l'un à Paris et l'autre à Versailles, ils se transmettent
par personnes interposées les cartes et les mémoires de ce dernier.
Bobé et le propre frère de François Le Maire, auxquels celui-ci
paraît avoir adressé une plus grande partie de sa documentation
qu'à de l'Isle, communiquent généreusement ce qu'ils possèdent.
Mais il ne leur est pas toujours possible de disposer des originaux,
et, dans ce cas, de l'Isle en est réduit à se contenter de brouillons
ou de transcriptions, d'autant plus qu'il n'a pas à compter sur
le Séminaire des Missions Étrangères, qui évite de livrer la
correspondance de son représentant ou la réserve pour le conseil
de marine (4). Bobé et de l'Isle souhaiteraient des contacts plus
étroits, des discussions directes, mais leurs occupations respectives et la lenteur des communications entre Paris et Versailles
en excluent la possibilité (5).

(1) A.M., 3 JJ 387 (22 D), Le Maire à de l'Isle, 19 mai 1719 ; (26 M).
Bobé à de l'Isle, 9 juill. 1718 ; (26 J), Bobé à de l'Isle, 30 avril 1718. — A.C.,
C 13 C 2, f. 156 v, 162-162 v, Le Maire, Mémoire sur la Louisiane, 1718.
(2) A.N., M.C., Et. LXVII-355, Convention entre Jacques et A.-D. Raudot,
20 sept. 1720.
(3) M. Giraud, op. cit., II, chap. II.
(4) A.M., 3 JJ 387 (26 B), (26 C), (26 F), (26 O), Bobé à de l'Isle, 8 mars,
24 avril, 16 oct. 1717, 26 août 1718.
(5) A.M., 3 JJ 387 (26 J), (26 G), (26 K), (26 P), (26 Q), Bobé à de l'Isle,
30 avril, 4 janv., 27 mai 1718, 26 janv. 1720, 16 août 1718. Ni J.-B. Duché ni
Derigoin ni d'Artaguiette d'Iron ne sont en mesure d'informer les milieux
scientifiques français aussi complètement que Le Maire, leur connaissance de
la Louisiane étant trop limitée, 3 JJ 286 (26 K), (26 M), Bobé à de l'Isle,
27 mai, 9 juill. 1718 ; 3 JJ 394 (4-123), Bobé à de l'Isle, 21 juin 1720.

Comme dans les années précédentes, ce qui préoccupe le groupe Le Maire-de l'Isle-Bobé, c'est d'établir une carte exacte de la Louisiane et de résoudre le problème de la mer de l'Ouest et de ses voies d'accès. Les deux questions, en réalité, sont inséparables puisqu'une carte exacte supposerait la connaissance de l'emplacement de cette mer, sur laquelle on ne parvient pas à dissiper l'incertitude de la période antérieure.

Dans le domaine de la cartographie, de l'Isle reste naturellement la personnalité dominante. Sa méthode consiste toujours à interroger les récits de voyages, les mémoires descriptifs, et à les corriger par les données de l'astronomie, par les observations surtout que d'Iberville a consignées dans ses journaux sur les latitudes des points qu'il a pu visiter (1). Il possède une connaissance étendue de tous les mémoires et de toute la correspondance capables de préciser ou d'enrichir sa documentation : les transcriptions qu'il effectue du journal de Bénard de La Harpe, des lettres de Lallement, lui révèlent le secteur à peine prospecté encore de la Rivière Rouge et ajoutent à ce qu'il sait du pays des Yasoux et des Illinois. Bobé, d'autre part, met à sa disposition les lettres que lui adressent ses nombreux correspondants de Louisiane (2). En s'aidant de sa parfaite connaissance des récits de voyages et de sa formation scientifique (3), de l'Isle se flatte d'avoir fourni à la cartographie de la colonie une contribution « toute nouvelle », à l'exception toutefois de la partie concernant la localisation des tribus indigènes, pour laquelle il s'en remet aux informations de F. Le Maire (4). Il s'en faut pourtant qu'il parvienne à éclaircir tous les points contestés (5). Et des inconnues persisteront tant qu'une œuvre méthodique d'observations, étayée sur les progrès correspondants de la découverte, ne sera pas entreprise dans la colonie. Pour le moment, le littoral est seul connu avec précision, grâce aux observations du P. Laval, astronome et mathématicien, adjoint au personnel de l'escadre Caffaro-Valette de Laudun, grâce aux relevés des Srs Devin et Sabatier, de l'ingénieur Bajot, du capi-

---

(1) A.M., 3 JJ 387 (26 R), Copie d'une lettre de (G. de l'Isle) à Bobé, 1718.
(2) A.M., 3 JJ 387 (20), Tonty à Bobé, 22 mai 1716 ; (26 R), Copie d'une lettre... ; (26 K, 26 M), Bobé à de l'Isle, 27 mai, 9 juill. 1718 ; (27), Extr. du journal de B. de La Harpe ; (29), Lettre de Lallement, aux Cascaskias, 5 avril 1721 ; 3 JJ 394 (4-113), Bobé à de l'Isle, 20 sept. 1718. — A.C., C 13 A 6, f. 297, Chassin, aux Illinois, 1er juill. 1722.
(3) 3 JJ 387 (26 B), (26 R), *op. cit.*, (22 D), Le Maire à de l'Isle, 19 mai 1719.
(4) 3 JJ 387 (26 R), (26 M), *op. cit.*
(5) 3 JJ 387 (22 E), Guillaume de l'Isle, s. d. ; (22 D), Le Maire à de l'Isle, 19 mai 1719 ; (26 H), Bobé à de l'Isle, 18 mars 1718. — A.C., C 13 C 2, f. 162 v, F. Le Maire, *Mémoire sur la Louisiane*, 1718.

taine Béranger (1). Dans l'intérieur, le cours inférieur du Mississipi, le secteur exploré par B. de La Harpe, commencent à former
de nouveaux terrains d'observation, mais la connaissance d'ensemble de la Louisiane n'a pas encore réalisé de gains décisifs (2).

L'étroite collaboration qui s'est établie entre de l'Isle, Le
Maire et Bobé, n'en a pas moins donné lieu à une œuvre intéressante, fruit d'incessantes discussions critiques et de confronta-
tions des textes et des observations faites sur les lieux (3). De là
sort la grande « carte de la Louisiane et du cours du Mississipi »
que Guillaume de l'Isle publie en juin 1718, en rendant hommage
à l'aide que Le Maire lui a fournie, et qu'il entreprend, dès 1720,
de compléter par une autre carte, avec la coopération encore de
Bobé, pour répondre à l'extension de la zone colonisée et aux
progrès de l'exploration (4). Une curiosité croissante, dont
témoigne aussi bien la publication de la carte du géographe Defer
au début de 1718, quelques mois avant celle de G. de l'Isle,
se manifestait dans les milieux scientifiques à l'égard de la
représentation cartographique de la colonie.

Dans ce cadre s'insérait la question, toujours discutée, de la
mer de l'Ouest. A côté des personnalités précédentes, nous
voyons ici reparaître Antoine-Denis Raudot, qui, s'il ne fournit
pas d'élément neuf sur la question, figure au centre de toutes
les discussions. Bobé le consulte fréquemment et le tient régulièrement au courant des vues qui s'expriment (5). La discussion,
malheureusement, devient maintenant un peu stérile. Il semble
même que les mémoires échangés posent le problème moins
clairement qu'à l'époque de Claude de l'Isle. La connaissance
de la mer de l'Ouest n'accuse en tout cas aucun progrès. Le long
mémoire que Le Maire consacre à la question à la fin de 1718
n'innove en rien sur celui qu'il a rédigé en 1717 (6). Il y conclut
à l'existence, dans la partie occidentale du continent, à la hauteur

(1) A.C., C 13 B 1, f. 29, Devin, à la Mobile, 22 déc. 1731. — A.M., 3 JJ 395
(25), Sur la longitude de l'embouchure du Mississipi. — B 2 255, f. 492 v,
à Hocquart, 20 nov. 1719 ; B 2 259, f. 9, 11 v, au P. Laval, 3, 8 janv. 1720 ;
B 3 254, f. 134-134 v, 135-135 v, 149, 156 v, Le P. Laval, 6 févr. 1727,
12 févr. 1721, 24 nov. 1720, 26 déc. 1723. — A. Laval, *Journal du voyage
de la Louisiane*, Paris, 1728. — B.N., Géographie, Port. 138 *bis*, div. 1, pièces 11
et 12 ; Port. 138, div. 10, pièce 10 ; Ge C 5072, Ge DD 2877 (8834).
(2) 3 JJ 387 (30 D), Alexandre, aux Chaouachas, 10 sept. 1722.
(3) A.M., 3 JJ 387 (26 H), (26 M), (26 K), (26 G), Bobé à de L'Isle, 18 mars,
9 juill., 27 mai, 4 janv. 1718.
(4) B.N., Cabinet des Estampes, Vd 21, t. II, 9. — A.M., 3 JJ 387 (26 P),
Bobé à de l'Isle, 26 janv. 1720 ; 3 JJ 394 (4-123), Bobé à de l'Isle, 21 juin 1720.
(5) 3 JJ 387 (26 K), *op. cit.* ; (26 D), Bobé à de l'Isle, 2 juill. 1717.
(6) A.C., C 13 C, 2 f. 153 suiv.

de la Quivira des Espagnols (1), au Nord de la Californie, de
« grands lacs d'eau salée » sur les bords desquels il situe des
« nations policées » qu'il croit d'origine asiatique. Ces lacs consti-
tueraient autant de golfes de la mer de l'Ouest qui, elle-même,
s'étendrait entre la partie la plus septentrionale de l'Asie et de
l'Amérique (2). La question des voies d'accès est présentée
comme elle l'avait été en 1717 : par mer, ni les « grandes baies
du nord du Canada », ni la mer Vermeille, définitivement exclue
par le fait que la Californie est désormais considérée comme une
presqu'île, ne seraient susceptibles d'en ouvrir la communication ; par terre, la voie du Missouri serait la plus indiquée non
seulement en raison de sa localisation dans la zone du « milieu
raisonnable » que Le Maire avait définie en 1717, mais en raison
de l'existence présumée, à proximité de ses sources, d'une ou
de plusieurs « rivières navigables » s'écoulant vers l'Ouest ou le
Nord-Ouest (3). L'exposé, qui maintient le principe de la distinction entre la mer de l'Ouest et la mer du Sud, ne renouvelle donc
point la question. Il la complique inutilement par l'interposition
de lacs salés imaginaires, notion héritée des récits espagnols et
de ceux de La Hontan, et, en revanche, il la simplifie à l'excès
par l'orientation Nord-Est ou Nord-Nord-Est qu'il attribue à la
côte occidentale du continent américain « jusqu'au cercle polaire »,
ce qui revient à abréger la longueur réelle des voies d'accès
terrestres sous les hautes latitudes (4).

Bobé, au contraire, rapproche les continents américain et
asiatique sous les latitudes septentrionales au point de les unir
virtuellement par une terre qui, à partir des 48ᵉ et 50ᵉ parallèles,
s'étend sans interruption de la Nouvelle France à la « Tartarie
moscovite ». Il déplace ainsi l'intérêt de la question vers cette
prétendue terre de Bourbonie qui limiterait au Nord la mer de
l'Ouest et qui ménagerait entre les deux continents un passage
autrefois utilisé par les peuples asiatiques et susceptible de
devenir une zone d'expansion et de conflit pour les empires français et moscovite. Dès 1717, Bobé, dans une lettre à Guillaume
de l'Isle, avait tracé un canevas sommaire de ses idées (5).
Mais c'est seulement en avril 1718 qu'il les exposa en détail
dans un mémoire dont il donna aussitôt connaissance au géo-

(1) M. GIRAUD, *op. cit.*, II, p. 18.
(2) A.C., C 13 C, 2, f. 160-1.
(3) *Ibid.* — M. GIRAUD, *op. cit.*, II, p. 19, 21.
(4) A.C., C 13 C, 2, f. 160-1.
(5) A.M., 3 JJ 387 (26 D), (26 G), Bobé à de l'Isle, 2 juill. 1717, 4 janv. 1718.

graphe du roi (1), et qui contient la Bourbonie entre le 45ᵉ et
le 70ᵉ parallèles, sans qu'aucune mer ou détroit en interrompe
la continuité. A son extrémité occidentale, cependant, un détroit
de faible largeur, que Bobé identifie, sous un nom différent
(détroit d'Uriez), au détroit d'Anian, et auquel succéderait vers
le Nord le golfe d'Amour, séparerait la Bourbonie du Japon et
du continent asiatique. La question de l'accès à la mer de l'Ouest,
que borde cette terre de Bourbonie, est sommairement réglée
en partant du principe que les nombreuses rivières à tracé
approximativement Ouest-Est, qui parcourent la partie occidentale du continent américain, Missouri, rivière Monigona (des
Moines), rivière Saint-Pierre (Minnesota), Mississipi supérieur...,
constituent autant de voies satisfaisantes : car, au-delà de la
« hauteur des terres » où leurs sources s'alimentent, elles permettront d'atteindre autant de cours d'eau tributaires de la mer
de l'Ouest.

Bobé donnerait toutefois la préférence à la voie du lac Supérieur et du lac Tekamamiouen (lac la Pluie) par laquelle vient
précisément de s'engager la première tentative de découverte
de la mer en question. C'est à ses yeux la « route la plus sûre et
la plus commode, et peut-être la plus courte ». Sa confiance
s'explique par le fait que l'immense étendue de pays qui fait
suite à cette échancrure de la zone rocheuse du lac Supérieur
lui est alors complètement inconnue et qu'il lui est facile d'ima-
giner une succession de rivières qui, « d'espace en espace »,
conduiront jusqu'à la Bourbonie et à la mer qui en forme la
limite méridionale. L'utilisation de cette voie, la prise de possession de la Bourbonie, la découverte de la mer de l'Ouest, d'après
Bobé, ouvriraient à la France un empire nouveau et une communication directe avec la Chine et le Japon dont résulteraient des
échanges commerciaux singulièrement lucratifs (2).

Le mémoire paraît avoir intéressé Guillaume de l'Isle. Les
annotations qu'il y a inscrites montrent qu'il ne repousse pas
a priori l'hypothèse de la Bourbonie. Il demande seulement, pour
en vérifier l'exactitude, qu'une expédition de reconnaissance
soit organisée sur la frange méridionale de cette terre, et, si
l'existence en est prouvée, que le roi s'empresse de la faire
occuper (3). Sur le problème de la mer de l'Ouest et de ses voies

---

(1) Bibl. Mazarine, Ms. 2006, *Mémoire pour la découverte de la mer de
l'Ouest*, avril 1718, reproduit dans A.C., C 11 E 16, f. 40 suiv. — A.M. 3 JJ 387
(26 J), (26 O), Bobé à de l'Isle, 30 avril, 26 août 1718.
(2) Bibl. Mazarine, Ms. 2006.
(3) *Ibid.*

d'accès, il partage en dernière analyse l'opinion de Bobé. Il attend les résultats de l'expédition du lieutenant de La Noue, que Vaudreuil a envoyé en 1717 sur le lac Supérieur avec mission de frayer la route de la mer de l'Ouest en établissant un premier jalon sur le lac la Pluie (1). Pourtant, il donne, comme Bobé, la préférence à ce dernier itinéraire : il tient la voie du lac la Pluie pour « le véritable chemin » de la mer de l'Ouest (2). De l'Isle persistera dans cette erreur, qui devait indéfiniment retarder la découverte, et il s'éteindra en 1726 sans avoir assisté à la réalisation du projet (3). En 1720, la mission confiée au P. Charlevoix de « faire des découvertes dans les terres situées à l'Ouest du Canada » pouvait donner lieu d'espérer que la question de la mer de l'Ouest serait bientôt élucidée (4). En fait, ce voyage dont Bobé soulignait l'importance dans une lettre à Guillaume de l'Isle n'aboutit à aucune conclusion de nature à renouveler la question, puisque le P. Charlevoix se contenta de suggérer que la mer de l'Ouest était proche du territoire des Sioux ou des Illinois, et que l'accès en serait ouvert soit par des cours d'eau qui font suite vers l'Ouest au Mississipi ou au Missouri, soit par la voie, plus courte peut-être, de la baie d'Hudson (5).

Les discussions sur le problème de la mer de l'Ouest ne furent certes pas inutiles. Géographiquement, quelques points sont maintenant acquis. La notion de l'île de Californie est définitivement abandonnée, et, de plus en plus, l'idée s'accrédite qu'une mer, distincte de la mer du Sud, sépare l'Amérique de l'Asie, du moins au-dessous des latitudes où l'hypothèse de la Bourbonie laisse la porte ouverte aux conjectures (6). Ni Le Maire, ni Bobé, ni, à plus forte raison, Guillaume de l'Isle, héritier des conceptions de Claude de l'Isle (7), ne doutent de l'existence de cette étendue d'eau. La notion si confuse du détroit d'Anian est d'autre part en régression, aussi bien que celle de la Quivira des Espagnols, que Bobé, plus clairvoyant en cela que Le Maire, tient, au même titre que l'Eldorado, pour une pure invention

(1) A.M., 3 JJ 387 (26 R), De l'Isle à Bobé, 1718. — M. GIRAUD, *op. cit.*, II, p. 23.
(2) A.M., 3 JJ 387 (26 R), *op. cit.*
(3) A.M., 3 JJ 387 (26 O), *op. cit.* ; B 1 51, f. 580-2, Vaudreuil & Bégon, 14 nov. 1719, f. 778-9, Beauharnais, 21 avril 1720.
(4) A.M., 3 JJ 394 (4-123), Bobé à de l'Isle, 21 juin 1720. — A.C., F 1 A 21, f. 278, Ordre du roi, 5 juin 1720 ; F 1 A 22, f. 31, Ordre du roi, 28 mai 1721.
(5) A.C., C 11 E 16, f. 96-7, 102-104 v, Charlevoix, 27 août 1721, 20 janv. 1723. — A.M., 3 JJ 388 (9 B), Charlevoix à Maurepas, mai 1731.
(6) A.M., 3 JJ 394 (5-131), Bourguet à de l'Isle, Neuchâtel, 12 déc. 1721 ; 3 JJ 395 (17 et 18), Dissertation sur les ouvrages... de G. de l'Isle, 1720.
(7) M. GIRAUD, *op. cit.*, II, p. 19.

de ces derniers (1). Mais, sur les limites exactes de la mer de
l'Ouest, sur sa configuration, sur ses rapports avec la mer du
Sud, que l'on s'obstine à considérer comme une unité distincte,
sur les routes enfin qui permettront d'y accéder, il subsiste encore
une grande part d'incertitude : de longues années après la mort
de son frère Guillaume, Joseph-Nicolas de l'Isle, s'efforçant
de faire le point de la question, l'imaginera, sur la foi de la carte
de l'amiral de Fonte, comme une mer « entièrement enfermée
dans les terres », sauf sur sa face méridionale, où il lui attribue
« deux sorties » sur la mer du Sud (2). En principe, ces discussions
ne pouvaient avoir qu'un rayonnement limité : en France ou
à l'étranger, elles n'intéressent qu'un petit groupe d'esprits
d'élite (3). Pourtant, l'idée qu'il existe une mer de l'Ouest,
confusément localisée au delà des sources du Missouri, commence
à se vulgariser. On la trouve dans une lettre adressée au conseil
de marine par un habitant de l'île Dauphine, et le *Nouveau
Mercure*, aussitôt après la création de la Cie d'Occident, y fait
plusieurs allusions en insistant sur les relations qu'elle est susceptible d'ouvrir avec le Japon (4).

D'autre part, la Louisiane a en elle-même, en dehors du
domaine de la cartographie, de quoi intéresser à la fois le monde
savant et le grand public.

Dans le premier cas, les écrits de Le Maire, les rapports de
correspondants nouvellement établis dans la colonie contribuent
à faire connaître ses ressources naturelles et leur aspect scientifique. Dans ses mémoires de 1718, Le Maire, afin d'intéresser
« la Cour et les savants » et d'informer la Cie d'Occident, reprend
et amplifie ce qu'il avait déjà exposé l'année précédente (5).
C'est pour lui l'occasion de tracer un tableau d'ensemble de la
Louisiane, qui ne vise nullement à exagérer les possibilités du
pays ou les réalisations. Il y décrit les ressources agricoles de la
colonie, en opposant celles des deux secteurs, haute et basse
Louisiane, qu'il a toujours distingués, et il s'applique à faire
ressortir la richesse et la diversité de ses plantes médicinales,
de ses gisements miniers, les possibilités qu'elle offre pour l'exploi-

(1) Bibl. Mazarine, Ms. 2006. — A.M., 115 XXXII (7), Des terres arctique
(C. de l'Isle ?).
(2) A.M., 115 XXVI (9), J.-N. de l'Isle, *Projet d'une nouvelle route...* ;
115 XXVI (6), Esquisse de la carte de l'amiral de Fonte, 1752.
(3) A.M., 3 JJ 394 (3-97), (5-131), Bourguet à de L'Isle, 31 mars 1717,
12 déc. 1721.
(4) A.C., C 13 A 5, f. 214, Le S. Preslée au conseil de marine, 10 juin 1718. —
A.M., B 1 43, f. 187, M. de Breslay, 3 déc. 1719. — *Nouv. Mercure*, sept. 1717,
p. 130 ; févr. 1718, p. 116.
(5) A.C., C 13 C 2, f. 153, suiv., ou A.M., 3 JJ 200 (4).

tation du riz, du tabac, de l'indigo, de la soie ou du café, mais sans dissimuler que le succès en exigera des travaux de prospection, des mesures de peuplement et de défense, et une main-d'œuvre qui fait encore défaut. Pour le moment, les peaux des animaux sauvages, le bray et le goudron constituent les seules productions certaines : les bois de construction, dont on fait grand cas dans la métropole, donneraient lieu à une exploitation trop onéreuse pour mériter d'être classés parmi les ressources utiles (1). Le Maire, malheureusement, laissa son œuvre scientifique inachevée. Il quitta la Louisiane sans avoir été en mesure de composer la « dissertation » dont il avait formé le projet sur les populations indigènes, sujet qui préoccupait aussi Bobé, et son retour en France mit fin à toute velléité d'en reprendre l'étude (2). De cette dissertation il nous a seulement laissé une esquisse sommaire, où il propose de rattacher le peuplement de l'Amérique du Nord à trois sources initiales, le Proche-Orient, l'Extrême-Orient et l'Asie septentrionale, et où il fournit quelques considérations sur le « caractère » et le « génie » des Indiens, significatives des déceptions que lui avait causées le contact des primitifs (3). Son départ, au début de 1720, priva la colonie de l'homme qui avait réuni sur son passé et sur sa géographie la documentation d'ensemble la plus étendue.

Une recrue également précieuse, il est vrai, pour le monde savant se révéla peu après dans la personne du botaniste « Alexandre », — Bernard-Alexandre Vielle — qui se rendit en Louisiane en qualité d'apothicaire et chirurgien de la concession Deucher-Coëtlogon (4). Le Maire avait souhaité la présence d'un botaniste de profession : et Alexandre Vielle, par la formation qu'il avait reçue de Pitton de Tournefort, par ses relations avec les milieux d'académiciens, Guillaume de l'Isle, Vaillant, du Jardin royal, Jussieu, répondait bien au vœu du missionnaire (5). Sa correspondance n'a pas le caractère encyclopédique de celle de Le Maire. Mais, s'ajoutant aux rapports de l'ordonnateur Hubert, et soutenue par les envois d'échantillons de flore locale qu'il effectue dans la métropole, elle apporte un complément nouveau à la connaissance des curiosités du pays (6).

(1) C 13 C 2, f. 157-160.
(2) A.M., 3 JJ 387 (26 D), Bobé à de l'Isle, 2 juill. 1717. — M. Giraud, *op. cit.*, II, p. 17-18.
(3) A.C., C 13 C 2, f. 162-4.
(4) A.M., 3 JJ 387 (30 A), Alexandre, au F. Louis de Biloxi, 25 févr. 1722. — A.C., G 1 464 (passagers), n° 50. Ci-dessous, chap. IV, p. 243.
(5) A.M., 3 JJ 387 (30 C), (30 D), (30 E), Alexandre, 30 mars, 10 sept. 1722.
(6) A.M., 3 JJ 387 (30 D), (30 E), *op. cit.* — A.C., C 13 A 5, f. 286 v-7, Hubert, 25 avril 1719.

Simultanément, les gazettes mettent à la portée du grand
public un moyen d'information jusque-là inconnu, qui se double
souvent d'un côté publicitaire, inséparable de la campagne de
propagande que la Cie des Indes entreprend en faveur de la
Louisiane. Déjà, dans les mémoires de Bobé, on note çà et là,
à côté de considérations purement scientifiques, un certain
souci de publicité. Le conseil qu'il donne à G. de l'Isle d'adopter
pour sa carte de Louisiane une présentation moins sévère, afin
d'en favoriser la diffusion, le tableau surtout qu'il fait de la
colonie, le « plus beau », le « plus délicieux pays du monde »,
assuré « en tout temps et en toute saison » d'un climat « très
tempéré », dont la traversée n'est qu'une « agréable et divertis-
sante promenade », font pressentir les formules d'admiration
qui, au xviiie siècle, fausseront si souvent la réalité (1). Cet
esprit publicitaire s'accuse partout dans les gazettes de l'époque.
Chez Bobé comme chez l'éditeur du *Nouveau Mercure*, il répond
en outre à la pensée de susciter des initiatives colonisatrices et
de créer un mouvement d'expansion général de la France à
l'étranger. C'est le but que le *Nouveau Mercure* assigne aux
nombreuses « relations de voyage » qu'il insère dans ses bulletins
mensuels de 1718-19 sur la Chine, l'Afrique, les Terres australes,
la vallée du Saint-Laurent, l'île Royale, la baie d'Hudson... :
« Une nation aussi industrieuse et laborieuse », écrit-il, « a de
grandes ressources dans quelque païs qu'on l'envoye... » (2).

Dans ces relations, qui ont la prétention de ne pas être des
« relations ordinaires », la Louisiane occupe maintenant une
place importante, d'autant plus que la colonisation, n'en étant
encore qu'à ses débuts, a besoin d'un stimulant souvent renou-
velé. Dès le mois de septembre 1717, après avoir publié les édits
relatifs à la résorption des billets de l'État, et des fragments des
Lettres patentes, le *Mercure* illustre l'acte de création de la
Cie d'Occident, à l'avenir de laquelle les émissions d'actions
intéressent déjà une partie du public, en présentant une relation
de ce « vaste pays » que l'on connaît indifféremment sous le nom
de Louisiane ou de Mississipi. Le peuplement européen, la répartition des tribus indigènes, les ressources minières, agricoles et
végétales y donnent matière à de longs développements, d'une
exactitude souvent contestable. Le texte invite la population,
implicitement, à s'orienter vers cette colonie à laquelle il ne

_____

(1) A.M., 3 JJ 387 (26 K), (26 M), Bobé à de l'Isle, 27 mai, 9 juill. 1718. —
Bibl. Mazarine, Ms. 2006.
(2) *Nouv. Mercure*, févr. 1719, p. 39-82 ; mars 1719, p. 50 ; mars 1718,
p. 77 suiv. ; avril 1718, p. 88 suiv.

manque que des « ouvriers », et il embellit à l'excès la réalité en dissimulant les désagréments ou les dangers du climat et en donnant à entendre que l'abondance du gibier assurera aisément la subsistance des nouveaux venus, en attendant qu'y pourvoient les grains d'Europe que ces terres vierges porteront à profusion (1). Quelques mois plus tard, une nouvelle relation apparaît dans le *Mercure*, sous forme encore d'un récit anonyme, bien qu'elle soit attribuée à un officier qui aurait servi sur *Le Ludlow* et *Le Paon* (2) : plus complète que la précédente en ceci qu'elle comporte un développement historique, mais trop visiblement asservie à un désir de propagande. En apparence, le panégyrique, s'il n'émane pas de la Compagnie, a été écrit sous son inspiration, car les conditions de vie dans la colonie lors du séjour présumé de l'auteur ne justifient en aucune façon la description qu'il donne du pays. Au moment de la publication, l'arrêt virtuel des souscriptions, les difficultés que trouvait la Compagnie à « remplir » son capital, exigeaient un effort de publicité en faveur de la Louisiane : la lettre du *Nouveau Mercure* répond peut-être à ces circonstances. Les seules réticences qu'elle exprime ont trait à l'aspect rebutant du littoral, surtout dans la région des bouches du Mississipi (3). Mais ces réserves n'ont d'autre but que de mettre les émigrants en garde contre le découragement que pourrait leur causer l'abord du pays. Tout devrait concourir en réalité à les attirer dans ces espaces démesurés : leur immensité même, qui ouvre au peuplement des possibilités incalculables, la situation de la colonie sous des latitudes qui sont un gage de « beauté » et de « fertilité », la profusion des ressources naturelles, celle surtout de certaines essences de la forêt, comme le mûrier dont l'indigène assurera l'exploitation sans effort, la parfaite innocuité enfin des animaux sauvages, à la seule exception de quelques serpents, sans compter l'abondance de richesses minières aisément accessibles (4). Les brochures de propagande destinées à favoriser l'émigration européenne dans les colonies anglaises d'Amérique ne procédaient pas autrement. L'auteur ajoute un tableau de la société indigène capable de satisfaire les esprits les plus opposés : les moralistes, épris de la simplicité des primitifs, qui trouveront chez les Indiens « des cœurs... où l'avarice n'étouffe point la sympathie », pour qui « l'argent, les fonds de terre (ne) mettent jamais d'obstacle aux mariages, et qui ne reconnaissent

(1) *Nouv. Mercure*, sept. 1717, p. 110-128, 130-141.
(2) *Ibid.*, févr. 1718, p. 107-110.
(3) *Ibid.*, p. 117, 144.
(4) *Ibid.*, p. 115-6, 119, 142-150.

de puissants que dans la mesure où ils les estiment » ; et les libertins, qui apprécieront la facilité de mœurs des Indiennes et leur talent à « se garantir de la peine de devenir mères » (1). L'intérêt personnel ne joue que dans les rapports des indigènes avec les Français, mais, comme ceux-ci ont eu l'habileté de se les concilier en toute circonstance (2), il n'existe pas, du fait des populations, d'obstacle sérieux à la colonisation, pas plus qu'il n'en existe du fait de la nature du pays.

En mars 1719 enfin, le *Nouveau Mercure* fournit un troisième mémoire, dont l'auteur, François Duval, déclare être arrivé en Louisiane le 25 août 1718 (3), et qui, à son tour, donne dans le défaut des mémoires précédents, lorsqu'il décrit les conditions de vie dans l'agglomération naissante de la Nouvelle-Orléans, l'honnêteté générale de sa population simple et laborieuse, le *bon marché* et l'abondance des denrées alimentaires, des animaux de boucherie, volailles, gibier de toute sorte, l'absence enfin d'animaux nuisibles, puisque les reptiles eux-mêmes deviennent ici inoffensifs (4). Aux textes qu'il publie, l'éditeur du *Nouveau Mercure* ajoute parfois des commentaires conçus dans le même esprit de propagande, également destinés à donner confiance dans l'avenir d'une colonie que favorisent désormais « l'attention et les vues justes de Messieurs les Directeurs » (5). Essentiellement préoccupé des positions littorales et du cours inférieur du fleuve, où se concentre l'effort colonisateur, il s'intéresse peu à la zone des Illinois. Une seule lettre y est consacrée dans le numéro de janvier 1720, qui parle sans plus de précision de la « beauté » de la région, de l'agrément que les Français y trouveront de « ne pas manquer de pain » et de la liberté de vie des habitants qui se soucient peu des instructions des Pères jésuites (6).

En fait, le *Nouveau Mercure* est le seul périodique qui s'intéresse aussi directement à la Louisiane. La *Gazette* (7) est beaucoup plus discrète, et, pas plus que les gazettes hollandaises, elle ne contient de relation de la colonie. Les lettres du *Nouveau Mercure* offrent incontestablement un fond d'information utile. Au début de 1720, la connaissance de la Louisiane a fait des progrès suffi-

(1) *Ibid.*, p. 119, 126-130.
(2) *Ibid.*, p. 132.
(3) *Ibid.*, mars 1719, p. 184 suiv. Le seul Duval que l'on parvienne à identifier parmi les passagers des navires du 25 août 1718 est Claude-Alexandre Duval, de la concession Scourion, ci-dessous, chap. IV, p. 161.
(4) *Nouv. Mercure*, mars 1719, p. 184-8.
(5) *Ibid.*, févr. 1719, p. 140-1.
(6) *Ibid.*, janv. 1720, p. 35-37.
(7) Sept. 1718, p. 454.

sants pour qu'on soit en mesure d'envisager la publication, sous la direction de M. de Vérac, de deux forts volumes qui se proposent de condenser toutes les données acquises sur « le nouvel établissement du Mississipi » (1).

La relation de mars 1719, parue peu avant la formation de la Cᵢᵉ des Indes, est le dernier texte de ce genre qui figure dans le *Nouveau Mercure*. Sous le régime de la Cᵢᵉ des Indes, les récits de propagande deviennent plus rares. Le seul qui nous soit connu, la « Description du Mississipi » du chevalier de Bonrepos, reprend, dans une publication séparée, le tableau séduisant que les précédentes relations tracent de la colonie (2). Mais la Louisiane bénéficie alors d'une autre forme de propagande, représentée soit par les notes relatives au Système de Law qui apparaissent si souvent dans les gazettes, soit par les préambules de quelques-uns des innombrables édits ou ordonnances auxquels cette période a donné lieu. Le Système lui-même, l'éclat de ses réalisations, constituent pour cette colonie dont le sort paraît lié à celui de la Cᵢᵉ de Law une publicité à laquelle s'associent toutes les gazettes contemporaines, à l'exception peut-être des *Lettres historiques* qui, plus réticentes et tout en prenant note des succès du financier, ne lui ménagent ni les critiques ni les réflexions mordantes (3). Un préambule comme celui de l'arrêt du 16 juillet 1719, qui fait honneur à la Compagnie de l'activité qu'elle déploie dans le domaine du peuplement et de la mise en valeur et annonce la décision du roi de seconder ses efforts, ne peut d'autre part que créer dans le public des dispositions favorables à la colonie (4). Quant aux notes et aux articles qui, les uns exaltent les progrès prestigieux de la Cᵢᵉ des Indes et l'incomparable succès de ses actions, la rapidité des fortunes qui s'édifient sur celles-ci, le génie des entreprises de Law, les autres soulignent l'afflux des capitaux dans les caisses de la Banque, ou, lorsque l'inquiétude commence à se manifester, exposent, à l'instigation du financier, les principes du Système, en expliquent la conception d'ensemble, en affirment la solidité, ce sont indirectement

---

(1) *Mercure historique et politique*, 1720 (68), p. 220. — *Gazette de Hollande*, 9 févr. 1720. — Peut-être César de Saint-Georges, marquis de Vérac (?), que rien ne qualifiait particulièrement pour cette tâche. Nous n'avons pu établir ce qu'il était advenu de ce projet. *Saint-Simon*, éd. de Boislisle, t. XII, p. 152-6.

(2) *Description du Mississipi, écrite de Mississipi en France*, Paris, 1720.

(3) *Lettres historiques*, 1718 (53), p. 685 ; 1718 (54), p. 227 ; 1719 (56), p. 223, 336, 455, 581-2, 682-7 ; 1720 (57), p. 35-8, 343, 570-7.

(4) *Mercure historique et politique*, 1719 (67), p. 195-8.

autant d'éléments susceptibles de donner confiance dans l'entreprise de Louisiane (1).

Aussi bien les allusions que contiennent les gazettes, dès le début de la Cie d'Occident, à la Louisiane ou aux événements qui s'y rattachent, secondent et renforcent tous ces moyens publicitaires. C'est, par exemple, dans le *Nouveau Mercure* de novembre 1717, la note relative à l'arrivée, à bord du *Paon*, de « deux sauvagesses de la nation des Chetimacha », que la duchesse de Noailles se fit aussitôt remettre. Ce n'était pas une nouveauté dans un pays qui était souvent appelé à recevoir des indigènes du Canada, auxquels le conseil de marine préparait un accueil un peu spectaculaire, de nature à flatter le goût de l'exotisme qui se répandait dans le public : le *Mercure* fait observer que l'aspect des deux « sauvagesses » ne diffère en rien de celui des autres indigènes de l'Amérique du Nord (2). Mais l'événement fournissait au public une nouvelle occasion de se familiariser avec la colonie. De même, en 1718, le retour à La Rochelle de *La Dauphine* et de *La Paix* fut annoncé dans les gazettes comme un fait digne d'attention. Bobé, Raudot le commentèrent dans leur correspondance, l'éditeur du *Nouveau Mercure* signala que les nouvelles qu'ils apportaient faisaient de la Louisiane « un pays enchanté », « la plus florissante colonie du monde » (3).

Désormais, il est de plus en plus question dans les gazettes des armements et des achats de navires auxquels donne lieu la Louisiane, sans grand souci d'exactitude il est vrai (4). Mais, si elles grossissent habituellement la réalité, ces notes ont du moins l'intérêt de donner au public conscience de l'effort dont la colonie est maintenant l'objet. Bientôt, d'ailleurs, la guerre avec l'Espagne fournit plus ample matière aux commentaires des gazettes, et, en permettant d'exalter le succès des armes françaises, l'importance de la prise de Pensacola, en donnant l'occasion de souligner l'effort militaire de la Compagnie, l'aide navale qu'elle reçoit du souverain, elle répand le sentiment que

---

(1) *Ibid.*, 1719 (67), p. 207, 317-8, 462, 669-70 ; 1720 (69), p. 7, 105-6, 109-110, 229. — *Nouv. Mercure*, sept. 1719, p. 166-7 ; oct. 1719, p. 199 ; nov. 1719, p. 172-3, 207 ; févr. 1720, p. 53-4, 58 ; mars 1720, p. 16-30 ; avril 1720, p. 88-111 ; mai 1720, p. 43-51.

(2) *Nouv. Mercure*, nov. 1717, p. 183-4 ; janv. 1720, p. 38. — *Mercure historique et politique*, 1720 (68), p. 81-83. — A.M., B 1 43, f. 186 v-7, M. de Breslay, 3 déc. 1719. — A.C., B 41, f. 150 v-1, à M. de Ricouart, 6 déc. 1719.

(3) *Gazette*, sept. 1718, p. 454 v. — *Nouv. Mercure*, sept. 1718, p. 214. — A.M., 3 JJ 394 (4-113), Bobé, 20 sept. 1718.

(4) En mars 1718, la *Gazette de Hollande* annonce que 6 vaisseaux sont déjà partis pour la Louisiane et que 9 ou 10 appareilleront avant le mois de juillet, alors qu'on en compte 5 seulement de sept. 1717 à juill. 1718. *Lettres historiques* (53), 1718, p. 336.

la colonie n'est plus, comme autrefois, une position isolée, et qu'elle dispose de moyens de défense nouveaux (1).

A son tour, le programme de colonisation de la Cie des Indes est cause, dans les gazettes de France et de Hollande, de notes substantielles relatives aux sociétés qui se forment dans le royaume pour en seconder la réalisation, à l'étendue des concessions de terre qu'elles obtiennent en Louisiane, aux facilités qui leur sont faites pour le transport de leur matériel et de leur main-d'œuvre (2). Elles indiquent au public les noms des grands seigneurs qui prennent part au mouvement, elles annoncent les départs d'émigrants à destination du Mississipi et les conditions que la Compagnie leur accorde (3). L'information qu'elles contiennent ne manque ni d'intérêt ni de précision. Mais on y retrouve trop souvent, et surtout dans la *Gazette de Hollande*, ce côté publicitaire qui dissimule les difficultés réelles des entreprises de colonisation. Les données numériques qu'elles fournissent sur l'effectif des émigrants, sur celui de la population coloniale (8 000 âmes en 1718 !), sont aussi contestables que les noms des grands seigneurs qu'elles mettent au nombre des concessionnaires ou l'étendue qu'elles attribuent à leurs concessions, ou, davantage encore, la description qu'elles donnent de l'essor de la Nouvelle-Orléans qui, un an seulement après sa fondation, compterait déjà 600 maisons (4) !

Assez paradoxalement, le point auquel ces bulletins d'information et de propagande attachent relativement moins d'importance est précisément celui qui, en principe, formait une des bases de la grande entreprise de Law, à savoir la question des richesses minières de la Louisiane. Sur ce sujet essentiel, que tous les observateurs représentaient depuis plusieurs années comme une des raisons que la France avait de s'intéresser au Mississipi, si l'on excepte la légende d'une gravure de 1718 ou 1719 qui situe sur le haut Mississipi « des montagnes remplies d'or, d'argent, de cuivre, de plomb et de vif argent », où les Indiens troquent communément des « morceaux d'or ou d'argent pour des marchandises d'Europe », la publicité et l'information

(1) *Nouv. Mercure*, juin 1719, p. 178 ; sept. 1719, p. 202-3, 205 ; oct. 1719, p. 165-6 ; janv. 1720, p. 195. — *Mercure hist. et pol.*, 1719 (67), p. 199-200, 438, 445. — *Gazette de Hollande*, 29 sept., 17 oct., 24 oct. 1719.
(2) *Gazette de Hollande*, 17 oct. 1719. — *Merc. hist. et polit.*, 1719 (67), p. 444. — *Nouv. Mercure*, sept. 1719, p. 203 ; janv. 1720, p. 199.
(3) *Nouv. Mercure*, sept. 1718, p. 214 ; juin 1720, p. 174 ; nov. 1720, p. 183. — *Lettres historiques*, 1718 (53), p. 336.
(4) *Nouv. Mercure*, janv. 1720, p. 199-200. — *Lettres historiques*. 1719 (56), p. 347. — *Gazette de Hollande*, 4 oct. 1718, 5 sept., 19, 29 sept. 1719, 20 févr., 31 mai 1720. — *Mercure histor. et pol.*, 1719 (67), p. 435 ; 1720 (68), p. 220.

tiennent dans de courtes notes ou dans des relations qui n'apportent point d'élément neuf. En juillet 1719, le *Nouveau Mercure* annonce sans autre commentaire la découverte de deux mines d'or au Mississipi. Et les gazettes hollandaises ne sont pas plus prolixes : elles reproduisent le texte du *Mercure* sans donner l'événement pour une certitude, et elles attribuent à ce bruit non confirmé la hausse que les actions de la Compagnie accusent le même jour (1). Avec plus de précision, le *Nouveau Mercure* d'avril 1720 parle en quelques mots des épreuves qu'on vient de faire d'une « mine d'argent envoyée de la Louisiane », dont la proportion de métal s'avère « extraordinaire ». La *Gazette de Hollande* et les *Lettres historiques* répètent l'information quelques jours plus tard (2). Plusieurs barils de minerai de plomb et d'argent avaient été envoyés des Illinois en 1719 par Boisbriant et La Loire des Ursins, et les épreuves dont parlent les gazettes sont bien celles qui en furent effectuées l'année suivante par le Sr Masson, directeur des affinages, tout comme les essais antérieurement faits au domicile du duc de Noailles, à La Roquette, avaient été dirigés par Pierre Grassin (3). Mais, en 1720, le « produit » de l'argent (42 %) fut représenté comme « monstrueux » (4), et l'événement aurait mérité un commentaire moins bref que les quelques lignes du *Nouveau Mercure*. Il est vrai que toutes les relations que celui-ci publie sur la Louisiane, aussi bien que la « Description du Mississipi » du chevalier de Bonrepos, mentionnent les richesses minières de la colonie et soulignent leur importance. Mais, lorsqu'elles s'avisent de donner des précisions, elles se réfèrent aux seules mines des Illinois et représentent leur rendement comme supérieur à celui des mines du Mexique. La formule finit par devenir une sorte de lieu commun qui revient sans cesse dans les articles ou les mémoires (5). Même la relation parue dans le *Mercure* de février 1718, ou le mémoire du chevalier de Bonrepos, qui annoncent que le Mississipi pourra devenir un jour le Pérou de la France, n'ajoutent rien à ce qu'écrivent depuis longtemps les rapports venus de Louisiane. On parle, dit le *Mercure*, de mines d'argent aux

(1) B.N., Estampes, Qb 1, 1717. *Nouv. Mercure*, juill. 1719, p. 178. — *Gazette de Hollande*, 4 août 1719. — *Lettres historiques*, 1719 (56), p. 228. — *Mercure hist. et polit.*, 1719 (67), p. 199-200.
(2) *Nouv. Mercure*, avril 1720, p. 179. — *Gaz. de Hollande*, 16 avril, 14 mai 1720. — *Lettres historiques*, 1720 (57), p. 584.
(3) A.C., C 13 C 1, f. 61 v, *Nouvelles de la Louisiane* ; f. 331, *Mémoire de l'état actuel où est... la Louisiane* ; F 3 24, f. 119 v, Sérigny, 26 oct. 1719.
(4) C 13 C 1, f. 331, *op. cit.*
(5) F 3 24, f. 119 v, *op. cit.* — *Nouv. Mercure*, janv. 1720, p. 35-7.

Illinois et dans les montagnes du Nouveau Mexique, et l'on assure que « les pays du Missouri » contiennent une « quantité » d'or et d'argent : son information ne dépasse pas ces vagues données (1). Quant au texte de F. Duval, il mentionne, en termes encore plus vagues, une abondance de mines d'or et d'argent « en différents endroits » (2). C'était assez pour convaincre le public des grandes possibilités de la Louisiane : ni en France, en dépit de la contrepartie ironique qu'oppose la chanson populaire, ni en Angleterre, on ne doutait de ses ressources minières (3). Mais les gazettes se montrent ici singulièrement moins explicites qu'en ce qui concerne le mouvement colonisateur ou les événements militaires. Et le journal de Buvat, si nourri sur la question des déportations en Louisiane, fait preuve de son côté de beaucoup de discrétion sur le chapitre des mines d'or et d'argent (4).

En dehors des gazettes, on peut supposer que la correspondance privée a contribué à répandre et à préciser la connaissance de la colonie, dans une mesure qu'il est impossible d'apprécier exactement, mais qui, pour avoir été négligeable dans les années antérieures, a dû s'accroître avec l'effectif de la population coloniale. En novembre 1718, le marquis de Balleroy note que « plusieurs personnes ont reçu des lettres de la Louisiane » par *La Dauphine* et *La Paix* (5). Si l'on en juge par la diversité des correspondants de Bobé dans la colonie, par les relations que le directeur de la concession de Sainte-Catherine, Daniel Kolly, entretient avec ses subordonnés, si l'on tient compte du nombre des sociétés de colonisation qui envoient du personnel outre-mer et de la nécessité où elles se trouvent de correspondre avec leurs mandataires, les lettres privées ont dû former un moyen d'information d'une certaine importance, dégagé de cet aspect publicitaire qui accompagne souvent les notes du *Nouveau Mercure* (6). Çà et là, il est possible de saisir quelques-uns de ces textes, de valeur inégale, tantôt une lettre manuscrite, adressée à un destinataire inconnu, par un Sr Jaquotot, protégé d'A.-D. Raudot, qui, aussitôt arrivé en Louisiane, expose sommairement

---

(1) *Nouv. Mercure*, févr. 1718, p. 116, 142, 147-8. — BONREPOS, *Description du Mississipi*, p. 42-5.
(2) *Nouv. Mercure*, mars 1719, p. 184 ; janv. 1720, p. 35-7.
(3) Émile RAUNIÉ, *Chansonnier historique*, Paris, 1879-1880, t. III, p. 132-3. — *The Political State of Great Britain*, aug. 1718, p. 195. — A.M. B 7 279, Lettre de Boston, 1/12 août 1720.
(4) *Journal de la régence*, II, p. 79-80.
(5) *Les correspondants de la marquise de Balleroy*, I, p. 377.
(6) A.M., 3 JJ 387 (30 A), Alexandre, au Biloxi, 25 févr. 1722 ; 3 JJ 394 (4-113), Bobé à de l'Isle, 20 sept. 1718.

ses premières impressions sur le pays, tantôt un mémoire substantiel dont nous ne pouvons identifier ni l'auteur ni le destinataire, mais qui nous renseigne exactement sur la région de
la rivière de la Mobile, sur ses établissements, sur ses populations
indigènes ; dans le même cadre s'insère la correspondance plus
scientifique du botaniste Alexandre Vielle, qui se présente aussi
sous forme de lettres privées adressées à un destinataire anonyme (1). Autant de textes qui, destinés à rester dans l'entourage
de ceux qui les reçoivent, ne peuvent avoir qu'un rayonnement
limité, mais qui ajoutent une note personnelle à la connaissance
de ce « diamant brut » qu'est encore le Mississipi (2).

Les contacts directs avec les personnalités venues de Louisiane ont dû avoir un effet identique. Les officiers des navires
de la Compagnie, dont certains, comme Jean Béranger, résume-
ront leur expérience de la colonie dans des récits documentaires,
les officiers de la marine royale comme Champmeslin, les équipages qui ont servi sous leurs ordres dans les campagnes de
Louisiane, deviennent à leur retour en France autant d'agents
d'information dont le nombre ne cesse de grandir à mesure que
les relations s'intensifient avec la métropole. Surtout, la connaissance directe de la colonie profite du passage en France des
hommes qui y font leur carrière. Nous retrouvons ici le major
Pierre Dugué de Boisbriant, promu désormais au poste de
lieutenant de roy en Louisiane, qui, avant son retour dans la
colonie au début de 1718, procède à Paris, en qualité d'exécuteur
testamentaire, à la liquidation de la succession de Charles Le
Vasseur de Ruessavel, décédé en 1705 en Louisiane, où il avait
exercé dans les premières années de la colonisation les fonctions
de major de la province et occupé une lieutenance dans la compagnie d'infanterie de Chateaugué. Le Vasseur laissait pour héritiers
plusieurs neveux et nièces établis à Québec, et trois frères fixés
dans la métropole, dont l'un, ancien trésorier de la maison du
roi, résidait à Pontoise. C'est entre tous ces éléments que fut
partagé le produit de la vente de la maison et des quelques
meubles du défunt, dont Bienville avait été le principal acquéreur (3). A côté de Boisbriant figurent aussi, parmi les personnalités coloniales de passage à Paris, l'explorateur du Missouri,

---

(1) 3 JJ 387 (30 A), *op. cit.* — A.C., C 13 C 2, f. 166 suiv. Relation de la
rivière de la Mobile... — B.N., *Edits, déclarations et arrêts* (oct. 1719-janv. 1720),
p. 16-18.
(2) B.N., *ibid.*, p. 18.
(3) Giraud, *op. cit.*, I, p. 21, n. 4. La minute du testament figure dans la
liasse 455 de l'étude XX, A.N., Min. cent.

Véniard de Bourmont, et le gentilhomme normand François de Mandeville, qui sert en Louisiane comme capitaine d'une compagnie franche de la marine. Reçu chevalier de Saint-Louis, il a pris le nom de François de Hautmesnil de Marigny, Sr de Mandeville, à la mort de son père Jean-Vincent-Philippe de Hautmesnil de Marigny. Il se trouve à Paris, en août 1720, pour la célébration de son mariage avec Madeleine Le Maire, fille de Pierre Le Maire, « ingénieur pour les instruments de mathématiques », et nièce du missionnaire François Le Maire. La cérémonie a lieu en présence de ce dernier, à l'issue de sa carrière coloniale (1). Boisbriant et Mandeville sont parmi les personnalités les plus marquantes de la colonie : leur séjour dans la métropole s'accompagne de contacts avec les milieux scientifiques, avec le personnel du conseil de marine (2), et, vraisemblablement, avec les concessionnaires et les membres des sociétés de colonisation, auxquels ils sont en mesure de fournir les éléments d'une connaissance vécue de la colonie.

La Cie de Law, enfin, intervient à son tour, directement, dans le mouvement d'information et de publicité. Dès le mois d'octobre 1717, alors que la Cie d'Occident vient à peine de se former, un mémoire anonyme, mais qu'on ne saurait expliquer s'il n'était l'œuvre de celle-ci, présente aux futurs émigrants une description de la colonie qui équivaut à une franche duperie à leur égard (3). Pour donner confiance dans les promesses de la Compagnie et créer chez les émigrants un sentiment de sécurité, il n'hésite pas à lui attribuer un capital de 100 millions de livres, dont 58 en « deniers comptants » (4). Puis il fait de la colonie le tableau d'un pays où les métaux précieux et utiles abondent, où le blé donne deux récoltes par an, où le riz et le tabac viennent à volonté, à une époque où l'on n'a encore tenté ni la culture du riz ni celle du tabac et où la disette est la règle habituelle (5). Le Mississipi devient une voie aisément navigable sur laquelle circulent des « frégates chargées de 30 pièces de canon » (6).

---

(1) A.N., Min. cent., Et. CXII-557 contient le texte du contrat de mariage, 17 juill. 1720. La dot, 2 500 livres, fut versée en billets de banque. — A.M., B 3 264, f. 177, Champmorot, 4 nov. 1720.
(2) *Nouv. Mercure*, janv. 1720, p. 37.
(3) A.C., C 13 A 5, f. 13 suiv. La mention au f. 14 de la société Scourion permet de dater le mémoire du mois d'oct. 1717. La société s'était constituée ce mois-là, et, lorsque le mémoire annonce que le personnel partira « entre le 15 et 20 novembre prochain », l'indication ne peut s'appliquer qu'au mois de nov. 1717, puisque le départ s'effectua en mai 1718.
(4) C 13 A, 5, f. 14.
(5) *Ibid.*, f. 13.
(6) *Ibid.*, f. 13-13 v.

Quant aux émigrants, non seulement la Compagnie mettra
chaque année à leur disposition une trentaine de navires de
transport, mais elle se chargera de les « défrayer... depuis leur
demeure jusqu'au lieu de l'habitation », elle leur fera pendant
un an des distributions mensuelles de farine qui, s'ajoutant à
la profusion de la viande sauvage, leur permettront facilement
d'attendre la première récolte, elle leur fournira gratuitement
nègres, chevaux et bœufs pour les travaux de défrichement.
A chaque ouvrier désireux de s'établir, elle accordera une
concession de terre en pleine propriété et un certain nombre
d'animaux domestiques, tandis que les gentilshommes recevront
des domaines en « fiefs du roi » dont ils fixeront eux-mêmes les
limites. De ces conditions, certaines étaient contraires aux
clauses mêmes des Lettres patentes de la Cⁱᵉ d'Occident, d'autres,
purement imaginaires, ne devaient même pas être mentionnées
dans les actes de concession de la Compagnie. Également falla-
cieuse est l'énumération des possibilités de commerce que les
émigrants trouveront dans la colonie (1).

Il s'agit là, il est vrai, d'un texte manuscrit dont on ne peut
établir quelle fut la diffusion, d'autant plus qu'il nous est parvenu comme un document isolé et que les textes contemporains
n'y font aucune allusion. Plus sérieux, le mémoire rédigé
en 1719 par J.-B. Duché se présente comme un bulletin d'information qui a pour but de faire connaître aux futurs concessionnaires ce qu'ils peuvent attendre de la Cⁱᵉ des Indes et comment
ils doivent procéder à leur arrivée dans la colonie : « Mémoire
sur la colonie de la Louisiane, des avantages qu'on doit attendre,
et du plan que doivent se former ceux qui sont dans le dessein
d'y établir des habitations considérables »... (2). Willart d'Auvilliers nous dit que, à son retour de Louisiane, au début de 1720,
il trouva le texte entre les mains du marquis de Mézières qui y
puisait des renseignements sur la colonie : en homme averti,
qui venait de séjourner longuement en Louisiane, il dénonça
aussitôt le tableau trop favorable de Duché, il releva notamment
l'erreur qui consistait à représenter le riz, le tabac, le blé français
comme autant de productions certaines du pays (3). Le mémoire,
incontestablement, comme tous les textes qui se proposent de

---

(1) *Ibid.*, f. 13-14.
(2) C 13 C 1, f. 333 suiv. Comme il fait intervenir les grands seigneurs dans
la colonisation du Mississipi et qu'il représente Port-Louis comme le centre des
armements de la Compagnie, le document ne peut être antérieur à 1719.
(3) B.N., Fᵒ fm 17257, p. 10, p. 12, *Mémoire pour le Sr François Willart
d'Auvilliers.*

stimuler la colonisation de la Louisiane, simplifie à l'excès la réalité lorsqu'il décrit l'aspect accueillant du pays et de ses populations, les possibilités de subsistance que les nouveaux venus trouveront dans la culture du blé et du maïs, dans la profusion du poisson et du gibier, dans la facilité qu'ils auront de saler la « viande sauvage » en hiver ou de répandre l'élevage du bétail suivant l'exemple des Espagnols à Saint-Domingue (1).

Toutefois, lorsqu'il aborde la question des concessions de terre, son information devient plus précise. Duché ne parle plus de concessions en « fiefs du roi ». Les gentilshommes n'ont droit qu'à des concessions en franc alleu : l'étendue en est fixée à 4 lieues géométriques en carré, à condition que le concessionnaire engage 200 ouvriers ou laboureurs, et, dans ce cas, l'entreprise supposera une mise de fonds de 200 000 livres, la Compagnie s'engageant à transporter gratuitement le personnel et l'outillage et à fournir la nourriture jusqu'au lieu où sera édifiée l'habitation. Duché indique quels doivent être les corps de métier indispensables à l'habitation et l'effectif du personnel supérieur et subalterne, il expose les conditions et la durée des engagements, définit les gages qu'il convient d'attribuer, les gratifications qui interviendront à la fin de l'engagement, et jusqu'au détail du régime alimentaire des engagés. C'est comme un mémento qu'il dresse à l'intention des concessionnaires et dont nous retrouverons les éléments de base dans les contrats d'engagement et dans la composition du personnel des concessions (2).

En réalité, le côté publicitaire que l'on relève dans la description du pays et de ses ressources n'est pas absent non plus de la partie relative aux concessions. Lorsque Duché décrit la générosité dont la Compagnie est disposée à faire preuve envers les colons, soit en leur fournissant des nègres et une main-d'œuvre gratuite de « faux sauniers ou fraudeurs de tabac », soit en leur attribuant à leur arrivée des semences de toute sorte, blé, maïs, riz, lorsqu'il parle de la possibilité qu'ils auront de se procurer des marchandises de traite à volonté dans les magasins de la colonie, il donne dans les excès habituels de la propagande (3). Mais, à la différence du texte précédent et en dépit des illusions qu'il risquait de créer, le mémoire de Duché contenait un fond d'information qui pouvait permettre de le consulter utilement.

Dans un cas comme dans l'autre, il est également difficile de

(1) A.C., C 13 C 1, f. 333 v-5, 339 v, 342 v.
(2) *Ibid.*, f. 335-344 ; f. 172, Détail pour parvenir à la connaissance du revenu que l'on pourrait faire... sur les bords du Mississipi...
(3) C 13 C 1, f. 338, 340 v, 341.

juger de la diffusion exacte du document. Les remarques de
Willart d'Auvilliers semblent indiquer que le texte de Duché
eut une certaine notoriété parmi les grands concessionnaires.
En outre, de petites brochures d'information, dont on retrouve
de rares spécimens, contenant des « instructions pour établir les
habitations à la Louisiane », et vraisemblablement imprimées,
bien que sous le couvert de l'anonymat, par la Cⁱᵉ des Indes,
ont alors circulé dans les provinces du royaume et ont répandu
parmi les amateurs de colonisation les renseignements qu'il
contenait. Il est possible qu'elles aient inspiré à certains le désir
de tenter l'aventure coloniale en leur communiquant un excès
d'illusions sur la facilité de la vie qui les attendait en Louisiane (1).

A l'étranger, la Compagnie s'est surtout servie, pour faire
connaître la Louisiane ou pour recruter des émigrants, des
relations parues dans le *Nouveau Mercure* de septembre 1717,
février 1718 et mars 1719. En Hollande, indépendamment des
gazettes qui reprennent et résument les notes publiées à Paris
sur les événements de la métropole et de la colonie, elle a agi
par les récits de voyages qui s'y imprimaient en grand nombre
et parmi lesquels on retrouve le texte intégral des relations du
Nouveau Mercure. C'est ainsi que le tome VI de l'*Atlas historique
d'Amsterdam*, paru en 1719, contient une « dissertation particulière sur la Louisiane ou le Mississipi » qui n'est autre que la
relation insérée dans le *Nouveau Mercure* de septembre 1717 (2).
De même, le *Recueil des voyages au nord*, de J.-F. Bernard,
reprend en 1720, sans en rien modifier, la relation du *Nouveau
Mercure* de février 1718, réimprime les relations, plus anciennes,
d'Henry de Tonty et du P. Louis Hennepin, et consacre un
volume entier à la publication des arrêts, ordonnances et autres
actes royaux relatifs à la Cⁱᵉ d'Occident (3). En outre, l'impression dans le même recueil de la correspondance et des communications des de L'Isle, de la *Relation du détroit et de la baye
d'Hudson* par N. Jérémie, de la carte de la Louisiane établie
par Guillaume de L'Isle en 1718 sur les données de F. Le Maire,

---

(1) B.N., Ms. F.F., N.A., 9499, f. 193-198. Une de ces brochures, retrouvée
dans les archives paroissiales de Saint-Cyr (Var), a été communiquée à P. Margry par le curé de la localité.
(2) *Atlas historique* ou *Nouvelle introduction à l'histoire, à la chronologie et
à la géographie ancienne et moderne...*, par M. C*** (Henri CHATELAIN), avec
des dissertations..., par M. de GUEUDEVILLE, VI, p. 91 et s.
(3) *Journal des Savants*, Amsterdam, 1720, 1ᵉʳ vol., p. 614-623. — Jean-
Frédéric BERNARD, *Recueil de voyages au nord*, Amsterdam, 1720 et 1724,
t. V. — *Recueil d'arrêts et autres pièces pour l'établissement de la Cⁱᵉ d'Occident*,
Amsterdam, chez J.-F. Bernard, 1720.

attire l'attention du public sur les problèmes géographiques de
la colonie et, particulièrement, sur celui de la mer de l'Ouest (1).
L'édition hollandaise du *Journal des Savants* double enfin le
Recueil de J.-F. Bernard en fournissant une analyse détaillée
des textes qui y sont publiés. En sorte que la Hollande dispose
au total de moyens d'information et de publicité aussi nombreux
que la France. Mais, dans les deux pays, ce sont les relations du
Nouveau Mercure qui forment l'essentiel de la littérature de
propagande.

Et, en Allemagne, où, pourtant, le recrutement de plusieurs
milliers d'émigrants paraîtrait supposer une campagne publicitaire énergique, la Compagnie, à notre connaissance, s'est
contentée de faire traduire les relations du *Nouveau Mercure*.
La brochure imprimée à Leipzig, en 1720, dont M. Hanno Deiler
a découvert, il y a quelques années, à la Nouvelle-Orléans, un
exemplaire qui, vraisemblablement, avait été importé en Amérique par l'un de ces émigrants, est, en dépit des quelques
réserves qu'il exprime, destiné à éclairer les Allemands sur le pays
qu'on leur propose d'adopter et sur les avantages matériels qu'ils y
trouveront (2). Mais elle ne contient autre chose que le texte
abrégé et traduit en allemand des deux relations de février 1718 et
mars 1719. La Compagnie avait soin d'y indiquer en monnaie
allemande la valeur des terres qu'elle offrait gratuitement aux
futurs émigrants. Simultanément, pour situer la Louisiane
devant un public non averti, elle faisait publier à Leipzig,
en 1720, une carte du Mississipi (3). Il est plus difficile de dire
si la Suisse, qui a aussi fourni un certain contingent à l'émigration
à la fin du Système de Law, a été l'objet d'un effort d'information
et de propagande. Peut-être le Suisse Jean-Pierre Purry, qui
vient en France en 1719 à la demande de Law, et qui entre par
celui-ci au service de la Cie des Indes (4), agit-il alors sur ses
compatriotes en faveur de la Louisiane. Il devait, quelques
années plus tard, organiser en Suisse un mouvement d'émigration, qu'il tenta sans succès d'orienter vers la Louisiane

(1) *Journal des Savants, loc. cit.* — J.-F. BERNARD, *op. cit.*, t. III
et V.
(2) *Ausführliche, Historische und Geographische Beschreibung des an dem
grossem Flusse Mississipi in Nordamerika gelegenen herrlichen Landes Louisiana, in welches die neu aufgerichtete französische grosse Indianische Compagnie
Colonien zu schicken angefangen...*, Leipzig, 1720.
(3) J. HANNO DEILER, *The Settlement of the German Coast of Louisiana*,
Philadelphia, 1909, p. 10 suiv.
(4) A.N., M 1027, Purry, Lettre écrite à Son Eminence, 22 mai 1723 ;
à S. A. S. le duc de Bourbon.

française (1). Et il est possible que, dès l'époque de Law, il ait
essayé de recruter des familles pour le Mississipi dans la région
de Neufchâtel dont il était originaire, et qu'il ait eu quelque
responsabilité dans les départs qui furent alors enregistrés (2).
En Angleterre, en revanche, il ne pouvait être question de
publicité pour une colonie que sa position destinait à entrer en
conflit avec les possessions britanniques. Mais les journaux y
tiennent le public au courant des événements de Paris, décrivent
les grandes étapes du Système de Law, reproduisent les principaux articles parus dans les gazettes françaises. Ils notent avec
précision les mesures que prend la Cie des Indes pour peupler
la Louisiane, sa décision d'y envoyer des déserteurs et des faux-
sauniers, l'intervention enfin des familles nobles parmi les
concessionnaires (3). La Louisiane, dans ces conditions, après
de longues années d'effacement, se signale à l'attention du public
dans tous les pays qui disposent d'une presse active. En France,
par la position qu'elle occupe dans le Système de Law, par la
place que lui font les gazettes, par les problèmes scientifiques
qu'elle pose, par l'effort colonisateur enfin auquel elle donne
lieu, elle en est arrivée à dépasser en notoriété les possessions
plus anciennement établies.

Il est plus difficile de définir l'apport publicitaire de la gravure
contemporaine. Une estampe de 1718 ou 1719 présente le littoral
de la Louisiane, accidenté de collines, défendu par une ville
fortifiée, comme un lieu de commerce entre Français et Indiens du
Mexique. Mais la Cie de Law a-t-elle multiplié ces fallacieuses
figurations ? La fondation de la Nouvelle-Orléans, la perspective
des innombrables ressources que la colonie du Mississipi offrait
aux émigrants désireux de s'y établir ont certainement donné
lieu à la publication de documents illustrés. Il n'en subsiste
malheureusement que de rares exemplaires qui appartiennent a
des collections privées (4). Les estampes habituellement accessibles, celles notamment des graveurs Étienne et Bernard Picard,
ont trait au Système de Law dans sa dernière année, au déchaîne-
ment de folie et de spéculation qui en est résulté, et la Louisiane

---

(1) A.N., M 1027, Réflexions sur une nouvelle proposition que fait le
Sr J.-P. Purry... pour l'établissement d'une colonie française dans la Louisiane... avec 800 familles suisses.
(2) Ci-dessous, chap. VII, p. 277 suiv.
(3) *The Post-Man*, oct. 14-16, nov. 20-22, dec. 24 1718 ; feb. 17-19, june 16-
18, july 18-21, sept. 17-19 1719.
(4) Telle est la très belle gravure relative à la fondation de la Nouvelle-
Orléans de la Newberry Library, Chicago. — B.N., Estampes, Qb 1, 1717. —
LEMONTEY, *Histoire de la régence et de la minorité de Louis XV*, I, p. 305-6.

n'y intervient que comme exemple de l' « illusion » dont elle a été la cause (1).

Il est possible que les moyens d'information et de propagande dont fait usage la Compagnie aient contribué à faire renaître l'idée colonisatrice et à lui gagner la faveur du public. Les nombreuses tentatives de colonisation qui ont alors eu lieu en Louisiane n'ont certes pas abouti à l'accroissement démographique dont font état les articles du *Nouveau Mercure* ou que signaleront, avec plus d'exagération encore, les rapports qui proviendront des possessions anglaises d'Amérique (2). Pourtant, l'avènement de la Cie d'Occident marque le début d'une activité colonisatrice réelle, qui succède sans transition à une longue période d'indifférence envers la Louisiane. En apparence, comme le mouvement réunit l'adhésion et le concours de milieux sociaux profondément différents, il crée l'illusion d'une volonté nouvelle d'expansion nationale qui se manifesterait dans le royaume au moment même où François Le Maire venait d'en prédire l'irrémédiable déclin. En fait, il a peu duré, et, si l'on en excepte la phase initiale, dont les résultats sont négligeables en matière de colonisation, il se présente comme un phénomène passager, qui n'implique ni élan patriotique ni élan spirituel, lié aux circonstances particulières de l'histoire de la métropole dans la courte période du Système.

(1) B.N., Cabinet des Estampes, Qb 1 (1720), Monument consacré à la postérité, 26 mars 1720, *Coll. Hennin*, LXXXIX, p. 51, 54, 55 et *passim.* — J. BUVAT, *Journal de la régence*, II, p. 81-2. — B.N., Ms. F.F. 24415, Mathieu Marais au président Bouhier, Paris, 23 juin 1730.
(2) A.M., B 7 279, Lettre de Boston, 12 août 1720.

Chapitre IV

CONCESSIONNAIRES
ET SOCIÉTÉS DE COLONISATION

Aussitôt après la création de la Cte d'Occident, et avant même qu'elle n'eût rien fait pour renseigner le public, des demandes de concessions de terre en Louisiane furent adressées à ses directeurs. Dès le mois d'octobre 1717, le premier texte publicitaire dont nous ayons connaissance fait état de la société des frères Scourion qui s'est formée pour donner suite à l'une de ces demandes (1). Il semble que la création de la Compagnie ait à elle seule suscité dans le public un intérêt suffisant pour amorcer le mouvement colonisateur que l'évolution de la situation financière du royaume, l'information et la propagande devaient amplifier par la suite. Aussitôt les Lettres patentes enregistrées, effectivement, des groupes ou des individus manifestent l'intention d'ouvrir des exploitations dans la colonie. A la différence des années antérieures, où la Louisiane avait seulement été l'objet d'initiatives isolées, l'initiative collective, que traduit la société de colonisation, devient alors l'élément neuf du mouvement : elle le restera jusqu'à la fin de l'année 1720.

Sur ces sociétés, nous sommes loin de posséder une documentation complète. En bien des cas, les preuves irrécusables que constituent les actes des notaires se dérobent aux recherches, soit que la société se soit constituée sous seing privé, soit que les papiers de l'étude intéressée aient disparu. D'autres fois, des sociétés dont les actes de fondation figurent en bonne forme dans les archives des notaires ont cessé d'exister avant d'avoir réalisé aucun projet de colonisation et sans qu'il soit possible de retrouver aucun texte relatif à leur disparition. Déjà, vers le milieu du siècle dernier, les descendants ou les héritiers de certains concessionnaires avaient eu l'occasion de déplorer ces

---

(1) Ci-dessus, p. 147, n. 3.

insuffisances : un cas significatif est celui des héritiers de Claude Le Blanc, le secrétaire d'État de la guerre sous la Régence, offrant en 1833 une récompense au notaire qui retrouverait l'acte de fondation de la société que leur ancêtre avait organisée avec le comte de Belle-Isle (1).

Les sociétés qui se formèrent dans les premiers mois de la Cᶦᵉ d'Occident se présentent comme des organismes modestes, dont les moyens financiers répondent à ceux d'une époque où la circulation monétaire est encore faible, où le pays n'est pas encore entré dans la phase de la spéculation et des enrichissements. Seule fait peut-être exception l'entreprise du financier Paris-Duverney, qui devança toutes les autres et dont le personnel fut acheminé par *La Paix* dans les derniers mois de 1717 (2). De cette initiative, nous savons malheureusement peu de chose. Nous ignorons s'il s'agissait d'une entreprise en société ou d'une entreprise individuelle organisée par le seul Paris-Duverney qui, alors que son jeune frère souscrivait aux premières actions d'Occident, aurait discerné l'avenir possible de la spéculation qu'ouvraient à la population des offres gratuites de terres dans une colonie appelée à produire des denrées que la France serait dispensée d'acheter dans les pays étrangers (3). L'hostilité qu'il manifesta par la suite envers le Système de Law ne le détourna jamais d'un projet de colonisation que son succès rapide oppose aux débuts difficiles de la plupart des entreprises concurrentes. Il est possible que Paris-Duverney ait monté son affaire avec deux associés, Dubuisson, le régisseur de sa concession, qui se rendit en Louisiane avec son frère et ses deux sœurs, et Delagarde, dont nous retrouvons le nom sur la liste de ceux qui, dès le début, souscrivent un nombre considérable d'actions (100 000 livres) (4). Mais nous ne savons rien des conditions de l'association ni de la mise de fonds qui fut engagée. Tout ce qu'on peut dire, c'est que l'arrivée de la « concession », forte de 29 personnes si l'on accepte le témoignage de Pénigaud, est dûment signalée en Louisiane au début de 1718, et que les premiers observateurs en

(1) A.B., Min. cent., Répertoire de l'étude CXVIII.
(2) Bénard de La Harpe, *Journal historique de l'établissement des Français à la Louisiane*, p. 142-3. — A.E., *Mém. et Doc.*, Amérique, I, f. 82 v, Legac, *Etat dans lequel a été trouvée la colonie de la Louisiane*.
(3) P. Harsin, *Œuvres complètes de J. Law*, III, p. 262.
(4) A.C., G 1 464, *Mémoire de différentes affaires concernant des particuliers, sur chaque article desquels M. Delachaise répondra...*, 30 sept. 1726. — A.E., *Mém. et Doc.*, Amérique, I, f. 325-6, Etat de ceux qui ont fait leurs soumissions..., 24 sept. 1717. — B.N., Ms. F.F. 8989, f. 6, *Journal du voyage de la Louisiane*, par B. de La Harpe.

constatent peu après les commencements satisfaisants sous la direction du Sr Dubuisson (1).

En dehors de cette entreprise, les premières sociétés de colonisation, celles des frères Scourion, des Srs Delaire-Demeuves et des frères Brossard, s'organisent sur une base financière assez étroite. Les frères Scourion — Charles Scourion, seigneur de La Houssaye, et Hector Scourion, seigneur de Vienne — étaient des gentilshommes de Picardie peu fortunés. Le mariage d'Hector de Vienne avec la fille du lieutenant général du bailliage de Mondidier, médiocrement dotée, n'avait pas accru ses moyens, et la modicité de sa souscription aux actions d'Occident — 12 000 livres —, la préoccupation des deux frères de récupérer les 4 000 livres qu'ils durent employer en frais de voyages à Paris, puis de séjour et de carrosses dans la capitale, pour obtenir une concession de terre en Louisiane, indiquent des ressources limitées (2). Dans le cas des Srs Delaire & Cⁱᵉ, le banquier Étienne Demeuves fils, l'un des futurs directeurs de la Cⁱᵉ des Indes, qui avait souscrit dès le début pour 500 000 livres d'actions d'Occident (3), et qui forma avec eux une société en commandite « pour un établissement à la Louisiane », aurait pu aisément leur fournir des fonds considérables. Mais Demeuves ne s'engagea dans la spéculation coloniale qu'avec une extrême prudence.

Les frères Scourion obtinrent leur concession de la Cⁱᵉ d'Occident le 20 octobre 1717. Pour réunir les fonds qui leur permettraient de l'établir, ils entreprirent, à partir du 7 novembre, d'organiser pour une durée de 5 années une société à pertes et profits partagés dont le capital serait formé par 74 actions émises à 500 livres et payables indifféremment en argent ou en marchandises (4). Mais, comme 14 actions étaient gratuitement attribuées aux Srs Scourion, 10 pour les dédommager des frais encourus, 4 à l'effet d'être réparties entre les employés qui travailleraient au succès de la concession, le capital réel se trouvait ramené à 60 actions, soit, en principe, 30 000 livres (5).

(1) B. DE LA HARPE, *Journal historique...*, p. 142-3. — A.E., *Mém. et Doc.*, Amérique, I, f. 82, LEGAC, *op. cit.* — B.N., Ms. F.F. 8989, f. 6, *op. cit.*; F.F. 14613, f. 314, PÉNICAUT, *Relation ou Annale véritable...*

(2) A.E., *Mém. et Doc.*, Amérique, I, f. 326 v, 328, Etat de ceux qui ont fait leurs soumissions..., 24 sept. 1717. — A.N., Min. cent., Et. XCVI-249, Société entre les intéressés en la concession des terres accordée par les directeurs de la Cⁱᵉ d'Occident...

(3) A.E., *Mém. et Doc.*, Amérique, I, f. 325 v, 327 v, Etat de ceux qui ont fait leurs soumissions... — DUHAUTCHAMP, *Histoire générale et particulière du Visa*, La Haye, 1743, II, p. 160.

(4) A.N., Min. cent., Et. XCVI-249, Société entre les intéressés en la concession...

(5) *Ibid.*

Celui de la société en commandite qui fut constituée le 12 décembre 1717 entre Étienne Demeuves fils et les Srs Delaire & Cie pour une égale durée de 5 ans, était encore plus réduit : Demeuves fournissait à titre imprescriptible une somme de 20 000 livres en numéraire ou en marchandises, dont les associés s'engageaient à lui verser l'intérêt à 5 % à partir du 1er janvier 1719, date présumée des premiers profits de l'habitation (1). En outre, il mettrait à leur disposition une lettre de crédit de la Cie d'Occident payable en Louisiane jusqu'à concurrence de 25 000 livres : simple avance de fonds en réalité que les associés auraient l'obligation de rembourser à la Compagnie sur le produit de leur exploitation, ou que Demeuves récupérerait à plus longue échéance, en la majorant des intérêts, sur les bénéfices de celle-ci dans le cas où, les associés n'étant pas en mesure de s'acquitter directement envers la Compagnie, il devrait lui verser lui-même la valeur de la lettre (2). Le seul capital qui fût acquis à la société, et non grevé d'une obligation de remboursement, se réduisait donc à 20 000 livres.

Quant à la société des frères Brossard, elle échappe en matière de capital à toute tentative d'investigation sérieuse. Joseph et Mathieu Brossard, « marchands-bourgeois » de Lyon, entrèrent d'abord dans la société Scourion : et Joseph Brossard, en prévision de son prochain départ pour la Louisiane, institua même pour son héritier universel, en cas de décès, son frère Mathieu (3). Mais, en janvier 1718, ayant obtenu de la Cie d'Occident une concession indépendante, il décida de l'établir et de la faire valoir en commun avec ce dernier (4). Et, pour réaliser son projet, il forma trois mois plus tard une société qui répondait à la durée habituelle de 5 ans, mais dont les dispositions financières s'inspiraient à la fois de celles des deux sociétés précédentes en ceci que le fonds devait en être constitué en partie par des versements des frères Brossard, en partie par 12 actions émises à 1 000 livres et payables en argent (5). Or, nous ne savons ni quel fut l'apport personnel des Brossard, ni combien d'actions furent « remplies » : les textes nous indiquent les noms de deux

---

(1) **A.N.**, Min. cent., Et. LIII-186, Société pour un établissement à la Louisiane, 12 déc. 1717.

(2) *Ibid.*

(3) **A.N.**, Min. cent., Et. CXVIII-311, Quittance, 1er mars 1718 ; 310, Testament, 24 déc. 1717. Et. XCVI-249, *op. cit.*

(4) Et. CXVIII-311, Quittance..., 1er mars 1718 ; CXVIII-312, Déclaration, 1er avril 1718.

(5) *Ibid.*

associés seulement, qui souscrivirent 3 actions au total (1). Il est impossible, dans ces conditions, d'estimer le chiffre du capital. Mais rien ne permet de conclure à une mise de fonds substantielle : le petit nombre des actions de la société, les difficultés qu'elle éprouva dès le début en Louisiane confirment au contraire la modicité de ses ressources.

Des sociétés Scourion et Delaire-Demeuves, la première était au départ la moins favorisée. Non seulement ses promoteurs ne commanditent point l'entreprise, mais 37 actions 1/2 à peine furent souscrites, représentant un capital de 16 000 livres en argent et 3 000 livres en marchandises, au lieu des 60 qui étaient prévues. Le fait que les frères Scourion, aux termes de l'acte de société, aient dû alors renoncer aux 10 actions gratuites qui leur étaient attribuées n'améliora point la situation financière (2). La société Delaire était en principe un peu mieux partagée du fait de la lettre de crédit que lui promettait son commanditaire, d'autant plus que, en cas de non-remboursement par les bénéficiaires, Demeuves s'en portait garant envers la Compagnie sans avoir la certitude de pouvoir se dédommager par la suite sur des profits dont on ignorait quelle serait l'échéance (3). Malgré tout, la société ne disposait, pas plus que celle des frères Scourion, de moyens proportionnés à l'ampleur de la tâche qu'elle allait affronter. L'erreur de ces premiers organismes est d'avoir agi sans s'être suffisamment informés des besoins financiers de leur entreprise. Les directeurs de la Cie d'Occident, qui, par la suite, leur reprocheront de n'avoir pas fait des fonds assez considérables (4), ne semblent pas leur avoir fourni d'indication utile, faute de s'être eux-mêmes documentés sur la question. Le premier texte publicitaire que la Compagnie paraît avoir inspiré, et qui mentionne l'initiative des Scourion, qu'elle a encouragée et dont elle souhaite qu'elle ait des imitateurs, ne soulève pas le point essentiel de la mise de fonds (5). Pourtant ces sociétés, lorsqu'elles s'organisèrent, ne procédèrent pas dans un esprit d'économie : les frais d'achat du matériel de l'habitation, les dépenses qu'exigeaient les déplacements de Paris au port d'embarquement pour les affaires de la société, les frais de nourriture et de vêtement des associés qui devaient se rendre en Louisiane, les gages du

---

(1) *Ibid.*
(2) Et. XCVI-249, Société entre les intéressés...
(3) Et. LIII-186, Société pour un établissement à la Louisiane...
(4) A.C., C 13 C 4, f. 214, Condamnation de la Cie des Indes..., 7 déc. 1737.
(5) A.C., C 13 A 5, f. 13 suiv. — A.E., *Mém. et Doc.*, Amérique, I, f. 85 v, Legac, *État de ce qui s'est passé à la colonie...*

personnel, qu'on prévoyait nombreux, la promesse, dans le cas du banquier Demeuves, d'offrir chaque année aux associés un voyage gratuit de la colonie dans la métropole et de prélever sur le capital une somme destinée aux pauvres de Paris, représentaient au départ une charge trop élevée pour le budget dont elles disposaient (1).

Les sociétés avaient pleinement conscience de l'importance des frais qu'elles engageaient. Mais elles comptaient avec beaucoup d'illusions sur les « retours » d'établissements dont la mise en valeur ne pouvait être qu'une œuvre lente et onéreuse. La société des Srs Delaire estime, par exemple, que sa plantation sera en mesure, dès le 1er janvier 1719, moins d'un an après la prise de possession, de pourvoir à l'intérêt de la mise de fonds (2), et les actes d'association parlent avec confiance des bénéfices qui proviendront de la culture des terres et du commerce de la concession (3). Or, le commerce ne pouvait porter que sur les denrées produites par l'habitation, étant donné que la Compagnie, pour protéger son monopole, interdisait formellement aux concessionnaires de faire aucun négoce avec les marchandises importées de la métropole, ce qui refoulait à une date indéterminée toute opération commerciale (4). Ni les ressources minières dont les actes de société mentionnent vaguement la possibilité, ni la production de la soie ou la fabrication d'étoffes de soie écrue, la seule industrie qui soit permise à une époque où toute activité manufacturière est sévèrement réglementée dans les colonies, mais pour laquelle tout reste encore à faire, ne seraient susceptibles de garantir de bénéfice (5). La terre seule peut offrir des possibilités de gain, mais, avant qu'elle soit en état de produire, les associés n'auront d'autre recours que de puiser dans le capital initial (6).

De la part des associés, il n'y avait pas d'aide financière à attendre en dehors de la mise de fonds du début. Dans le cas de la société Demeuves et de la société Brossard, ils paraissent

(1) Et. LIII-186, *op. cit.* — Et. XCVI-249, Conditions accordées par les directeurs de la Cie d'Occident aux sieurs Charles Scourion... — A.C., C 13 C 4, f. 218, Conditions accordées par la Cie d'Occident à J.-B. Delaire...
(2) Et. LIII-186, *op. cit.*
(3) *Ibid.* — Et. XCVI-249, Société entre les intéressés..., art. 2 et 7.
(4) Et. LIII-186, *op. cit.*, 6e et 7e art. — Et. XCVI-249, Conditions accordées par les directeurs de la Cie d'Occident aux sieurs Charles Scourion... — A.C., C 13 C 4, f. 218 v, 219 v, Conditions accordées... à J.-B. Delaire...
(5) Et. XCVI-249, Société entre les intéressés..., Lettres de concession accordées par la Cie d'Occident.
(6) Et. XCVI-249, Société entre les intéressés... — Et. CXVIII-312, Déclaration de Joseph Brossard, 1er avril 1718.

pourtant avoir disposé d'un certain niveau de fortune. Pour Joseph Brossard, les deux seuls associés que nous connaissions sont un bourgeois et un marchand mercier de Paris, tous deux domiciliés rue Saint-Eustache, dont le premier souscrit pour 2 000 livres d'actions de la société « en louis d'argent et monnaie ayant cours » (1). Ceux d'Étienne Demeuves sont trois banquiers établis, comme lui-même, dans la paroisse Saint-Germain-l'Auxerrois et ses associés en commandite depuis plusieurs années, François Chastang, et les frères Michel et Jean-Baptiste Delaire, qui donnent leur nom à la société et dont le dernier est en outre receveur général et payeur des rentes de l'Hôtel de ville (2). A côté d'eux figurent un bourgeois et un marchand de Paris, Antoine de La Roue et Alexis Robert (3). Antoine de La Roue appartenait à une famille aisée de marchands de la rue Saint-Denis. Le père possédait un chiffre élevé de rentes sur les aides et gabelles, qu'il réalisa à la fin de 1719, lors de la grande opération du remboursement des titres de rente, ce qui lui permit de remettre à ses enfants, en avancement d'hoirie, des sommes assez conséquentes en billets de banque et en numéraire (4). Apparemment, Antoine de La Roue, qui se trouvait alors en Louisiane, était le plus jeune de cette famille de sept enfants (5). Jusqu'à son départ, n'ayant pas de domicile propre, il avait partagé le logement de son frère Alexis de La Roue, qui réussissait bien dans son métier de marchand miroitier et possédait des moyens suffisants pour servir de bailleur de fonds à la présidente Eon de La Baronnie, dont il était l'homme de confiance (6). Un autre frère, Denis de La Roue, exerçait avec un égal succès la même profession de marchand miroitier. D'Antoine de La Roue, nous savons seulement qu'il était en 1718

---

(1) Et. CXVIII-311, Quittance de J. Brossard, 1er mars 1718.

(2) Et. Demeuves fils & Michel Delaire demeurent l'un et l'autre cul-de-sac de la rue des Bourdonnais. Et. LIII-186, *op. cit.* — Et. LXIX-258, Quittance, 10 nov. 1718.

(3) Et. LIII-186, Société pour un établissement à la Louisiane. On ne sait si un rapprochement est possible entre cet Alexis Robert et le Mississipien célèbre dont la vie défraya la chronique scandaleuse de l'époque, Duhaut-champ, *op. cit.*, II, p. 175.

(4) Et. X-341, Contrat d'également et de pension viagère, 18 nov. 1719. — Et. X-342, Inventaire des biens de J.-B. de La Roue, 9 janv. 1720. — Et. XLI-369, Quittances, 6 févr., 8, 11 févr., 7 mars 1719.

(5) Et. X-342, Inventaire des biens de J.-B. de La Roue, 9 janv. 1720.

(6) Et. XLI-365, Procuration générale d'Ant. de La Roue, 4 mars 1718 ; -369, Quittance du 7 mars 1719 ; -371, Reconnaissance, 27 juill. 1719 ; -379, Vente de maison à Alexis de La Roue, 27 sept. 1720. — Et. XLII-309, Mainlevée, 14 sept. 1717. — La présidente Eon de La Baronnie, veuve de Louis Eon de La Baronnie, président de la Chambre des Comptes.

« intéressé dans les affaires du roi » (1). Il est possible qu'il ait été associé au commerce de son frère, et qu'il ait envisagé une carrière coloniale comme un moyen de se créer une situation indépendante : en Louisiane, il trouva dans les fonctions de notaire un débouché temporaire (2).

Dans l'ensemble, le recrutement social de ces éléments, banquiers, bourgeois, marchands, aurait pu impliquer des possibilités de participation financière à une entreprise de colonisation. Mais Étienne Demeuves assuma seul la responsabilité du financement, et, lorsque les difficultés commencèrent, ses associés ne proposèrent nullement d'augmenter le fonds prévu par l'acte de société (3). Ceux des frères Brossard, de leur côté, ne dépassèrent pas la contribution qu'ils avaient fournie en procédant à l'achat d'actions de la société.

Quant à la société Scourion, elle comptait trop de gens modestes pour qu'il fût possible d'envisager une augmentation du capital souscrit à l'origine. Elle se constitua lentement, puisque les adhésions s'échelonnent du 7 novembre 1717 au 6 mars 1718, et que, au bout de ces 4 mois, le nombre totalisé n'en correspond pas à celui que prévoyait l'acte de société (4). Le recrutement est ici moins homogène que dans les deux autres sociétés, et il ne se localise plus dans un secteur déterminé de la capitale. On trouve parmi les adhérents une assez grande diversité de conditions : un marchand quincailler du nom de Claude-Alexandre Duval, trois jeunes gens mineurs qui adhèrent sous caution de leurs pères — un fils de maître maçon, ayant profession d'architecte, et deux fils de marchand quincaillier —, un maître bourrelier, un bourgeois de Paris demeurant à Versailles (Jean-François Esantoine, dit Pasquier), un ancien lieutenant au régiment de Beaumont, Claude Guyon, neveu d'un assesseur criminel du présidial de Troyes, une veuve de procureur du Parlement (Louise-Marguerite de Rouvroy) ; à côté de tous ces éléments, d'origine parisienne ou domiciliés à Paris, figurent quelques provinciaux, un bourgeois de Saint-Quentin (Nicolas de Charlevois de Villers), deux habitants de Compiègne et de Nancy, un habitant de Vallemartin dans les environs de Paris (pa-

---

(1) Et. LIII-192, Obligation, 23 nov. 1718. — Et. X-341, Contrat d'également..., 18 nov. 1719.
(2) Et. II-388, Transport, 26 févr. 1718. — A. de La Roue mourut en Louisiane en 1720, A.C., G 1 412, f. 140, *Mémoire de différents particuliers* (18 janv. 1728).
(3) Et. LIII-186, Société pour un établissement à la Louisiane.
(4) Et. XCVI-249, Société entre les intéressés... — Et. LXXXIV-346, Quittance et convention, 6 mars 1718.

roisse Saint-Nom-la-Bretèche), auxquelles on pourrait ajouter, dans les premiers mois de la société, un frère Brossard, dont l'adhésion, nous l'avons dit, fut de courte durée (1).

L'adhésion à la société était facilitée par le bas prix de l'action, 500 livres. Il suffisait d'une demi-action pour y entrer, et le payement pouvait s'effectuer en marchandises, ce qui permit au marchand quincaillier Gabriel Tixerand, qui se porta caution pour ses deux fils, de remettre en articles de son commerce les 6 actions qu'il souscrivit dans leur intérêt (2). La souscription la plus élevée, 5 actions, soit 2 500 livres, est celle d'Esantoine Pasquier (ou dit Pasquier), dont la famille, d'origine suisse, compte alors des représentants à Paris et à Versailles. A Paris, elle est en relation avec le banquier suisse Henry Labhard et avec l'horloger bâlois Jacques Bury, elle a su mettre à profit leur situation de fortune, et deux de ses membres se trouvent titulaires de charges de Cent Suisses dans la garde du corps du roi et dans celle du duc de Berry (3). Mais il n'est guère possible de situer exactement dans ce milieu le présent souscripteur. Son cas est d'ailleurs exceptionnel. Le plus souvent, les adhérents de la société s'en tiennent à 2 ou 3 actions, même lorsqu'il s'agit d'un Antoine Bullot, dont la famille a une certaine notoriété dans la ville de Compiègne (4). Dans le cas de la d^{lle} de Rouvroy, sa souscription se limite à 1 action, et, pour le maître bourrelier, elle n'est que d'1/2 action (5), ce qui donne au total une mise de fonds médiocre, qui s'avérera bientôt inférieure aux charges de l'entreprise.

Mais, si elle est peu exigeante pour la mise de fonds, la société attend des souscripteurs qu'ils participent en personne à la gestion de l'habitation. Un des traits caractéristiques de ces premiers organismes, c'est précisément l'intervention directe des associés dans l'administration du domaine, la confusion de principe qui s'établit entre actionnaires et exploitants. Aux termes de l'acte de fondation, les membres de la société Scourion devront s'occuper de la comptabilité, du maniement des fonds, de la garde et de la distribution des marchandises, du commerce des plantations, sans pouvoir « prétendre aucuns appointements

---

(1) Et. XCVI-249, *op. cit.* — Et. CXVIII-311, Reconnaissance, décharge et attestation, 1er févr. 1718. — Et. LXXXIV-346, *op. cit.*
(2) Et. CXVIII-311, Reconnaissance, décharge et attestation, 1er févr. 1718.
(3) Et. CV-1126, Acte de notoriété, 7 juill. 1719, Quittance, 20 mai 1719, Bail de privilège. — Et. CV-1137, Procuration, 5 sept. 1720.
(4) Et. XCVI-249, *op. cit.* — Et. XIV-235, Remboursement, 13 sept. 1718 ; -237, Quittance, 17 mars 1719.
(5) Et. XCVI-249, *op. cit.*

pour lesdits emplois » et sans autres avantages que la nourriture, qui leur sera fournie « à la table commune des actionnaires » dans la colonie, et une gratification en nature dont la valeur leur tiendra lieu d'indemnité de vêtement (1). Tous ceux qui avaient adhéré à la société, y compris les Scourion, se rendirent en effet en Louisiane pour tenter de réaliser leur projet de colonisation. Plus catégorique, l'acte de société Delaire-Demeuves fait à tous les adhérents, à la seule exception du commanditaire, l'obligation d'aller en Louisiane pour gérer la concession, tenir les livres, diriger le personnel, sans autre rémunération que la nourriture et une indemnité de vêtement, sous peine d'exclusion de la société, ce qui fut, semble-t-il, le cas d'Alexis Robert, qui ne suivit pas la consigne (2). Aussi bien les frères Brossard prévoient-ils le départ de leurs associés pour la colonie, où ils « travailleront pour le bien de la société » pendant 5 ans, moyennant le logement et la nourriture (3).

Ces sociétés s'organisent donc sur une base qui n'implique pas d'avantage immédiat pour leurs membres. En contrepartie de la vie matérielle qu'on leur assure partiellement, on exige de ces derniers une expatriation de longue durée, coupée seulement, dans le cas de la société Demeuves, par un voyage annuel en France, sans compensation pécuniaire, sans autorisation de faire aucun commerce pour leur compte personnel (4). Les adhésions ne pourraient s'expliquer, dans ces conditions, si les contrats d'association n'avaient contenu pour les intéressés des promesses d'avantages ultérieurs. En principe, les associés des Srs Scourion devaient toucher, à l'expiration de la société, le remboursement du capital qu'ils avaient fourni à la souscription, majoré pour les années intermédiaires des intérêts à 5 % (5). Tous ceux qui souscrivaient 2 actions avaient voix délibérative dans les assemblées, et ils pouvaient prélever 300 livres par an en argent ou en marchandises sur le fonds commun (6). Le capital, enfin, qui se trouverait réuni sur l'habitation à l'issue des 5 années de la société serait réparti, ainsi que les profits des mines, entre

---

(1) Et. XCVI-249, *op. cit.*
(2) Et. LIII-186, Société pour un établissement à la Louisiane. — B.N., Ms. F.F. 8989, f. 6 v, B. DE LA HARPE, *Journal du voyage de la Louisiane.* — A.C., C 13 C 4, f. 216, Ordonnance des commandants et directeurs généraux, Nouv.-Orléans, 28 nov. 1718.
(3) Et. CXVIII-312, Déclaration de J. Brossard, 1ᵉʳ avril 1718.
(4) LIII-186, *op. cit.* — Et. XCVI-249, *op. cit.* — Et. CXVIII-312, *op. cit.*
(5) Et. XCVI-249, *op. cit.*
(6) Et. XCVI-249, *op. cit.* (art. 9, Articles supplémentaires et convention du 13 janv. 1718).

les associés au prorata du nombre d'actions de chacun (1).

Surtout, il y avait la garantie d'attribution à chaque associé, au bout de 5 ans, d'une partie de la concession jusque-là possédée collectivement. Et il est probable que la perspective de se créer une exploitation dans la colonie fut le motif déterminant des adhésions, d'autant plus que les Lettres patentes d'août 1717 garantissaient à tous les sujets qui s'établiraient en Louisiane l'exemption « de tous droits, subsides et impositions », sans préjudice des « libertés et franchises » du royaume (2). Il y a tout lieu de présumer que les jeunes gens mineurs qui s'engagèrent dans l'entreprise des frères Scourion sous caution de leurs pères obéissaient à cette préoccupation. Leur entrée dans la société semblait leur ouvrir une carrière coloniale au prix d'une mise de fonds insignifiante dont le père pouvait aisément faire les frais. En acquittant la souscription de ses deux fils, en leur fournissant en outre des habits, des hardes, du linge et 200 livres en argent, le marchand quincaillier Gabriel Tixerand leur offrait le moyen de s'établir dans une situation plus indépendante et, peut-être, plus lucrative que celle qu'on leur faisait au domicile familial (3). Vraisemblablement, la veuve du procureur au Parlement qui place quelques fonds dans une action de la société, l'ancien lieutenant du régiment de Beaumont, qui souscrit 2 actions, le Suisse Esantoine Pasquier, envisagent l'acquisition d'une terre comme le but principal de leur adhésion. A l'origine, les frères Scourion s'étaient réservé un lot de 800 arpents de terre, en tant que « chef-lieu » de la concession, auquel ils entendaient donner leur nom, et ils avaient destiné à chacun des associés une étendue de 302 arpents par action, grevée à titre perpétuel d'une rente annuelle de 5 sols par arpent à leur profit (4). Mais, comme les associés recherchaient des terres dégagées de toute servitude, les Scourion finirent par renoncer à toute redevance et ils leur accordèrent des lots en franc-alleu : Pasquier tenait tellement à cette condition qu'il la fit ratifier par une convention spéciale par-devant notaire, qui confirmait l'exemption de toute rente dans le but de « faciliter... son établissement en Louisiane » (5).

---

(1) Et. XCVI-249, *op. cit.*, art. 12, art. 14, art. supplémentaire 4.
(2) A.C., A 22, f. 28-28 v, Lettres patentes..., art. XXIII-XXIV.
(3) Et. CXVIII-311, Reconnaissance, décharge et attestation, 1er févr. 1718.
(4) Et. XCVI-249, *Société entre les intéressés en la concession des terres...*, art. 13. On compte en moyenne 80 arpents par lieue commune, 100 perches par arpent.
(5) Et. CV-1117, Décharge, 9 déc. 1717. — Et. CXVIII-310, Convention, 23 déc. 1717.

Plus libéralement encore, les Brossard promettent à tout associé porteur d'une action, au bout de 5 ans, outre le remboursement de sa mise de fonds, la vingtième partie des terres de la concession qui auront été mises en culture et 1 000 arpents de terres non défrichées, le tout en franc-alleu, ainsi que la vingtième partie des profits commerciaux de la plantation, et une participation aux bénéfices des mines qui pourront se trouver dans ses limites (1). Et, par égard pour les deux marchands qui ont adhéré les premiers à la société, les seuls que mentionnent les actes notariés, Joseph Brossard leur attribue à la fois la vingtième partie des terres cultivées et la vingtième partie des sols en friche. Aussi l'un d'eux envisage-t-il de s'établir définitivement dans la colonie avec sa mère, sa femme et son enfant (2).

Les différences que l'on relève dans la société Demeuves-Delaire sont liées au principe de la commandite sur lequel elle est organisée. Les adhérents n'ayant pas de contribution financière à fournir, il est attribué à chacun d'eux une action gratuite qui servira de base à la répartition des profits, Demeuves lui-même s'en réservant deux. A l'issue de la société, et lorsque Demeuves aura touché les intérêts de sa mise de fonds, tous les effets et profits de la concession seront distribués en proportion du nombre des actions : les terres seront partagées suivant le même principe, mais après que le personnel engagé pour les besoins de la concession aura reçu la part que fixeront les contrats d'engagement (3).

Mais, quelle que soit la société que l'on considère, quelles que soient les modalités de partage du capital, une des clauses essentielles de l'acte d'association prévoit toujours l'attribution d'un lot de terre au profit des signataires (4), la portion la plus importante revenant naturellement aux fondateurs de l'entreprise. Dans son mémoire d'information de 1719, Duché rappellera que la concession ne doit pas excéder « 4 lieues de terrain en carré ». La règle fut établie dès le début, sur la proposition, peut-être, des concessionnaires eux-mêmes (5), et elle ne varia plus jusqu'aux grandes sociétés de 1719-1720, sauf que la formule, aussitôt après la formation des sociétés initiales, devient

(1) Et. CXVIII-312, Déclaration de J. Brossard, 1er avril 1718.
(2) Et. CXVIII-312, Dérogation, 1er avril 1718.
(3) Et. LIII-186, Société pour un établissement à la Louisiane, art. 1-2-3-4-5, 19-20-21-22-23.
(4) Et. CXVIII-312, Déclaration de J. Brossard, 1er avril 1718.
(5) Et. XCVI-249, Conditions accordées par les directeurs de la Cie d'Occident aux Sieurs Charles Scourion..., 20 oct. 1717. — Et. LIII-186, *op. cit.*, art. 21.

plus explicite — « 4 lieues géométriques en carré ou autrement
figurées » — : on la retrouvera dans le mémoire de Duché et
dans les lettres de concession des sociétés ultérieures. Les modalités de la prise de possession du terrain, telles que les définissent
les premiers textes des notaires, ne varieront pas davantage
par la suite. La prise de possession doit s'effectuer en présence
« de ceux qui bornent (le terrain) et des plus proches voisins »,
ou des concessionnaires en personne « bien et dûment appelés »,
et après enregistrement de la concession au Conseil supérieur
de la Louisiane : les directeurs de la Compagnie mettront alors
les bénéficiaires « en possession par provision », et, sur le procès-
verbal qu'ils en établiront, le titre officiel de propriété sera
expédié de la métropole (1). La concession, suivant les prescriptions des Lettres patentes, est accordée gratuitement et « en
toute propriété en franc aleu », « sans justice ni seigneurie », sans
« droit de patronage et nomination des cures », autant de privilèges qui appartiennent à la seule Compagnie, sans droit exclusif
enfin de pêche ou de chasse, dont l'exercice doit être « libre à
tous les habitants » (2). En conséquence, le concessionnaire ne
pourra se réserver aucune censive sur les portions de la concession
qu'il cédera ou transportera à d'autres, il ne pourra y percevoir
ni droits de lods et vente, ni reliefs et mutations, mais seulement
« des rentes foncières qui ne pourront excéder 5 sols tournois
par arpent » (3). A ce dernier privilège, les Scourion renoncèrent,
au même titre que les Brossard. La Nouvelle-Orléans et le Fort-
Louis de la Mobile étaient toutefois exceptés du régime du
franc-alleu : la Cie d'Occident, sans doute pour ne pas contrarier
la croissance des agglomérations par des titres de propriété
immuables et perpétuels, avait résolu de « n'y accorder aucune
concession » de cette nature (4).

Pour leur faciliter la réalisation de la tâche colonisatrice
qu'ils entreprennent, la Compagnie fait aux concessionnaires,
dès les premiers jours, un certain nombre de conditions dont le
modèle, annexé aux actes de société, se répétera par la suite à

(1) Et. XCVI-249, Lettres de concession accordées aux Srs Scourion,
Conditions accordées aux Srs Ch. Scourion..., 20 oct. 1717. — Et. LIII-186,
Dépôt de conditions accordées aux Srs J.-B. Delaire (reproduit dans A.C.,
C 13 C 4, f. 219-220).
(2) A.C., A. 22, f. 26-26 v, Lettres patentes, art. IV, V et VIII. — Et. XCVI-
249, Lettres de concession des Srs Scourion. — Et. CXVIII-312, Déclaration
de J. Brossard, 1er avril 1718. — Et. LIII-186, Conditions accordées aux
Srs J.-B. Delaire... (A.C., C 13 C 4, f. 220).
(3) Et. XCVI-249, Société entre les intéressés..., Lettres de concession...
— Et. LIII-186, Conditions accordées... (A.C., C 13 C 4, f. 220).
(4) Et. XCVI-249, Conditions accordées... aux Sieurs Charles Scourion...

l'infini. Contrairement à ce qu'elle a fait d'abord affirmer pour des fins publicitaires (1), elle laisse à leur charge le transport, jusqu'au lieu de l'embarquement, du personnel de la concession et leur impose l'obligation d'en assurer la subsistance avant l'appareillage : « Au port, ils se nourriront avec leurs gens à leurs frais » (2). Après quoi, la Compagnie garantit le passage gratuit du personnel supérieur et subalterne, en attribuant aux maîtres, pendant la traversée, la nourriture des officiers de bord, et aux ouvriers la ration des matelots, elle s'engage à transporter tous les effets personnels des uns et des autres, ainsi que les « provisions de bouche, outils, ferrements et autres choses nécessaires à l'établissement », dont ils se muniront. Parvenus en Louisiane, les concessionnaires et leurs hommes seront nourris et acheminés avec leur matériel, aux frais de la Compagnie, jusqu' « à l'endroit qui leur sera concédé ». La Compagnie, enfin, promet de leur attribuer « autant de semences qu'elle pourra pour la première année », à charge de restitution « après la récolte », et elle renonce à réclamer aucun droit, pendant 5 ans, sur les mines qui pourront se trouver dans les limites de l'exploitation (3). Il est possible que ces facilités aient trompé les concessionnaires sur l'importance réelle de la responsabilité financière qu'impliquaient leurs projets de colonisation, et qu'ils se soient engagés dans l'aventure avec la conviction que le capital réuni au départ pourrait être entièrement réservé à la tâche de la mise en valeur. Ils n'avaient pas calculé la longueur de l'attente qu'ils devraient subir dans le port d'embarquement, ils n'avaient surtout pas compté avec les difficultés qui surgiraient à leur arrivée en Louisiane, avec les délais qui retarderaient leur acheminement vers le lieu de la concession (4).

Les exploitations que les concessionnaires se proposaient d'ouvrir en Louisiane n'étaient elles-mêmes grevées d'aucune servitude susceptible de paralyser les initiatives des colons. La Compagnie exige seulement, sous peine de les déchoir de leur titre de propriété, qu'ils mettent chaque année une certaine étendue de terre en valeur, 50 arpents la première année, 100 pour chacune des années suivantes, et qu'ils fassent porter leur effort principal sur la culture du blé ou du seigle, que l'on s'accorde à considérer comme les céréales d'avenir de la zone intérieure, à

---

(1) A.C., C 13 A 5, f. 13-13 v, v. ci-dessus, chap. III, p. 148.
(2) Et. XCVI-249, *op. cit.* — A.C., C 13 C 4, f. 218, Conditions accordées aux Srs J.-B. Delaire...
(3) Et. XCVI-249, *op. cit.* — A.C., C 13 C 4, f. 218-9, *op. cit.*
(4) A.C., C 13 C 4, f. 219, *op. cit.*

laquelle se destinent les concessionnaires, ainsi que sur la culture du mûrier (1). Rien, dans les conditions que la Compagnie fait aux colons, ne saurait gêner leur liberté d'action : ni le privilège qu'elle se réserve « de faire couper les bois » de la concession nécessaires à ses besoins, ni l'interdiction qu'elle leur signifie de pratiquer la culture de la vigne ou de produire du vin afin de ne pas porter préjudice à la métropole (2). Autant de clauses qui, dans une nature peu favorable à la culture de la vigne et abondamment pourvue de ressources forestières, seront vouées à rester dans le domaine de la théorie. Et il en sera de même des instructions relatives aux rapports avec les Indiens, de l'interdiction de les troubler dans la possession de leurs terres, dans leurs habitudes de chasse ou de pêche, de la consigne de vivre « avec eux en bonne union et concorde » (3). Le peuplement indigène était trop clairsemé pour que l'établissement de quelques concessions pût introduire dans leurs habitudes de vie une perturbation sérieuse. Les rapports entre les deux races se régleront sur place, au gré de circonstances souvent accidentelles, en dehors d'instructions formulées à trop grande distance pour prendre effet sur la scène coloniale.

Indépendamment des associations que nous venons de mentionner, d'autres ont pu se former, dont les contractants ne firent pas régulariser l'existence par acte notarié. Il paraît significatif de relever dans un engagement conclu chez le notaire Chèvre, le 11 avril 1718, l'indication d'une société réduite à deux personnes, « les sieurs Martin Delagrave, gentilhomme de Guyenne, et Payot fils », qui recrutent précisément un garçon chirurgien pour prendre soin du personnel qu'ils se proposent d'envoyer en Louisiane au mois de juin suivant (4). Aucune trace n'en existe en dehors de la mention qui en est faite dans cet acte d'engagement. Le cas est peut-être isolé. Il montre cependant que les sociétés que nous connaissons n'épuisent pas nécessairement la liste de celles qui ont pu s'édifier dans cette phase initiale de la Cⁱᵉ d'Occident.

Les sociétés ne fournissent elles-mêmes qu'une idée incomplète du désir d'émigration et des initiatives que suscita alors le Mississipi. En fait, avant même la création de la Cⁱᵉ d'Occident, dès le début de juillet 1717, de nombreuses demandes de passage

(1) Et. XCVI-249, Lettres de concession des Srs Scourion... — A.C., C 13 C 4, f. 220 v-1, op. cit.
(2) Et. XCVI-249, ibid. — A.C., C 13 C 4, f. 220 v-1.
(3) Et. XCVI-249, ibid.
(4) Et. XLV-356, Engagement et convention, 11 avril 1718.

gratuit avaient été formulées par des « particuliers » désireux de « s'établir volontairement à la Louisiane », en prévision du départ de *La Dauphine* et de 2 brigantins, qui était alors fixé au mois de septembre suivant. La Cie de la Louisiane estimait que les trois bâtiments ne pourraient suffire à leur transport, et, alors qu'elle était sur le point de terminer sa carrière, elle recommandait au conseil de marine de sélectionner les émigrants pour ne pas encombrer la colonie d'éléments inutiles, et elle discutait la question de l'assistance matérielle qu'il conviendrait de fournir à ceux qui n'auraient pas « le moyen de commencer leur établissement » (1). L'entrée en scène de la Cie d'Occident accrut les dispositions favorables du public. Mais, à l'exception du personnel de la concession de Paris-Duverney, nous manquons d'information sur les passagers qui partirent dès la fin de 1717 par *La Dauphine* ou *La Paix*. Au cours de ce premier voyage, l'initiative de Germain Willart (ou Vuillart) d'Auvilliers paraît pourtant indiquer que la Louisiane n'intéressait pas seulement les sociétés en voie d'organisation. Cet ancien ingénieur et inspecteur des Ponts et Chaussées de la généralité d'Amiens, contrôleur général des postes de Picardie et de Flandre, qui s'était distingué par ses études sur les possibilités d'aménagement du réseau fluvial de Picardie, se rendit en Louisiane par *La Dauphine*, à la sollicitation de Law, qui paraît lui avoir confié une mission d'information, et dans la pensée d'y « posséder une habitation et y former un établissement » (2). Il partit avec ses deux enfants et une personne chargée de veiller à leur éducation (3). Apparemment, il augura favorablement du pays et de ses possibilités, puisque son projet de colonisation se confirma sur place. Il semble avoir abordé la colonie avec des moyens limités, en s'aidant d'un emprunt de 4 000 livres en billets de l'État qu'il avait contracté auprès d'un notaire de Paris, en septembre 1717, au moment même où, suivant l'usage, il désignait un procureur général pour le représenter en son absence (4). Mais ce séjour préliminaire avait surtout un but de prospection. Willart d'Auvilliers rentra en France à la fin de 1719, et c'est

(1) A.C., C 13 A 5, f. 101-2, Délibération du conseil de marine, 5 juill. 1717.
(2) B.N., F⁰ Fm 17257, p. 4-6, *Mémoire pour le S. François Willart d'Auvilliers...* — Willart d'Auvilliers appartenait à une famille de notabilités locales. Sa femme, Catherine de Flesselles, était la fille d'un lieutenant en la maréchaussée de Picardie ; son oncle, Etienne Vuillart de Saint-Eloy, chevalier de l'ordre royal et militaire de Saint-Lazare, ancien lieutenant-colonel, était capitaine du régiment de Champagne, Et. CXXII-546, Procuration, 11 sept. 1717, Transaction et compte, 26 nov. 1717.
(3) Et. CXXII-546, Société, 13 sept. 1717.
(4) Et. LXVI-364, Obligation, 14 sept. 1717.

alors seulement qu'il s'apprêta à faire œuvre colonisatrice avec
les bénéfices que lui avait rapportés dans l'intervalle la plus-
value des 6 actions d'Occident dont il s'était porté acquéreur à
l'émission grâce à son emprunt de 1717 (1).

A partir de 1718, nous sommes mieux renseignés sur les
départs qui se produisent. Au début de l'année, la *Gazette de la
régence* note que « quantité de gens se préparent à faire le voyage »
du Mississipi (2). La Cie d'Occident met à la disposition des
émigrants des navires plus importants et plus nombreux, et les
bâtiments qui prennent la mer au mois de mai, *La Marie*, *La
Victoire* et *La Duchesse-de-Noailles*, sont en mesure de transporter,
outre les 193 personnes des sociétés Scourion, Delaire et Brossard,
un effectif considérable de concessionnaires indépendants de
celles-ci : 108 personnes au total, d'après la liste qui en fut
établie en l'hôtel de la Cie d'Occident quelques semaines avant
leur départ, dont quelques-unes devaient être appelées à une
certaine notoriété dans l'histoire de la colonie (3). De ces « nouveaux habitants », le seul qui paraisse avoir organisé une entreprise importante est le Malouin J.-B. Bénard de La Harpe, bien
connu pour ses explorations sur le cours supérieur de la Rivière
Rouge. Il appartenait à une famille de navigateurs de Saint-
Malo, et en 1703, à l'âge de 20 ans, il avait accompli un voyage
au Pérou, qui avait été pour lui le début d'une vie conjugale
pleine de difficultés. Puis il avait pendant dix ans rempli les
fonctions de gouverneur de la ville de Dol et lieutenant général
garde-côte dans la province de Bretagne. Il tentait maintenant,
à l'âge de 35 ans, l'expérience de la vie coloniale dans le domaine
que la Cie d'Occident ouvrait aux initiatives des Français (4).
Au même titre que les Scourion et les Brossard, il obtint la
concession classique de 4 lieues en carré, et il recruta pour la
faire valoir un effectif de 40 personnes, chiffre élevé qui ferait
supposer une entreprise en société. Mais les documents font ici
complètement défaut : Bénard de La Harpe lui-même, dans le
substantiel récit qu'il nous a laissé de ses aventures en Louisiane (5), ne fait aucune allusion à une société.

---

(1) B.N., F° Fm 17257, p. 6-7, *op. cit.*
(2) Buvat, *Gazette de la régence*, p. 215-6.
(3) A.C., B 42 *bis*, f. 252, Etat de la distribution qui doit être faite... des
nouveaux habitants..., 23 avril 1718.
(4) B.N., Ms. F.F. 8989, f. 3 v, Bénard de La Harpe, *Journal du voyage
de la Louisiane.* — A.N., M 1027, (B. de La Harpe), à MM. les Directeurs de
la Cie des Indes. — B.N., F° fm 1198, Factum pour J.-B. Bénard,
Sr de La Harpe ; F° fm 1199, Requête... au roi par J.-B. Bénard.
(5) B.N., Ms. F.F. 8989.

Les autres concessionnaires se présentent par petits groupes de quelques personnes. Plusieurs partent même isolément. Le Page du Pratz, le futur chroniqueur de la colonie, un homme jeune, qui avait servi dans les armées d'Allemagne à la fin du règne de Louis XIV, pouvait à la rigueur, avec ses dix engagés, ouvrir une exploitation d'une certaine étendue (1). Mais, à côté de lui, ce sont des groupes de 3 à 6 personnes, dont on connaît rarement la profession ou la condition sociale : 3 frères, les Srs Drissant, accompagnés de « 3 hommes à eux », 1 artisan, Pierre Robert, avec son fils et sa fille, 1 bourgeois de Rouen, Nicolas Legras, avec 3 hommes, frère d'un huissier au Parlement de Rouen et d'un prêtre de Saint-Lazare, un isolé, le Sr Pigeon, qui se dit « homme de famille », 1 perruquier et 1 chirurgien avec 3 engagés... (2). Parmi ces éléments on note un « Sr Beignot et ses gens » (9 personnes) et un « Sr Marlot de Verville et son valet ». L'un et l'autre étaient domiciliés à Paris et ils avaient envisagé de s'associer pour faire « un établissement... aux terres du Mississipi ». Le refus du Sr Beignot d'acquitter sa quote-part du fonds commun ayant fait échouer le projet, chacun agit séparément. La protestation que formula Robert Marlot de Verville à l'occasion du dédit de son partenaire nous révèle qu'ils avaient convenu pour leur entreprise d'un fonds de 8 000 livres à peine, somme que l'espoir d'une troisième adhésion, qui ne se réalisa point, n'aurait pu sensiblement augmenter (3).

Vraisemblablement, ces groupes d'émigrants disposaient de ressources médiocres, et la faiblesse de leurs moyens et de leur effectif explique sans doute que la Compagnie, au lieu de leur accorder des terrains de 4 lieues carrées, ait conseillé à ses directeurs de les établir sur de petits lots dans l'enceinte de la Nouvelle-Orléans, et de régler leurs concessions sur le personnel dont ils disposeraient, en observant de les situer à proximité de la ville (4). La Compagnie ayant promis de les acheminer gratuitement et de les nourrir jusqu'à leur destination, ils avaient dû engager quelques hommes sous seing privé, ou en dehors de toute formalité légale, et, avec les moyens qu'ils possédaient, ils s'apprêtaient à faire l'épreuve de la vie coloniale, à laquelle ils n'étaient généralement pas préparés. A ce stade

(1) LE PAGE DU PRATZ, *Histoire de la Louisiane*, I, p. 39, 41, 129-30, 136. — A.C., B 42 *bis*, f. 252, *op. cit.*
(2) A.C., B 42 *bis*, f. 252, *op. cit.* — A.C., C 13 A 5, f. 330 v, Délibération du conseil de commerce, 12 mars 1719. — Char.-Mar., Reg. Rivière & Soullard (1715-8), f. 218 v, 13 mai 1718.
(3) Et. XXVIII-151, Protestation, 18 mars 1718.
(4) A.C., B 42 *bis*, f. 252, *op. cit.*

préliminaire, en d'autres termes, ni les concessionnaires ni les sociétés, à la seule exception peut-être de celle de Paris-Duverney, ne paraissent encore en mesure d'affronter avec succès une entreprise de colonisation, soit que leurs moyens soient insuffisants, soit que les uns ou les autres engagent des dépenses disproportionnées à leurs ressources. L'attitude, par exemple, de la société des Srs Delaire ou de celle des Srs Scourion, recrutant pour la première année des effectifs de 80 personnes ou plus, avec un capital limité, et projetant d'acheminer de nouveaux groupes d'employés, régulièrement, dans les années suivantes (1), permettait de prévoir l'échec de projets engagés sur une base qu'il deviendrait bientôt impossible de soutenir.

* * *

Dans les mois qui suivent l'appareillage des navires de mai 1718, en dépit de la période difficile que traverse alors la Cie d'Occident, de nouveaux concessionnaires s'apprêtent à quitter la métropole par *Le Comte-de-Toulouse* et *Le Philippe*, qui arriveront en Louisiane en mars-avril 1719. Mais leurs entreprises sont le plus souvent de faibles dimensions, le personnel n'atteint plus au niveau de celui des Scourion ou des Delaire, parfois il se réduit à la seule famille du concessionnaire. Le mouvement colonisateur qui, au début, avait donné lieu à des initiatives trop ambitieuses pour les moyens financiers mis en œuvre par leurs promoteurs, perd maintenant de son activité. Il entre dans une phase plus lente, qui se prolongera pendant les 6 premiers mois de 1719 et s'accusera surtout du mois d'avril au mois de juillet. Les « concessions » qui atteignent la Louisiane par *Le Comte-de-Toulouse* et *Le Philippe*, celles du Sr Pellerin, formée de 10 personnes au total, de Lantheaume et Dubreuil (18 personnes), Semonville et Canel (27 personnes), Mazy et Le Maistre (18 personnes), ne nous ont d'ailleurs pas laissé d'élément d'information (2). Tout au plus est-on en mesure d'identifier deux des organisateurs, Bernard Lantheaume, originaire de Valence en Dauphiné, et le Dijonnais Claude-Joseph Dubreuil, âgés respectivement de 45 et 25 ans (3). Dans la personne de Mazy ou Massy (4), il est permis de voir le négociant qui avait,

(1) A.C., C 13 C 4, f. 210, *Mémoire (de Delaire et Chastang) à M. de Salmon*; f. 218-218 v, Conditions accordées... aux Srs J.-B. Delaire... — Et. XCVI-249, Conditions accordées aux Srs Ch. Scourion...

(2) A.C., G 1 464 (Passagers), pièces 6 et 7.

(3) A.C., G 1 464, Recensement du 15 nov. 1724, n° 10, n° 47.

(4) Lorient, 2 P 20-II, Rôle du navire *Le Philippe*.

en 1717, tenté d'engager en Louisiane, avec plusieurs associés, des opérations de traite : il est possible que, en raison des difficultés de sa tâche, il se soit détourné du commerce pour former une société de colonisation avec un nouveau partenaire et qu'il ait recruté à cet effet, dans la métropole, un petit groupe d'engagés (1). Parmi les concessionnaires arrivés par *Le Philippe* se trouvent aussi quelques éléments qui viennent renforcer le personnel de la société Delaire-Demeuves et de celle des frères Brossard, notamment Joseph Brossard lui-même, accompagné de son neveu et de sa belle-sœur et d'une vingtaine d'employés (2). A côté d'eux figurent un gentilhomme, Guillaume-François de Beaucoudré, et un avocat au Parlement, François Olivier, peut-être l'ancien secrétaire de La Mothe Cadillac en Louisiane (?), qui ont obtenu leurs concessions de la Cie d'Occident en septembre-octobre 1718 et se sont adjoint un personnel de 10 et 14 engagés (3).

Le cas le mieux connu, le plus intéressant aussi, parmi ces concessionnaires dont on sait si peu de chose, est celui de Pierre Chartier de Baulne, conseiller au Châtelet, qui se rend dans la colonie pour y exercer les fonctions de procureur du roi et pour y établir une concession avec une quinzaine d'ouvriers et de domestiques (4). Il est rare qu'on soit aussi bien informé des circonstances dans lesquelles un homme nanti dans la métropole d'un office à revenu assuré a pu être amené à s'expatrier et à renoncer à son emploi. Dès le mois de juillet 1718, on note que Pierre Chartier, seigneur de Baulne, Presles et autres lieux, conseiller du roi au siège présidial du Châtelet de Paris, contrôleur ordinaire des guerres, « pourvu... des provisions de l'état et office de procureur général de S.M. au Conseil souverain de la Louisiane », donne procuration à ses deux neveux, conseiller à la Cour des aides et capitaine d'infanterie, pour veiller en son absence à la gestion des biens dont il a dû abandonner les revenus à ses créanciers (5). Le *Nouveau Mercure* annonça peu après le départ prochain de Chartier de Baulne, qui devait s'effectuer par *Le Comte-de-Toulouse* à la fin de l'année, comme un événement

---

(1) A.C., F 3 241, f. 127-127 v, Déclaration de Vincent Dubreuil, J.-B. Massy... — M. GIRAUD, *Histoire de la Louisiane française*, II, p. 118, 143. Aucune des identifications tentées pour Semonville et Canel dans les minutes des notaires n'a donné de résultat satisfaisant.
(2) A.C., G 1 464 (Passagers), pièces 6 et 7.
(3) Et. CV-1122, Convention, 18 oct. 1718. — Et. CIX-433, Engagement, 27 oct. 1718.
(4) A.C., G 1 464 (Passagers), pièce 6.
(5) Et. XCVI-250, Procuration, 19 juill. 1718.

de nature à élever le niveau social de la population coloniale :
« Peu à peu », écrit le numéro de septembre, « il y aura bonne
compagnie » en Louisiane (1).

En fait, ni comme procureur général, ni comme colonisateur,
ni même sur le plan social, l'homme n'était une recrue satis-
faisante. Son départ n'avait d'autre raison qu'une situation
financière obérée, due aux entreprises de son épouse, Catherine
Wondrebeck, qui avait pris, à la suite de sa mère, l'adjudication
des spectacles des foires parisiennes de Saint-Germain et Saint-
Laurent (2). Incapable d'acquitter les redevances que ces spectacles impliquaient envers l'Académie royale de musique, et
en dépit de ses efforts pour organiser de nouvelles mises en scène
avec le concours d'un peintre allemand, elle dut renoncer au
traité qu'elle avait conclu avec l'Académie, se désister de ses
engagements envers les acteurs, et elle n'obtint la suspension
des poursuites intentées par ses créanciers qu'en leur faisant
« un abandonnement général » de ses biens et de ceux de son
mari (3). Devant le nombre des créanciers, qui groupaient des
commerçants de quartier, des artisans, des comédiens, le directeur général des monnaies Pierre Grassin, un officier de marine,
et jusqu'à plusieurs de leurs propres domestiques, le Sr de Baulne
et sa femme n'avaient pas d'autre alternative (4). Il fut convenu
que les biens seraient vendus au profit des créanciers, et que les
deux débiteurs toucheraient un faible pourcentage sur la vente
« pour leur subsistance et en leur faveur seulement ». Après leur
départ, on commença effectivement la liquidation de leurs
biens meubles et immeubles, à des conditions souvent inférieures à leur valeur, le Sr de Baulne ayant laissé mission à un
procureur de remettre le pourcentage prévu sur le prix de vente
à la caisse de la Cie d'Occident, qui devait le lui faire parvenir
en Louisiane (5).

Ainsi s'évanouirent la charge de conseiller au Châtelet,
dont la finance était estimée 27 000 livres, celle de contrôleur

(1) Sept. 1718, p. 214.
(2) Et. V-307, Convention, 4 janv. 1718. — Et. XXIII-432, Délaissement
et union, 13 avril 1718.
(3) Et. V-307, op. cit. — Et. XVII-589, Convention, 1er sept. 1717. —
Et. XVIII-484, Consentement, 29 juin 1718. — Et. XXIII-432, op. cit. —
Et. XLVI-227, Désistement, 11 mars 1718.
(4) Et. XXIII-432, op. cit. — Et. XLVI-226, Obligation, 21 oct. 1717.
(5) Et. XXIII-432, op. cit., Cahier des délibérations de M. et Mme P. Chartier de Beaune, 19 mai 1718. — Et. XXIII-433, Procuration, 5 sept. 1718 ;
Etat de titres..., 14 sept. 1718. — Et. XXIII-434, Bail, 10 nov. 1718. —
Et. XXIII-437, Vente d'office, 14 août 1719. — Et. XXIII-445, Vente,
9 août 1720 ; Obligation, 14 août 1720, Ordre fait en la direction des créanciers..., 22 août 1720.

des guerres (15 300 livres), la terre et le château de Presles dans le bailliage de La Ferté-Alès (paroisse de Cerny), estimés 60 000 livres, les chevaux de carrosse et la berline du Sr de Baulne, ses meubles, les loges qu'il possédait avec sa femme dans l'enclos de la foire Saint-Laurent... (1). Sa décision de se rendre en Louisiane s'inspirait donc surtout du désir de rétablir sa situation en mettant à profit les occasions qui s'offraient d'y obtenir, gratuitement, une concession de terrain et un office judiciaire dont le revenu le dédommagerait dans une certaine mesure de la perte de ceux qu'il avait sacrifiés dans le royaume. Elle ne répondait nullement à l'état d'esprit d'un homme résolu à remplir loyalement ses nouvelles fonctions et à s'associer activement à la mise en valeur du pays.

Aucun des concessionnaires que transportent *Le Comte-de-Toulouse* et *Le Philippe* n'est d'ailleurs destiné à jouer un rôle marquant en Louisiane, ni à s'élever à la notoriété d'un Le Page du Pratz ou d'un Bénard de La Harpe. Leurs sociétés procèdent d'une conception trop étroite, elles opèrent avec un personnel trop peu nombreux, pour aboutir à des réalisations. Toutefois, à côté de ces entreprises encore si limitées, nous voyons déjà surgir une première ébauche des sociétés plus larges de 1719-20 : et c'est, plus que la persistance d'un certain courant d'émigration de la métropole dans la colonie, ce qui fait l'intérêt de ces derniers mois de 1718 où la Cie d'Occident, après une longue période d'incertitude, stabilise enfin sa situation financière par l'acquisition de la ferme du tabac et la constitution de son capital définitif.

Au début du mois de septembre 1718, nous relevons la première mention de société issue de l'initiative d'une de ces familles de « grands seigneurs » dont le *Nouveau Mercure* signalera, l'année suivante, la participation au mouvement colonisateur comme une preuve de la confiance que la Louisiane inspire à la population (2). Un acte d'engagement passé chez un notaire d'Hennebont nous apprend que, dès le 7 septembre 1718, le marquis de Mézières avait obtenu une concession de terre en Louisiane, en commun avec sa belle-sœur, « dlle Charlotte Ogletorphe » (Françoise-Charlotte Oglethorpe). Ce jour-là, le marquis remit au directeur qu'il avait choisi pour gérer sa concession, Louis-Dominique Marié, une procuration générale qui l'autorisait à recruter la main-d'œuvre nécessaire (3) : et le

---

(1) Et. XXIII-432, Délaissement et union, 13 avril 1718, Cahier des délibérations..., 19 mai 1718.
(2) *Nouv. Mercure*, sept. 1719, p. 204.
(3) Arch. du Morbihan, EN 3909, Minutes de Me Kersal, 17 févr. 1719.

premier engagement fut conclu par ce dernier dans l'étude
d'Hennebont, le 17 février 1719, pour le compte et sous la
responsabilité du marquis et de sa belle-sœur, ce qui implique
une association et une mise de fonds commune. Mais les archives
des notaires ne nous ont livré ni l'acte de société ni le texte de
la procuration du 7 septembre 1718, en sorte que la minute de
l'engagement est le seul document qui établisse l'existence de
la société à cette date. Pour la concession elle-même, nous ne
pouvons que supposer qu'elle répondait au modèle habituel
des 4 lieues carrées. Ce qui importe d'ailleurs, c'est précisément
de constater l'existence, dès le début de septembre, d'une
société qui, par la suite, du fait de nouvelles adhésions, deviendra
une des grandes entreprises de colonisation de la Louisiane,
mais dont les deux fondateurs resteront les concessionnaires en
titre du domaine qu'elle se proposera d'exploiter. Le marquis
de Mézières, Eugène-Marie de Béthisy, gouverneur des villes
et citadelles d'Amiens et de Corbie, grand bailli de la ville
d'Amiens et lieutenant général des armées du roi, apportait à la
société le prestige de dignités qu'il devait en grande partie à sa
belle conduite sur le champ de bataille de Ramillies (1). Sa
belle-sœur, Charlotte Oglethorpe, la future marquise des Marches,
qui vivait alors chez le marquis de Mézières, en son hôtel de la
rue du Bac (2), participera activement aux opérations du Système
de Law, et il est possible que, devançant la mentalité des promoteurs des sociétés ultérieures, elle ait entraîné le marquis de
Mézières dans une entreprise qu'elle envisageait déjà sous l'angle
d'une spéculation financière.

Il est possible aussi que cette initiative ait été remarquée
dans la société anglaise de Saint-Germain-en-Laye qui s'était
formée autour de la cour des prétendants Stuart. On sait que
la marquise de Mézières, Éléonore-Marie-Thérèse Oglethorpe,
et sa sœur Françoise-Charlotte, appartenaient à ce milieu. L'une
et l'autre étaient les filles de Sir Theophilus Oglethorpe, grand
écuyer du roi Charles II, colonel du régiment des gardes de
Jacques II, qui passa plusieurs années en France parmi les
réfugiés attachés à la cause des Stuart. Contrairement à leur
frère, le philanthrope James Edward Oglethorpe, qui, fidèle à
sa nationalité, devait se consacrer par la suite à la colonisation
de la Georgie, elles s'étaient fixées sur le continent, et toutes
deux habitaient à l'hôtel de Mézières, auprès du marquis dont

---

(1) *Mémoires* de Saint-Simon, éd. de Boislisle, XIV, p. 319-323.
(2) Et. CXVI-215, Convention, 17 août 1719.

elles avaient longtemps été les protégées, et non loin de leur père, qui avait son domicile rue de Varennes (1). Or, 3 mois plus tard, l'Irlandais Richard Cantillon, le banquier et, dans une large mesure, l'usurier de la colonie de langue anglaise de Saint-Germain, qui devait bientôt tirer parti de la vague de spéculation de 1719-20 et des besoins d'argent qu'elle détermina dans cette clientèle (2), obtint à son tour une concession en Louisiane, en date du 5 décembre 1718. Peut-être l'exemple du marquis et de « Françoise d'Oglethorpe » fut-il pour quelque chose dans cette initiative du « marchand banquier » Richard Cantillon, qui avait repris en 1717 le commerce de son oncle, rue de l'Arbre-Sec, et devait lui donner son plein essor à la faveur du Système (3). S'il forma alors une société de colonisation, elle nous est aussi peu connue que celle du marquis de Mézières. Dans toutes ses transactions, d'ailleurs, il s'entourait d'un anonymat qui explique que Duhautchamp l'ait classé comme « inconnu » sur la liste des spéculateurs taxés en 1722 (4). Nous savons seulement que son frère Bernard Cantillon était mandaté par « le Sr Richard Cantillon & Cie de Paris », dont il était le salarié, pour recruter les engagés, en préparer le départ, procéder à l'achat des marchandises et des vivres, en attendant de régir l'habitation au même titre qu'un directeur général dûment appointé (5). « Tous les travaux qu'il fera faire pour la de concession et tous les fruits en revenant... appartiendront au Sr Richard Cantillon & Cie, ensemble le fond et terrain de la de concession... », Bernard Cantillon « se réservant seulement ses gages suivant la convention qu'il a arrêtée avec eux », convention dont le texte ne nous est point parvenu (6). En réalité, étant donné que tous les actes d'engagement ont été conclus par Bernard Cantillon au nom de son frère Richard, il semble bien que celui-ci ait été le seul commanditaire et le seul propriétaire de la concession (7).

Financièrement, si l'entreprise de Richard Cantillon, dont

---

(1) Et. CXIX-170, Mariage, 3 déc. 1719. — Et. CXIX-176, Vente, 26 juill. 1720. — SAINT-SIMON, *Mémoires*, éd. de Boislisle, XIV, p. 319-323. — *Dictionary of National Biography*, London, 1895, art. Oglethorpe.
(2) Richard CANTILLON, *Essai sur la nature du commerce en général*, Institut Nat. d'Études Démographiques, Paris, 1952, p. xxv-xxix.
(3) Et. VII-214, Bail, 18 déc. 1717. — Et. LXVI-375, Procuration, 9 mars 1720 ; Société, 19 avril 1720. — B.N., F° fm 2740, *Mémoire pour Richard Cantillon* ; F° fm 2838, *Mémoire pour Jean et Remy Carol*.
(4) DUHAUTCHAMP, *Histoire du visa*, II, p. 170. Le meilleur exemple de cette volonté d'anonymat est fourni par la société qu'il forma le 19 avril 1720 avec Jean Hughes, Et. LXVI-375.
(5) Char.-Mar., Registre Desbarres, 1717-9, f. 92 v.
(6) *Ibid.*, Déclaration de B. Cantillon, à La Rochelle, 18 févr. 1719.
(7) *Ibid.*, f. 93 suiv.

les préparatifs se poursuivent méthodiquement à partir de janvier 1719 et qui s'apprête à franchir avec succès les étapes les plus difficiles de la colonisation, dispose de moyens suffisants, la société Mézières-Oglethorpe, qui, après avoir opéré un unique engagement en février 1719 (1), suspend toute activité jusqu'au mois de juillet suivant, ne paraît pas outillée pour le moment pour une tâche colonisatrice. Mais les 2 entreprises se distinguent de celles du début en ceci que leurs organisateurs, s'ils fournissent les capitaux, cessent de prendre part en personne à l'exploitation de leur concession. Eux-mêmes restent en France, et ils attendront d'un personnel de salariés qu'il se rende sur place pour gérer le domaine. Ils renoncent, d'autre part, au principe des émissions d'actions qui avait permis aux frères Scourion de solliciter de nombreuses adhésions dans des milieux de condition souvent modeste. La mise de fonds, désormais, sera constituée directement par les promoteurs de l'entreprise et par les associés qu'ils pourront être appelés à s'adjoindre. C'est ainsi que procéderont en presque totalité, après Richard Cantillon et le marquis de Mézières, les grandes sociétés de 1719-20.

Plusieurs mois, il est vrai, s'écouleront avant que celles-ci deviennent assez nombreuses pour former le trait dominant de l'expansion française en Louisiane. Entre le mois d'avril 1719, date de l'arrivée du *Philippe* à l'île Dauphine, et le mois de juillet, le mouvement colonisateur tend encore à se ralentir. La Cie d'Occident l'encourage pourtant en offrant elle-même des concessions aux « particuliers », comme elle avait encouragé dès le début l'initiative des Scourion : François Chantreau de Beaumont nous dit être parti sur les « pressantes sollicitations » de la Compagnie (2). Mais les entreprises deviennent de plus en plus restreintes, et, en bien des cas, les concessionnaires, gentilshommes ou roturiers, ne sont que des isolés, qu'aucun employé n'accompagne, ou des groupes sans consistance, formés souvent des membres d'une même famille, comme permettent de le constater les rôles d'embarquement de tous les navires qui appareillent du mois de mars à la mi-août 1719, *Le Saint-Louis*, *L'Union*, *La Marie* et *Les Deux-Frères*. Les isolés sont maintenant plus nombreux que parmi les passagers de mai 1718 : on en compte 8 sur le seul rôle de *L'Union*, dont un, Lallement, se

(1) Arch. du Morbihan, EN 3909, Minutes Kersal, 17 févr. 1719.
(2) A.C., C 13 A 6, f. 41, Ch. de Beaumont aux généraux et directeurs... de la Louisiane.

distinguera par l'intérêt de sa correspondance (1). Quant aux concessionnaires qui partent en groupe, et pour lesquels notre documentation devient singulièrement pauvre, leur personnel compte rarement plus de 8 à 10 engagés : c'est le cas de François Caussepain, des frères Jacques et Claude de Pontval, du Sr Caze, du Bourguignon Drouot de Valdeterre, qui arrive en Louisiane en la double qualité de concessionnaire et capitaine de compagnie, de François Chantreau de Beaumont, du chevalier de Tourneville, de Mirbaise de Villemont enfin (2). On ne sait quelles étendues de terre la Compagnie a pu accorder à tous ces éléments. Mais l'exiguïté des lots de ceux que l'on retrouvera dans les recensements ultérieurs de la colonie permet de conclure, semble-t-il, à des concessions de faibles dimensions.

La présence, à bord de *L'Union* et de *La Marie*, de quelques « passagers particuliers », qui, partis sans perspective d'un emploi défini, prendront par la suite la direction d'habitations assez conséquentes, — Pierre Desjean, Jean Verteuil, futurs régisseurs des concessions Diron et Paris-Duverney, — ou de quelques engagés qui viennent augmenter le personnel de la concession des Srs Delaire, ne modifie pas la situation : le mouvement colonisateur paraît se résoudre maintenant en initiatives isolées ou en entreprises fragmentaires qui marquent une régression indiscutable sur celles des concessionnaires du *Philippe* et du *Comte-de-Toulouse*. Si, malgré tout, les départs pour la Louisiane conservent encore une certaine consistance, c'est en grande partie en raison de l'aboutissement de l'entreprise Cantillon dont les préparatifs et les engagements furent liquidés en moins de trois mois et dont le personnel, fort d'une quarantaine d'engagés, se trouva en état d'appareiller par *Le Saint-Louis* à la fin de mars (3). C'est en outre du fait de l'acheminement des 40 personnes de la concession du Sr Renaut par *L'Union*, qui appareilla de La Rochelle le 28 mai. Il s'agissait d'un groupe d'ouvriers qui se destinaient au travail des mines dans le secteur des Illinois. Mais le chef de la troupe, Philippe Renaut, maître de forges à Maubeuge, avait obtenu dans la même région une concession d'une lieue carrée en franc-alleu, en date du 20 novembre 1718, et il comptait aussi y affecter une partie de ses hommes. L'entreprise, qui avait été montée par une société dans laquelle se trouvaient intéressés l'ex-commissaire de la marine en Loui-

(1) A.C., G 1 464 (Passagers), pièce 14. — A.M., 3 JJ 387 (29), Correspondance de Lallement.
(2) A.C., G 1 464 (Passagers), pièces 9, 14, 13, 17.
(3) *Ibid.*, pièce 9.

siane, devenu directeur de la Cte d'Occident, d'Artaguiette
d'Iron, et Jean-François Berenguier, réalisait la première formule
d'une entreprise agricole et minière, fruit de la première initiative collective à laquelle eût encore donné lieu le secteur des
Illinois (1).

Pourtant, même si l'on tient compte du passage de ces deux
groupes, qui rétablissent dans une certaine mesure le niveau de
l'émigration, le mouvement colonisateur n'accuse, à la fin des
six premiers mois de 1719, qu'un bilan assez faible. La pénurie
de notre documentation aggrave peut-être cette impression de
ralentissement. Car, si nous exceptons les concessions de Richard
Cantillon et Philippe Renaut, nous ne savons à peu près rien des
groupes que nous venons d'énumérer, des conditions dans lesquelles ils ont pu s'organiser, ni des concessionnaires qui les
dirigent. Également imprécise nous apparaît l'action de J.-B. Martin d'Artaguiette d'Iron. Le 12 mai 1719, après s'être mis en
société avec Ph. Renaut, il engage pour son frère, Bernard
Diron d'Artaguiette, capitaine de compagnie dans les troupes
de Louisiane, un « ouvrier pour le tirage des soies » (2). Il est
possible qu'il ait opéré cet engagement à la demande et pour
le compte de son jeune frère. Mais il n'est pas exclu qu'il ait agi
comme associé de celui-ci, et que la société dont des textes ultérieurs paraîtront impliquer l'existence entre d'Artaguiette d'Iron
et ses 2 frères de Louisiane ait déjà été constituée à cette date,
ce qui dénoterait chez le directeur de la Compagnie un désir
soutenu de participer à la mise en valeur de la colonie où il
avait vécu les années difficiles de la guerre de Succession d'Espagne. Les données que nous possédons ne permettent pas de
conclure. Elles indiquent seulement une réduction de l'activité
colonisatrice au cours des six premiers mois de 1719. La Compagnie, en apparence, n'obtient plus à ses sollicitations qu'une
réponse limitée.

*
* *

On peut se demander si la cause n'en est pas, jusqu'à un
certain point, l'ouverture des hostilités avec l'Espagne et l'extension rapide de la guerre à la scène coloniale. Peut-être aussi le
retour dans la métropole des navires qui ont quitté la colonie en

---

(1) A.C., C 13 A 6, f. 22 v, Instruction pour le S. Duvergier, 15 sept. 1720 ;
G 1 464 (Passagers), pièce 14. Nous ne connaissons la société Renaut-d'Artaguiette que par la brève mention qui figure dans l'acte de mariage de d'Artaguiette d'Iron, 1er juill. 1729, Et. LXIX-299.
(2) Char.-Mar., Liasse Desbarres 1719.

novembre 1718, les renseignements qu'ils ont pu fournir sur les difficultés qui ont accueilli les premiers concessionnaires, le sentiment surtout que les concessions ne pourront donner lieu à des profits avant plusieurs années de dépenses, expliquent-ils la stagnation relative des entreprises. Cette lointaine échéance des « retours » est précisément le motif auquel Law attribue la lenteur des réalisations (1). Mais il se flatte d'avoir lui-même dissipé les hésitations en s'inscrivant en personne au nombre des concessionnaires. Dès qu'il eut obtenu une concession et affirmé son intention de la faire valoir, les « riches actionnaires », nous dit-il, s'empressèrent de l'imiter, et les demandes de départ devinrent telles que la Compagnie ne put y satisfaire (2). Ce serait donc l'intervention personnelle de Law qui aurait été le facteur déterminant dans l'évolution de la situation.

De fait, sa grande concession lui fut accordée par la Cⁱᵉ des Indes le 5 juillet 1719, et Law se mit aussitôt en devoir de choisir les directeurs qui auraient soin de la gérer (3). Or, le mois de juillet coïncide justement avec une reprise d'activité dans le mouvement des concessions. C'est alors qu'apparaissent les sociétés organisées pour une tâche colonisatrice plus vaste, et elles supplantent rapidement les petites entreprises qui avaient été jusqu'ici la formule la plus fréquente. Le navire *Les Deux-Frères*, parti de La Rochelle le 17 août 1719, effectue pratiquement le dernier transport de petites concessions. Une seule sera ensuite mentionnée sur les rôles d'embarquement, celle de Bail de Beaupré, qui partira de La Rochelle par *Le Duc-de-Noailles* (septembre 1719), avec sa femme, 2 domestiques et 14 ouvriers (4). Ce n'est pas qu'il ne se forme plus de petites sociétés de colonisation dans la métropole. Même dans sa période la plus active, l'effort colonisateur y conservera une physionomie assez diverse pour que des groupes de quelques personnes ou des individus isolés continuent de figurer parmi les éléments prêts à tenter l'aventure coloniale. Mais rien ne résultera de ces initiatives limitées. Sur les rôles des bâtiments dont les départs s'échelonnent de septembre 1719 à la fin de 1720, il n'est guère question que d'entreprises plus importantes : les unes organisées par des sociétés qui, en comparaison de celles des mois précédents, font

(1) P. Harsin, *Œuvres complètes de J. Law*, III, p. 263.
(2) Id. *ibid.*
(3) Min. cent., Et. XLI-371, Convention, 8 juill. 1719. — Et. XLVIII-35, Commission de J. Law à J. Levens, 28 janv. 1720. — Char.-Mar., Liasse Desbarres 1719, 13 juin, engagement.
(4) A.C., G 1 464, pièce 19.

figure de grandes sociétés, les autres engagées par des personnalités, comme Law ou Antoine Chaumont, suffisamment for-
tunées pour en assumer le financement et pour se faire seconder
par des secrétaires qui se chargent des préparatifs et de tous les
détails matériels de l'exécution.

Il se peut que la décision de Law de se faire attribuer une
concession de terre en Louisiane soit en partie responsable de
l'élan relatif qui se manifeste à partir de juillet 1719. Mais cette
recrudescence d'activité supposait aussi de nouveaux moyens
de financement, que pouvaient seuls assurer un accroissement
considérable de la circulation monétaire et des enrichissements
assez rapides pour inviter les bénéficiaires à risquer plus facilement leurs fonds dans des entreprises d'outre-mer. Ces conditions
commencèrent à se réaliser avec la formation de la Cie des Indes,
en mai 1719. Elles se précisèrent avec la grande vague de spéculation qui correspond aux émissions multiples du Système.
L'exemple de Law n'aurait pas suffi à provoquer les adhésions
nombreuses dont il s'attribue le mérite si la situation financière
du royaume ne leur avait simultanément fourni le stimulant
nécessaire. C'est ainsi que le marquis de Mézières n'attendit pas
l'intervention personnelle de Law pour élargir sa société en
prévision d'une action colonisatrice plus substantielle. Aussitôt
que la hausse s'accusa sur les papiers du Mississipi, il s'adjoignit,
dès le 1er juillet 1719, deux partenaires susceptibles d'ajouter
les gains de leurs spéculations aux fonds qu'il était maintenant
en mesure d'engager avec les bénéfices de ses propres opérations :
le munitionnaire bien connu François-Marie Fargès et son gendre
Abraham Peirenc, qui devint un mois plus tard Peirenc de
Moras par l'acquisition de la seigneurie de Moras en Champagne,
que lui céda la duchesse de Villars-Brancas, Marie-Angélique
Frémin (1). Le but sera désormais de faire valoir deux concessions, l'une au nom du marquis de Mézières, l'autre au nom de
Charlotte Oglethorpe (2). Apparemment, la société antérieurement conclue entre le marquis et sa belle-sœur a été dissoute,
et tous deux ont renoncé à leur première concession, puisque,
par lettres du 1er et du 24 juillet, la Compagnie accorde à la
nouvelle société, mais toujours sous le nom des deux premiers
contractants, deux concessions de terre, successivement, en
Louisiane, dont les associés seront « conjointement proprié-

---

(1) Et. XCV-66, Vente, 5 août 1719. — Saint-Simon, *Mémoires*, XVII,
p. 429-30. La seigneurie était située dans la paroisse de Jouarre.
(2) Arch. du Morbihan, EN 3910, Procuration, 14 juin 1720 (Minutes
Kersal).

taires » et qu'ils géreront comme une seule exploitation. Puis, lorsque, à la fin de 1719, Charlotte Oglethorpe épousa le marquis des Marches, Joseph-François de Bellegarde, celui-ci entra à son tour dans la société, où il représenta désormais les intérêts de sa femme (1). Ainsi aboutissait une initiative dont les premières manifestations remontent au mois de septembre 1718, et qui allait bientôt donner lieu au recrutement, sous le nom des deux concessionnaires en titre, d'un effectif d'engagés particulièrement élevé, un des plus importants de l'époque (2).

Dès lors, et jusqu'à la fin de l'année, les entreprises de colonisation se succèdent à faible intervalle les unes des autres. Dans le courant du mois d'août, on voit d'Artaguiette d'Iron reprendre ses engagements pour la Louisiane, en opérant cette fois dans l'intérêt d'une concession qu'il partage avec ses deux frères, Bernard Diron d'Artaguiette et d'Artaguiette d'Itouralde, officiers dans les troupes de Louisiane. Le fait que les engagements portés sur les actes notariés s'appliquent indifféremment à l'habitation de M. d'Artaguiette en Louisiane ou à celle de ses deux frères paraît indiquer qu'il s'agit d'une même concession commune aux trois frères, et Legac mentionne bien la « concession de Mrs Diron et d'Artaguiette » (3). Le rôle de d'Artaguiette consiste à recruter le personnel qui fera valoir la concession sous la direction de ses frères et à lui garantir le payement des gages dont il arrête le montant dans la métropole (4) : il est donc, dans une certaine mesure, le commanditaire de la société qu'il a dû conclure avec ses frères à une date qu'on ne saurait préciser. Les engagements, commencés au mois d'août, se répartiront en fait sur plusieurs mois. Nous n'en connaissons qu'un très petit nombre, dûment établis par-devant notaire. Mais d'Artaguiette se trouvera finalement en mesure d'envoyer une quarantaine de personnes au Mississipi (5). Visiblement il continue de s'intéresser à la colonie, non seulement en raison de ses fonctions

(1) Et. XCV-70, Engagement, 28 nov. 1720. — B.N., F° fm 17257, p. 11, *Mémoire pour le S. François W. d'Auvilliers. Journal de Dangeau*, t. 18, p. 167. Joseph-François de Bellegarde était le fils de Jean-François de Bellegarde, « chevalier marquis d'Antremont et des Marches, conseiller d'Etat de S. M. le roi de Sicile, son 1er président à la souveraine Chambre des comptes de Savoie et ci-devant son ambassadeur en France », Et. CXIX-170, Mariage, 3 déc. 1719. *Almanach Royal*, 1717, p. 58.

(2) Arch. du Morbihan, EN 3909, Engagements de déc. 1719.

(3) Char.-Mar., Registre Desbarres (1718-21), f. 56, 82, 82 v. — A.N., Min. cent., Et. XV-508, Engagement, 7 févr. 1720. — A.C., G 1 464 (Passagers), pièce 19. — A.E., *Mém. et Doc.*, Amérique, I, f. 109 v, Legac, *État de la situation de la... Louisiane le 5 mars 1721.*

(4) Et. XV-503, Engagement, 5 sept. 1719 ; -508, Engagement, 27 févr. 1720.

(5) A.C., G 1 464 (Passagers).

dans la Cte des Indes où il dirige le bureau de la Louisiane, mais à titre personnel, puisqu'il fait maintenant partie de deux entreprises de colonisation, en attendant d'adhérer peu après à une nouvelle société dont le comte d'Artagnan semble avoir eu l'initiative.

En août 1719, en effet, Joseph de Montesquiou, Cte d'Artagnan, capitaine-lieutenant de la 1re compagnie des mousquetaires du roi, lieutenant des armées du roi et gouverneur de la ville de Nîmes, avait à son tour sollicité une concession de terre en Louisiane (1). Au début, il agit seul, sans aide financière ni collaboration : les enrôlements s'effectuent à son domicile de la rue du Bac et sous son nom, en présence d'un notaire qui dresse les actes d'engagement, et aucun document ne contient pour le moment d'allusion à une société (2). La situation ne se modifie qu'à la fin du mois de décembre, lorsque, en raison sans doute des frais occasionnés par le recrutement du personnel auquel il s'est activement employé dans le courant de septembre, Joseph de Montesquiou s'unit à d'Artaguiette d'Iron et au Sr Dufaur pour assumer en commun et dans une même proportion le financement de l'entreprise (3). Le fait qu'une concession ait été accordée aux trois contractants le 26 décembre 1719 par la Cte des Indes paraît indiquer que la concession initiale avait été annulée pour être remplacée par un titre de propriété collectif conférant des droits égaux à chacun des associés auxquels incombait une part égale de la dépense (4). A la fin de l'année, d'Artaguiette d'Iron se trouvait donc lié à trois entreprises coloniales, qui se partageaient entre le secteur minier des Illinois et la zone du littoral et du Mississipi inférieur. Et, à côté de lui, son nouvel associé, le Sr Dufaur, — Louis-Victoire Dufaure, sénéchal et gouverneur de la province de Rouergue et du comté de Rodez —, ne devait pas se limiter non plus à sa collaboration avec le Cte d'Artagnan (5). On ne peut que regretter que ces initiatives répétées, dont se dégage le sentiment d'un intérêt grandissant à l'égard de la colonie, ne nous soient connues que par des allusions fragmentaires et souvent fortuites d'actes notariés qui ne concernent pas directement les concessions ou les sociétés dont il est ici question : la société de d'Artaguiette

---

(1) Et. XXIV-590, Quittance, 19 janv. 1719. — Et. CXIII-310, Procuration, 23 août 1725.
(2) Et. XXVII-122, Engagements, 31 août 1719 et suiv.
(3) Et. LXIX-299, Mariage, 1er juill. 1729.
(4) *Ibid.*
(5) Ci-dessous, p. 197.

d'Iron et de ses frères ne nous a laissé d'autre moyen d'information que quelques actes d'engagement, et nous ne connaissons
l'existence de la société d'Artagnan-Dufaure-d'Artaguiette que
par l'inventaire qui fut dressé des biens de ce dernier lors de son
mariage, en 1729, avec la fille du chevalier Guillard de La
Vacherie, gouverneur de la citadelle d'Arras (1).

Aussi bien manquons-nous de précision sur la société que le
Cte de Belle-Isle, Charles-Louis-Auguste Fouquet, organisa avec
Claude Le Blanc, Gérard-Michel de La Jonchère et le Mis d'Asfeld.
Les seuls documents relativement explicites que nous possédions
sont deux mémoires établis pour justifier le comte de Belle-Isle
des malversations dont on l'accusa ultérieurement avec le trésorier de l'Extraordinaire des Guerres, G.-M. de La Jonchère (2).
Ils nous apprennent que Fouquet de Belle-Isle, avant même son
départ pour les armées d'Espagne en août 1719, avait obtenu
une concession en Louisiane et qu'il y avait intéressé La Jonchère
pour que celui-ci acceptât de la gérer : c'était, écrit-il, un « homme
arrangé, opulent, revêtu d'une charge considérable », et Belle-
Isle faisait appel à lui en raison de sa situation de fortune et de
ses qualités d'administrateur (3). La société, qui serait donc
issue d'une initiative du Cte de Belle-Isle, s'élargit ensuite par
l'adhésion de Claude Le Blanc et du Mis d'Asfeld. Mais chacun
des associés sollicita à son tour une concession de la Cie des
Indes, si bien que nous nous trouvons en présence du cas exceptionnel d'une société dont tous les membres sont autant de
concessionnaires. Telle est du moins la conclusion que paraît
autoriser une requête tardive des intéressés ou de leurs héritiers
au conseil du roi (4). La Jonchère n'obtint sa concession qu'à la
fin d'octobre : et, à cette date, la société est définitivement
organisée puisque Claude Le Blanc se trouve bientôt en mesure
d'agir en son nom collectif (5). Mais nous ne savons ni quand ni
dans quelles conditions Le Blanc et le Mis d'Asfeld y sont entrés
et ont reçu leurs concessions, ni, à plus forte raison, sur quelles
bases s'est constituée la société.

Celle-ci se distingue surtout par le rang des personnalités qui
la composent. Fouquet de Belle-Isle, le petit-fils du surintendant

---

(1) Et. LXIX-299.
(2) B.N., F^{o} fm 1148, *Mémoire pour Me Charles-Louis-Auguste Fouquet
de Belle-Isle* ; 4° fm 2377, Lettre justificative du chevalier de Belle-Isle.
(3) B.N., F^{o} fm 1148, 4° fm 2377.
(4) A.C., G 1 465, Le Mis d'Asfeld et le Cte de Belle-Isle... au Roy, 1731
ou 1732.
(5) A.C., G 1 465, *op. cit.*, et Conditions accordées par la Cie des Indes à
M. de La Jonchère.

Nicolas Fouquet, puissamment aidé par ses relations de famille, par les protections dont il dispose auprès du régent, par la réputation de bravoure que lui a faite la campagne de Flandre, ajoute au prestige de sa position sociale celui d'une fortune qu'il a su rapidement augmenter, notamment en négociant avec le roi, en 1718, l'échange du marquisat de Belle-Isle (1). Claude Le Blanc s'est signalé par l'éclat de sa carrière administrative qui l'a conduit de l'intendance d'Auvergne, puis de celle de la Flandre maritime, aux fonctions de ministre et de secrétaire d'État de la guerre et à la dignité de grand croix, grand prévôt et maître des cérémonies de l'ordre militaire de Saint-Louis (2). Le Mis d'Asfeld — Claude-François Bidal, chevalier baron d'Asfeld, créé marquis en juillet 1719 —, qui appartient à une famille de soldats et d'ecclésiastiques, doit à la probité de sa gestion comme intendant d'armée au cours des campagnes d'Espagne le privilège d'être entré en 1715 au conseil de guerre, où il a été chargé de la direction générale des fortifications : devenu en outre membre du conseil de marine, commandeur de l'ordre de Saint-Louis, il est, d'après le témoignage de Saint-Simon et du Mis de Balleroy, universellement estimé, et il conservera le département des fortifications après la suppression du conseil de guerre (3).

Moins connu enfin, G.-M. de La Jonchère détient un office lucratif, qu'il gère sous la protection de Claude Le Blanc dont il a toujours eu la faveur (4). Il est possible que les liens qui unissaient tous ces hommes, liens hiérarchiques dans le cas de Claude Le Blanc et du Mis d'Asfeld, liens d'intérêt dans le cas de Belle-Isle et de La Jonchère qui auraient, d'après Saint-Simon, largement exploité la partialité du secrétaire d'État à leur égard, aient favorisé leur participation à une entreprise commune de coloni-

(1) Et. VIII-919, 24 déc. 1717 et 17 oct. 1717. — Et. VIII-924, Procuration, 10 mai 1718. — Et. XXIII-445, Vente, 18 déc. 1720. — B.N., 4° Fm 2380, *Mémoire du Cte de Belle-Isle* ; 4° Fm 2381, Contrat d'inféodation de l'île... de Belle Isle... — SAINT-SIMON, *Mémoires*, éd. de Boislisle, XVII, p. 346-7 ; XXIX, p. 148-9 ; XXXVI, p. 70-8, 82, 141-2.

(2) Et. LXXXVIII-465, Vente, 30 déc. 1719. — SAINT-SIMON, *Mémoires*, XVI, p. 83 ; XXIX, p. 72-3 ; XLI, p. 67, 133, 151-2. — LÜTHY, *La Banque protestante en France*, I, p. 333-4.

(3) Et. XLVI-226, Procuration, 20 nov. 1717 ; -231, Quittance, 23 oct. 1719. — Et. LXXXV-376, Quittance de remboursement, 31 janv. 1719 ; XCVI-262, Consentement, 1er juill. 1720 ; CXVII-304, Réduction de rente, 25 août 1719. — A.N., U 227, f. 385-7, Enregistrement de Lettres pat. créant le marquisat d'Asfeld. — *Les correspondants de Balleroy*, I, p. 63, 360-1. — SAINT-SIMON, *Mémoires*, X, p. 288 ; XIV, p. 429 ; XXIX, p. 70.

(4) Et. XCVI-252, 7 nov. 1718 ; 253, 17 févr. 1719. — Et. LXXXI-220, Quittance d'extinction, 11 sept. 1717. — A.C., G 1 465, Le Mis d'Asfeld et le Cte de Belle-Isle au roi, 1731 ou 1732. — SAINT-SIMON, *Mémoires*, XLI, p. 70-2.

sation. Il est possible aussi que Law, qui se trouvait en relations fréquentes avec Le Blanc et avec Fouquet de Belle-Isle, d'autant plus qu'il était devenu le vassal de celui-ci du fait de ses acquisitions de terres en Normandie (1), ait encouragé la formation de la société : ce serait un nouvel exemple de l'intervention du financier dans le mouvement colonisateur.

Mais l'influence personnelle de Law s'affirme surtout dans la création de deux autres sociétés, qui prennent naissance vers la même date. L'une est la société qu'il constitue avec le Mis d'Ancenis et l'abbé Guérin de Tencin, sans doute au mois de septembre 1719 (?) puisque les engagements de personnel commencent le mois suivant (2). Survenant peu après la société du Mis de Mézières, cette collusion de Law avec Paul-François de Béthune Charost, Mis d'Ancenis, lieutenant général de la province de Picardie, et cousin germain de Fouquet de Belle-Isle, était l'indice de la faveur que la colonisation de la Louisiane commençait à trouver dans les familles nobles (3). L'adhésion de Pierre Guérin de Tencin, grand archidiacre et grand vicaire de Sens, abbé commendataire de Vézelay et futur archevêque d'Embrun, ne peut s'expliquer que par ses rapports personnels avec Law, dont il avait préparé l'abjuration en l'initiant au catholicisme, et dont il secondait l'action philanthropique (4). Law, qui l'avait entraîné dans les spéculations du Système, a pu aussi bien lui inspirer un intérêt passager pour la colonisation du Mississipi.

A la différence de cette société Law-Ancenis, celle qui se crée le 4 septembre 1719, avec la participation encore du financier, nous a laissé une documentation aussi complète que la société initiale des frères Scourion. Son but était de faire valoir un domaine considérable, formé de deux concessions que la Compagnie lui accorda le 5 décembre, et qui, attribuées respectivement au banquier Jean Deucher et à l'abbé de Coëtlogon, devaient, sous le nom de concession de Sainte-Catherine, « appartenir à tous les intéressés en ladite société » (5). Celle-ci nous offre une échelle singulièrement étendue de conditions sociales, qui reflète la diversité des premiers souscripteurs des actions d'Occident : plu-

(1) Et. XLVIII-44, Foy et hommage, 6 nov. 1720.
(2) Et. LXXXVII-817, Convention déposée, 13 mars 1725. — A.N., V 7 256, Ordre des commissaires généraux du conseil, 30 janv. 1727.
(3) Et. LXXVII-158, Convention, 23 oct. 1719 ; LXXXVII-817, *op. cit.* — SAINT-SIMON, *Mémoires*, éd. de Boislisle, t. XVI, p. 194 ; XXIX, p. 147 ; XXXV, p. 285.
(4) Et. LXXXVII-817, *op. cit.* — *Lettres historiques*, 1-720 (57), p. 94, 168-9. — *Gazette de Hollande*, 21 juin 1720.
(5) Et. XV-503, Société de la colonie de Sainte-Catherine, 4 sept. 1719.

sieurs d'entre eux, d'ailleurs, y figurent, dont les noms nous sont déjà connus (1). La noblesse y est représentée par Pierre de Montherot de Bellignieux, par Jean-François Leriget de Lafaye, gentilhomme ordinaire de la chambre du roi et secrétaire du cabinet du roi, et surtout par Charles-Élisabeth de Coëtlogon, seigneur de Romilly-sur-Seine, Roissy et autres lieux, et neveu d'Alain-Emmanuel, Mis de Coëtlogon et vice-amiral de France (2). Diacre du diocèse de Paris et chanoine de l'église cathédrale de Quimper, où il demeurait habituellement, tout en conservant un domicile à Paris, il était en outre prieur commendataire des prieurés bénédictins de Saint-Michel-de-Moncontour et de Saint-Cado dans les diocèses de Saint-Brieuc et de Vannes, prébendes qu'il résigna, peu après son entrée dans la société, en faveur de son cousin germain (3). A côté de lui, Armand-Bernard Bérault, prêtre docteur en théologie de la Faculté de Paris, augmente la part de l'élément ecclésiastique (4), tandis que deux conseillers du roi en son grand conseil, Jean-Baptiste Glucq, baron de Saint-Port et de Sainte-Assise, et Claude-Hyacinthe Bréand, introduisent un élément nouveau d'officiers de justice dont les sociétés précédentes sont presque complètement dépourvues (5). L'adhésion de l'envoyé du roi de Prusse, le Neuchâtelois Jean Le Chambrier, est un fait également neuf : jamais encore les diplomates étrangers n'avaient participé aux entreprises de colonisation de Louisiane (6).

Mais le groupe le plus nombreux est celui des gens de finance : Law d'abord, souscripteur des 2/20 du capital, le banquier Jean Deucher, un Alsacien d'origine suisse dont le père s'était installé fabricant de bas et tissus à Mulhouse (7), le banquier Étienne Bourgeois, qui a repris dans la Banque royale le poste de trésorier qu'il occupait dans la Banque générale de Law, Jean-Baptiste de Fénelon, l'ancien député du commerce de Bordeaux devenu inspecteur de la Banque royale, Pierre Grassin, chevalier baron d'Arcys, seigneur chevalier de Mormant, et directeur général des monnaies de France, Jean-Daniel Kolly enfin (8). Ce dernier,

---

(1) Ci-dessus, p. 32 suiv.
(2) Et. XVI-652, Vente de terre, 6 mars 1719 ; XXIII-445, Obligation, 14 août 1720 ; XCVI-254, Quittance, 15 mars 1719.
(3) Et. LXXXII-148, Résignations, 12, 13 nov. 1719.
(4) Et. XLIII-306, Résiliation, 19 janv. 1718. — B.N., F° fm 3951 (sur la situation de fortune d'A.-B. Bérault).
(5) Et. XIV-239, Réduction, 10 juill. 1719. — Et. XV-503, Société de la colonie de Sainte-Catherine.
(6) Et. XV-503, *op. cit.*
(7) Lüthy, *La Banque protestante en France*, I, p. 339-340.
(8) Et. XXIII-444, Quittance, 19 juill. 1720. — Et. XV-503, *op. cit.*

un banquier originaire de Fribourg en Suisse, fils de Jean Ulrich
Kolly, marchand à Lyon, était, nous le savons, conseiller des
finances de l'électeur de Bavière (1). Duhautchamp fait de lui
un commis de la Banque royale (2). Mais il est surtout connu
pour ses fonctions à la Cour de Bavière. Les affaires financières
d'Allemagne l'occupaient depuis longtemps. En 1713, lorsqu'il
épousa la veuve du banquier de Maubeuge Henry Henrotay, il
avait fait d'importantes avances à l'électeur de Cologne, et il
projetait alors de s'établir définitivement en Bavière (3). Assez
paradoxalement, Kolly est, de ce groupe de financiers, celui qui
se dévouera le plus activement à la tâche colonisatrice, aux
dépens de sa fortune et de sa vie, puisqu'il succombera en 1729,
au cours de la guerre des Natchez, sur le lieu même de l'habitation
de Sainte-Catherine (4). Dès le début, les associés le choisirent
pour négocier avec la Cie des Indes, en compagnie de Jean
Deucher, le « traité de la concession », pour engager le personnel,
l'acheminer vers le port d'embarquement, et procéder à l'expédition du matériel et des vivres (5). Les deux hommes agiront
en qualité de procureurs et trésoriers de la société, et d'administrateurs de la concession de Louisiane (6). Le rôle prépondérant
appartient donc à des représentants de ce milieu de banquiers
et d'hommes d'affaires d'origine suisse, dans lequel s'accusent
de nombreuses sympathies protestantes, qui est si actif alors
en France, et si étroitement associé aux opérations du Système.
Jean Deucher, que ses relations d'affaires avec Fargès, avec le
banquier suisse Henry Labhard (7), situe plus complètement
dans le groupe qui s'intéresse ou qui participe aux entreprises
de Louisiane, était en outre un familier de Law (8). En fait,
parmi les financiers qui donnent leur adhésion, on note une
majorité de collaborateurs ou d'amis de l'Écossais : Fénelon et
Bourgeois seront au nombre des principales victimes de sa
disgrâce. Et il est permis de se demander si Law n'est pas, dans
ces conditions, le véritable instigateur de la société. La présence
de Paul-Édouard Duchauffour et du notaire Paul Ballin (9)

(1) Et. XLVIII-41, Reconnaissance de dot, 7 sept. 1720. — Et. XCIX-406,
Décharge, 1er janv. 1719 ; -410, Quittances, 6 déc. 1719.
(2) *Histoire du visa*, I, p. 159.
(3) Et. XLVIII-35, Rétablissement de communauté, 18 janv. 1720 ;
-41, *op. cit.* — Et. XCIX-406, Décharge, 1er janv. 1719.
(4) A.N., V 7 237, Requête de la Cie des Indes au roi, 2 sept. 1730.
(5) Et. XV-503, *op. cit.*
(6) Et. XV-503, *op. cit.*
(7) Ci-dessus, p. 162.
(8) LÜTHY, *La Banque protestante en France*, I, p. 338-344.
(9) Et. XV-503, *op. cit.*

souligne encore la part que les premiers souscripteurs des actions
d'Occident occupent dans celle-ci. L'intervention de Paul Ballin
fait surtout ressortir le rôle personnel que Law a dû avoir dans
les adhésions. Ballin était le notaire du financier. C'est lui qui
avait établi les titres de rente correspondant aux remises des
billets de l'État retirés de la circulation par la Cie d'Occident,
et, pas plus que l'abbé de Tencin, il ne paraît avoir eu d'autre
motif d'entrer dans la société que le désir d'acquiescer au vœu
du « seigneur de Tancarville ». Il est logique que celui-ci ait
attiré ses amis personnels, ceux surtout qui donnaient activement
dans les spéculations de l'époque, dans l'entreprise de Louisiane,
qui avait formé le point de départ de sa compagnie de commerce.

Plus homogène, la société qu'organisa, par acte du 24 octobre 1719, le président Dodun, comprend à peu près exclusivement des officiers de justice et de finances, uniformément nantis
d'emplois élevés (1), qui auraient pu lui donner un certain relief
dans l'histoire des concessions si elle était passée aux réalisations.
A côté de Charles-Gaspard Dodun, président en la IVe Chambre
des enquêtes et conseiller au conseil des finances, le concessionnaire en titre, apparaît en effet Pierre-Benoît Morel du Meix,
président en la Cour des aides, qui s'était trouvé impliqué dans
le procès de l'armement de d'Iberville (2). Son mariage avec
une D^{lle} Jacobé de Naurois l'associe plus étroitement au groupe
qui avait spéculé sur cet armement (3). Son intervention dans
la société Dodun, la décision qu'il prit, à la fin de 1719, d'acquérir
les habitations du gouverneur de Galiffet à Saint-Domingue,
témoignent de l'intérêt qu'il portait encore aux questions de
colonisation (4). On note ensuite quatre conseillers du roi au
Parlement : Chrétien-François Gorge d'Antraisgue de Roise,
beau-frère du Mis d'Ancenis, et fils de Pierre Gorge d'Antraisgue,
Cte de Meillian, le châtelain du Berry et du Bourbonnais qui,
parti d'origines modestes, s'était enrichi par les fermes unies,
François de La Pierre de Talhouet, J.-B^{te} Corentin Lambelin,
et Pierre Catinat, seigneur de Saint-Mars et Saint-Gratien (5) ;

---

(1) Et. VIII-930, Société reconnue, 6 déc. 1719.
(2) Et. VIII-930, *op. cit.* — M. GIRAUD, *Histoire de la Louisiane française*,
I, p. 104 suiv.
(3) P.-B. Morel, chevalier seigneur du Meix, Courtavant et autres lieux,
Et. LI-809, Procuration, 6 sept. 1718.
(4) Et. LI-818, Procuration, 9 déc. 1719.
(5) Et. XLIII-305, Constitution, 10 sept. 1717 ; -307, Procuration,
13 juill. 1718. — Et. XLIX-482, Fondation, 8 avril 1718 ; -493, Quittance,
10 mars 1720. — Et. LXXII-225, Remboursements, 26 et 28 juin 1719. — Et.
CXII-650^A, Constitution, 23 mars 1720. — B.N., F° fm 5368, Ordre des créanciers de Me Gorge d'Antraisgues... — SAINT-SIMON, *Mémoires*, XVII, p. 170-1.

un président honoraire de la Cour des monnaies, Louis Gueffier (1) ; un conseiller au grand conseil, Nicolas Baille ; un payeur des gages de la Chambre des comptes, Michel-Jacques Lévy ; un conseiller du roi enfin, maître des requêtes ordinaires de son hôtel, Louis Euverte Angran (2). Le mouvement colonisateur paraissait gagner ici un milieu social médiocrement enclin aux aventures extérieures, qui lui avait encore fourni peu de partisans. L'initiative du président Dodun resta sans lendemain, puisque la société ne tarda pas à se dissoudre. Mais, sur le moment, elle témoignait de velléités d'action nouvelles dans un groupe qui lui apportait dans ce cas des adhésions nombreuses et, parfois, brillantes.

La position sociale de ses membres ne lui donne pourtant pas l'éclat de la société que forma le Mis de Brancas en novembre 1719 : seule initiative de cet ordre que l'on relève au mois de novembre, qui s'avère moins actif que les mois précédents. Autour de Louis de Brancas-Céreste, Mis de Brancas, lieutenant général du gouvernement de Provence, que nous trouvons préoccupé à la même époque de réalisations d'hydraulique agricole, et de sa femme Élisabeth-Charlotte-Candide de Brancas, dont la participation explique que la colonie projetée ait été placée sous le patronage de Sainte-Candide (3), se groupent alors, dans une même pensée de colonisation, son frère cadet Louis-Antoine de Brancas, duc de Villars et pair de France, et Marie-Angélique Frémin, son épouse ; Renaud Constance de Pons, Cte de Pons, maître de camp des gendarmes de la garde du roi, ainsi que son épouse Charlotte de Gadagne d'Hostun, sœur du Cte de Tallart, duc d'Hostun, et Louis de Clermont, Mis de Chaste, soit un ensemble de grands seigneurs dont aucune société n'avait encore réuni un nombre aussi impressionnant (4). Seul fait exception Louis Bonfils, premier commis et trésorier des haras du royaume, qui, sans être mentionné parmi les membres de la société, est admis à une part du capital initial, du fait sans doute de la protection du Mis de Brancas, dont il apparaît sans cesse comme

(1) Et. XXXV-536, Vente 12 mars 1720.
(2) Et. VIII-930, Société reconnue, 6 déc. 1719 ; CXXII-555, Quittance, 1er mars 1720.
(3) Et. LVIII-265, Nomination, 29 nov. 1719 ; Convention, 29 nov. 1719. — Et. XCI-660, Constitution, 29 oct. 1719. — Et. CXII-485 B, Constitution, 22 juin 1718. — Et. XXVI-306, Conventions et délaissements, 15 et 16 janv. 1718.
(4) Et. CXVIII-323, Reconnaissance, 9 mars 1720. — Et. LVIII-265, Nomination, 29 nov. 1719 ; Convention, 29 nov. 1719 ; Quittance, 23 déc. 1719. — Et. XCVIII-399, Quittance, 4 mars 1719 ; -402, Constitution, 9 nov. 1719. — Et. XLIV-245, Abandonnement..., 15 sept. 1718.

le procureur « général et spécial » et auquel il doit sa situation dans les haras, que celui-ci dirige (1). Des affinités régionales — Bonfils est originaire « du lieu de Mérindol (dans le) pays des Baronies du Dauphiné » — le rapprochent peut-être des Brancas. C'est lui qui négocie, au nom du marquis, le contrat de la concession Sainte-Candide avec la Cie des Indes, et qui procède aux engagements de personnel, et d'autres actes notariés le montrent en relations suivies avec la famille de Brancas (2).

Avec le mois de décembre enfin, après le temps d'arrêt que l'on vient de noter, on observe une recrudescence d'activité dans le mouvement des sociétés. De nouvelles entreprises apparaissent alors, plus nombreuses même que dans aucun des mois précédents, bien qu'elles ne doivent apporter qu'une contribution très inégale à la colonisation. Indépendamment de l'association que le Cte d'Artagnan forme alors avec d'Artaguiette d'Iron (3), les directeurs de la Cie des Indes qui, jusqu'ici, n'avaient compté qu'un seul représentant, dans la personne de ce même d'Artaguiette, parmi les promoteurs d'entreprises coloniales, organisent à leur tour une société qui, comme beaucoup d'autres, échappe malheureusement, faute de document, à une analyse précise. L'existence en est attestée par un acte d'engagement assez peu explicite, de la fin du mois de janvier 1720, dont on peut sommairement inférer qu'elle avait dû se former le mois précédent (4). Ses principaux membres, tous directeurs de la Cie des Indes, François Mouchard, François Castanier, Vincent-Pierre Fromaget, Jean Gastebois, ont figuré dès le début parmi les directeurs de la Cie d'Occident ou les souscripteurs de ses actions (5). Pour constituer leur société, ils s'unissent à un secrétaire du roi, Jean de La Motte, qui, d'abord premier commis des bâtiments de Sa Majesté, vient d'acquérir l'office d'intendant et ordonnateur des bâtiments, jardins, arts et manufactures de France (6). Le groupe doit une certaine unité au fait qu'il est dominé par des hommes que rapprochent des liens d'intérêt ou de parenté, les deux beaux-frères Fromaget et Gastebois, « négociants en banque

(1) Et. LVIII-265, Procuration, 8 nov. 1719 ; CXII-486B, Dépôt de brevet, 23 nov. 1718.
(2) Et. LVIII-265, Nomination, 29 nov. 1719 ; Procuration, 8 nov. 1719. — Et. XCI-647, Procuration, 11 avril 1718. — Et. CXVII-289, Procuration, 7 nov. 1717 ; -298, Donation, 20 janv. 1719. — SAINT-SIMON, *Mémoires*, XXIX, p. 77-9 ; IX, p. 220-1.
(3) Ci-dessus, p. 184.
(4) Et. XLVIII-35, Engagement, 30 janv. 1720.
(5) Ci-dessus, p. 28 suiv.
(6) Et. XXIV-587, Transport, 28 mai 1718. — Et. XXVI-313, Traité d'office, 3 mai 1719. — Et. LXXXII-147, Nomination d'experts, 28 août 1719.

et finance », anciens directeurs de la Cie du Sénégal, protestants l'un et l'autre, et le député de La Rochelle, F. Mouchard, qui est en relation d'affaires avec eux (1). Tous trois, aussi bien que Castanier, sont, du fait des départements qui leur ont été assignés, notamment celui des monnaies, les collaborateurs immédiats de Law au sein de la Cie des Indes (2). Leur société, au même titre que la société Deucher-Coëtlogon, paraît obéir dans une large mesure à l'influence de l'Écossais sur ces « Mississipiens » qui l'assistent dans la gestion de sa Compagnie ou de la Banque royale et qui semblent maintenant vouloir seconder ses projets de colonisation.

L'association de Law avec Antoine-Charles de Grammont, duc de Guiche, pair de France, colonel du régiment des gardes françaises, nous fournit une dernière preuve de l'action personnelle du financier. Sans être un de ses collaborateurs, le duc de Guiche entretenait avec lui des relations étroites et singulièrement intéressées, puisqu'il passait pour avoir aussi largement profité de sa générosité que de celle du régent (3). Une note insérée dans les minutes du notaire Desbarres de La Rochelle tendrait à prouver que les deux personnages effectuaient en commun des engagements pour la Louisiane dès la fin d'août 1719 (4). Pourtant, le duc de Guiche n'obtint de concession que le 20 décembre 1719 (5), et la société qu'il conclut avec Law ne date que du 30 décembre. Seul, le répertoire de l'étude Ballin en signale la création. Le texte du contrat a disparu avec l'ensemble des papiers de l'étude relatifs à l'année 1719. C'est dire que notre information se réduit pratiquement à néant. Le directeur général de la concession, Médéric de Romigny, parle bien, dans un acte ultérieur, de la société qu'il a faite avec Law et le duc de Guiche le 30 décembre 1719 (6) : mais l'allusion s'applique sans doute à la convention par laquelle Law et son partenaire l'avaient intéressé dans les bénéfices futurs de l'entreprise, suivant une formule à laquelle on avait souvent recours pour encourager le zèle du personnel.

(1) Ci-dessus, p. 28-9. DUHAUTCHAMP, *Histoire du visa*, II, p. 168-9. — LÜTHY, *op. cit.*, I, p. 299-300, 417, note par erreur Jean Mouchard comme député de La Rochelle.
(2) *Nouv. Mercure*, sept. 1719, p. 104.
(3) SAINT-SIMON, *Mémoires*, X, p. 381, n. ; XXVII, p. 48-9 ; XXIX, p. 68-9 ; XXXVII, p. 238.
(4) Char.-Mar., Liasse Desbarres, 1720, n° 1.
(5) A.N., V 7 235, Procès-verbal et inventaire des registres de la Cie des Indes, f. 18 v.
(6) A.N., V 7 235, Délibération du 11 mars 1727 ; V 7 256, Jugement des commissaires généraux..., 1er févr. 1725.

A côté, enfin, de cette société qui, de nouveau, apporte à la colonisation l'adhésion d'une personnalité de la grande noblesse, et toujours dans cette fin d'année 1719, Antoine Chaumont, le plus opulent des Mississipiens, et son épouse Catherine Barré, sollicitent une concession en Louisiane, dans le but d'y établir « une colonie et habitation », dont acte leur fut donné le 26 décembre. Mais il n'est pas ici question de société. La fortune des Chaumont, expression des moyens financiers de ce monde de traitants et munitionnaires auquel ils appartiennent, démesurément grossie de surcroît par les spéculations du moment, est suffisante pour leur permettre d'agir en dehors de toute collaboration. Leur entreprise, destinée à « seconder les intentions » qu'avait « eues S. M... de soutenir le commerce et faire travailler aux différentes cultures et plantations à la Louisiane », relèvera en effet de leur seule initiative et de leurs seuls moyens (1).

Avec la société Law-Guiche, elle marque le terme de la phase vraiment active de l'élan colonisateur qu'avait inaugurée l'avènement de la Cᵗᵉ des Indes. Mais, si cet élan s'exprime surtout dans la constitution de sociétés d'une certaine importance ou dans l'organisation d'entreprises individuelles que la fortune de leurs promoteurs permet de mettre à égalité avec celles des sociétés, il n'exclut pas les initiatives plus restreintes dont la persistance dans cette période d'essor général évoque les débuts modestes du mouvement colonisateur.

La petite société Gwynn-Géraldin caractérise ces entreprises étroites qu'effacent les grandes sociétés et qui ne pourront réussir par l'insuffisance de leurs moyens. Elle est significative des illusions qui persistent sur le Mississipi et sur les possibilités réelles de la colonisation, en dépit des avertissements qui parviennent de Louisiane. Il s'agit ici de deux gentilshommes, domiciliés à Paris, Jean-Baptiste Gwynn et Jean-François Géraldin, dont nous savons seulement que le premier est chevalier de l'ordre de Saint-Lazare. L'un et l'autre habitent dans la rue Saint-André-des-Arts. Vraisemblablement, les rapports de bon voisinage qu'ils entretiennent les ont portés à s'associer pour entreprendre l'exploitation d'une concession en Louisiane. L'acte de société (août 1719), le plus élémentaire dont nous ayons connaissance, ne fait aucune mention du capital : il prévoit seulement le partage de toutes les dépenses, le recrutement de tout le personnel à frais communs, ainsi que le partage des profits

(1) Et. CXXII-556, Convention, 17 avril 1720.

éventuels de la future habitation (1). Également fragile et vouée à l'échec apparaît la tentative de Godefroy-Maurice de La Ryë, seigneur de Saint-Martin, chevalier de justice des ordres royaux et militaires de Notre-Dame de Moncarmel et de Saint-Lazare de Jérusalem, de créer une habitation en Louisiane sur une concession dont la Compagnie lui délivre le brevet le 26 décembre 1719. Son intention eût été de laisser à Willart d'Auvilliers, qui venait de rentrer de Louisiane, et qui lui inspira peut-être son projet de colonisation, l'entière responsabilité de l'entreprise, depuis le recrutement du personnel jusqu'au choix du terrain et aux modalités de l'exploitation. Or, Willart d'Auvilliers ne retourna point en Louisiane, et Maurice de La Ryë, après une longue attente, finit par révoquer purement et simplement la procuration qu'il lui avait établie et renonça à toute velléité d'action colonisatrice (2).

D'autres projets de colonisation se manifestent dans le courant de décembre. Ils sont le fait d'une dame François de Solas, veuve d'un chevalier-trésorier de France au bureau des finances de la généralité de Montpellier, unique exemple d'initiative colonisatrice relevant d'une femme seule, d'un président à mortier au Parlement d'Aix, François de Boyer, et d'un ecclésiastique, François de Resseguier, seigneur de Caumont, membre d'une famille noble de Gascogne (3), qui résidait habituellement à Paris ou à la Cour, où il occupait le poste d'aumônier de la mère du régent (4) : il disposait en outre de plusieurs prébendes en Bretagne et dans les diocèses d'Auch, Cahors et Dax, qu'il résigna en échange d'une rente annuelle et pour acquérir, en 1720, par permutation, un canonicat dans l'église abbatiale de Saint-Pierre de Moissac (5). Tous trois avaient sollicité et obtenu des concessions pour leur « compte particulier », et ils se proposaient de les gérer sans collaborateur ni commanditaire. Mais le regain d'intérêt pour l'entreprise de Louisiane que ces projets paraissent indiquer dans l'élément provincial n'aboutit à aucun résultat

(1) Et. VI-646, Société, 12 août 1719.
(2) Et. CXXII-556, Procuration, 23 avril 1720 ; -557, Quittance, 26 juin 1720.
(3) Et. VIII-935, Transport, 29 mai 1720 ; Conditions accordées... à Mme de Solas..., 26 déc. 1719. — A.C., G 1 465, Conditions accordées par la Cte des Indes à l'abbé de Resseguier, 26 déc. 1719. — B.N., Ms. F.F., N.A., 9499, f. 191-2, Conditions accordées... au président de Boyer-Bandolle, 20 déc. 1719.
(4) Et. XLI-366, Cession de droits, 22 avril 1718. — Et. XV-514-5, Obligation, 24 oct. 1720.
(5) Et. XLIX-489, Permutation, 21 août 1719 ; -495, Procuration, 3 juill. 1720.

sur le plan colonial. Apparemment, la dame de Solas jugea
bientôt la tâche trop lourde puisque, moins de 6 mois plus tard,
elle céda son titre de propriété à un banquier de la vallée de
Barcelonnette, en Haute-Provence, Pierre-Jacques Audiffred,
qui se trouvait pour lors à Paris et qui ne devait, pas plus que
l'abbé de Resseguier et le président de Boyer, donner suite à
aucun projet de colonisation (1). Depuis que les grandes sociétés
sont devenues la règle, les chefs de concessions se recrutent en
presque totalité dans des familles ou des personnalités qui,
quelles que soient leurs origines, ont leur domicile habituel à
Paris, où s'est fixé le centre des spéculations du Système. L'élément proprement provincial s'est détaché d'un mouvement qu'il
avait fortement secondé au début, sous la Cie d'Occident. La
part de la province se résume désormais dans l'apport de main-
d'œuvre qu'elle fournit aux entreprises de colonisation.

Toutes ces données attestent que le mois de décembre 1719
fut, aussi bien dans le domaine des sociétés que dans celui des
entreprises individuelles, un mois de grande activité. Ce fut
également, il est vrai, le terme presque définitif d'un mouvement
qui n'avait pris toute son ampleur que le jour où le Système de
Law était lui-même entré dans la phase décisive des spéculations.
L'année 1720 n'enrichit guère, en effet, le bilan des mois précédents. Trois initiatives à peine se déclarent alors, dont la dernière
a seule abouti à des réalisations tangibles.

Dès le 2 janvier, une « compagnie » de colonisation se constitue
sous la présidence du duc de La Force, composée d'un certain
nombre de représentants de la haute noblesse, la D^{esse} d'Estrées,
le Cte de Grancey, le Mis du Roure et le Mis de Courtomer,
proches parents du duc de La Force, et de quelques représentants
de la robe, Louis Girardin de Vauvré, membre du conseil de
marine, son fils, Claude-François, conseiller à la Cour, et Le
Gendre de Saint-Aubin, maître des requêtes. Mais Law, qui
était personnellement lié avec le duc de La Force, y figure de
nouveau parmi les associés, ainsi que d'Artaguiette d'Iron (2).
Le côté le plus original de cette compagnie devait être de donner
lieu à une tentative d'émigration de familles italiennes en Louisiane, sur la proposition d'un Cte Grégoire Masetti et d'un
chevalier Antoine Fontana qui, en contrepartie de l'engagement
qu'ils prirent de recruter un millier d'émigrants piémontais,

---

(1) Et. VIII-935, Transport, 29 mai 1720.
(2) B.N., Ms. Joly de Fleury, 2042, f. 209 suiv., Registre de la société
pour la concession du duc de La Force à la Louisiane.

bénéficièrent d'une attribution gratuite d'actions de la société (1). Dans le mois de janvier encore, une autre initiative se manifeste : elle émane d'un directeur de la Cie des Indes, Jean-François Delaporte, qui, au même titre qu'un Maurice de La Ryë ou un F. de Resseguier, se propose d'exploiter par ses propres moyens une concession qu'il a obtenue en Louisiane et dont il assume aussitôt l'entière responsabilité financière en fournissant les fonds nécessaires à l'engagement de la main-d'œuvre et à l'achat du matériel (2).

En février enfin, une dernière société s'organise, comme celle de Deucher-Coëtlogon, autour de 2 concessions qui, attribuées respectivement à J. D. Kolly et à Vernesobre de Laurieu, ne formeront qu'une seule exploitation sous le nom de « colonie de Sainte-Reyne » (3). Le répertoire de l'étude qui a conservé l'acte de société indique au nombre de ses 7 membres René-Louis de Voyer d'Argenson, le fils du garde des sceaux, ce qui serait un témoignage de la confiance que l'action coloniale de Law était parvenue à inspirer aux ennemis de son Système (4). Mais le document définitif, où les adhérents ne sont qu'au nombre de 6, ne le mentionne plus, si bien qu'on serait tenté de conclure à son désistement. Or, le capital de la société, calculé sur une quote-part individuelle de 50 000 livres, suppose précisément 7 adhérents (5). Il y a là une contradiction dont la raison nous échappe. Parmi les 6 membres énumérés dans l'acte de société, 2 sont peu connus, Jean Lamy, bourgeois de Paris, et Jean-François Wagret, conseiller du roi, médecin ordinaire de Sa Majesté et de ses hôpitaux à Valenciennes (6). Nous retrouvons ensuite le conseiller financier de l'électeur de Bavière et Louis-Victoire Dufaure, qui faisait déjà partie de la société d'Artagnan-d'Artaguiette, et qu'une longue amitié, à en juger par son testament, liait à la famille de Jean-Daniel Kolly (7). Peut-être Dufaure a-t-il été cause de l'adhésion de son beau-frère, Jean-Baptiste du Réville ou Dureville, conseiller-secrétaire

(1) B.N., Ms. J. de Fleury, 2042, f. 210-4 ; F.F., N.A. 9801, f. 60-64, Extrait des registres de la chancellerie du Consulat de France à Gênes, Lettre de Masetti et Fontana.
(2) Et. XVI-655, Convention pour la Louisiane, 24 janv. 1720.
(3) Et. CXXI-252, Société, 9 févr. 1720. — A.C., G 1 465, *Mémoire (des intéressés en la colonie de Sainte-Reyne) aux directeurs de la Cie des Indes*, 1725.
(4) Répertoire CXXI, 9 févr. 1720.
(5) Et. CXXI-252, Société, 9 févr. 1720.
(6) *Ibid.*
(7) *Ibid.* — A.N., Y 69, Registre pour servir à l'enregistrement des actes et jugements..., f° 196 v-7, Testament de L.-V. Dufaure, 24 oct. 1766.

du roi et gouverneur, capitaine, châtelain de la ville de « Pierlatte
en Dauphiné » (1). Mais la recrue la plus inattendue apparaît
dans la personne de François-Mathieu de Vernesobre de Laurieu,
ce protestant d'origine bourguignonne émigré à Genève, puis
revenu en France à la fin du règne de Louis XIV, où, après avoir
échoué dans la profession de marchand banquier, il sort brusquement de l'obscurité lorsqu'il obtient à la Banque générale un
emploi qui le conduit bientôt au poste de trésorier de la Banque
royale et de receveur général de la Cie des Indes : c'est sous ce
double titre qu'il adhère à la société de Sainte-Reyne. Les
archives des notaires permettent de dissiper la confusion qui a
fait attribuer à l'aîné, Jean Vernesobre, agent de banque,
commerce et finances, la carrière de son frère François-Mathieu
dont Duhautchamp a décrit l'ascension et la fortune hallucinante,
qu'il parvint à mettre en lieu sûr, en Allemagne, avant les opérations du visa (2). Dans la société, il occupe avec Kolly et
Jean Lamy une position dominante : tous trois sont chargés du
recrutement et de l'acheminement du personnel, des préparatifs
matériels de l'entreprise, des négociations avec la Cie des
Indes (3). Mais, plus nettement que dans la société Deucher-
Coëtlogon, c'est Kolly qui assume ici les principales responsabilités en se chargeant de la tenue des livres, de la correspondance et de la gestion de la colonie. Il fait seul fonction de
trésorier : tous les associés doivent déposer entre ses mains leur
quote-part du « fond capital » (4). Il agit en réalité comme fondé
de pouvoir de la société. Ce rôle dirigeant qu'il occupe dans les
sociétés de Sainte-Catherine et de Sainte-Reyne explique la solidarité qui s'est manifestée dès le début entre les deux organismes,
soit dans le choix du personnel recruté en France, soit dans
l'organisation du ravitaillement de leurs colonies de Louisiane,
dont les destinées seront inséparables (5).

---

(1) A.N., Y 69, *op. cit.* — Et. CXXI-247, Obligation, 15 sept. 1719 ;
-253, Obligation, 8 mars 1720.
(2) Duhautchamp, *Histoire du visa*, I, p. 154 suiv. — Et. CXXI-252,
op. cit. — Sur Jean Vernesobre l'aîné, Et. XX-454, Vente de maison,
4 août 1717 ; Consentement, 28 août 1717 ; -458, Compte rendu, 11 août 1718 ;
-460, Bail, 23 févr. 1719 ; Et. XLII-322, Constitution viagère, 14 août 1720. —
Sur F.-M. Vernesobre, Et. XX-454, Décharge, 4 juill. 1717 ; Et. XVII-597,
Bail, 31 janv. 1719 ; Et. LXVII-332, Dépôt de pièces, 12 janv. 1719.
(3) Et. CXXI-252, Société, 9 févr. 1720.
(4) *Ibid.*
(5) A.C., G 1 464 (Passagers), pièces 45 et 50. — Arch. du Morbihan,
EN 3910, Engagement, 12 mai 1720. — Char.-Mar. B 5718, pièce 188.

*
* *

Il s'en faut, on l'a déjà noté, que ces nombreuses entreprises aient uniformément abouti. Ni la petite société Gwynn-Géraldin, ni les initiatives de Maurice de La Ryë, de J.-F. Delaporte, de l'abbé de Resseguier ou de la dame de Solas, ni enfin les entreprises plus considérables du président Dodun, du Mis de Brancas, du duc de La Force ou de Fromaget-Gattebois, n'ont eu de suite. Dans le cas de F. de Resseguier, tout indice de colonisation avait disparu de ses papiers lorsqu'il mourut en 1733, et sa légataire, la dame Degras-Delignac, femme d'un conseiller au Parlement de Toulouse, ne parvint pas à savoir ce qu'était le terrain que son testament lui léguait en Louisiane (1). Pour les autres entreprises, elles s'éteignent généralement sans laisser aucune trace. Lorsqu'elles vont jusqu'à engager du personnel, on constate que, le plus souvent, elles cessent toute activité à partir du mois de février 1720. La société du Mis de Brancas, par exemple, procède à un certain nombre d'engagements de décembre 1719 à la fin de janvier 1720 à Paris et à La Rochelle (2), celle du président Dodun recrute quelques engagés à Paris à la mi-février, tandis que, dans le cas de la société Fromaget-Gattebois, l'unique engagement que nous connaissons, celui du directeur de la concession dont elle projette l'établissement, se situe au 30 janvier 1720 (3). Il n'est plus question ensuite d'aucune de ces sociétés, et il est impossible de dire dans quelles conditions elles se sont éteintes. La compagnie du duc de La Force est la seule dont on peut établir qu'elle a duré jusqu'au mois de janvier 1721. A cette date, consigne le registre de la société, tant du fait de l'incertitude des projets de la Cie des Indes à l'égard de la Louisiane, dont l'avenir paraissait gravement compromis par la chute de Law, que du fait des nouvelles relatives à la mortalité qui sévissait dans la colonie parmi le personnel des concessions, les associés suspendirent définitivement leurs préparatifs. En réalité, la décision que prit la société dès le mois de mars 1720 d'interrompre le recrutement des familles italiennes, les nombreux remaniements qui se produisirent alors dans sa composition, les désistements de plusieurs associés, qui refusaient

---

(1) A.C., G 1 465, Testament de F. de Resseguier, 23 févr. 1733, Déclaration de Mme de Lignac, 1734.
(2) Et. LVIII-265, Nomination, 29 nov. 1719 (4 actes successifs). — Répertoire Et. LVIII (indique des engagements dont les minutes ont disparu). — Char.-Mar., Minutes du notaire Jarosson, 28 déc. 1719.
(3) Et. VIII-931, Traité, 14 janv. 1720 ; -932, Engagements pour la Louisiane, 15 févr. 1720. — Et. XLVIII-35, Engagement, 30 janv. 1720.

d'acquitter leur quote-part du fond commun, suivis de nouvelles adhésions, notamment celle du duc de Saint-Aignan et du M^{al} d'Estrées, l'obligation où elle se trouva d'acheter un navire pour le transport du personnel qu'elle engageait, les pertes qu'elle subit du fait de la conversion en espèces métalliques, dès juillet 1720, puis en comptes en banque d'une grande partie de son capital, entièrement constitué par des billets de banque et des actions de la Cie des Indes, paraissent indiquer qu'elle s'était trouvée rapidement aux prises avec de sérieuses difficultés, liées aux fluctuations du Système de Law aussi bien qu'à la mauvaise organisation du mouvement colonisateur (1). L'interruption de l'activité de la plupart de ces sociétés, dans les premiers mois de 1720, pourrait s'expliquer par l'appréhension que l'avenir du Système commençait à éveiller dans les milieux qui leur fournissaient leurs principaux adhérents. Plusieurs, vraisemblablement, préférèrent renoncer à une aventure dont l'issue paraissait trop directement subordonnée à celle des entreprises de Law. Le désistement que signifièrent au directeur de la Cie des Indes, J.-F. Delaporte, le 21 août 1720, les deux mandataires qu'il avait désignés sept mois plus tôt pour prendre les mesures nécessaires à la réalisation de ses projets peut difficilement se dissocier de la désagrégation du Système. A cette date, les défaillances qui s'étaient manifestées dès la fin de 1719 ou le début de 1720 se sont aggravées, le discrédit du billet de banque s'est affirmé, et les deux marchands que Delaporte avait chargés de ses intérêts se démettent après avoir touché intégralement une année de gages et de gratifications en monnaie fiduciaire qu'ils conservèrent « par forme de dédommagement », ainsi que des indemnités de déplacement, et après avoir effectué avec les fonds de leur commettant des achats de marchandises qui, n'ayant plus d'utilité, ne furent pas acheminées (2).

Dans leur ensemble, et quelle qu'ait été leur durée, les sociétés qui se forment sous le régime de la Cie des Indes se situent dans une phase déterminée du Système et elles en apparaissent comme la conséquence immédiate. La plupart se sont créées dans la période d'euphorie de la spéculation que limitent les mois de juillet et décembre 1719. Et, si les principales poursuivent leurs préparatifs l'année suivante, la Louisiane cesse alors, virtuelle-

---

(1) B.N., Ms. Joly de Fleury, 2042, f. 236 v, 243-243 v, 244-244 v, 246-7, 279-282. — Ms. F.F., N.A., 9801, 62-63 v. — Et. XXXI-71, Convention et pièce déposée, 19 janv. 1720.

(2) Et. XVI-655, Convention pour la Louisiane, 24 janv. 1720, pièce du 21 août 1720.

ment, de donner lieu à de nouvelles initiatives. L'élan colonisateur devient dans ces conditions un mouvement de courte
durée et dépourvu de racines profondes, alimenté par des circonstances passagères, lié à une période de prospérité financière
dont l'avenir, en dépit de l'éclat qu'elle a pu avoir, apparaît
compromis dès la fin de 1719.

Cependant, les sociétés qui prennent naissance au cours de
ces quelques mois marquent un progrès indiscutable sur la
plupart de celles qui les ont précédées. Grâce à elles, la colonisation de la Louisiane échappe à ce morcellement d'efforts qui
avait longtemps relevé de groupes ou d'individus médiocrement
équipés pour une tâche aussi lointaine. L'évolution, commencée
avec l'entreprise de Richard Cantillon, s'est précisée avec l'élar-
gissement de la société du Mis de Mézières et la participation
de Law au mouvement colonisateur pour aboutir en dernière
analyse à la constitution de dix sociétés organisées en principe
pour une action plus efficace, sous la direction de « grands
seigneurs » ou de « riches particuliers ». Le *Nouveau Mercure* note
maintenant le rôle grandissant de ces deux éléments dans les
entreprises de colonisation (1). La Cie des Indes, comme l'avait
déjà fait la Cie d'Occident, invitait elle-même les « personnes
de considération » à s'associer à l'effort qu'elle poursuivait en
leur offrant des terrains en Louisiane : c'est dans ces conditions
que les associés de Claude Le Blanc, comme, antérieurement,
Chantreau de Beaumont, nous disent être intervenus dans le
programme de colonisation du Mississipi (2).

Sans doute, les représentants de ces grandes familles
voyaient-ils dans l'invitation de la Compagnie l'occasion d'une
spéculation profitable. Le 24 août 1719, au moment où le Système de Law éveille dans le royaume un optimisme général,
le Mis de Dangeau écrit dans son journal que l'on « commence
à parler des plantations » qui se forment en Louisiane, et que les
concessionnaires en attendent des « profits... immenses » au bout
de trois ans (3). Il paraît plus douteux que les enrichis du Système
aient envisagé l'offre de la Compagnie comme un moyen de se
créer des domaines qui leur conféreraient de nouveaux titres
nobiliaires. Dans plusieurs cas, les concessionnaires, ainsi que
l'avait annoncé la *Gazette de Hollande*, donnèrent leurs noms aux

---

(1) Sept. 1719, p. 204. — *Mercure historique*, 1719 (67), p. 344, 444. —
Gazette de Hollande, 5 sept. 1719 ; 19, 22 sept., 17 oct. 1719.
(2) A.C., G 1 465, Requête au roi du Mis d'Asfeld et du Cte de Belle-Isle...,
1731 ou 1732.
(3) *Journal de Dangeau*, t. 18, p. 111.

domaines qui leur furent accordés (1). Mais les textes contemporains ne mentionnent point ces duchés, comtés et marquisats qu'on a représentés ultérieurement comme la promesse dont la Cie des Indes aurait acheté l'adhésion des « riches particuliers » au mouvement colonisateur (2). En principe, le concessionnaire, quel que fût son rang social, ne pouvait prétendre à une terre en seigneurie, exclue par les Lettres patentes d'août 1717, qui restaient en vigueur sous la Cie des Indes (3). Le souverain avait, depuis longtemps, pris position contre le principe des concessions seigneuriales dans les colonies, il venait de refuser des demandes de seigneuries émanant d'administrateurs de la Nouvelle France, et la correspondance du conseil de marine montre que, en 1719, le point de vue officiel n'avait pas varié (4). Lorsque le régent, au début de 1718, fut saisi d'une requête des associés d'Étienne Demeuves sollicitant, en récompense de l'œuvre qu'ils se proposaient d'accomplir en Louisiane où ils se disaient les premiers à « risquer leurs biens et leurs vies pour la gloire de la France », des lettres de noblesse et des seigneuries dont le roi fixerait les noms, il répondit évasivement, en subordonnant sa décision à « la manière dont ils se condui(raient) dans leur établissement » : et la question ne fut plus soulevée par la suite (5). Aux gentilshommes, la Cie des Indes, au même titre que la Cie d'Occident, n'offre de concession qu'en franc-alleu, conformément au texte d'information de Duché, qui divise les concessions en deux catégories : la concession « pure et simple » à l'usage des roturiers, la concession en franc-alleu pour les gentilshommes et « autres personnes vivant noblement » (6). Le franc-alleu est effectivement le régime qu'indiquent les quelques textes qui définissent explicitement le statut des concessions attribuées aux membres de la noblesse ou éléments assimilés : le duc de Guiche, Maurice de La Ryë, Gérard-Michel de La Jonchère, l'abbé de Resseguier, la dame de Solas, Philippe Renaut et Martin d'Artaguiette pour leur concession des Illinois, Jean Deucher enfin et Charles-Élizabeth de Coëtlogon agissant

(1) *Gazette de Hollande*, 22 sept. 1719. — Piossens, *Mémoires de la régence*, éd. Langlet-Dufresnoy, Amsterdam, 1749, t. IV, p. 46-7.

(2) E. Levasseur, *Recherches historiques sur le Système de Law*, p. 154. — P.-E. Lemontey, *Histoire de la régence et de la minorité de Louis XV*, p. 322.

(3) Et. XV-503, Société de la colonie de Sainte-Catherine, art. 3.

(4) A.C., F 3 9, f. 312 v, *Mémoire du roi au S. de Ramezay...*, 10 juill. 1715. — A.M., B 1 41, f. 257-257 v, Conseil de marine, 14 mars 1719, Observation sur une lettre de Vaudreuil et Bégon (8 nov. 1718).

(5) A.M., B 1 29, f. 172 v-3, Conseil de marine, 14 févr. 1718, Requête des Srs J.-B. et Michel Delaire...

(6) A.C., C 13 C 1, f. 336.

au nom de leurs associés, reçoivent uniformément des concessions de cette nature (1). Ce sont les seuls cas auxquels corresponde une documentation explicite. En apparence, ils confirment la règle établie par Duché.

Il ne semble pourtant pas que la concession en seigneurie, si elle fait défaut sous la Cⁱᵉ d'Occident, ait été complètement exclue par la Cⁱᵉ des Indes. Les actes d'engagement du personnel des concessions, bien qu'ils ne mentionnent jamais le régime de celles-ci et qu'ils ne contiennent aucune allusion à des duchés, comtés ou marquisats, tendraient à prouver, en effet, qu'il y eut quelques exemples de concessions seigneuriales. C'est ainsi que, dans les contrats d'engagement passés par le Mⁱˢ d'Ancenis lorsqu'il s'associa avec Law et l'abbé de Tencin, il est spécifié que les hommes qui bénéficieront d'attributions de terres dans les limites de la concession seront tenus envers « le dit seigneur » à des « redevances et droits seigneuriaux », ce qui est contraire à la formule du franc-alleu (2). De même, dans le cas de la société de Law et du duc de Guiche, les engagements conclus à La Rochelle et à Paris parlent des « cens et droits » auxquels les engagés seront tenus envers les « seigneurs concessionnaires » dont ils recevront des terres à l'issue de leurs contrats (3). Dans le cas enfin de la société du Mⁱˢ de Brancas, il est formellement question des « droits seigneuriaux et autres devoirs », et, plus explicitement, des « droits seigneuriaux... qui seront dus lors des mutations » aux « seigneurs concessionnaires de l'habitation » par les engagés auxquels des terres seront cédées (4).

Pour ces trois sociétés, les contrats d'engagement ne paraissent pas laisser d'équivoque sur le régime des concessions. Pourtant, le duc de Guiche avait d'abord obtenu de la Compagnie, le 20 décembre 1719, une concession en franc-alleu (5). Dans ce cas, on peut supposer que le statut de seigneurie ne lui fut reconnu que lorsque le duc s'associa avec Law et du fait de l'influence personnelle du financier. Peut-être aussi, dans ces conditions, la grande concession que celui-ci reçut au début

---

(1) A.N., V 7 257, Délibération de la Cⁱᵉ des Indes du 20 déc. 1719. — A.C., G 1 465, Conditions accordées à l'abbé de Resseguier, 26 déc. 1719, à M. de La Jonchère, 26 oct. 1719. — Et. VIII-935, Société de la colonie de Sainte-Catherine. — Et. LXIX-299, Mariage, 1ᵉʳ juill. 1729.
(2) Et. LXXVII-158, Convention, 23 oct. 1719 ; Engagement, 5 nov. 1719 et 14 nov. 1719.
(3) Et. XLVIII-39, Engagement, 15 mai 1720. — Char.-Mar., Liasse Desbarres 1720, nº 1.
(4) Et. LVIII-265, Engagement, 4 déc. 1719. — Char.-Mar., Minutes du notaire Jarosson, Engagements, 28 déc. 1719.
(5) A.N., V 7 257, Délibération de la Cⁱᵉ des Indes du 20 déc. 1719.

de juillet 1719 pour son compte personnel était-elle une concession seigneuriale. Mais les documents font ici complètement
défaut et les actes d'engagement eux-mêmes ne fournissent
aucune indication utile.

Si, de ces quelques exemples, il est permis de conclure à des
dérogations au principe de la concession en franc-alleu, les
superficies n'obéissent pas non plus, sous la Cie des Indes, à la
pratique uniforme qui s'était établie sous la Cie d'Occident. La
concession de 4 lieues géométriques « en carré ou autrement
figurée » reste la règle la plus fréquente. D'après le guide que
Duché rédigea à l'intention des concessionnaires en 1719, la
Compagnie n'accordait pas d'étendue de terre plus considérable,
et les gazettes contemporaines donnent 4 lieues carrées comme
la superficie habituelle des concessions (1). Aucune, d'après le
texte de Duché, n'était inférieure à 1 lieue carrée : c'était, nous
dit-il, la surface réservée à ceux qui n'engageaient pas plus de
50 personnes, — détail inexact, puisque l'abbé de Resseguier,
G.-M. de La Jonchère et plusieurs autres reçurent 4 lieues carrées
pour un personnel qui, à la demande même de la Compagnie (2),
n'excédait pas cet effectif. En fait, nous ne connaissons, à la
lumière de la documentation existante, qu'une seule concession
d'une lieue carrée, celle qui fut accordée en novembre 1718 à
la société d'Artaguiette d'Iron-Renaut-Bérenguier pour les
Illinois : encore est-elle antérieure à la Cie des Indes (3). Dans
les actes de société, la concession de 4 lieues en carré demeure
en effet, sous la Cie des Indes, la formule la plus répandue (4).
Mais elle n'est plus la règle invariable. Deux exceptions méritent
d'être signalées : celle du Mis de Mézières et de Charlotte Oglethorpe, à qui la Compagnie concéda respectivement 5 lieues
carrées de terrain « dans la province et gouvernement de la
Louisiane », celle surtout de Law qui, le 5 juillet 1719, obtint
une concession de « 16 lieues en carré ou en d'autre forme de
la même étendue », soit la superficie la plus considérable
— 256 lieues — que mentionnent les textes existants (5), un

---

(1) A.C., C 13 C 1, f. 336. — *Nouv. Mercure*, sept. 1719, p. 203. — *Gaz.
de Hollande*, 17 oct. 1719. — *Mercure historique*, 1719 (67), p. 444.
(2) A.C., G 1 465, Conditions accordées à F. de Resseguier et à M. de La Jonchère. — Et. XV-503, Concession accordée à M. de Coëtlogon, 5 déc. 1719. —
A.C., C 13 C 1, f. 336.
(3) Et. LXIX-299, Mariage, 1er juill. 1729.
(4) Et. LVIII-265, Convention, 29 nov. 1719. — Et. LXIX-299, Mariage,
1er juill. 1729. — Et. VI-646, Société, 12 août 1719. — Et. VIII-935, Transport, 29 mai 1720. — Et. CXXII-556, Convention, 17 avril 1720 ; Procuration,
23 avril 1720. — A.N., V 7 257, Délibération de la Cie des Indes, 20 déc. 1719.
(5) Et. XCV-70, Engagement, 28 nov. 1720. — Et. XLVIII-35, Commission

domaine dont la mise en valeur eût exigé des moyens de peuplement qui dépassaient les possibilités du moment. L'émigration allemande dont Law prit l'initiative répondait peut-être au désir de fournir à sa grande concession la main-d'œuvre qui lui était nécessaire. Peut-être aussi l'importance du terrain n'était-elle, pour le financier, au même titre que le chiffre élevé de sa souscription aux actions d'Occident, qu'un moyen d'agir sur l'opinion publique et d'encourager de nouvelles demandes de concessions.

D'autre part, il y a lieu d'observer que les concessions étaient faites individuellement, au nom d'un concessionnaire déterminé, et que, lorsqu'une société de colonisation se formait, elle pouvait comprendre plusieurs concessionnaires, dont les domaines devenaient la propriété commune des associés. Elle pouvait dès lors se trouver en possession d'étendues considérables, susceptibles, dans un cas au moins, d'égaler celle de la grande concession de Law : la société Fouquet de Belle-Isles-Claude Le Blanc dispose en effet de 4 concessions de 4 lieues carrées, soit l'équivalent du domaine du financier, tandis que celle du Mis de Mézières dispose de 10 lieues carrées, correspondant aux lots accordés respectivement au marquis et à sa belle-sœur, et celle du duc de La Force de 12 lieues carrées, formées par la réunion des parts de plusieurs membres de sa compagnie (1). La société Deucher-Coëtlogon, au contraire, en dépit du grand nombre de ses membres, s'édifie sur 2 concessions seulement de 4 lieues carrées chacune, ainsi que la société de la colonie de Sainte-Reyne, à laquelle 2 concessions ont été accordées dont on peut supposer, faute d'indication dans l'acte de société, qu'elles présentaient une étendue équivalente (2).

Mais, si tous les adhérents s'associent « dans le fond, propriété et jouissance » des concessions d'une même société (3), celles-ci, quel que soit l'effectif des intéressés, gardent généralement, à de rares exceptions près, comme celle du duc de La Force, le nom de ceux qui les ont sollicitées et obtenues personnellement. La colonie de Sainte-Catherine porte le nom de ses 2 conces-

---

de J. Law à J. Levens, 28 janvier 1720. — Char.-Mar., Registre Desbarres (1718-1721), f. 151 v, 11 mai 1720. — A.N., V 7 256, Déclaration de J. Levens, 8 janv. 1720.

(1) A.C., G 1 465, Le Mis d'Asfeld et le Cte de Belle-Isle au roi..., 1731-2. — Et. XCV-70, Engagement, 28 nov. 1720. — Et. CXVI-215, Convention, 17 août 1719. — B.N., Ms. Joly de Fleury, 2042, f. 229 v.

(2) Et. XV-503, Société de la colonie de Sainte-Catherine, 4 sept. 1719. — Et. CXXI-252, Société, 9 févr. 1720.

(3) Et. VIII-930, Société reconnue, 6 déc. 1719. — Et. LVIII-265, Convention, 29 nov. 1719.

sionnaires en titre sous la forme « colonies de Deucher et de Coëtlogon » ou, moins clairement, « colonies de Deucher dites de Sainte-Catherine et de Coëtlogon » (1). Pour la société de Mézières, on parlera des colonies du Mis de Mézières et de la M^ise des Marches, ou des Mis de Mézières et des Marches, celui-ci agissant au nom de son épouse (2). La colonie de Sainte-Reyne, enfin, qui figure dans les premiers actes notariés sous le nom de « colonies de Sainte-Reyne et de Vernesobre », ne sera plus connue ensuite, du fait sans doute du retrait de Vernesobre de Laurieu au moment des opérations du visa, que comme colonie ou concession du Sr Kolly (3). Et, dans bien des cas, les engagements de personnel se font sous la signature des seuls concessionnaires.

Dans la mesure où il est possible de formuler une règle certaine, ces sociétés, comme au début celle des frères Scourion, s'organisent sur la base du partage de tous les frais, pertes et profits entre les adhérents. La part de chacun dans les profits ou les dépenses se calcule au prorata de celle qu'il a dans le fonds commun initial de la société, de même que les voix dont les associés disposent dans les assemblées générales sont subordonnées à leurs mises de fonds respectives (4). Plus rarement, comme pour la société du Mis de Brancas, dépenses et bénéfices se répartissent au prorata à la fois des mises de fonds et de la part de propriété que les associés détiennent dans la concession. Car, si ces derniers se déclarent « conjointement propriétaires » de la concession, la formule n'implique pas nécessairement un titre de propriété égal pour tous. Dans la société du Mis de Brancas, les uns sont propriétaires du tiers, les autres du sixième de la concession, et, dans le cas de la société du Mis de Mézières, son beau-frère le Mis des Marches, en dépit de la mise en commun des deux concessions et en sa qualité d'époux de Charlotte Oglethorpe, se réserve la moitié de la colonie que la société doit créer en Louisiane, le reste appartenant par tiers au Mis de Mézières, à Fargès et à Peirenc de Moras (5).

(1) Et. XV-503, Société Sainte-Catherine, Déclaration du 5 déc. 1719 ; -504, Engagements, 12 oct., 29 déc. 1719 ; -506, Procuration, 29 déc. 1719.
(2) Et. XCV-70, Engagement, 28 nov. 1720. — Arch. du Morbihan, EN 3910, Procuration, 14 juin 1720. — A.C., G 1 464 (Passagers), n° 47.
(3) Arch. du Morbihan, EN 3910, Engagement, 12 mai 1720. — A.C., G 1 464, Recensement de La Nouvelle-Orléans et lieux circonvoisins, 24 nov. 1721.
(4) Et. VIII-930, Société reconnue, 6 déc. 1719. — Et. XV-503, Société de Sainte-Catherine, art. 1 et 5.
(5) Et. LVIII-265, Convention, 29 nov. 1719. — Et. XCV-70, Engagement, 28 nov. 1720. — B.N., F° fm 17257, p. 11, *Mémoire pour François Willart d'Auvilliers.*

Il n'est plus question, d'autre part, de société en commandite. Et le principe des capitaux basés sur des émissions d'actions disparaît virtuellement. La Compagnie du duc de La Force, au capital de 60 actions de 20 000 livres, répond seule à cette formule (1). Une autre différence provient du fait, déjà noté pour l'entreprise de Richard Cantillon, que les associés, en règle générale, restent dans la métropole et s'en remettent à un personnel salarié du soin de gérer les concessions en Louisiane. Quelques-uns des adhérents, désignés par l'ensemble des intéressés, ou, plus rarement, les concessionnaires en titre, se chargent du recrutement de la main-d'œuvre, de l'organisation des départs, de l'achat de l'outillage et des marchandises, du contrôle enfin des comptes du directeur de la concession : le banquier Jean Deucher, le Mis des Marches, Daniel Kolly surtout, interviendront ainsi, personnellement, dans la gestion de l'entreprise (2). Mais ces opérations s'effectuent dans la métropole, et il arrive même qu'elles soient le fait d'un simple commis ou d'un caissier (3).

Il est possible, en outre, que ces sociétés se soient formées pour une durée plus prolongée qu'au début : 6 ans pour celle de la colonie de Sainte-Reyne, 10 pour celle du président Dodun, alors que les premières n'étaient prévues que pour 5 ans (4). Mais le point qui, plus qu'aucun autre, oppose les deux groupes de sociétés est la plus grande importance des capitaux investis dans les entreprises des années 1719-20. Duché, dans son bulletin d'information, estimait que 200 000 livres devaient suffire à la formation d'une habitation de 4 lieues carrées (5). La société Deucher-Coëtlogon, dont l'entreprise portait sur une étendue de 8 lieues carrées, a effectivement engagé, au départ, un capital de 400 000 livres, en prévoyant pour l'avenir, en cas de nécessité, une augmentation du fonds initial avec la participation obligatoire de tous ses membres (6). Mais c'est le seul cas où l'on constate l'application de la théorie de Duché. Les associés de Fouquet de Belle-Isle mettent un fonds identique dans un projet de colonisation qui intéresse un domaine deux fois plus étendu, tandis que la société du président Dodun et celle de Sainte-Reyne, dont on a tout lieu de supposer que les concessions répondaient

(1) B.N., Ms. Joly de Fleury, 2042, f. 213-213 v.
(2) Et. XV-503, Société de Sainte-Catherine, art. 3, 4, 6, 7, 8. — Et. CXXI-252, Société, 9 févr. 1720.
(3) Et. VIII-930, Société reconnue, 6 déc. 1719, art. 5, 9. — Et. LVIII-265, Convention, 29 nov. 1719.
(4) Et. VIII-930, *op. cit.* ; Et. CXXI-252, *op. cit.*
(5) A.C., C 13 C 1, f. 336 v.
(6) Et. XV-503, Société de Sainte-Catherine.

respectivement à une superficie de 4 et de 8 lieues carrées, engagent, la première 300 000, et la deuxième 350 000 livres, et la
compagnie du duc de La Force, pour une exploitation de 12 lieues
carrées, prévoit un fonds de 1 200 000 livres (1). Pour le capital
des autres sociétés nous sommes souvent privés d'information.
C'est particulièrement regrettable dans le cas d'entreprises
comme celles du Mis de Mézières, de Law et du duc de Guiche,
qui ont participé effectivement à la colonisation de la Louisiane,
alors que celle du président Dodun, sur laquelle nous sommes
bien renseignés, présente, faute d'être passée aux réalisations,
un intérêt purement théorique. Mais, quelle que soit l'insuffisance de notre documentation, elle permet de conclure à des
mises de fonds singulièrement plus élevées que pour les organismes antérieurs. Les parts des associés dans le capital commun
dépassent de loin les apports d'Étienne Demeuves ou des membres de la société Scourion et de celle des frères Brossard. Dans
le cas de la société Deucher-Coëtlogon, 11 des adhérents souscrivent chacun 20 000 livres, ce qui, pour être la part la plus
faible, équivaut pourtant au fonds initial d'Étienne Demeuves ;
3 fournissent respectivement 40 000 livres, et la contribution
personnelle d'Élisabeth de Coëtlogon s'élève à 60 000 livres (2).
Dans la société Dodun, la contribution la plus réduite est de
10 000 livres : 4 associés s'en tiennent à ce chiffre. Mais les parts
des 6 autres s'échelonnent, en progression régulière, de 20 à
70 000 livres (3). Les membres de la société de Sainte-Reyne,
enfin, remettent au fonds commun, respectivement, 50 000 livres,
soit, au total, un capital de 350 000 livres (4) (?)

D'après les déclarations ultérieures de quelques-uns des
associés, ces chiffres, aux yeux de ces derniers, témoignaient
d'un gros effort financier (5). Ce sont effectivement des mises de
fonds considérables si on les compare à celles des premières
sociétés, et si l'on observe que, dans bien des cas, les capitaux
engagés furent perdus, sans contrepartie, pour les intéressés.
La Compagnie n'avait pas modifié les conditions qu'elle avait
faites aux premières sociétés. Sous une forme plus brève, elle

---

(1) A.C., G 1 465, Le Mis d'Asfeld et le Cte de Belle-Isle au roi..., 1731
ou 1732 ; *Mémoire (des intéressés en la colonie de Sainte-Reyne)...*, 1725. —
Et. VIII-930, *op. cit.* — Et. CXXI-252, *op. cit.* — B.N., F.F., N.A., 9801,
f. 62, *Mémoire du comte Maselti et du chevalier Fontana.*
(2) Et. XV-503, Société de Sainte-Catherine, 4 sept. 1719.
(3) Et. VIII-930, Société reconnue, 6 déc. 1719, art. 4-5-6.
(4) Ci-dessus, p. 197.
(5) A.C., G 1 465, Le Mis d'Asfeld et le Cte de Belle-Isle au roi..., 1731
ou 1732, *Mémoire (des intéressés en la colonie de Sainte-Reyne)...*, 1725.

garantissait toujours le transport gratuit et la nourriture du personnel de tout rang depuis le port d'embarquement jusqu'au lieu de la concession, elle s'engageait à faire parvenir à destination tous les effets et le matériel de la colonie, à distribuer, à charge de restitution, les semences de la première année, à consentir, en cas de découvertes minières, des exemptions de droits qui favoriseraient le succès de l'exploitation (1). Un capital de 3 à 400 000 livres pouvait, dans ces conditions, paraître suffisant pour permettre l'achat du matériel et des vivres, couvrir les frais d'engagement du personnel et les avances qu'il était coutume de lui faire, assurer sa subsistance jusqu'à la date du départ, tout en laissant une marge pour l'action proprement colonisatrice. Les dépenses initiales effectuées par la société de Mézières démontreront qu'un fonds de cet ordre était, *a priori*, bien calculé pour les besoins des grandes entreprises (2). Mais, en présence des obstacles auxquels les concessions se heurtèrent à leur arrivée en Louisiane, des innombrables contretemps qui retardèrent l'occupation du terrain et les opérations de défrichement, de l'attitude peu sympathique et de l'inefficacité des représentants de la Compagnie, les associés durent procéder sur leur capital à d'importants prélèvements qui paralysèrent ou réduisirent les possibilités ultérieures des exploitations. C'est ainsi que le fonds de 350 000 livres de la société de Sainte-Reyne se trouva complètement absorbé au bout d'un an (3). Dans le milieu et dans les circonstances où s'engagea l'action de ces entreprises de colonisation, des capitaux plus élevés auraient été nécessaires pour venir à bout des problèmes qui surgirent dès les premiers jours.

Or, la plupart des associés auraient pu aisément augmenter leur contribution financière. Le moment y était éminemment favorable. Beaucoup, parmi les promoteurs ou les adhérents des sociétés, participaient activement à la vague de spéculation qui s'était déchaînée sur la masse des papiers en circulation, et les taxes qui leur furent réclamées, à la suite des opérations du visa, aussi bien que les achats de biens-fonds auxquels ils procédèrent dans la métropole, établissent qu'ils se trouvaient en possession de fortunes dont ils n'affectèrent qu'une très faible partie à la

---

(1) A.C., G 1 465, Conditions accordées à l'abbé de Resseguier, 26 déc. 1719, et à M. de La Jonchère, 26 oct. 1719. — Et. VIII-935, Conditions accordées à Mme de Solas, 26 déc. 1719. — Et. XV-503, Conditions accordées à M. de Coëtlogon, 5 déc. 1719.
(2) Ci-dessous, p. 215-6.
(3) A.C., G 1 465, *Mémoire (des intéressés en la colonie de Sainte-Reyne)...,* 1725.

spéculation proprement coloniale. Parmi les sociétés de colonisation, celles que dominent les amis ou les collaborateurs de Law
et les spéculateurs ou les enrichis du Système occupent en effet
une place maîtresse. Il n'est pas possible de définir la position
dans les spéculations de l'époque de tous ceux qui ont pris part
au mouvement colonisateur, et de dire dans quelle mesure ils
se trouvèrent alors à la tête de capitaux dont ils auraient pu
faire bénéficier les entreprises de Louisiane. Mais les indices ne
manquent pas de ce qu'aurait pu être la contribution de la
plupart de ces sociétés à l'effort colonisateur.

Dans la seule société de Sainte-Catherine, 5 personnalités
au moins auraient eu des disponibilités considérables. La taxe
qui fut infligée au banquier Jean Deucher, 1 500 000 livres, en
raison des gains qu'il avait réalisés en s'aidant largement de ses
relations personnelles avec Law (1), celle à peu près équivalente
que subit l'inspecteur de la Banque, J.-B. de Fénelon, pour une
fortune que les commissaires du visa évaluèrent à 20 millions de
livres en papiers du Système (2), les bénéfices qu'Étienne Bourgeois, à la faveur aussi de ses fonctions dans la Banque royale,
fut accusé par les liquidateurs du Système d'avoir faits sur les
seules émissions de septembre-octobre 1719, 27 millions de
livres, l'importance des prêts qu'il fut en mesure de consentir
au prince de Carignan, 1 600 000 livres, tout en négociant le
rachat de terres seigneuriales, comme celle d'Obville en Beauce,
qu'il acquit contre 120 000 livres en billets de banque (3), indiquent des moyens en regard desquels des souscriptions de 20
et 40 000 livres apparaissent déplorablement faibles. La souscription de Charles-Élisabeth de Coëtlogon, pour être un peu
plus élevée, 60 000 livres, n'est pas en rapport non plus avec les
possibilités d'un homme qui, en 1720, se trouva en mesure de
racheter à Law la terre de Roissy-en-France moyennant une
somme de 1 million de livres en billets de banque (4). Quant à
Daniel Kolly, indépendamment de la taxe, plus de 2 millions de
livres, qui lui fut réclamée pour des gains évalués à 25 millions
de livres, les achats de maisons auxquels il procède à Paris
en 1719-20, les prêts qu'il fait, les achats de rentes viagères qu'il

(1) DUHAUTCHAMP, Histoire du visa, II, p. 178. — H. LÜTHY, La Banque
protestante en France, I, p. 343-4.
(2) DUHAUTCHAMP, op. cit., II, p. 165.
(3) Et. XCVII-193, Vente, 22 avril 1720. — B.N., F° fm 7704, p. 9, Le S. Tartel, contrôleur général des restes, aux commissaires députés... ; F° fm 2793,
Mémoire pour le prince de Carignan... ; F° fm 2052, 2055, Mémoire pour
le S. Et. Bourgeois contre le prince de Carignan.
(4) Et. XLVIII-39, Vente, 15 mai 1720.

effectue pour lui-même, sa femme et ses enfants, s'ajoutant au fait que, à la fin de 1719, il se trouve en mesure de rembourser les dettes contractées par son père envers les banquiers Antoine Saladin et Antoine et Pierre Locher, attestent l'importance de la fortune qu'il a amassée dans les années du Système (1). Ses relations avec le munitionnaire Vincent Le Blanc paraîtraient indiquer d'ailleurs qu'il fréquentait les milieux de gros spéculateurs (2). Cependant, ses mises de fonds dans les deux sociétés des colonies de Sainte-Catherine et de Sainte-Reyne ne dépassent pas 90 000 livres.

A côté de lui, Vernesobre de Laurieu, dont la souscription se limite à 50 000 livres, est, on le sait, un des spéculateurs les plus célèbres, puisqu'il figure sur les rôles du visa pour une fortune de 50 millions de livres (3). Pour son associé, J.-B^te Dureville, moins connu, moins avancé certainement dans les spéculations, les quelques opérations qu'on relève dans les actes des notaires, prêts à intérêt, achats de maisons à Paris ou de seigneuries, dont la baronnie de Sommeville en Champagne, de plus de 180 000 livres, s'appliquent, semble-t-il, à la position d'un homme désireux de tirer parti des profits du Système, et nanti en tout cas d'une fortune qui aurait permis des emplois plus élevés dans le domaine colonial (4).

Les spéculateurs s'affirment davantage dans la société Fromaget-Gastebois-Mouchard-Castanier, qui groupe essentiellement des « millionnaires » momentanément enrichis par les émissions des années 1719-20, à la seule exception de Jean de La Motte, qui paraît avoir toujours été préoccupé de placements en achats de biens-fonds et d'offices, sans que la période du Système ait marqué une recrudescence d'activité dans ces opérations (5). Tandis que la société de Mézières se compose exclusivement de Mississipiens. L'hôtel de la rue du Bac fut, pendant la durée

---

(1) DUHAUTCHAMP, *op. cit.*, II, p. 159. — Et. XCIX-410, Quittances, 6 déc., 13 déc. 1719.

(2) DUHAUTCHAMP, *op. cit.*, II, p. 167-8. — Et. XLVIII-35, Vente, 22 janv. 1720 ; -40, Constitutions de rentes viagères, 25 juin 1720. — Et. LXXXIII-293, Obligation, 28 juin 1720. — Et. CXXII-552, Vente, 28 juill. 1719.

(3) DUHAUTCHAMP, *op. cit.*, I, p. 152-9 ; II, p. 156.

(4) Et. CXXI-247, Obligation, 15 sept. 1719 ; -252, Vente, 7 févr. 1720 ; -253, Obligation, 8 mars 1720.

(5) Fromaget et Gastebois furent imposés au visa pour des fortunes de 20 à 25 millions de livres, DUHAUTCHAMP, *op. cit.*, II, p. 168-9, 179, 181, 196-7. — Et. XLVI-227, Quittance, 27 mai 1718. — Et. XXVI-306, Constitution, 1er mars 1718 ; Traité d'office, 1er mars 1718. — Et. XXVI-313, Traité d'office, 3 mai 1719.

du Système, un centre bien connu de spéculations (1). La future
M^{ise} des Marches y réalisa des gains considérables qui lui permirent de prêter à intérêt et d'apporter en dot une somme
de 800 000 livres en contrats de rente et deniers comptants
provenant des « profits de la Cie des Indes » (2). Le Mis de Mézières
et sa femme ne participèrent pas moins largement au jeu sur
les actions. Ce fut le moyen d'acquérir terrains et maisons à
Paris ou aux environs, et de rechercher dans des constitutions
de rente le bénéfice d'une obligation permanente qui survivrait
au discrédit éventuel de la monnaie fiduciaire. Comme beaucoup
aussi, ils tentèrent, à la faveur des avances de fonds qu'ils étaient
en mesure de faire, de tirer parti des besoins d'argent de familles
nobles pour les dépouiller d'un certain nombre de leurs terres (3) :
ils parvinrent ainsi à se faire céder par Sir Theophilus Oglethorpe
lui-même, le père de la M^{ise} de Mézières, contre billets de la
Banque royale, une partie de sa seigneurie de Westbrooke dans
le Surrey (4). Quant au Mis des Marches, il spéculait aussi
activement sur les valeurs du Système que sur celles de la mer
du Sud en Angleterre, en partie grâce à la dot de son épouse (5).
Pour les associés du Mis de Mézières, Fargès et Abraham Peirenc,
le Système ajouta à des fortunes qui étaient déjà substantielles.
Celle de Peirenc — 30 millions de livres sur les rôles du visa —
lui permit d'alimenter dans une forte mesure les spéculations
de la M^{ise} de Mézières et de sa sœur, et de procéder à l'achat de
la seigneurie de Moras, de la baronnie de Laurière et du fief et
seigneurie de Noailles en Limousin, dont l'ensemble fut acquis
pour la somme de 678 000 livres, qui fut surtout versée en billets
de banque (6). Fargès, enfin, en pratiquant simultanément la
spéculation sur les papiers du Système et la fraude sur les marchés
de l'État, en faisant habilement usage de sauf-conduits du roi

(1) B.N., F° fm 13424, *Mémoire pour MM. et Mlle de Moras contre la
M^{se} de Mézières.*
(2) *Journal de Dangeau*, t. 18, p. 167. — Et. XXIX-342, Constitution,
27 oct. 1719. — Et. CXIX-169, Vente, 19 oct. 1719 ; Constitution, 21 oct. 1719 ;
-170, Mariage, 3 déc. 1719 ; Constitutions, 7 déc., 12 déc., 27 déc. 1719.
(3) Le duc du Maine, Le Cte de Joyeuse, le Mis d'Egmont leur empruntèrent
des sommes considérables. — Et. IV-421, Obligation, 17 sept. 1720. —
Et. LXV-204, Constitution, 15 avril 1720. — Et. CXIX-169, Vente, 19 oct. 1719 ;
-171, Vente, 29 janv. 1720 ; -170, Constitutions, 7, 12, 27 déc. 1719 ; -173,
Constitutions, 9 mars 1720 ; -175, Déclaration de vente, 8 juin 1720. — B.N.,
F° fm 7922, 7923, *Mémoires pour M^{re}... de Joyeuse... contre dame Eléonore
d'Oglethorpe* ; Ms. Joly de Fleury, 2006, f. 223, 264 s., *Mémoires pour dame
Eléonore d'Oglethorpe.*
(4) Et. CXIX-176, Vente, 26 juill. 1720.
(5) Et. CXIX-170, Mariage, 3 déc. 1719. — B.N., F° fm 17257, p. 35,
Mémoire pour le S. F. Willart d'Auvilliers.
(6) Et. XCV-66, Vente, 5 août 1719 ; -68, Vente, 27 août 1720.

pour ne point payer ses créanciers, parvint, par ses acquisitions de terres seigneuriales et par l'accumulation des titres nobiliaires, à un résultat encore plus brillant, d'autant qu'il réussit à se soustraire aux poursuites du visa (1).

Aucune société n'est aussi complètement dominée par les spéculateurs du Système. Mais il n'en est aucune où ceux-ci ne soient représentés. La société du duc de La Force accueille, à côté des noms les plus honorables de la noblesse, eux-mêmes passablement compromis, le Mississipien Jean André, bien connu pour l'importance de la taxe — 3 millions de livres — qui lui fut appliquée et pour le projet de mariage qu'il parvint à conclure entre sa fille et le Mis d'Oise, Joseph-Marie de Brancas (2). Dans la société du président Dodun, le fait que ni ce dernier ni ses partenaires n'aient donné lieu à une enquête de la commission du visa ne signifie nullement qu'ils n'aient point participé aux transactions de bourse habituelles. A partir d'octobre 1719, Dodun et Morel du Meix commencèrent à pratiquer des achats de biens-fonds sur une grande échelle, et les mois de la spéculation furent pour eux une période d'opérations immobilières dont le nombre et l'importance ne peuvent s'expliquer que par les profits qu'ils durent réaliser. Les acquisitions enregistrées sous le nom de Charles-Gaspard Dodun, de décembre 1719 à avril 1720, sont particulièrement impressionnantes : notamment la terre et seigneurie de Corboyer en Normandie, celle de Fontardine en Poitou, le vicomté de Landes et la seigneurie de Pray en Vendômois, le fief de Verdigny dans le Maine (3), sans compter plusieurs châtellenies en Anjou qui lui furent cédées en échange de titres de rente viagère, et la terre et châtellenie d'Herbault, dans la mouvance des duché de Vendôme et comté de Blois, dont il obtint quelques années plus tard l'érection en un marquisat mouvant directement du roi, au détriment du marquisat de Châteaurenault dont elle avait toujours relevé (4). L'ensemble formait un capital de 700 000 livres, que Dodun versa en majeure partie en billets de la Banque royale, soit une somme en compa-

(1) B.N., F° fm 5008, 5009, Factums F.-M. Fargès. — DUHAUTCHAMP, *Histoire du visa*, II, p. 196-7 et *passim*. — LÜTHY, *op. cit.*, I, p. 334-6. — Arch. du Morbihan, EN 3910, Procuration, 14 juin 1720.

(2) B.N., Ms. Joly de Fleury, 2042, f. 223-4. — Et. XCI-667, Vente, 25 avril 1720 ; -668, Mariage, 11 mai 1720. — *Journal de Dangeau*, t. 18, p. 330. — B.N., F° fm 12094-5, *Mémoires pour le Mis d'Oise contre le duc de Villars*.

(3) Et. VIII-930, Vente, 28 déc. 1719 ; -931, Ventes, 10, 14, 31 janv. 1720 ; -932, Rachat, 15 févr. 1720 ; -933, Vente, 22 mars 1720.

(4) Et. VIII-934, transport, 29 avril 1720. — F° fm 3275-3280, Factums Ch.-G. Dodun.

raison de laquelle les 45 000 livres qu'il apporta à son entreprise de colonisation comptaient pour peu de chose. Et Morel du Meix opéra sur une même échelle, amassant à la fois, avec les papiers en circulation dont il recueillit en 1720 des « sommes immenses » et avec les espèces d'or et d'argent qu'il avait réalisées, des domaines seigneuriaux dans la région de Sézanne et Château-Thierry, et, dans une plus forte proportion que Dodun, des immeubles et terrains situés à Paris et à Nogent-sur-Seine, ou effectuant des prêts d'argent dont il prit prétexte par la suite pour essayer de soustraire à la M^{ise} de Charnacé une de ses terres les plus riches de la province du Maine (1).

J.-B. Martin d'Artaguiette d'Iron, qui participa si activement au mouvement colonisateur, dépasse encore Dodun et Morel du Meix par l'ampleur de ses gains et de ses acquisitions. Receveur général des finances dans la généralité d'Auch et directeur de la Cie des Indes, il se trouva en mesure, à la faveur du Système, d'agrandir un patrimoine déjà important. Dès le mois de septembre 1719, il se porte acquéreur d'une grande maison à porte cochère, située rue de Richelieu, pour le prix considérable de 200 000 livres, qu'il paie comptant en louis d'or (2). Après quoi, à mesure qu'augmente la circulation fiduciaire, il procède à de nouveaux achats, qu'il effectue de plus en plus en billets de banque : en janvier 1720, c'est la seigneurie de Forest en Poitou ; au mois de mars, c'est un ensemble de magasins avec les quais attenants sur les rives de l'Adour, à Bayonne ; en mai, une maison noble avec terres et dépendances près de Poitiers, et, surtout, l'hôtel de La Rocheguyon à Paris, soit, au total, une dépense de 819 000 livres, à laquelle il faut ajouter la somme de 630 000 livres, qu'il emploie à l'achat de plusieurs seigneuries en bas Poitou pour le compte de son père Jean-Baptiste d'Artaguiette d'Iron, syndic des États de Navarre et subdélégué de l'intendant du royaume de Navarre (3). Ces opérations n'épuisent d'ailleurs pas la liste des placements qu'il effectua dans cette

---

(1) Et. LI-818, Ventes, 12 déc. 1719, 24 déc. 1719 ; -820, Ventes, 9, 10, 26 févr. 1720 ; -826, Vente, 4 sept. 1720 ; -816, Vente et échange, 27 oct. 1719, Vente, 28 oct. 1719 ; -817, Quittance, 6 nov. 1719. — B.N., F° fm 6733, *Mémoire pour dame... de Bouillé...*, F° fm 7640, p. 1-5, *Mémoire... contre le président Dodun.*
(2) Et. XV-503, Vente, 23 sept. 1719.
(3) Et. XV-499, Traité, 15 mai 1719 ; -504, Constitution, 20 oct. 1719 ; -506, Vente, 29 déc. 1719 ; -507, Transport, 21 janv. 1720 ; -509, Vente et subrogation, 25 mars 1720 ; -511, Vente, 16 mai 1720 ; -516, Procuration et substitution, 20 déc. 1720. — B.N., F° fm 457, *Mémoire pour J.-B. d'Artaguiette* ; F° fm 4429, p. 1-2, *Mémoire pour J.-B. Martin Dartaguiette d'Iron.*

courte période (1). Elles enrichirent singulièrement le blason de la famille. Après la mort du père, les titres et les propriétés de ce dernier s'unirent sur la personne de Martin d'Artaguiette, qui devint désormais B⁰ⁿ Daguerre, seigneur d'Iron, Mⁱˢ de La Motte Saint-Héraye et autres lieux (2).

Dans le cas de Fouquet de Belle-Isle enfin et de ses associés, il n'est pas nécessaire de faire intervenir les profits du Système. La plupart possèdent des moyens de fortune considérables, du seul fait de leurs fonctions ou de leurs terres, comme le trésorier de l'extraordinaire des guerres, G.-M. de La Jonchère, dont la charge suppose en permanence de grosses disponibilités, ou le secrétaire d'État de la guerre, C. Le Blanc, qui, en 1719, utilise les facilités de la circulation fiduciaire pour ajouter à ses nombreuses seigneuries celle de Passy-sur-Seine, ou, à plus forte raison, le Cᵗᵉ de Belle-Isle, dont les domaines se sont beaucoup accrus depuis 1718, grâce à l'échange de son marquisat (3). Les 100 000 livres que chacun des associés paraît avoir versées au fonds initial de leur entreprise ne constituent qu'une infime partie de leur fortune.

Pour apprécier l'effort financier de ces entreprises, il importerait de connaître, outre l'apport individuel de leurs membres, l'ensemble des dépenses qu'elles ont engagées dans l'aventure de Louisiane. S'il n'est guère possible de fournir une évaluation exacte, il paraît significatif que la presque totalité de celles dont nous connaissons la situation financière n'ait pas dépassé la somme de 400 000 livres. Seule, la société de Sainte-Reyne, qui, dès 1720, envisagea de porter à 600 000 livres le fonds d'établissement de ses colonies, devait atteindre en dernière analyse un chiffre approximatif de 550 000 livres (4). Et rien ne permet de supposer que les sociétés pour lesquelles nous manquons d'information soient allées au-delà de 400 000 livres. Pour celle du Mⁱˢ de Mézières, les quelques données qu'il est possible de saisir tendent à confirmer la modicité des mises de fonds initiales. D'après les déclarations ultérieures de Willart d'Auvilliers, qui

---

(1) Et. XV-514-5, Vente, 28 sept. 1720.
(2) Et. CVIII-347, Extrait mortuaire, 25 oct. 1720 ; LXIX-299, Mariage, 1ᵉʳ juill. 1729 ; XV-516, Procuration et substitution, 20 déc. 1720.
(3) Et. LXXXVIII-450, Procuration, 19 janv. 1718 ; -465, Vente, 30 déc. 1719. — B.N., 4⁰ Fm 2377, f. 21, Lettre justificative de M. le Chevalier de Belle-Isle. — Sur la fortune de La Jonchère, A. BABEAU, Un financier à la Bastille sous Louis XV (*Mém. de la Société de l'Histoire de Paris*, t. 35, 1898, p. 2-3).
(4) Archives du Morbihan, EN 3910, Engagement de Pierre Céard, 12 mai 1720. — A.C., G 1 465, *Mémoire (des intéressés en la colonie de Sainte-Reyne)*.

assuma la direction de l'entreprise jusqu'à la mi-juillet 1720,
les dépenses engagées à cette date, un mois avant le départ du
personnel de la concession, s'élevaient à 200 000 livres environ,
dont 175 000 sous forme de lettres de crédit tirées par la Cie des
Indes sur Saint-Domingue et la Louisiane pour le compte des
propriétaires, et 24 119 livres qui avaient été déboursées en
différents achats à Paris, Orléans, Tours, Nantes, Lorient (1).
Même s'il y a lieu de majorer ce total de 20 à 25 000 livres correspondant aux avances de gages et frais de nourriture des employés
recrutés à Paris et à Lorient d'août 1719 à mars 1720 (2), on
aboutit à une dépense globale qui n'implique pas un capital
supérieur à 400 000 livres : ce sont des chiffres modestes en
comparaison des moyens d'un Fargès, d'un Peirenc de Moras
ou d'un Mis des Marches, que les « heureux caprices du Système »
avait rendus « si prodigieusement riches » (3).

Également limitées nous apparaissent les mises de fonds de
d'Artaguiette d'Iron. Dans le cas de sa concession des Illinois,
ses versements ne totaliseront au bout de 10 ans, en 1729,
que 10 360 livres, et, dans le cas de celle qu'il établit avec le
Cte d'Artagnan, ils n'atteindront à la même date que 49 991 livres
qui, s'ajoutant à la part équivalente de ses deux associés, représenteront une dépense d'ensemble de moins de 150 000 livres (4).
A plus forte raison, les quelques chiffres qui nous sont parvenus
sur la concession d'Antoine Chaumont et de Marie-Catherine
Barré accusent-ils une énorme disproportion entre l'avoir dont
ils disposent et la part qu'ils en prélèvent pour leur projet de
colonisation. Leur fortune, édifiée, comme celle de Fargès, sur
les fournitures de vivres et de fourrages aux armées royales,
s'accrut du fait des opérations du Système au point de surclasser
celle des Mississipiens les plus en vue, puisque les commissaires
du visa l'estimèrent à 60 millions de livres (5). Aussi dépen-
sèrent-ils sans compter les papiers du Système en acquisitions
d'immeubles et de terres : 800 000 livres dans l'achat du seul
hôtel d'Auch à Paris, 640 000 livres dans celui de la seigneurie
d'Ivry-sur-Seine et de Saint-Frambourg, 300 000 livres pour le

(1) B.N., Fo fm 17257, p. 12, 23-4, 40, *Mémoire pour le S. F. Willart d'Auvilliers.*
(2) Et. CXVI-215, Etat général des particuliers qui se sont engagés...,
3 août 1719, etc. — Arch. du Morbihan, EN 3909, Engagements, déc. 1719 ;
EN 3910, Engagements, juill.-août 1720...
(3) B.N., Fo fm 17257, *op. cit.*, p. 35.
(4) Et. LXIX-299, Mariage, 1er juill. 1729.
(5) Duhautchamp, *Histoire du visa*, II, p. 196.

comté de Lucé en Berry (1)... Or, leur entreprise de colonisation
ne correspond ni à celle de la société de Mézières, ni à celles des
sociétés de Sainte-Catherine ou de Sainte-Reyne. Indépendamment du nombre des engagés qu'ils y affectèrent, une quarantaine de personnes, les chiffres de dépenses cités au cours du procès
que leur intenta ultérieurement le directeur de leur concession
indiquent des mises de fonds peu élevées : le 7 août 1720, quelques
jours avant l'appareillage, les dépenses effectuées atteignaient
58 127 livres, et le directeur partit muni d'une somme de
20 000 livres, ainsi que de deux lettres de crédit de la Cie des
Indes, d'une valeur totale de 50 000 livres (2).

Autant d'indices qui tendent à prouver que les bénéficiaires
du Système de Law, dont les moyens de fortune leur auraient
ouvert, momentanément au moins, des possibilités de financement considérables, n'envisageaient leurs entreprises de Louisiane que comme une source de placements accessoire. Les
transactions immobilières, les achats d'offices, les opérations
monétaires dans la métropole formaient leurs préoccupations
essentielles. La scène coloniale ne venait qu'au second plan.
Étienne Demeuves fils nous offre un exemple manifeste de cette
mentalité. La société qu'il commanditait reposait, nous le savons,
sur un capital médiocre. Lorsque le Système eut introduit dans
le royaume un mouvement de fonds plus actif, Demeuves participa avec succès aux opérations de bourse et, finalement, il en
vint à rivaliser avec Antoine Chaumont par la puissance de ses
gains, 50 millions de livres (3). Mais sa position ne changea pas
envers la société. En dehors des 20 000 livres qu'il lui remit au
début, il acquitta entre les mains de la Cie d'Occident, peu avant
le départ des associés, une lettre de crédit de 18 000 livres,
payable en marchandises dans la colonie, et, lorsque les associés
vinrent lui demander un supplément de fonds, en 1720, il leur
fournit seulement 6 730 livres, qu'ils employèrent à l'achat du
matériel nécessaire à la manufacture de la soie. En dépit des
profits qu'il venait d'obtenir, il ne remplit donc pas intégralement l'engagement qu'il avait pris dans l'acte de société d'aider
ses partenaires jusqu'à concurrence de 45 000 livres (4). Dans

(1) Et. XXIII-445, Foy et Hommage, 24 sept. 1720. — Et. LIV-740,
Vente, 30 sept. 1719 ; -741, Vente, 16 oct. 1719 ; -744, Convention, 27 mars 1720.
— Et. XCVI-257, Vente, 15 sept. 1719. — Et. CXXI-253, Vente, 9 mars 1720.
(2) A.N., V 7 235, Évocation par les commissaires généraux du Conseil...
1er juin 1722, et ordre desdits commissaires à E. Réveillon, 21 déc. 1722.
(3) DUHAUTCHAMP, *op. cit.*, II, p. 160. — H. LÜTHY, *op. cit.*, I, p. 336,
n. 12, 416.
(4) A.C., C 13 C 4, f. 211-212, *Mémoire des Srs F. Chastang et M. Delaire
à M. de Salmon.*

le cas de Law lui-même, qui, du fait de ses nombreuses initiatives
et de l'importance de la concession qui lui fut accordée, figure
au centre du mouvement colonisateur, nous nous trouvons pratiquement désarmés si nous essayons de donner une estimation
des fonds qu'il déboursa. En principe, sa grande concession aurait
dû occasionner des dépenses élevées, puisque, indépendamment
des frais causés par les achats de marchandises et par le recrutement d'un nombreux personnel d'engagés, il assuma la charge
supplémentaire de l'acheminement d'un important contingent
d'Allemands et de Suisses depuis la frontière française jusqu'au
port de Lorient, où leurs frais de séjour et de subsistance représentèrent une somme de 450 000 livres (1). Mais cette dernière
dépense incomba en fait à la Cie des Indes, qui, sur le moment,
fit les avances nécessaires, et dont on ne sait si elle parvint à
s'en faire rembourser : en 1724, Law n'avait encore rien payé (2).
D'autre part, et quoi qu'il en écrivît par la suite, il ne solda point
la totalité des frais de déplacement de ces familles en territoire
français : une partie resta en suspens, ce qui donna lieu, après
son départ, à des réclamations dont nous ignorons quelle fut
l'issue (3). D'ailleurs, les dépenses qu'il encourut pour ses entreprises de Louisiane ne pouvaient constituer qu'une très faible
partie de la fortune qu'il avait momentanément édifiée, et que,
comme tous les enrichis du Système, il employait plus largement
en achats de terres et domaines seigneuriaux — l'achat de la
seule seigneurie d'Effiat, en avril 1720, exigea plus de 2 millions
de livres — qu'en tentatives de colonisation (4). Quant à la
société qu'il forma avec le duc de Guiche, les dépenses qu'elle
engagea dans sa concession n'atteignirent pas la somme de
100 000 livres (5).

Si l'on était en mesure de déterminer la nature des mises de
fonds des associés, d'établir si les capitaux des entreprises de
colonisation furent constitués en billets de banque et effets du
Système ou en espèces métalliques, on se ferait une idée plus
nette de l'importance réelle que ces capitaux représentaient pour
les intéressés. Malheureusement, notre information devient sur

---

(1) A.N., V 7 254, Décision des commissaires... députés... pour juger...
les affaires concernant J. Law, 8 mai 1721. — P. Harsin, *Œuvres complètes
de J. Law*, III, p. 262-3.
(2) P. Harsin, *op. cit.*, III, p. 262-3.
(3) Id., *ibid*. — A.N., V 7 254, Condamnation de Law par les commissaires
députés..., 24 avril 1721.
(4) Et. XLVIII-38, Vente, 20 avril 1720.
(5) A.N., V 7 256, Jugement des commissaires généraux députés...,
1er févr. 1725.

ce point singulièrement pauvre. La plupart des actes de société
que nous possédons passent la question sous silence. Ils ne sont
explicites que dans quelques cas. Dans celui de la société de
Sainte-Reyne qui, en dépit de la date tardive de sa fondation
(9 février 1720), constitue son capital en billets de la Banque
royale : Daniel Kolly reçut sous cette forme la quote-part des
intéressés le jour même de la signature du « traité de société » (1).
Dans celui de la société du duc de La Force, dont les actions
sont entièrement versées en actions de la Cie des Indes estimées
à leur cours le plus haut de 10 000 livres (2). Dans le cas enfin
de la société de Sainte-Catherine, dont l'article 7 des règlements
spécifie que le capital sera versé en « effets désignés par l'arrêt
du conseil du 27 août 1719 pour être convertis en actions rentières
sur la Cie des Indes » : il s'agissait, nous le savons, des titres de
rentes perpétuelles dont la monarchie, sur la proposition de
la Cie des Indes, venait de décider le remboursement en billets
de l'État, espèces, ou actions rentières à 3 % (3). Les actions
reçues en échange des titres de rente seraient cédées par les
associés au caissier de la Cie des Indes, à charge de les porter
au crédit de la colonie de Sainte-Catherine (4). Le 21 octobre,
les titres de rente furent remis par leurs propriétaires à Daniel
Kolly, qui les déposa chez le notaire Gaillardie (5). A cela se
limite notre information. Pour les associés, l'opération semblait
être le moyen de faire valoir dans une entreprise dont on pouvait
espérer des bénéfices des actions à revenu fixe peu susceptibles
d'emplois commerciaux ou industriels. Il est possible que le
calcul leur ait été suggéré par le banquier Jean Deucher, qui
paraît s'être spécialisé dans les manipulations des titres de rente
que la monarchie retirait de la circulation et des récépissés du
Trésor qu'elle délivrait en échange aux porteurs (6). Mais l'événement devait, en dernière analyse, tourner contre l'attente des
intéressés.

Il n'est guère possible, à la lumière de ces exemples, de
formuler une règle générale, applicable à l'ensemble des sociétés
de colonisation. Toutefois, quelques indications éparses semblent
permettre de conclure en faveur d'une large utilisation du billet

(1) Et. CXXI-252, Société, 9 févr. 1720.
(2) B.N., Ms. Joly de Fleury, 2042, f. 213 v-4, Registre de la société...
du duc de La Force.
(3) Ci-dessus, p. 68.
(4) Et. XV-503, Société de la colonie de Sainte-Catherine, 4 sept. 1719, art. 7.
(5) A.N., V 7 235, Procès-verbal et inventaire des registres de la Cie des
Indes, 14 oct. 1722.
(6) H. LÜTHY, *La Banque protestante en France*, I, p. 343.

de banque : tel le compte de gestion du directeur de la concession
Law-Guiche, qui accuse avoir reçu des intéressés 74 000 livres
en billets et 21 480 livres en argent ; tel le témoignage de Willart
d'Auvilliers, qui déclare avoir touché en billets de banque plus
de 24 000 livres sur un total de 28 675 livres affecté aux premières
dépenses de la concession de Mézières (1). Si l'on peut s'autoriser
de ces indications pour conclure à une forte proportion de la
monnaie fiduciaire dans les mises de fonds des sociétés, on
souligne davantage la modicité réelle de leurs capitaux dans
cette période où les gains des spéculations et les ressources de
l'inflation facilitaient à l'infini le financement des entreprises
coloniales.

Mais, quoi qu'il en soit de la nature et de l'importance du
capital, la présence dans ces sociétés d'une forte proportion de
spéculateurs leur communique une faiblesse évidente. En s'engageant dans la colonisation comme ils se seraient engagés dans
une autre spéculation, beaucoup se réservaient d'agir moins
dans l'intérêt des concessions qu'ils ouvraient en Louisiane
qu'au gré des fluctuations d'une fortune trop rapidement acquise.
Lorsque prit fin le Système de Law et qu'avec lui disparurent
les possibilités d'enrichissement, ces entreprises, qui ne répondaient pas à une volonté de colonisation bien arrêtée, entrèrent
en bien des cas dans une période de vie ralentie, surtout lorsque
les intéressés, du fait de la suppression du billet de banque,
durent, pour continuer leur tâche, prélever sur leurs ressources
monétaires. Celles qui survécurent grâce aux moyens de fortune
de leurs membres n'opérèrent plus que sur une base étroite.
Aussi l'effort colonisateur des années du Système n'a-t-il abouti
qu'à des réalisations limitées.

---

(1) A.N., V 7 256, Jugement des commissaires généraux..., 1er févr. 1725.
— B.N., Fo fm 17257, *Mémoire pour le S. F. Willart d'Auvilliers*, p. 40, 122-3,
153-4.

Chapitre V

LES ENGAGÉS

Une des principales conséquences du mouvement colonisateur fut l'acheminement vers la Louisiane d'un important personnel d'engagés destinés à la gestion, à l'établissement et à la mise en valeur des concessions. Les engagements pour la Louisiane ne commencent à proprement parler qu'avec la création de la Cⁱᵉ d'Occident. Jusque-là ils avaient été d'une extrême rareté (1). La Louisiane était restée en dehors de la règle qui imposait à tous les navires marchands se rendant dans les colonies françaises l'obligation d'y transporter un certain nombre d'engagés (2). Dans la période initiale de la Cⁱᵉ d'Occident, dans ces quelques semaines où son action se confond encore avec celle de la compagnie sortante, Crozat procède à des engagements pour le Mississipi — il recrute, par l'intermédiaire de son représentant à La Rochelle, quelques artisans et les équipages du *Neptune* et de *La Vigilante* (3) —, tandis que les capitaines de ces deux navires et de *La Dauphine* passent de leur côté des contrats d'engagement avec quelques garçons de service, cordonniers, tailleurs d'habits..., que, vraisemblablement, ils se proposent de céder aux habitants de la colonie (4). C'est le dernier exemple de l'intervention de Crozat dans les affaires de Louisiane. A partir de la mi-octobre 1717, il cesse, aussi bien que les commandants de navires, de recruter du personnel. Les engagements relèvent désormais, dans une certaine mesure, de la Cⁱᵉ d'Occident, puis de la Cⁱᵉ des Indes, ou des sujets qui se rendent dans la colonie pour y exercer des fonctions militaires ou administratives, mais surtout des concessionnaires et, plus particulièrement, des

---

(1) M. Giraud, *Histoire de la Louisiane française*, II, p. 117.
(2) *Ibid.*, II, p. 10.
(3) Char.-Mar., Reg. Rivière & Soullard (1715-8), f. 170-1, 177 v, 183-5, 188.
(4) *Ibid.*, f. 175-175 v, 177 v-178 v, 181 v-182. — Reg. Desbarres (1715-9), f. 52.

sociétés de colonisation. Ils ne prennent toute leur importance qu'à partir de 1719, du fait de l'action de ces sociétés, car, pas plus que dans les années précédentes, il ne sera question d'appliquer à la Louisiane la règle des transports obligatoires d'engagés par les navires marchands. La Compagnie en fut expressément dispensée par un arrêt du Conseil d'État de janvier 1718, en considération précisément des nombreux habitants qu'elle acheminait par ses navires et dont le total devait s'avérer très supérieur à celui qu'aurait permis d'atteindre l'application du règlement officiel (1).

1. L'effectif

Dès le début, en effet, les bâtiments de la Cie d'Occident transportent un contingent relativement élevé d'engagés. Par les navires qui appareillent d'octobre 1717 à mai 1718, 85 à 100 personnes partent sous la direction des Srs Delaire, 80 accompagnent les frères Scourion, 29 vont établir la concession de Paris-Duverney. En ajoutant les groupes plus limités qui accompagnent les frères Brossard, Bénard de La Harpe, Le Page du Pratz et les différents passagers de *La Duchesse-de-Noailles*, *La Marie* et *La Victoire*, on aboutit, pour cette période préliminaire, à un total approximatif de 300 engagés (2). De ce personnel, nous ne savons d'ailleurs à peu près rien en dehors des jugements peu favorables auxquels il donne lieu çà et là dans la correspondance de Bienville.

A ces premiers départs succède une période de ralentissement. En 1719, les petites concessions deviennent la règle, simples affaires de famille en bien des cas, qu'expriment si nettement les entreprises de François Caussepain et de Chantreau de Beaumont, réduites l'une et l'autre au concessionnaire, sa femme et ses enfants (3). Et cette formule se répète, nous le savons, jusqu'à ce que l'appareillage du *Saint-André* et du *Profond*, en mai-juin 1720, marque le début des passages de grandes concessions. Aussi le nombre des engagés, dans cette période, n'accuse-t-il qu'une progression lente. Le fléchissement que nous avons noté

---

(1) A.C., B 39, f. 120, à M. Laudreau, 7 avril 1717 ; A 22, f. 46, Arrêt... qui dispense les vaisseaux armés par la Cie d'Occident...
(2) A.C., C 13 C 4, f. 210, *Mémoire de F. Chastang et M. Delaire à M. de Salmon*, f. 218-218 v, Conditions accordées aux Srs Delaire..., Chastang... ; B 42 *bis*, f. 252, Etat... des nouveaux habitants qui passent sur *La Victoire*..., 23 avril 1718. — A.M., B 1 29, f. 172 v, Représentation des frères Delaire..., 14 févr. 1718. — B.N., Ms. F.F. 14613, Pénicaut, *Relation ou Annale véritable*..., f. 314-5.
(3) Ci-dessus, p. 178-9.

dans le mouvement colonisateur se manifeste aussi bien par la moindre importance des entreprises que par les difficultés qu'éprouvent les concessionnaires à recruter du personnel. Parmi les engagés, beaucoup, se dérobant aux obligations de leurs contrats, évitent alors de se rendre dans les ports d'embarquement. Dès le mois de novembre 1718, avant même l'appareillage du *Comte-de-Toulouse*, les défections étaient devenues si nombreuses dans la métropole qu'un arrêt du Conseil d'État avait menacé d'astreindre à plusieurs années de travail non rémunéré dans la colonie ceux qui n'observeraient pas les conditions de leurs engagements (1). Dans son ensemble, l'année 1719 se solde par l'arrivée en Louisiane d'un effectif de 233 engagés, qui se répartissent entre une majorité de petites concessions et les deux entreprises plus substantielles de Philippe Renaut et Richard Cantillon. A ce total, il y a lieu d'ajouter un certain nombre de femmes, « servantes domestiques » pour la plupart (2). Si l'on tient compte de cet élément féminin, des épouses des concessionnaires et de 16 enfants, l'effectif acheminé dans le courant de l'année atteint 302 personnes (233 hommes, 53 femmes, 16 enfants), soit un total qui ne dépasse pas celui des neuf premiers mois de la colonisation (3).

Il faut attendre la deuxième moitié de l'année 1720 pour assister à ces transports considérables de main-d'œuvre dont l'arrivée en Louisiane, à intervalles trop rapprochés, posera aux autorités coloniales un grave problème de subsistances. Le mouvement, qui a été de courte durée, atteint son maximum d'intensité dans le courant d'août (4). La série en est ouverte par *Le Saint-André* et *Le Profond*, qui transportent, l'un, le personnel de la concession Deucher-Coëtlogon ; l'autre, celui des concessions de J. Law et d'Artaguiette d'Iron, 440 personnes en tout, dont 32 femmes (5). Moins important, le voyage de *L'Alexandre* (fin

(1) A.N., AD + 751, Arrêt du 8 nov. 1718 (A.C., F 3 241, f. 226).
(2) Char.-Mar., Registre Desbarres (1717-9), f. 91, 93, 98 v, 99. — G 1 464 (Passagers), pièces 6, 14, 13, 17.
(3) Ces chiffres ont été établis sur les données des listes de passagers qui figurent dans la série G 1 464 des archives des colonies (*Comte-de-Toulouse, Philippe, Union, Marie, Deux-Frères, Saint-Louis, Duc-de-Noailles,* les seuls navires dont les rôles d'embarquement nous soient connus). Pour les entreprises dont le personnel comporte des parents des concessionnaires, on a fait entrer ces parents, y compris leurs épouses, dans le calcul du nombre des engagés, étant donné que, en dehors de tout contrat d'engagement, ils remplissent le rôle d'engagés par les services qu'ils rendent. Pour les enfants, du fait que les âges ne sont que très rarement indiqués, il est impossible de faire une distinction entre ceux en bas âge et ceux qui mériteraient d'être considérés comme des engagés.
(4) Ci-dessus, p. 183 suiv.
(5) A.C., G 1 464 (Passagers), pièces 33, 50, 21 ; C 2 15, f. 31-37, Rôle

juin-fin septembre) n'introduit dans la colonie qu'un petit groupe
de 14 officiers et ouvriers, sous la direction du capitaine réformé
Broutin, accompagnés de 3 femmes et 2 enfants, appartenant
à la concession Le Blanc-Fouquet de Belle-Isle, qui précèdent
le gros de l'effectif dont l'acheminement se fera peu après (1).
Mais, par *Le Chameau*, *La Loire* et *L'Éléphant*, dont l'appareillage
a lieu dans les 10 premiers jours d'août (2), les transports reprennent toute leur activité. Dans le premier cas, c'est le passage
des 144 personnes de la concession d'Artagnan (110 engagés,
28 femmes, 6 enfants) ; par *La Loire*, ce sont les 230 personnes
de la concession de Sainte-Reyne (195 engagés, 24 femmes,
11 enfants) ; par *L'Éléphant* enfin, c'est le personnel militaire
et civil de la société Le Blanc-Fouquet de Belle-Isle, dont le trait
distinctif est de comporter deux compagnies recrutées par le
secrétaire d'État de la guerre pour la défense de sa concession
— 83 officiers et soldats, avec 6 femmes et 8 enfants — qui
s'ajoutent à un personnel civil de 91 officiers et ouvriers, lui-
même augmenté d'un nombre élevé de femmes et d'enfants (26
et 31) (3). Les passages d'engagés se terminent pour l'année 1720
avec l'arrivée en Louisiane, au mois de décembre, de *La Marie*
et de *La Seine*. *La Marie*, sortie du Port-Louis le 2 mai, mais
partie de la rade de Chef-de-Baye, après une longue escale,
le 15 juillet seulement, transporte deux des directeurs de la
grande concession de Law et les « ouvriers en tabac » de l'entreprise de Law et du duc de Guiche, avec leurs familles, au nombre
de 74 personnes (4) ; *La Seine*, partie le 9 août du Port-Louis,
achemine le personnel de la société de Law et du Mis d'Ancenis,

des personnes embarquées sur le *Profond*. Le *Profond*, parti de Port-Louis (?)
le 24 janv. 1720, n'appareille définitivement de La Rochelle que le 9 juin
pour atteindre la Louisiane fin août-début septembre, Lorient, 1 P 2, 2 P 20-III,
Rôle du *Profond* ; A.E., *Mém. et Doc.*, Amérique, I, f. 100 v-1, Legac, *État
de ce qui s'est passé...* ; A.C., C 2 15, f. 31, *op. cit.* L'effectif que le rôle d'embarquement attribue à la concession Deucher-Coëtlogon, 231 personnes, diffère
des estimations du directeur Faucon-Dumanoir et des associés, qui varient
de 209 à 240 personnes, A.C., G 1 465, Requête de J.-B. Faucon Dumanoir...,
*Mémoire à MM. les Inspecteurs... de la Cie des Indes pour les intéressés en la
concession de Sainte-Catherine*. Nous ne tenons pas compte du contingent
supplémentaire qui figure pour la même concession sur les rôles de *La Loire*,
parce que la plupart des noms de cette liste font double emploi avec ceux du
Saint-André et qu'il n'existe aucune allusion, dans les rapports du directeur,
à l'arrivée de ce contingent en Louisiane.
    (1) A.C., G 1 464 (Passagers), pièce 39.
    (2) Lorient, 2 P 20-III (1721), Rôles du *Chameau*, *La Loire*, *L'Eléphant*.
    (3) A.C., G 1 464 (Pass.), pièces 45, 46, 21, 49, 43. — G 1 465, Le Mis d'As-
feld et le Cte de Belle-Isle au roi, 1731 ou 1732.
    (4) G 1 464 (Passagers), pièce 37. Lorient, 2 P 20-III (1721), Rôle de *La
Marie*. — A.E., *Mém. et Doc.*, Amérique, I, f. 103, Legac, *État de ce qui s'est
passé à la colonie...*

73 hommes, 26 femmes et 15 enfants, ainsi que 82 ouvriers, accompagnés de 25 femmes et 20 enfants, qui font encore partie de la concession Le Blanc-Fouquet de Belle-Isle (1). Mais le mouvement ne prend fin qu'avec l'arrivée, au début de 1721, à bord de *La Gironde*, des deux concessions d'Antoine Chaumont et des M^{ls} de Mézières et des Marches, dont l'effectif s'élève à plus de 300 personnes (2). Si l'on ajoute les 8 passagers de *La Mutine* qui, en février 1721, viennent compléter les concessions d'Antoine Chaumont et de Claude Le Blanc (3), le bilan de ces transports d'engagés dans leur période la plus active des 6 derniers mois de 1720, autant qu'il est possible d'en juger par les listes souvent contradictoires des états d'embarquement, se solde approximativement par un effectif total de 1 300 hommes, qui comprend à la fois le personnel dirigeant et le personnel subalterne des concessions, et de quelque 250 femmes et 180 enfants.

2. Le recrutement

Ces chiffres, qui représentent les transports effectifs d'engagés, ne donnent pas une idée exacte de l'ampleur du recrutement auquel ont procédé les entreprises de colonisation. Le mouvement fut en réalité plus large que celui qu'indiquent les départs de personnel, car les sociétés qui n'ont pas donné suite à leurs projets de colonisation ont en bien des cas recruté un certain nombre d'engagés avant de se dissoudre.

Sur ce personnel, nous ne commençons à disposer d'éléments d'information qu'à partir du début de 1719. Plusieurs des petites entreprises dont on note l'arrivée en Louisiane cette année-là nous ont laissé des états d'embarquement suffisamment précis pour faire ressortir la diversité d'origine de leurs employés. Aucun n'indique de spécialisation régionale du recrutement. Tout au plus observe-t-on une légère supériorité des provinces de l'Ouest, surtout de la Saintonge et de la région de La Rochelle, ce qui paraîtrait établir que le recrutement d'une partie du personnel s'est effectué dans le port d'embarquement. Mais, dans toutes ces concessions, figurent aussi quelques représentants de Paris ou de la région parisienne, et les provinces de l'Est elles-mêmes n'en sont pas absentes.

Les contrats d'engagement des grandes entreprises de coloni-

---

(1) G 1 464 (Passagers), pièce 21.
(2) *Ibid.*, pièces 41, 47, 21.
(3) *Ibid.*, pièce 51.

sation que nous ont livrés les minutes des notaires nous permettent de distinguer trois centres principaux de recrutement, La Rochelle, les deux agglomérations limitrophes de Lorient et Port-Louis, et la ville de Paris.

La Rochelle offre un recrutement d'une grande diversité, qui porte sur des sujets venus de provinces souvent très éloignées du lieu des engagements, conséquence de sa situation de port de commerce dont l'activité attire une abondance de provinciaux en quête d'occasions d'emploi, et jusqu'à des étrangers. Aussi l'élément proprement rochelais n'y est-il pas nécessairement en majorité. C'est ainsi que le personnel de la concession Cantillon, dont le frère du banquier, Bernard Cantillon, effectua le recrutement à La Rochelle en février-mars 1719, compte seulement 7 artisans d'origine rochelaise. La majorité des engagés provient de la Bretagne et du Poitou, de la Touraine, de Marennes, de l'île d'Oléron. Il en vient même de Limoges, Toulouse, Montauban, Orléans, et l'on note quelques garçons de service de Paris et Dunkerque. Mais le trait le plus original est l'engagement de 8 jeunes Anglais et Irlandais, qui se rattachent sans doute à l'émigration jacobite, qui, étant également dépourvus de spécialité, se louent pour l'exécution de « toutes choses raisonnables », et qui, ne possédant pas l'usage de la langue française, concluent leurs contrats par l'intermédiaire de deux de leurs compatriotes établis à La Rochelle (1). Le cas est unique dans l'histoire des concessions. Il ne peut s'expliquer que par les affinités d'origine qui rapprochent ces engagés de Richard Cantillon. A cette date, le port de La Rochelle contribue assez activement au recrutement du personnel colonial : certains habitants de la Louisiane tentent eux-mêmes de s'y procurer la main-d'œuvre qui leur permettra d'élargir leur exploitation ; peut-être l'entreprise Law-Guiche y a-t-elle levé une partie de ses hommes (2).

Mais, lorsque, à partir de la deuxième moitié de 1719, les agglomérations de Lorient et du Port-Louis deviennent le siège principal des armements de la Cte des Indes, elles constituent à leur tour un foyer de recrutement : différent de celui de La Rochelle en ceci qu'il s'agit ici d'un recrutement plus étroitement

---

(1) Char.-Mar., Registre Desbarres (1717-9), f. 88 v-100. (1718-21), f. 21 v.
(2) C'est ce qui paraît résulter de la note insérée au début du « rôle second des engagés faits pour Mgr Law et Mgr le Duc de Guiche » dans les minutes du notaire Desbarres, Char.-Mar., Liasse Desbarres, 1720. Le registre Desbarres 1717-1719, f. 95, 86 v, 90-2, indique le recrutement effectué par les colons de la Louisiane.

localisé, limité aux seules paroisses bretonnes, étranger à la
variété que nous venons de signaler. Les engagements qu'y
opère en 1719-20 le directeur de la concession de Mézières sont
significatifs à cet égard : les sujets qu'ils concernent sont uniformément originaires de Quimperlé, Hennebont, Tréguier, Port-
Louis, Vannes ou des paroisses du diocèse de Vannes, Nantes et
sa région (1). Aussi bien les actes d'engagement dressés au Port-
Louis pour la société Deucher-Coëtlogon, en 1720, portent-ils
sur un personnel exclusivement breton, parmi lequel figurent
28 femmes qui appartiennent surtout à la région de Vannes (2).

Ni ces agglomérations ni La Rochelle ne détiennent d'ailleurs
le monopole des enrôlements de main-d'œuvre coloniale. D'autres
localités y ont aussi contribué. La société Deucher-Coëtlogon a
opéré de nombreux engagements à Saint-Malo, à Langres et à
Valenciennes, et, dans l'entreprise Kolly-Vernesobre, on relève
une forte proportion d'engagés originaires des provinces du Nord,
Picardie, Flandre, Champagne, région de Namur et de Maubeuge,
et jusqu'à des artisans de Gand, Charleroi, Bruxelles, Tournai,
quelques Italiens et Suisses, quelques représentants enfin de
la région lyonnaise (3). Il est vrai que Paris offre aux sociétés de
colonisation de grandes possibilités tant dans l'élément provincial que dans l'élément proprement parisien ou parmi les sujets
étrangers au royaume, et il est possible que la société Kolly-
Vernesobre y ait recruté son personnel, car la plupart des entreprises ont, à des degrés divers, puisé dans la main-d'œuvre des
paroisses de la capitale (4). La société de Mézières y recrute
quelques étrangers — un laboureur du diocèse de Genève, un
menuisier de Mantoue, un jeune barbier de Londres, une Anglaise
« nouvelle convertie » qui s'engage avec l'artisan français qu'elle
a épousé — à côté d'une majorité de provinciaux, appartenant
aux provinces les plus diverses, du Berry à la Bourgogne et à la
Savoie, du Beauvaisis et de l'Orléanais à la Normandie, la
Picardie et la Champagne (5).

Les paroisses où s'effectue ce recrutement sont celles du
centre de la ville et du faubourg Saint-Germain, rarement celles

---

(1) Arch. du Morbihan, EN 3909, Minutes Kersal, 17 févr.-30 déc. 1719 ;
EN 3910, 3 et 5 août 1720.
(2) *Ibid.*, EN 3910, Engagements effectués du 29 févr. au 10 mai 1720.
(3) A.C., G 1 464 (Passagers), pièce 21.
(4) Et. XV-504, Engagements, 2, 22, 29 déc... ; -508, Engagement,
7 févr. 1720. — Et. XXVII-122-3-4, Engagements, sept. 1719 et suiv. —
Et. LXXVII-158, Engagements oct.-nov. 1719. — Et. CXXII-556, Engagements, 3-20 avril 1720.
(5) Et. CXVI-215, Etat général des particuliers qui se sont engagés...,
3 août 1719, sept. 1719.

du faubourg Saint-Antoine ou du faubourg Saint-Denis ou les
paroisses périphériques de Vincennes et de Montmartre (1).
Parfois, c'est la paroisse du domicile du concessionnaire qui
fournit les engagés, et ceux-ci peuvent appartenir à un milieu
qu'il connaît personnellement et où il y a tout lieu de croire
qu'il a sollicité des adhésions. Chartier de Baulne recrute le
personnel de service dont il s'entoure parmi les domestiques de
sa maison de Presles et parmi ses voisins immédiats de domicile
à Paris, auxquels s'ajoute un jeune homme de 18 ans qui se
trouve alors interné à la Conciergerie, et dont le père, un valet
de chambre, cherche apparemment l'occasion de se débarrasser (2). De son côté, le Mis de Mézières engage une vingtaine
d'artisans domiciliés dans la rue de Varennes, à proximité de
son hôtel, et originaires en grande partie de Charleville, Mézières,
Namur, et des confins du pays de Liège, ce qui paraît indiquer
la présence d'une colonie régionale dans le quartier de son
domicile, avec laquelle il entretient des rapports qui favorisent
les engagements (3). Plus nettement encore, le Cte d'Artagnan
enrôle 50 % de ses engagés dans la rue du Bac, la rue de Beaune
et les rues avoisinantes, c'est-à-dire aux abords de l'Hôtel des
mousquetaires gris, où il réside, dans les limites de la paroisse
Saint-Sulpice. Et le fait qu'il prélève sur le personnel même de
cet hôtel, pour ses fins colonisatrices, un serrurier, un compagnon
cordonnier, un maçon, un laboureur, et jusqu'aux deux directeurs
de sa concession de Louisiane, les mousquetaires Jean d'Artiguière et Étienne de Bénac, souligne davantage encore la part
qu'il a eue dans le recrutement de ses employés (4). Dans l'entreprise des Chaumont enfin, nous retrouvons un petit noyau
régional, plus dispersé dans les différentes paroisses de la ville,
mais composé de sujets venus de Namur et de Chimay, et grossis
de quelques recrues de l'évêché de Toul et de Haute-Alsace,
dont l'enrôlement répond vraisemblablement à l'action personnelle de Catherine Barré, la « dame de Namur » (5). A la variété

---

(1) Et. CXVI-215, *op. cit.*, août 1719-mars 1720. — Et. XXIII-432, Engagement, 25 mai 1718. — Et. XXVII-122-3-4, engagements, sept. 1719. —
Et. LXXVII-158, Engagements, oct.-nov. 1719 ; -160, Convention, engagement,
janv. 1720. — Et. CXXII-556, Engagements, 3-20 avril 1720.
    (2) Et. XXIII-431, Engagement, 31 mars 1718 ; -432, Engagements,
2 mai 1718 ; -433, Engagements, 4 sept. 1718.
    (3) Et. CXVI-215, engagements, sept., nov., déc. 1719.
    (4) Et. XXVII-122, 124, Engagements, 31 août, 1, 4, 5, 7, 9, 12,
13... sept. 1719. — Registre paroissial du Port-Louis, 15 mai 1720. — CHAR-
LEVOIX, *Journal d'un voyage...*, VI, p. 204.
    (5) Et. CXXII-556, Engagements, 2-15 avril 1720. — G 1 464 (Passagers),
pièce 41.

des origines qui distingue habituellement le recrutement effectué dans la capitale s'oppose ainsi, dans plusieurs cas, une homogénéité bien accusée qui limite les enrôlements à des groupes appartenant à une région déterminée.

3. Les corps de métier

Ces nombreux engagés se répartissent entre deux catégories de métiers, qui se répètent à l'infini dans les contrats des notaires. C'est, d'une part, le personnel préposé à la mise en valeur de la concession et à l'édification des bâtiments ; et, d'autre part, celui qui est destiné aux besognes domestiques et à l'ensemble des travaux nécessaires à la vie matérielle de la communauté appelée à s'organiser et à se suffire dans la nature primitive de l'habitation coloniale. Dans la première catégorie figurent les « laboureurs à bœufs » et « à bras », les « défricheurs de terre », piocheurs et jardiniers, les manœuvres, maçons, tailleurs de pierre, ou briquetiers le cas échéant, les « charpentiers de grosses œuvres », dont certains ajoutent à leur métier celui de « calfat de profession » ou de tonnelier, les menuisiers, scieurs de long, couvreurs, forgerons, serruriers (1).

Dans la deuxième catégorie se classent les métiers qui pourvoiront à l'alimentation et au vêtement de la communauté : boulangers, pâtissiers et cuisiniers, recrutés indifféremment dans un personnel d'hommes ou de femmes, brasseurs, tailleurs d'habits, cordonniers ou sabotiers, et, çà et là, quelques bonnetiers, drapiers ou tisserands, et mégissiers. A côté d'eux apparaissent les « servantes domestiques », accompagnées d'un effectif de lingères, fileuses, blanchisseuses, ravaudeuses, tricoteuses, surtout nombreux dans la société Deucher-Coëtlogon, et de couturières, dont l'une fait aussi fonction de sage-femme (2). Dans un esprit de gestion plus économique, les époux Chaumont engagent une seule personne « pour avoir soin » de l'ensemble des travaux domestiques de leur habitation (3). En dehors de ces catégories, ce sont enfin les sujets qui assureront le service

---

(1) Et. XV-508, Engagement, 7 févr. 1720 ; XXVII-122, Engagements, 31 août 1719 et suiv. ; -123, 3 oct. et suiv. ; CXVI-215, Engagements, 3 août 1719 et suiv. — Char.-Mar., Registre Desbarres (1717-9), f. 88 v-100..., Minutes Jarosson (1717-1739). — Arch. du Morbihan, EN 3909-3910, Minutes Kersal. — A.C., G 1 464 (Passagers), pièces 49, 21.
(2) Arch. du Morbihan EN 3910, Engagements du 10 mai 1720.
(3) Et. CXXII-556, Engagement, 3 avril 1720.

de l'exploitation, soit par les métiers dont ils sont pourvus, charbonniers, tonneliers-doleurs, couteliers, cordiers, taillandiers et armuriers, soit en qualité de « garçons de service » ou de journaliers et journalières dénués de spécialité qui s'engagent « pour servir en toutes choses raisonnables qui leur seront commandées » (1). A titre exceptionnel, Chartier de Baulne ne fait dans ses engagements qu'une place très limitée aux catégories précédentes, car le recrutement de son personnel répond essentiellement au désir d'occuper dans la colonie un rang qui s'exprimera dans son train de maison. Il s'agit donc avant tout d'un personnel de domestiques et de commis-secrétaires, auxquels le S. de Baulne aurait voulu ajouter une servante pour gros ouvrages et une femme de charge qu'il avait choisie dans la personne d'une maîtresse sage-femme jurée du Châtelet, mais toutes deux se désistèrent de leurs engagements (2).

Les métiers qu'énumèrent les actes d'engagement peuvent accuser une certaine spécialisation par régions. On relève par exemple des couteliers de Binche et de Charleroi, des cloutiers de Maubeuge et de Ferrière, des « faiseurs de merrin » de Vannes et La Roche-Bernard, des tisserands d'Alençon et de Quimper, des drapiers de Verneuil, des brasseurs de Bretagne, Paris et Maubeuge, des cordiers de Rochefort, Tonneins, Paris, quelques mineurs de Mâcon et de Roanne... (3). Mais ce sont là des métiers qui ne comptent qu'un très petit nombre de représentants. Pour les occupations habituelles, le recrutement s'effectue dans une gamme de provinces étendue. C'est surtout apparent pour les travailleurs agricoles, dont les grandes concessions possèdent généralement un effectif important (64 laboureurs et défricheurs pour la concession de Mézières, 69 pour la société de Sainte-Reyne, une centaine pour la société Deucher-Coëtlogon) (4). Les Bretons, certes, y sont nombreux. Mais, à côté d'eux, la société de Mézières engage des laboureurs de la région parisienne, du Beauvaisis, de Champagne et de Savoie, la société Deucher-Coëtlogon fait appel à une quarantaine de sujets de Langres et de Valenciennes. Celle de Sainte-Reyne élimine à peu près

---

(1) Char.-Mar., Registre Desbarres (1717-9, 1718-21). — Arch. du Morbihan, EN 3909-10. — Et. LXXVII-160, 11 janv. 1720 ; CXVI-215, août-sept. 1719 ; CXXII-556, avril 1720 ; XXVII-122, août-sept. 1719. — G 1 464 (Passagers), pièces 49, 41, 21.
(2) Et. XXIII-432, Engagements, mai 1718 ; -433, 13 sept. 1718.
(3) Et. CXVI-215, Engagements, août-déc. 1719 ; LXXVII-160, 1er janv. 1720. — Arch. du Morbihan, EN 3910, 29 févr., 5 août 1720. — G 1 464 (Passagers), pièces 41, 21.
(4) G 1 464 (Passagers), pièces 49, 46, 50, 21.

complètement l'élément breton au profit de laboureurs de Picardie et des provinces de l'Est, et le Mᶦˢ de Brancas diversifie encore davantage son recrutement en y associant des représentants du Bordelais, du Quercy, de la Picardie, de la Champagne et de la région de Briançon (1).

Parmi le personnel préposé aux travaux agricoles se détache le groupe spécialisé dans la culture et dans l'apprêt du tabac, qui fait la principale originalité de cette concession de Law et du duc de Guiche sur laquelle nous sommes par ailleurs si mal renseignés. Les 27 sujets enrôlés, qui partent pour la plupart en compagnie de leurs femmes et enfants, viennent en presque totalité du comté d'Avignon, Lapalud, Mornas, Serignan, Malaucène, et surtout de Mondragon, qui fournit près de la moitié des recrues, et, dans une plus faible proportion, du Vivarais (Bourg-Saint-Andéol), du Languedoc et du Forez (2). Vraisemblablement, les enrôlements furent effectués sur place par des agents de la société. On ne sait comment Law et son associé furent amenés à modifier le lieu de ce recrutement, qui s'était fait jusque-là dans la région de Clérac et de Tonneins. Le personnel engagé gagna ensuite, à pied ou en charrettes, le port d'embarquement. La concentration s'effectua dans l'île de Ré, où les contrats définitifs furent dressés et répertoriés dans la bourgade de Saint-Martin par un notaire de La Rochelle, en présence de Lestobec et de Levens, et le départ eut lieu, quelques jours après, par le navire *La Marie* (3). Ces engagements portent généralement sur des sujets qui ajoutent à leur pratique du travail du tabac l'expérience d'un métier supplémentaire, boulangers, cordonniers, charpentiers, scieurs de long. Aucune entreprise n'unit aussi complètement l'exploitation du tabac, qui doit former la culture rémunératrice de la plantation, et l'ensemble des métiers indispensables à la vie de la communauté. Aucune ne nous renseigne aussi exactement sur le recrutement de ce personnel « cultivant le tabac », auquel, pourtant, plusieurs concessionnaires font une place importante, Law notamment, pour sa grande concession, et d'Artaguiette d'Iron, qui engagent respectivement 21 et 27 spécialistes du tabac, originaires surtout de Guyenne, Gascogne et Languedoc (4).

---

(1) Et. CXVI-215, Engagements, août-déc. 1719. — Char.-Mar., Minutes Jarosson (1719-39), déc. 1719-janv. 1720. — G 1 464 (Passagers), pièce 21.
(2) Char.-Mar., Liasse Desbarres 1720, n° 1.
(3) *Ibid.*
(4) A.C., C 2 15, f. 33-33 v, 36-36 v, Rôle des personnes embarquées sur *Le Profond*. — Char.-Mar., Registre Desbarres (1718-21), 22 déc. 1719. —

Simultanément, les entreprises se préoccupent dans une certaine mesure de l'exploitation de la soie que tant d'observateurs avaient représentée comme une des ressources possibles de la colonie et que la Cie d'Occident encourageait soit en n'autorisant aux concessionnaires d'autre industrie que celle de la soie écrue, soit en leur imposant dans ses lettres de concession l'obligation de planter un certain nombre de pieds de mûrier par arpent défriché (1). Paris-Duverney place sa concession sous la direction d'un homme, le Sr Dubuisson, versé dans le travail de la soie, et la même préoccupation reparaît chez d'autres concessionnaires, dans la société de Mézières, dans les entreprises du Cte d'Artagnan, de d'Artaguiette d'Iron et de ses frères, de Claude Le Blanc, de Deucher-Coëtlogon. Toutes recrutent quelques personnes, hommes ou femmes, souvent des Bretonnes, pour « travailler aux soies » ou pour s'occuper du « tirage des soies » (2). De son côté, le Mis d'Ancenis engage à Uzès 9 « hommes pour la soie », et Law fait appel à 10 « ouvriers en soie » d'Alès, Tours, Turin et Lausanne (3). Mais le cas le plus intéressant est celui de l'engagement par Étienne Demeuves et ses associés du fils d'un marchand de soie du Dauphiné, Pierre Coutaud, originaire d'Annonay, qu'ils chargent de former sur leur concession « un établissement de fabriques à soie » avec les instruments et le personnel qu'il devra se procurer dans le Dauphiné (4).

Indépendamment des laboureurs ou des défricheurs, les sociétés ont donc recours à des éléments qu'elles comptent préposer à des tâches spécialisées, susceptibles d'orienter l'économie coloniale vers des productions adaptées à son milieu naturel, qui, jusque-là, étaient restées dans le domaine de l'hypothèse.

4. Les conditions d'engagement

Avec l'avènement de la Cie d'Occident, les contrats d'engagement pour la Louisiane cessent de répondre à la formule qui leur avait été appliquée en 1716, et qui calculait le salaire des

---

Arch. du Morbihan, EN 3910, 24 juill. 1720. — Registre paroissial du Port-Louis, f. 258. — G 1 464 (Passagers), pièce 47.

(1) Et. XCVI-249, Lettres de concession aux frères Scourion, 20 oct. 1717. — C 13 C 4, f. 221, Lettres de concession aux Srs J.-B. et Michel Delaire...

(2) Arch. du Morbihan, EN 3909-3910, 27, 30 déc. 1719, 16 avril, 7 mai, 8 mai 1720. — Char.-Mar., Liasse Desbarres 1719, 12 mai. — Et. CXVI-215, 11 sept. 1719. — G 1 464 (Passagers), pièces 46, 21 (La Seine).

(3) G 1 464 (Passagers), pièce 21 (La Seine). — C 2 15, f. 32, Rôle des personnes embarquées sur Le Profond.

(4) Et. VIII-931, Traité, 14 janv. 1720 ; LIII-195, Convention, 5 mai 1719.

engagés sur la valeur de 300 livres de sucre, estimées au cours de la côte de Saint-Domingue, et n'en prévoyait le versement qu'à l'expiration des 3 années de service (1). Elle ne se retrouve plus, comme un vestige périmé du passé, que dans les quelques engagements que concluent en septembre 1717 les capitaines de *La Dauphine*, du *Neptune* et de *La Vigilante*, et, ultérieurement, dans ceux du banquier Cantillon (2). Les contrats d'Antoine Crozat, en prévoyant des gages en argent, variables de 300 à 450 livres, payables par semestre, et le versement anticipé des six premiers mois, annoncent déjà des conditions qui vont bientôt se généraliser. Mais aucune gratification n'intervient à la fin du contrat, ni sous forme d'attribution de terre, ni sous forme de prime en argent, Crozat garantissant seulement le rapatriement gratuit par une clause nouvelle qui fait défaut dans les engagements des capitaines de navire. Dans les deux cas, le logement et la nourriture sont assurés aux engagés : Crozat promet en outre de les « nourrir à pain et vin de France » (3). A mesure que les engagements se multiplieront, les contrats tendront à se rapprocher d'un modèle uniforme où se retrouveront quelques-uns des principes posés dans les actes du financier.

Une place à part doit être faite aux engagements qu'effectuent pour leur service personnel les administrateurs de tout rang, les officiers, certains concessionnaires ou les employés des sociétés de colonisation que leurs fonctions appellent en Louisiane. Dès le mois de septembre 1717, l'écrivain et le chirurgien major de *La Dauphine*, Arnaud Bonnaud et Pierre Bérard, qui s'apprêtent à partir pour la Nouvelle-Orléans, engagent en commun une servante. Quelques mois plus tard, le capitaine réformé Louis Nouette de Grandval, fils d'un procureur au Parlement, qui part comme major du Fort-Louis de la Mobile, prend aussi une domestique à son service (4). Pierre Mélique, officier des troupes d'Occident, engage en 1718 un maître menuisier et son fils avec mission de « travailler de leur métier » à ses « ordres, services et profit » (5). Directeurs généraux de la Compa-

---

(1) M. GIRAUD, *Histoire de la Louisiane française*, II, p. 117.
(2) Char.-Mar., Registre Rivière & Soullard (1715-8), f. 175-175 v, 177 v, 178-178 v, 181 v-2.
(3) *Ibid.*, f. 170-1, 177 v, 184 v, 185, 188.
(4) Char.-Mar., Registre Desbarres (1717-9), f. 58 v, Liasse Hirvoix (1718), pièce 122. — Et. XXVI-306, Procuration, 1ᵉʳ mars 1718. — A.C., F 3 241, f. 166, Instruction pour le S. Bonnaud.
(5) Char.-Mar., Registre Desbarres (1717-9), f. 78-78 v. — A.C., B 42 *bis*, f. 253, Etat de ce qui doit être envoyé aux Illinois, 23 avril 1718.

gnie en Louisiane, comme Larcebault et de Villardeau, régisseurs de concessions comme Louis-Élias Stutheus, Jacques Levens, Faucon-Dumanoir, partent en compagnie de valets ou de domestiques, au même titre que les ingénieurs du roi, Leblond de La Tour ou Franquet de Chaville (1). Il ne s'agit pas nécessairement d'engagés au sens propre. Dans bien des cas, ces domestiques étaient déjà au service de leurs maîtres dans la métropole. Mais l'expatriation supposait des conditions différentes de celles qu'ils avaient souscrites avec ces derniers, ce qui aboutissait à une forme plus ou moins explicite d'engagement. De même encore Willart d'Auvilliers, alors qu'il s'apprête à se rendre en Louisiane pour s'informer des possibilités du pays, engage une personne pour s'occuper de l'éducation de ses enfants et pourvoir à « l'arrangement de ses affaires domestiques » (2).

Les conditions de ces engagements personnels sont assez variables. Au contrat de 3 ans établi par Bonnaud et Bérard, qui garantit à leur servante, une jeune femme de 26 ans, fille d'un marinier de l'île d'Oléron, des gages annuels de 60 livres en « argent sonnant », outre le logement et la nourriture, s'oppose celui de Nouette de Grandval, d'une durée de 5 ans, qui prévoit seulement l'entretien matériel de sa domestique (3). Pierre Mélique accorde à ses engagés, des artisans d'Orléans fixés à Lorient, la vie matérielle et un salaire global de 1 400 livres pour 3 ans, payable par tranches annuelles (4). Quant à la personne qu'engage Willart d'Auvilliers, elle aura droit au quart des profits de l'habitation qu'il espère constituer en Louisiane. Mais, dans l'immédiat, elle aura seulement le logement et la nourriture, et W. d'Auvilliers lui garantit le retour gratuit dans la métropole si elle désire rentrer en France (5). Dans les contrats de Chartier de Baulne, 2 domestiques seulement reçoivent une rémunération annuelle régulière de 100 livres en argent ou en marchandises, trois n'obtiennent qu'une gratification globale à la fin de leurs 3 ans, 100 à 200 livres suivant les cas, un enfin n'a droit à « aucuns gages ni aucunes récompenses » et se trouve réduit à l'entretien matériel. Pour la maîtresse sage-femme qu'il

(1) Et. XLVIII-35, Engagements, 28 janv. 1720 (Levens et L.-E. Stutheus) ; XXVII-122, Engagement par J. Dartiguière, 1er sept. 1719. — A.C., G 1 464 (Passagers), pièce 21 (Le Dromadaire).
(2) Et. CXXII-546, Société, 13 sept. 1717. Ci-dessus, p. 169.
(3) Char.-Mar., Reg. Desbarres (1717-9), f. 58 v ; Liasse Hirvoix 1718, pièce 122.
(4) Ibid., f. 78-78 v.
(5) Et. CXXII-546, Société, 13 sept. 1717. — Char.-Mar., Registre Desbarres (1717-9), f. 58 v, 78-78 v.

aurait voulu ajouter à sa domesticité, le S. de Baulne se refusait à toute rémunération en dehors du droit qu'il lui laissait d'exercer son métier, et encore sous condition qu'elle lui abandonnât les 2/3 de ses gains (1). Deux autres exemples, assez exceptionnels il est vrai, augmentent encore la diversité de ces contrats d'ordre personnel. C'est celui d'A. Bonnaud prenant à son service, en 1717, pour une durée de 3 ans, un jeune homme de 17 ans, fils d'un employé des fermes de La Rochelle, moyennant le transport gratuit en Louisiane, le logement et la nourriture et 60 livres de rémunération annuelle, moyennant surtout l'engagement de l'initier à son métier d'écrivain de navire, ce qui équivaut à un véritable contrat d'apprentissage, le seul que nous aient livré les archives de Louisiane pour cette période initiale. D'autre part, W. d'Auvilliers, lorsqu'il entre au service de l'entreprise de Mézières, se charge, en acquittement d'une dette contractée envers un marchand de vin de Paris, de conduire le fils de ce dernier dans la colonie et d'assurer sa vie matérielle pendant 3 ans, sans en exiger aucun travail (2).

Ces engagements ne portent d'ailleurs que sur un personnel limité, en comparaison de celui qu'engagent les sociétés de colonisation pour les besoins de la mise en valeur et de la gestion. Sur les conditions que ces entreprises font à leurs engagés, nous ne sommes vraiment renseignés qu'à partir de celle de Richard Cantillon. Ses engagements, établis pour une durée de 3 ans, comportent une échelle de gages relativement élevés, variables suivant les corps de métier et, en apparence, suivant les capacités individuelles à l'intérieur d'un même corps de métier. A l'échelon supérieur figurent les charpentiers de grosses œuvres, qui bénéficient de 600 livres de gages annuels, et, à l'échelon inférieur, les éléments sans métier défini, qui ne touchent que 60 ou même 40 livres. Entre ces salaires extrêmes se situent une série d'échelons intermédiaires, 350 livres pour un maître menuisier, 300 pour un charron, 200 pour un tonnelier-charpentier, soit une échelle supérieure à celle que J.-B. Duché indique dans son mémoire d'information de 1719 comme devant servir de règle aux concessionnaires (3). Tous sont assurés de leur vie matérielle et de leur entretien, la formule la plus complète prévoyant que l'engagé

(1) Et. XXIII-431, Engagements, 31 mars 1718 ; -432, Engagements, 11 avril, 2 mai, 30 mai, 25 mai, 1718 ; -433, 4 et 13 sept. 1718.
(2) Char.-Mar., Registre Desbarres (1717-9), f. 53. — Et. VII-222, Convention, 21 avril 1720.
(3) Char.-Mar., Registre Desbarres (1717-9), f. 90-5. — A.C., C 13 C 1, f. 343, DUCHÉ, *Mémoire sur la colonie de la Louisiane.*

sera « nourri, logé, blanchi et couché, médicamenté en cas de maladie » (1).

On retrouve dans ces contrats de Richard Cantillon le dernier exemple de cette clause du payement en nature, calculé sur la valeur de 300 livres de tabac, qui faisait déjà figure de formule désuète dans les premiers mois de la Cte d'Occident (2). Un type de contrat particulier au banquier est celui qui laisse le montant des gages à son « honnêteté » (3). Mais, quel que soit le mode de rémunération, des avances sont consenties à presque tout le personnel, qui, généralement, portent sur la moitié du salaire annuel (4). En revanche, et en contrepartie peut-être du niveau élevé des gages, Cantillon ne prévoit en fin de contrat ni concession de terre ni retour gratuit dans la métropole.

Cette dérogation aux règles posées par Duché deviendra de plus en plus rare dans les contrats qui correspondent à l'entrée en scène des grandes entreprises de colonisation, dans la deuxième moitié de 1719. Mais ces derniers, en dépit de leur uniformité relative, ne se conforment pas intégralement aux principes énoncés par le représentant de la Cte des Indes.

La clause du mémoire de Duché la plus généralement reproduite, celle qui fixe à 3 ans la durée des engagements, peut elle-même varier : les actes de la société Deucher-Coëtlogon comportent des engagements de 5 et 6 ans (5). Si, habituellement, les gages, suivant les instructions de Duché, sont comptés à partir du jour de l'engagement, à la différence des années de service qui partent du jour de l'arrivée en Louisiane, le principe qu'il énonce du versement d'un mois d'avance fait généralement place à une plus large interprétation, la plupart des entreprises attribuant trois ou six mois d'avance (6). Mais c'est surtout dans les conditions prévues pour les engagés à la fin du contrat qu'il y a de fréquentes dérogations aux principes de Duché, attribution d'une terre et d'une année de gages, ou retour gratuit

---

(1) Char.-Mar., Registre Desbarres, 1717-9, f. 92 v.
(2) *Ibid.*, f. 93-93 v, 96-7, 100.
(3) *Ibid.*, f. 88 v, 92.
(4) *Ibid.*, f. 89 v, 92 v, 95-95 v.
(5) Arch. du Morbihan, EN 3910, Engagements effectués le 10 mai 1720. — Et. XV-504, Engagements du 22 déc. 1719 et du 26 janv. 1720.
(6) Arch. du Morbihan, EN 3909, Engagement, 17 févr. 1719, EN 3910, 10 mai 1720. — Et. VIII-932, Engagements, 15 févr. 1720 ; Et. XXVII-122, 31 août 1719 ; LXXVII-158, 160, Conventions et engagements, 23 oct. 1719, 1er, 13 janv. 1720 ; Et. CXVI-215, Engagements, 3 août, 2 sept., 13 déc. 1719 ; Et. CXXII-556, 5 avril 1720. — Char.-Mar., Registre Desbarres (1718-21), f. 82-82 v, Liasse Desbarres 1719, 22 févr., 11 mai, 13 juin..., 1720, Rôle second des engagés faits pour Mgr Law ; Minutes Jarosson (1719-39), 28 déc. 1719.

dans la métropole (1). Souvent l'une des conditions fait défaut ; et parfois, il est seulement promis « quelque somme d'argent » (2).

Il est d'autant plus difficile de fixer un modèle définitif de contrat que, sur deux autres points, les concessionnaires vont généralement au-delà des conditions de Duché. Sur la question des avantages en nature d'abord qui, dans le mémoire de celui-ci, se ramènent à la seule nourriture de l'engagé, les contrats ajoutent souvent le vêtement, et les plus explicites, ceux du Cte d'Artagnan, fournissent le détail des articles qui seront attribués au personnel, 1 habit, 1 veste, 1 culotte à la signature, 4 chemises, 3 paires de bas et 3 paires de souliers à l'arrivée en Louisiane (3). En 2e lieu, plusieurs contrats assurent aux engagés, en dehors de leurs salaires, des indemnités de nourriture dans la période qui précède l'embarquement, indemnités dont le mémoire de Duché ne fait point mention, et qui sont de l'ordre de 10 à 15 sols par jour, ou davantage (4).

Même en matière de salaires, les contrats des grandes entreprises ne suivent pas nécessairement les règles de Duché et ne représentent pas une amélioration uniforme sur les actes antérieurs. Certains marquent au contraire une régression sur les contrats de Cantillon ou de Crozat. Les gages les plus bas correspondent au recrutement effectué dans les paroisses bretonnes. Pour les recrues de l'entreprise Deucher-Coëtlogon au Port-Louis, non seulement les gages sont faibles, mais une clause prévient les intéressés qu'ils ne pourront les exiger « s'il arrive perte ou prise du navire en allant à la colonie », et le personnel n'est engagé que sous condition, quels que soient les métiers de ses membres, de s'occuper simultanément de défrichements et de labours (5). Les femmes sont le plus mal partagées. Souvent, et le cas s'applique à des personnes de tout âge, depuis des enfants de 15 ans jusqu'à des femmes de 32 ans, elles ne reçoivent d'autre rémunération que la vie matérielle et une indemnité

---

(1) A.C., C 13 C I, f. 343-343 v.
(2) Char.-Mar., Registre Desbarres, 1718-21, f. 82-82 v ; Liasses Desbarres 1719, 22 févr., 11 mai..., 1720, Rôle second des engagés... — Arch. du Morbihan, EN 3910, 10 mai 1720. — Et. VIII-932, Engagements, 15 févr. 1720 ; CXXII-556, 3-20 avril 1720.
(3) Et. XXVII-122, Engagements, 31 août 1719... — Et. LXXVII-158, 23 oct., 5, 15 nov. 1719 ; CXVI-215, 3 août 1719... — Arch. du Morbihan, EN 3909, 17 févr. 1719 et suiv., EN 3910, 10 mai 1720. — Char.-Mar., Liasses Desbarres, 1719, 13 juin ; 1720, Rôle second des engagés...
(4) Arch. du Morbihan, EN 3909, Engagement, 17 févr. 1719, EN 3910, 10 mai 1720. — Et. VIII-932, Engagements, 15 févr. 1720 ; XV-504, 2, 22 déc. 1719 ; XXVII-122, 31 août 1719, 1er sept. 1719...
(5) Arch. du Morbihan, EN 3910, 10 mai 1720.

journalière de 8 à 10 sols avant l'embarquement. Parfois on leur garantit « pour tout engagement » une petite somme de 10 à 15 livres, qui leur permettra de procéder à quelques achats. Après quoi, elles ne pourront plus prétendre qu'à la vie matérielle (1). Celles enfin qui obtiennent un salaire annuel n'atteignent généralement pas 40 livres. Exceptionnellement, une « travailleuse en soie et couturière » parvient à une rémunération de 100 livres. Quant aux hommes, leur situation n'est guère plus privilégiée : deux seulement, un charpentier et un tonnelier, sont engagés à raison de 180 et 240 livres par an, les autres atteignent rarement 60 livres, et, dans le cas des laboureurs, recrutés parmi des jeunes gens de 14 à 20 ans, les salaires varient de 12 à 33 livres (2).

Les conditions s'améliorent pour les engagements opérés à Paris. Le Mis de Mézières promet à son personnel, suivant l'âge, des salaires moyens de 75 à 180 livres (3). Mais c'est seulement à l'échelon supérieur, où s'inscrivent un maître brasseur et un fondeur en cuivre avec des appointements de 300 et 500 livres par an, que ses gages peuvent entrer en parallèle avec ceux de R. Cantillon (4). La même observation s'applique aux contrats du Cte d'Artagnan (5). Plus généreusement, Antoine Chaumont offre à ses ouvriers des gages qui varient de 250 à 500 livres ; la société de Brancas engage des laboureurs à 100 et 200 livres, le président Dodun en engage 7 pour le salaire uniformément élevé de 300 livres, au rebours des conditions modestes qui sont habituellement faites à cette catégorie, Duché lui-même ne proposant pour un laboureur que 100 à 150 livres (6).

Les conditions d'engagement se modifient lorsque les contrats concernent des familles entières. Dans ce cas, la femme de l'engagé et ses enfants, s'ils sont en mesure de le seconder dans l'exercice de son métier ou s'ils acceptent d'effectuer dans l'intérêt de la communauté des besognes domestiques, reçoivent aussi un salaire. Même si les membres de la famille ne rendent aucun service, ils bénéficient de la nourriture et de l'entretien, et, généralement, l'engagé touche pour ses enfants un supplément de salaire. Dans

---

(1) *Ibid.*
(2) *Ibid.*
(3) Et. CXVI-215, Etat général des particuliers..., 3 août 1719, 2 sept. 1719-23 mars 1720.
(4) Et. CXVI-215, *ibid.*, 2 sept. 1719-23 mars 1720.
(5) Et. XXVII-122, Engagements, 31 août 1719. — A.C., C 13 C 1, f. 343, DUCHÉ, *Mémoire sur la colonie de la Louisiane.*
(6) Et. VIII-932, Engagements pour la Louisiane, 15 févr. 1720 ; LXXVII-158, 160, 23 oct. 1719 ; 1er, 11 janv. 1720 ; CXXII-556, 3-20 avril 1720. — Char.-Mar., Minutes Jarosson, 28 déc. 1719.

les contrats du Mis de Mézières, dans ceux de d'Artagnan, nous trouvons plusieurs exemples de rémunération de l'homme et de la femme : celui d'un jardinier engagé à raison de 100 livres par an, ainsi que sa femme, pour l'entretien de laquelle il reçoit en outre un supplément de 60 livres ; celui d'un charpentier, qui touche 280 livres personnellement, 60 pour sa femme, 60 pour sa fille aînée, les autres enfants, au nombre de 4, n'ayant droit qu'à la vie matérielle et au transport gratuit dans les deux sens... (1). Dans les contrats des cultivateurs et ouvriers en tabac de la concession Law-Guiche, la rémunération prévue est en moyenne de 90 à 150 livres pour les hommes de 23 à 40 ans, et de moins de 40 livres pour les jeunes gens de 17 et 18 ans (2). Mais, pour les hommes accompagnés de leurs familles, les salaires atteignent une moyenne de 150 à 200 livres et, pour celui qui, nanti d'une famille, pratique à la fois le travail du tabac et un métier supplémentaire, la rémunération peut être de l'ordre de 200 à 300 livres (3). Au point de départ, dans sa localité d'origine, l'engagé reçoit un acompte en numéraire, de 20 à 30 livres le plus souvent, pour lui-même et sa famille, et il ne touche le surplus qu'à son arrivée dans l'île de Ré, en argent si la somme est inférieure à 100 livres et, dans le cas contraire, en un billet de banque de 100 livres, l'argent n'intervenant alors que pour l'appoint. Or, à la date où se concluent ces engagements (fin juin-début juillet 1720), la monnaie de banque perd au moins 35 %, et les ouvriers dans les ports de mer exigent de plus en plus des espèces sonnantes (4). Il est possible que la certitude d'un salaire fixe, et les avantages matériels, nourriture, vêtement, promesse d'une terre défrichée et d'une prime en argent en fin de contrat, aient été jugés suffisants pour justifier l'émigration de ces familles pauvres. La vie coloniale semblait leur offrir des possibilités de subsistance supérieures à celles de la métropole et la perspective, à l'issue des années d'engagement, d'une situation indépendante à laquelle elles n'auraient pu aspirer en France. Sans doute les engagés que le Mis de Mézières et la société Deucher-Coëtlogon recrutent dans les paroisses bretonnes, où le niveau de vie est particulièrement bas, obéissaient-ils à des réactions identiques. La raréfaction des maçons et tailleurs de pierre que la correspondance des intendants de

(1) Et. CXVI-215, Engagements, 2 sept., 13 déc., 22 déc. 1719, 19 mars 1720.
(2) Char.-Mar., Liasses Desbarres 1720, Rôle second des engagés faits pour Mgr Law...
(3) *Ibid.*
(4) A.M., B 1 52, f. 26 v, M. de La Roulais, Rochefort, 29 juin 1720.

la marine signale dans le port de Nantes est liée précisément au recrutement qu'effectuent les sociétés de colonisation pour le Mississipi, bien que les quelques actes d'engagement que nous possédons n'accusent pour les uns et les autres que des salaires assez moyens, 75 à 80 livres, rarement plus de 100 livres (1). Sur la nature des gages versés par les entreprises de colonisation, nous ne sommes généralement pas renseignés. En dehors des engagements du duc de Guiche, les actes notariés, habituellement, ne sont pas explicites. Quelques-uns spécifient le payement en « louis d'argent et monnaie pour l'appoint ayant cours » (2). En revanche, un certain nombre d'engagements de la société de Mézières ont été effectués par Willart d'Auvilliers contre billets de banque, et ce n'est que dans les derniers mois du Système de Law que les contrats excluent formellement le billet des gages promis aux employés (3). Mais un salaire de 100 livres par homme était, de l'aveu de La Galissonnière, témoin des engagements qui s'opéraient dans la région de Rochefort, un salaire élevé, surtout s'il comportait l'entretien matériel (4). A plus forte raison des offres de 2 à 300 livres, à un moment où la hausse du coût de la vie dans la métropole n'avait pas entraîné une augmentation correspondante des salaires, étaient-elles de nature à gagner des adhésions au mouvement colonisateur (5).

5. Le personnel des états-majors

A la tête de ce personnel d'engagés figure généralement un « état-major », chargé de diriger l'habitation coloniale, d'en régler la comptabilité, de s'occuper de tous les détails de la gestion, de donner aux hommes les soins médicaux qui peuvent leur être nécessaires, de subvenir à leurs besoins spirituels : ensemble de directeurs et sous-directeurs, trésoriers et gardes-magasin, ingénieurs, chirurgiens, aumôniers, « majors d'hommes », dont la présence augmente la variété du recrutement. Law, après avoir offert

---

(1) A.M., B 1 52, f. 26 v, 75 v, *ibid.*, 29 juin, 28 juillet 1720. Char.-Mar., Reg. Desbarres (1717-9), f. 95. — Et. XXVII-122, Engagements, 18-19 sept. 1719, 25, 27, 30 sept. 1719 ; CXVI-215, Etat général des particuliers..., 3 août 1719, 13 déc. 1719.

(2) Et. XV-504, Engagements, 2, 22, 29 déc. 1719. — Char.-Mar., Registre Desbarres (1718-21), f. 82 et suiv.

(3) Et. XCV-70, Engagements, 28 nov. 1720. — Arch. du Morbihan, EN 3910, 21 oct. 1720.

(4) A.M., B 1 51, f. 688-9.

(5) E. J. Hamilton, Prices and Wages under John Law's system, *Quarterly Journal of Economics*, nov. 1936, p. 66-7 ; Prices and wages in Southern France..., *Economic History*, London, feb. 1937.

la direction de sa grande concession à deux gentilshommes étrangers, l'Écossais Alexander Alexander et l'Irlandais Sir Charles Forman, qui, vraisemblablement, appartenaient à l'entourage du prétendant Stuart, fait appel à un ancien commissaire de la marine, Louis-Élias Stutheus, de Toulon, et à un ancien consul du roi de Danemark en Espagne, Jacques Levens (1). Pour la concession dans laquelle il s'associe avec l'abbé de Tencin et le Mis d'Ancenis, il fait appel à un ancien officier de la compagnie des grenadiers à cheval, Pierre Goujon, seigneur de L'Espinay (2), et, pour celle qu'il forme avec le duc de Guiche, le directeur est choisi dans la personne d'un marchand-bourgeois de Paris, Médéric de Romigny, qui régit à Orléans la ferme et commanderie de Saint-Marc (3). Antoine Chaumont confie également la direction de son entreprise à deux bourgeois de Paris, Eustache Révillon, sieur des Rondelettes, et Guillaume Morin, tandis que J.-F. Delaporte s'adresse à des marchands de Reims et de Lille, Jean-Pierre Real et Jean Chatillon (4).

Pour certains, l'engagement dans une entreprise de colonisation peut être d'autant plus intéressant qu'il n'implique pas nécessairement l'abandon de leurs affaires personnelles. Médéric de Romigny laisse à sa femme le soin de gérer en son absence le domaine de la région d'Orléans, dont le bail est alors en cours. Aux anciens militaires comme aux anciens officiers de marine, les concessions du Mississipi offrent l'occasion de retrouver des emplois qui supposent l'habitude du commandement : à côté de Goujon de Lépinay, on peut citer Jacques-Benoît de Bellisle, ancien officier de dragons, pour la concession de Brancas, et, pour celle du Mis de Mézières, l'officier de marine malouin Jean Gravé, Sr de La Mancelière, qui avait effectué la traversée de la Louisiane à la tête du navire *L'Union*, et qui reçoit en 1720 la direction du domaine de la société, tandis que le poste d'ingénieur en est attribué à un jeune capitaine réformé du régiment d'infanterie de Louvigny, Joseph Gaya de Tréville, fils du major de la ville de Compiègne et neveu du prieur de Pierrefonds. Le capitaine François de Mandeville lui-même propose d'aider la

---

(1) Et. XLI-371, Convention, 8 juill. 1719 ; XLVIII-35, Engagement 28 janv. 1720. — A.C., C 2 15, f. 31, Rôle des personnes embarquées sur *Le Profond*, 9 juin 1720.
(2) Et. XCVI-259, Procuration, 22 janv. 1720.
(3) Et. XV-514-5, Procurations, 10 sept. 1720 ; XLVIII-39, Engagement, 15 mai 1720. — A.N., V 7 256, Jugement rendu par les commissaires généraux, 7 sept. 1730.
(4) Et. CXXII-546, Transaction et compte, 26 nov. 1717 ; -556, Convention, 17 avril 1720. — Et. XVI-655, Convention, 24 janv. 1720.

compagnie du duc de La Force à « faire l'établissement » dé sa
concession en Louisiane, et il envisage de demander à Bienville
un congé qui lui permettra d'en assumer momentanément la
direction (1).

D'autres éléments encore interviennent dans le personnel de
l'état-major : tantôt en raison de la compétence qu'ils peuvent
faire valoir, comme François Ridé, un architecte parisien préposé aux fonctions d'ingénieur de la concession Chaumont,
Pierre Martin, un ancien écrivain du roi à Dunkerque, choisi
comme garde-magasin de la concession de Mézières (2), tantôt
dans la pensée d'ajouter de nouvelles aventures à un passé déjà
chargé, tel le Versaillais Louis-Noël Fourtier, fils du chef des
offices du duc de Bourbon et d'une dame de la garde-robe de
Mlle de Charolais, qui, après un long séjour à Saint-Domingue
où il a été naturalisé Espagnol, s'engage comme officier de la
colonie de Sainte-Reyne pour faire de nouveau l'expérience de
la vie coloniale et échapper par la même occasion à la détention
qu'il subit dans la citadelle du Port-Louis (3).

Le personnel dirigeant peut à son tour obéir à un certain
recrutement régional. Dans l'entreprise Deucher-Coëtlogon, le
sous-directeur Jean Le Faure de Champdaguet, le secrétaire
Nicolas Piquant, Sr de Beauchesne, l'inspecteur des barques et
bateaux Le Compte de La Verris, les officiers Jean Daule de
Bompart et de Gaudrion Dudemaine, l'aumônier François
Duhall, sont tous des Bretons, originaires respectivement de
Rennes, Saint-Malo, Brest, et de l'évêché de Dol, tandis que
l'officier Martin des Longrais vient de la région d'Avranches (4).
Parmi les directeurs de la colonie de Sainte-Reyne, de la conces-
sion de Mézières et de celle de Fromaget-Gastebois, on note
également une prépondérance des provinces de l'Ouest, avec
Pierre Céard et Jean-Adam Deslandes, Gravé de La Mancelière,
Augustin-Thomas Helyes, Sr de Bompars, originaires de Laval,

(1) Et. VII-214, Ratification, 5 déc. 1717 ; XIX-620, Procuration,
4 déc. 1717 ; XLI-366, Vente de rente, 5 avril 1718 ; -371, Extrait baptistaire
déposé, 26 juill. 1719 ; LVIII-265, Nomination, 20 nov. 1719 ; XCV-70,
Engagement, 28 nov. 1720. — Lorient, 1 P 118, pièce 3. — A.C., G 1 464
(Passagers, pièces 54 et 58). — Reg. paroissial du Port-Louis, f. 242, 5 févr. 1720.
— B.N., Ms. Joly de Fleury, 2042, f. 278-9.

(2) Ét. CXXII-556, Engagements, 3-20 avril 1720 ; CXVI-215, Convention,
17 août 1719 ; LVIII-265, Nomination, 29 nov. 1719. — Char.-Mar., Minutes
Jarosson (1719-39), 28 déc. 1719.

(3) Arch. du Morbihan, EN 3910, Engagement, 27 juill. 1720 ; Procuration,
3 août 1720.

(4) Ibid., Engagements, 10 mai 1720.

Saint-Malo et Bayeux (1). Mais, pas plus que pour le personnel subalterne, le recrutement ne se limite à une même région. Le directeur de la concession Deucher-Coëtlogon, J.-B^te Faucon-Dumanoir, est un Parisien, et l'état-major comporte un commis bourguignon, de l'évêché d'Autun, Louis Renaudin Delarue, et jusqu'à un officier suisse, Hiérosme Grenier (2). La société de Mézières, avant de s'adresser à un officier de marine breton, avait confié le poste de directeur à Willart d'Auvilliers, et son trésorier général, Joseph Briquet, est un Lyonnais (3).

De même, l'aumônier de la colonie de Sainte-Reyne, Pierre-Joseph de Brabant, vient du Hainaut, où il est vice-président de l'oratoire de Brenne-le-Comte ; celui de la concession Law-Ancenis, Le Bourgeois, est un prêtre de Chartres ; celui de la concession de Mézières, Antoine Le Monier, appartient au diocèse d'Avranches, et le P. Maximin, de l'ordre des Augustins, l'aumônier de la concession de Law, vient de Marseille (4). Quant aux chirurgiens, ils se recrutent soit dans la population parisienne, comme les frères J.-B^te et Charles Duhaa (concession Law-Guiche), ou Claude-François Le Roux de Saint-Hilaire (concession Deucher-Coëtlogon), auquel est adjoint, en qualité d'apothicaire-chirurgien, le jeune botaniste Bernard-Alexandre Vielle, fils d'un écuyer de cuisine, soit parmi les provinciaux, comme le Basque Jean Pois Saint-Jean et le Saintongeais Michel Brosset (concession Law-Ancenis), le Bourguignon J.-B^te Delaye (concession de Mézières), le Gascon François Tessandier (concession d'Artaguiette) (5). On a même le cas d'un étranger, le Suédois Isaac Paulsen, établi à Paris, qui s'engage avec le Mis de Mézières, mais qui ne paraît pas avoir quitté la métropole (6).

Aux directeurs des concessions, les contrats d'engagement font des conditions qui peuvent être considérables, du moins à partir de la constitution des grandes sociétés. Ils bénéficient alors d'engagements qui peuvent s'étendre sur 4, 6 ou 8 ans, 10 ans

---

(1) *Ibid.*, Engagements, 7, 12 mai 1720. — Et. XLVIII-35, 30 janv. 1720.
(2) A.C., G 1 465, Engagement du S. Dumanoir, 29 déc. 1719. — Et. XV-504, 29 déc. 1719. — Arch. du Morbihan, EN 3910, 12 mai 1720.
(3) Et. CXVI-215, Engagement, 22 déc. 1719.
(4) Et. LXXXIII-292, Engagement, 5 févr. 1720. — A.N., V 7 256, Ordre des commissaires généraux députés... pour juger... les affaires de Law, 14 déc. 1730. — A.C., C 2 15, f. 31, Rôle des personnes embarquées... sur... *Le Profond.*
(5) Et. XLVIII-39, Engagement, 15 mai 1720 ; XV-504, 12 oct. 1719 ; LXXVII-158, 5, 14 nov. 1719 ; CXVI-215, 16 sept. 1719 ; CXXII-556, 12 avril 1720. — Char.-Mar., Registre Desbarres (1718-21), f. 56, 23 août 1719. — A.N., V 7 257, Condamnation de J. Law..., 15 déc. 1729.
(6) Et. CXVI-215, Engagement, 7 sept. 1719.

même pour Médéric de Romigny et pour les deux directeurs de la grande concession de Law. Et, dans plusieurs cas, l'engagement est renouvelable à la fin de la période (1). En fait, en raison de la dislocation rapide du mouvement colonisateur à la suite de l'échec du Système, les marchés conclus ne furent souvent qu'une duperie pour les signataires. Mais, au point de départ, les entreprises de colonisation offraient à leurs directeurs des conditions qui les mettaient à égalité avec les personnalités dirigeantes de la colonie. Il est proposé 5 000 livres à Goujon de L'Espinay, 6 000 à Benoît de Bellisle, Louis-Élias Stutheus et Médéric de Romigny ; 8 000 à Gravé de La Mancelière. Les Chaumont offrent même 10 000 livres au directeur général de leur habitation, Eustache Révillon : c'est le chiffre d'appointements que Bienville atteint en 1720, tandis que Leblond de La Tour, l'ingénieur en chef, et Diron d'Artaguiette, l'inspecteur général des troupes de la colonie, touchent respectivement 8 000 et 5 000 livres (2). Aux appointements s'ajoute l'avantage supplémentaire de la nourriture, dont la famille du directeur, si elle l'accompagne en Louisiane, bénéficie au même titre que lui-même, ainsi, dans certains cas, que sa domesticité (3). En sorte que le directeur, virtuellement dégagé de toute obligation matérielle, se trouve en mesure, lorsque sa famille reste en France, de lui abandonner une partie, sinon la totalité de ses gages, comme le fait Romigny, qui réserve sa paye pour l'éducation et l'établissement de ses enfants dans la métropole, tout en associant un de ses fils, en qualité de teneur de livres, à la gestion du futur domaine colonial (4). Avant de partir enfin, il reçoit une année de gages d'avance et une indemnité de nourriture, qui peut être de l'ordre de 10 livres par jour (5).

Plusieurs de ces engagements associent le directeur aux profits

(1) Et. XV-506, Engagement, 29 déc. 1719 ; XLI-371, Convention et commission, 8 juill. 1719 ; XLVIII-35, Engagement, 28 janv. 1720 ; LVIII-265, Nomination, 29 nov. 1719 ; XCV-70, Engagement, 28 nov. 1720 ; LXXXVII-817, Convention déposée, 13 mars 1725.
(2) A.C., D 2 C 51, f. 38-9, Etat des appointements... des commandants... de la colonie ; B 42 *bis*, f. 244, État de la dépense de la colonie en 1718 ; f. 288-9, Commission de directeur général pour le S. de Villardeau, 1er avril 1719 ; f. 291-3, Règlement que la Cie d'Occident veut être observé..., 25 avril 1719. En 1721, Duvergier et Bienville recevront 20 000 livres, B 42 *bis*, f. 375, Ordonnance... pour M. Duvergier, 15 sept. 1720 ; A 2592, f. 127, Bienville, 6 août 1721.
(3) Et. XLVIII-35, Engagements, 28 janv. 1720 ; XCV-70, 28 nov. 1720.
(4) Et. XV-514-5, Procurations, 10 sept. 1720. — A.N., V 7 256, Jugement des commissaires généraux (députés pour juger les affaires de Law), 1er févr. 1725.
(5) Et. XLVIII-35, Engagements, 28 et 30 janv. 1720 ; XCV-70, Engagement, 28 nov. 1720.

escomptés de l'exploitation (1). Parfois, il garde, à l'issue de ses années de service et à titre viager, la part de bénéfice qui lui a été reconnue dans sa période d'activité (2). L'attribution enfin, dans certains cas, en pleine propriété, avec droit de transmission à ses héritiers, d'une partie de la concession, y compris les esclaves et le matériel qui s'y trouveront réunis, est aussi un moyen d'intéresser le directeur à la mise en valeur du domaine (3). Dans le cas de J.-B^te Faucon-Dumanoir, son contrat d'engagement a la valeur d'un contrat d'adhésion à la société dont il gère les intérêts. Ses gages annuels, 3 000 livres, sont relativement modestes. Mais il reçoit simultanément, et à titre perpétuel, 1/21 de part à la fois dans la concession de 8 lieues carrées accordée à la société et dans le capital monétaire de celle-ci, et il est admis à participer, sur cette base, à tout « le bénéfice et profit » que réalisera la société, aux répartitions qu'elle fera entre ses membres, bien qu'il n'ait point contribué à la constitution du capital. Si, à la fin de ses 8 années d'engagement, il se démet de la société, il aura la faculté de vendre à celle-ci sa part d'intérêt (4).

Les entreprises conféraient à leurs directeurs des pouvoirs étendus sur le personnel de l'habitation, elles leur laissaient une liberté d'action que favorisaient l'isolement de leurs conditions de vie, l'importance des initiatives qui leur incombaient, le droit qui leur était reconnu de prendre argent et marchandises dans les magasins de la Compagnie (5). L'interdiction de tout commerce privé était pratiquement la seule entrave opposée à leur autorité (6). L'action des directeurs pouvait être, dans ces conditions, aussi utile que néfaste à la concession. En fait, bien peu répondirent à l'attente des entreprises de colonisation. Mais bien peu se trouvèrent en mesure de venir à bout des circonstances dans lesquelles s'engagea l'œuvre colonisatrice.

A l'échelon des sous-directeurs, les conditions perdent beau-

---

(1) Et. XLVIII-35, *ibid*; Et. LXXXVII-817, Convention déposée, 13 mars 1725 ; CXXII-556, Convention, 17 avril 1720 ; LVIII-265, Nominations, 29 nov. 1719.
(2) Et. LXXXVII-817, Convention..., 13 mars 1725 ; XCV-70, Engagement, 28 nov. 1720.
(3) Et. XLVIII-35, et XCV-70, *op. cit.* — Char.-Mar., Reg. Desbarres (1718-21), f. 151 v, Renonciation, 11 mai 1720. — A.N., V 7 256, Jugement des commissaires généraux..., 16 mars 1730, avec acte notarié du 8 janv. 1730. — B.N., F° fm 17257, p. 14, *Mémoire pour F. Willart d'Auvilliers*.
(4) Et. XV-506, Engagement, 29 déc. 1719.
(5) Et. XCV-70, XLVIII-35, XV-506, Engagements, 28 nov. 1720, 28 janv. 1720 ; Procuration, 29 déc. 1719. — Arch. du Morbihan, EN 3910, Engagement du 12 mai 1720.
(6) Et. XCV-70, Engagement, 28 nov. 1720.

coup de leur importance. Les contrats d'engagement ne sont plus conclus que pour une durée de 3 ans, et, si l'on excepte de rares privilégiés comme Jacques Levens (concession de Law) et Joachim Cordier (concession de Brancas), dont les appointements sont de 3 000 livres, la rémunération s'abaisse à 1 000 ou 1 200 livres par an, et la clause de la participation aux profits de l'habitation disparaît (1). Seuls parmi les autres membres de l'état-major les gardes-magasins, et, dans certains cas, les chirurgiens-majors peuvent obtenir des conditions identiques ou supérieures à celles des sous-directeurs (2). Mais, au-dessous de ces catégories, les appointements du personnel des états-majors rejoignent généralement les gages des ouvriers les mieux payés. Rarement ils atteignent 800 livres par an, comme pour le second chirurgien de la société Deucher-Coëtlogon, Alexandre Vielle, qui doit ces conditions plus libérales à ses capacités d'apothicaire, et qui obtient même la promesse d'une ristourne de 5 % sur la valeur des drogues qu'il composera et qui seront vendues dans les colonies voisines (3). Le plus souvent, ils sont de l'ordre de 300 à 600 livres. De même, les appointements des aumôniers, dont les engagements s'étendent souvent sur une période de 5 ans, varient de 500 à 600 livres, sans autre avantage supplémentaire que la nourriture, les contrats ne prévoyant ici ni gratification ni cession de terre (4).

6. Les engagés de la Compagnie

A côté du personnel de tout rang qu'acheminent les entreprises de colonisation privées, la Cⁱᵉ d'Occident, puis la Cⁱᵉ des Indes, recrutent un certain nombre d'engagés qu'elles destinent aux besoins généraux de la colonie. Ces engagements peuvent être considérés comme la suite logique de ceux que Crozat avait opérés en septembre-octobre 1717. Les quelques artisans qu'il avait alors enrôlés étaient destinés à subvenir à la pénurie de la

---

(1) Et. XLVIII-35, Engagement, 28 janv. 1720 ; LXVIII-265, Nomination, 29 nov. 1719. — Arch. du Morbihan, EN 3910, Engagements, 7 mai, 9 mai, 10 mai 1720. — V 7 256, Jugement des commissaires généraux..., 14 déc. 1730.
(2) Et. VIII-931, Traité, 14 janv. 1720 ; XV-504, Engagement, 12 oct. 1719 ; XLVIII-39, 15 mai 1720 ; LVIII-265, Nomination, 29 nov. 1719 ; LXXVII-158, Engagement, 5 nov. 1719...
(3) Et. XV-504, Engagement, 12 oct. 1719.
(4) Et. CXVI-215, Engagements, 7, 11, 16 sept. 1719 ; CXXII-556, Engagement, 12 avril 1720 ; LXXXIII-292, Engagement, 5 févr. 1720. — Arch. du Morbihan, EN 3910, Engagement de F. Duhall, 7 mai 1720. — A.N., V 7 256, Jugement des commissaires généraux..., 14 déc. 1730.

main-d'œuvre coloniale, et la Cⁱᵉ d'Occident les fit transporter
en Louisiane par *La Dauphine* (1). Elle reprit aussi à son compte
les équipages du *Neptune* et de *La Vigilante*, recrutés pour les
besoins de la navigation locale, et, dans les années suivantes,
la Cⁱᵉ des Indes leva elle-même les équipages des brigantins et
des traversiers qu'elle destinait au service de la colonie. Tous ces
navires apportent désormais un personnel de matelots, pilotes,
contremaîtres, mariniers et mousses, engagés sous des contrats
qui les astreignent à deux ans de service. Ces équipages, que
Crozat avait engagés en majeure partie dans la région de La
Rochelle et Rochefort, à Marennes, La Tremblade, et dans l'île
de Ré, comptent sous le régime de la Compagnie un nombre
grandissant de Bretons, quelques recrues de Toulon et d'Arles,
quelques Irlandais. Commandants et capitaines sont originaires
de Marennes, Cherbourg, Brest, et surtout de La Rochelle, comme
Jean Béranger qui, à l'âge de 43 ans, effectue sa dernière période
de service dans la colonie : exceptionnellement, on note à
la tête du *Saint-Édouard* un Écossais d'Édimbourg, David
Drumond, qui contracte son engagement au Port-Louis en
novembre 1720 (2).

Si l'on ajoute quelques matelots que les directeurs de la
Cⁱᵉ d'Occident engagent en 1719 « pour les aller servir en Louisiane sur leurs bateaux et pirogues » (3), la colonie, de 1718
à 1720, reçut au total un peu plus de 60 hommes d'équipage et
9 commandants ou capitaines en second : effectif dont l'importance ressort de la comparaison avec la situation des années
précédentes, mais qui, ne suffisant pas aux besoins des transports
par eau, démesurément accrus par l'arrivée du personnel des
concessions, dut être augmenté d'un certain nombre de faux
sauniers qui touchaient les mêmes gages et se formaient ainsi
à la pratique de la navigation (4).

Les ouvriers que la Compagnie engage dans la métropole ne
sont pas assez nombreux non plus pour satisfaire aux besoins
créés par les travaux qu'elle entreprend et par l'augmentation
générale de la population. A la fin de 1718, elle a pu envoyer dans

(1) A.C., B 42 *bis*, f. 268, 270, Ouvriers demandés par l'état envoyé de la
Louisiane en juin 1718, 20 déc. 1718. — Char.-Mar., Registre Rivière & Soullard (1715-8), f. 170 v-1, 184 v, 185.
(2) Lorient, 1 P 118, pièces 14-15-16, Rôles des équipages du *Foudroyant,
Saint-Edouard, Sainte-Elisabeth*. — Char.-Mar., Reg. Rivière & Soullard
(1715-8), f. 183-184, Liasse Desbarres 1720, nᵒˢ 51-52-53.
(3) Char.-Mar., Reg. Desbarres (1717-9), f. 103-103 v, Liasse Desbarres,
1719 ; Engagements, 22 et 24 avril 1719. — A.C., G 1 464 (Passagers), pièce 14.
(4) A.G., A 2592, f. 95, Etat de la Louisiane, juin 1720.

la colonie, indépendamment des quelques engagés recrutés par
Crozat avant son retrait définitif, 2 laboureurs, 2 faiseurs de
goudron, 1 appareilleur-maçon (1). Mais Bienville réclame des
briquetiers et des tuiliers, des serruriers, des menuisiers, jardiniers, meuniers, charrons, maçons, et la Compagnie, pour toute
solution, lui suggère de faire appel aux hommes de métier enrôlés
dans les compagnies militaires (2). Pour les constructions de
navires qu'exigerait le transport du personnel des concessions,
l'insuffisance est encore plus manifeste : les 2 charpentiers
engagés dans le personnel du *Neptune* et de *La Vigilante* sont
destinés au service de ces bâtiments, et il ne reste pour les
besoins de la colonie qu'un même nombre de charpentiers qui
arrivent par *Le Maréchal-de-Villars* au début de 1719 (3). C'est
une des faiblesses sur lesquelles la correspondance de l'administrateur Legac insiste le plus fortement (4).

Quant à la suggestion de la Compagnie d'avoir recours aux
soldats-ouvriers de la colonie, elle ne pouvait, en raison de la
médiocrité de ces derniers, remédier à l'insuffisance de la main-
d'œuvre. Et, comme la population coloniale elle-même ne contenait pas d'ouvrier formé à la pratique d'un métier, que le coût
de la main-d'œuvre en restait singulièrement élevé, surtout pour
les spécialités les plus recherchées, comme les charrons et les
charpentiers, la Cie d'Occident recherchait d'autres solutions,
difficilement praticables à cause des délais qu'elles supposaient,
tel le projet qu'elle envisageait d'initier les esclaves noirs et les
faux sauniers à la connaissance de métiers utiles (5). Une importation active d'artisans qualifiés eût été la seule mesure efficace.
Mais à peine observe-t-on sur les rôles d'embarquement des
navires, en 1719, la présence de quelques ouvriers engagés par
la Compagnie (6). De rares engagements d'ouvriers apparaissent
çà et là dans les minutes des notaires rochelais, pour le compte
de celle-ci, mais il n'y a pas trace de leur départ pour la Loui-

---

(1) A.C., B 42 *bis*, f. 267-270, Ouvriers demandés par l'état envoyé de la
Louisiane en juin 1718, 20 déc. 1718.
(2) B 42 *bis*, f. 221, Instruction pour M. Perrier, 14 avril 1718, f. 270,
Ouvriers demandés...
(3) Char.-Mar., Reg. Rivière & Soullard (1715-8), f. 183-4. — A.C., B 42 *bis*,
f. 268, ouvriers demandés...
(4) A.E., *Mém. et Doc.*, Amérique, I, f. 102 v, 103-103 v, 106, 121...
(5) A.C., C 13 A 5, f. 209 v, Bienville & Larcebault, 15 avril 1719;
f. 212, Bienville..., 28 oct. 1719. C 13 A 6, f. 132-132 v, Leblond de La Tour,
9 déc. 1721. B 42 *bis*, f. 268-70, *op. cit.* — A.M., B l 41, f. 167 v, Bienville,
25 sept. 1718. — A.E., *Mém. et Doc.*, Amérique, I, f. 209, Bienville, 10 juin 1718.
(6) Char.-Mar., Liasse Desbarres 1719, 11 mai 1719. — A.C., G 1 464
(Passagers), pièces 14, 13, 17, 22, 19.

siane (1). Et, si Legac signale l'arrivée dans la colonie d'engagés
de la Cie des Indes en juillet-août 1720, il les juge comme autant
d'éléments inutiles (2).

Ce n'est qu'à la fin de 1720 que la Louisiane reçoit un contingent relativement élevé d'ouvriers de la Compagnie. En novembre
et décembre, alors que Rigby vient d'enrôler à Lorient pour
le service de la colonie un maître constructeur de navires,
Olivier Drouard, 131 ouvriers, menuisiers, charpentiers, cloutiers,
maçons, arrivent sous la direction des ingénieurs Adrien de
Pauger, Leblond de La Tour et de Boispinel, recrues de valeur
inégale, mais dont la présence donnera une certaine impulsion
aux travaux de construction de la Nouvelle-Orléans (3).

Les conditions d'engagement que la Compagnie faisait à ses
hommes différaient peu de celles des entreprises privées. Les
salaires qu'elle offrait à La Rochelle, 150 à 250 livres suivant les
spécialités, soutiennent la comparaison avec ceux de la société
de Mézières ou du Cte d'Artagnan (4). Aux matelots des brigantins et traversiers, elle allouait de 200 à 280 livres de gages, aux
capitaines en second 600 à 700 livres, aux commandants 900
et 960 livres, sans compter la nourriture, les avances de gages
au départ et la clause du rapatriement gratuit. Quant au maître-
constructeur de navires, le contrat d'engagement lui attribue
1 000 livres d'appointements annuels, spécifiés en « espèces
sonnantes sans billets de banque ni autres », outre le logement et
la nourriture, soit des conditions supérieures à celles que les
meilleurs ouvriers obtiennent des sociétés de colonisation (5).

La Compagnie, d'autre part, s'est directement associée à
l'effort colonisateur en levant dans la métropole un groupe
d'ouvriers et cultivateurs de tabac avec mission d'ouvrir pour
son compte en Louisiane une plantation, qui devait se situer
chez les Natchez : 18 hommes au total, entièrement recrutés

(1) Char.-Mar., Reg. Desbarres (1717-9), f. 81, 83-83 v, 88-88 v.
(2) A.E., *Mém. et Doc.*, Amérique, I, f. 99 v-100, Legac, *Etat de ce qui
s'est passé à la colonie...*
(3) A.M., B 1 51, f. 765, 797-8, Le Brun, 17 avril, 2 mai 1720 ; B 3 263,
f. 394-394 v, Le Brun, 2 mai 1720. — G 1 464 (Passagers), pièce 21 (*Le Chameau,
Le Dromadaire*). C 13 C 2, f. 204 v, *Journal de Diron*. — A.E., *Mém. et Doc.*,
Amérique, f. 102 v-103, Legac, *Etat de ce qui s'est passé...* — Arch. du Morbihan, EN 3910, Engagement, 21 oct. 1720. — Le chiffre de 131 ouvriers
est celui fourni par Leblond de La Tour, C 13 A 6, f. 131, mais les rôles d'embarquement n'en accusent que 72.
(4) Char.-Mar., Liasse Desbarres 1719, Engagement, 11 mai 1719 ; Registre
Desbarres (1717-9), f. 81, 83 v, 88-88 v.
(5) Char.-Mar., Registre Rivière & Soullard (1715-8), f. 183-4 ; Registre
Desbarres (1717-9), f. 103-103 v ; Liasses Desbarres 1719, Engagements,
22, 24 avril 1720 n°s 51-52-53.

dans la région de Clérac, qui furent acheminés par *Le Comte-de-Toulouse*, au début de 1719, sous la direction de l'inspecteur de Montplaisir et du conducteur Baujon, et auxquels la Compagnie expédia, l'année suivante, le matériel nécessaire à la préparation du tabac (1).

En outre, elle organise l'envoi aux Illinois d'un personnel de mineurs destiné à y entreprendre l'exploitation des gisements dont on présumait l'existence. Le duc de Noailles s'était intéressé à la question, il avait engagé des pourparlers avec le Sr Simon Delorme, qui n'avaient pas abouti, sans doute en raison des prétentions de ce dernier (2). La Cte d'Occident reprit le projet, et, dès le mois de mai 1718, elle se trouva en mesure d'acheminer par *La Duchesse-de-Noailles* un premier groupe de fondeurs (3). Un deuxième groupe, composé d'une quinzaine de mineurs du roi, partit sur *Le Comte-de-Toulouse* à la fin de 1718 (4).

Nous n'avons de précision que pour le personnel du premier groupe, du fait de quelques contrats d'engagement dont il ressort que, dès la fin de 1717, au moment où les frères Scourion organisaient la première société de colonisation, le Parisien Jacques Lochon, fondeur et ébéniste ordinaire du roi, proposa à la Compagnie de se rendre aux Illinois, « dans l'endroit où sont les mines de plomb et autres métaux », pour en entreprendre l'extraction. Lochon fut autorisé à recruter en France 9 « personnes de métiers et professions utiles », qui partiraient avec lui aux frais de la Compagnie. En Louisiane, celle-ci lui fournirait 20 hommes qu'elle prélèverait sur les « soldats ou autres entretenus », elle assurerait le transport gratuit du groupe jusqu'aux Illinois, lui procurerait le matériel d'exploitation, et, pendant un an, elle subviendrait à la nourriture et au logement des employés ainsi qu'à la dépense du travail. Lochon toucherait le 1/10 du produit des métaux dont il dirigerait l'extraction et la fonte, et, au bout d'un an, la Compagnie lui accorderait une concession de terre en Louisiane avec le privilège d'y poursuivre pour son compte l'exploitation des métaux, sans payer aucun droit pendant 4 ans (5). Aux quelques hommes qu'il recruta, Lochon garan-

---

(1) A.C., C 13 A 6, f. 397, Réponse à la lettre des commissaires, 24 janv. 1723. — A.E., *Mém. et Doc.*, Amérique, I, f. 100 v, LEGAC, *op. cit.* — A.C. G 1 464 (Passagers), pièce 6. B 42 *bis*, f. 227, Brevet d'inspecteur... pour le S. de Montplaisir.
(2) Ci-dessus, 1re partie, chap. III, p. 31.
(3) A.C., C 13 A 5, f. 286, Hubert, 25 avril 1719.
(4) A.C., C 13 C 1, f. 62, Nouvelles de la Louisiane : G 1 464 (Passagers), pièce 6. — CHARLEVOIX, *Journal d'un voyage fait par ordre du roi...*, t. VI, p. 138.
(5) Et. XVII-591, Convention, 26 févr. 1718, Conditions accordées... au

tissait la nourriture, le logement, les « entretiens nécessaires et convenables à (leur) état », et le 1/15 des profits qu'il réaliserait (1). Pour Lochon aussi bien que pour son personnel, les gages sont donc remplacés par une participation aux bénéfices futurs d'une entreprise dont on ignore les possibilités. C'est sur cette base fragile que s'organisa la première tentative de mise en valeur des ressources minières des Illinois, et les débuts devaient en être profondément décevants.

Au total, ni la Cⁱᵉ d'Occident ni la Cⁱᵉ des Indes n'ont fourni à la Louisiane un apport de main-d'œuvre comparable à celui des entreprises privées. Les engagés qu'elles ont recrutés ne représentent qu'un faible effectif en regard des quelque 2 000 personnes qu'acheminèrent les diverses concessions. Démographiquement, l'arrivée de ce personnel n'eut pas les conséquences qu'elle promettait : les circonstances avec lesquelles il se trouva aux prises, les pertes en vies humaines qui en résultèrent, la dislocation précoce de plusieurs concessions, en réduisirent le bénéfice. Mais l'événement contribua, plus que l'émigration forcée dont l'imagination populaire a beaucoup grossi les conséquences, à fournir une certaine assise au peuplement de la colonie.

S. Lochon..., 10 déc. 1717. — A.C., B 42 *bis*, f. 253-4, Etat de ce qui doit être envoyé aux Illinois...
(1) Et. XVII-591, Convention, Conditions accordées..., 26 févr. 1718, 10 déc. 1717, et Engagement du 19 mars 1718. — Et. LXXXVI-520, Conventions, 29 mars 1718.

Chapitre VI

L'ÉMIGRATION FORCÉE

Parallèlement aux envois de main-d'œuvre qu'effectuent les concessionnaires et les sociétés de colonisation, les années du Système de Law accusent un mouvement d'émigration forcée, qui, tout en débarrassant la métropole d'éléments indésirables, a pour but de seconder l'œuvre du peuplement et de la mise en valeur. C'est l'aboutissement des conceptions nouvelles qui se sont manifestées à l'avènement de la régence et qui ont déjà donné lieu à un premier départ de faux sauniers pour le Mississipi (1). Elles témoignent d'une rupture avec la politique du règne précédent, qui répond aux dispositions personnelles du régent et de ses conseillers, et, peut-être aussi, à un mouvement d'opinion que paraissent exprimer le vœu formulé par les juges et négociants de La Rochelle, en 1718, en faveur de la déportation dans les colonies d'Amérique des vagabonds et gens sans aveu qui encombrent leur ville, et le projet d'acheminement d'une main-d'œuvre de faux sauniers vers la Louisiane, émis dès 1717, au cours des consultations auxquelles procède le conseil de marine (2) : le projet d'ordonnance qu'établit la même année l'inspecteur de la marine de La Boulaye, relatif à la déportation aux Iles d'Amérique des vagabonds et mendiants valides, semblerait indiquer que la question préoccupait les milieux administratifs (3). Ces opinions éparses sont maintenant coordonnées

---

(1) M. Giraud, *Histoire de la Louisiane française*, t. II, p. 30-2, 46-7, 113-5.
(2) Id., *ibid.*, II, p. 30-2. — A.M., B 1 21, f. 318-318 v, Les juges consuls de La Rochelle, 30 nov. 1717 ; B 1 30, f. 5-5 v, Les négociants de La Rochelle, mai 1718. — A.C., B 40, f. 32 v, à M. Charlot, 17 juin 1718 ; F 2 C 1, Conseil de marine, 1er mai 1718. — A.N., K 883, n° 2 A, f. 14, F. Léger de Villion, *Mémoire pour les finances*. — A.E., *Mém. et Doc.*, Amérique, I, f. 78-78 v, *Mém. sur la Louisiane*, 1717 ; f. 157-158 v, *Mém. du S. Le Bartz*, 1717 ; f. 264, *Mém. de Le Gendre d'Arménie...*
(3) B.N., Ms. F.F., N.A., 9328, f. 13 suiv.

dans une politique nouvelle, que traduit la déportation de faux
sauniers et fraudeurs de tabac, de vagabonds et gens sans aveu,
de soldats déserteurs, de jeunes gens de toute condition sociale,
et même d'un certain nombre de filles publiques détenues à La
Salpêtrière. Politique que favorisent la recrudescence d'activité
qui se manifeste en 1718 dans le faux saunage, puis, du fait du
régime de liberté institué sur l'initiative de Law, dans la fraude
du tabac, ainsi que l'accroissement à Paris et dans la région
avoisinante de la mendicité et du vagabondage qui correspond
à la période du Système (1).

Les déportations se réduisirent d'abord à l'acheminement du
petit groupe de faux sauniers qui attendait depuis plusieurs mois
dans les prisons de Chapus et de Fouras l'appareillage d'un navire
pour la Louisiane : une soixantaine d'hommes dont quelques-uns
furent autorisés à partir en compagnie de leurs femmes et
enfants (2). Leur condamnation aux galères avait été commuée
en séjour à vie en Louisiane, où, après trois ans de travail à la
terre, ils devaient recevoir de la Compagnie, en pleine propriété,
une partie des étendues qu'ils auraient défrichées. Mais ils furent
acheminés sous bonne garde, enchaînés à bord des navires qui les
transportaient. Les premiers partirent par *La Dauphine* et les
deux brigantins qui la suivaient, aussitôt après l'avènement de la
Compagnie d'Occident (3).

Simultanément, le conseil de marine commence l'envoi au
Mississipi de soldats déserteurs. Dès la fin de 1717, un cas se
présente de commutation des galères, pour un déserteur, en exil
dans la colonie (4). En février 1718, plus de vingt déserteurs,
venus de Guyenne et de la région de Perpignan, et destinés à la
Louisiane, arrivent à Rochefort, et une quinzaine d'autres,
venus de Paris pour la plupart, ne tardent pas à les y rejoindre (5).
La Cie se voit contrainte de prendre à sa charge les frais de
subsistance, d'embarquement et de transport de ces hommes

(1) *Les correspondants de Balleroy*, I, p. 372, 377 ; II, p. 63, 139-40, 192. —
J. Buvat, *Journal de la régence*, I, p. 319-20 ; *Gazette de la régence*, p. 290. —
Nouv. Mercure, oct. 1718, p. 188-9. — *Gazette de Hollande*, 12 nov. 1720.
(2) M. Giraud, *op. cit.*, II, p. 113-5. — A.C., B 39, f. 80, à Beauharnais,
24 juill. 1717.
(3) A.C., B 39, f. 78 v-79 v, à Beauharnais, 24 juill. 1717 ; f. 113 v-4, à
M. de Creil, 15 févr. 1717 ; B 42 *bis*, f. 176, Instructions pour le capitaine
Béranger, 1er oct. 1717. — A.M., B 1 33, f. 481 v, Beauharnais, 19 juin 1718. —
A.E., *Mém. et Doc.*, Amérique, I, f. 82 v, Legac, *État... de la colonie*,
25 août 1718.
(4) A.C., B 39, f. 180, aux directeurs de la Cie d'Occident, 22 déc. 1717.
(5) A.M., B 1 29, f. 219 v-220, Beauharnais, 10 févr. 1718 ; f. 231-231 v,
317 v-8, La Galissonnière, 17 févr., 15 mars 1718.

que le conseil de marine lui impose, sans lui prêter d'autre assistance qu'une garde militaire pour surveiller leur départ et prévenir les désordres (1). Ils partirent par les navires de mai 1718, en même temps sans doute que les derniers faux sauniers de Chapus et de Fouras (2).

C'était le premier terme d'une politique de déportations qui allait bientôt s'élargir et déborder les catégories précédentes. Cette même année 1718, en effet, le gouvernement envisage de faire de la Louisiane le lieu d'exil des vagabonds et gens sans aveu. La proposition lui en est faite par les administrateurs de la maison de Bicêtre. Dès le mois d'octobre, ils soumettent au régent plusieurs listes de sujets dont ils demandent la déportation aux « Iles du Mississipi » : listes qui groupent près de 230 noms, comportant une majorité d'hommes de 20 à 55 ans, et quelques jeunes gens de 15 à 17 ans, les uns arrêtés par lettres de cachet pour violences, meurtres, débauche, ivrognerie, les autres frappés de sentences criminelles et de police, ou enfermés par voie de correction, qui sont en majorité des mendiants ou des vagabonds originaires de Paris et de toutes les provinces du royaume, de la Bretagne à la Champagne, de la Flandre à la Provence (3). « Ce serait un grand bien », notent les administrateurs, « que les particuliers dénommés dans cet état puissent passer aux Iles. Ce serait le moyen d'en débarrasser l'hôpital de Paris et le royaume, où ils ne peuvent causer que beaucoup de mal » (4).

Comme on se trouvait alors dans la période de ralentissement du mouvement colonisateur, le gouvernement en vint à considérer l'exil des prisonniers détenus pour faits de vagabondage et de mendicité comme le moyen de suppléer à la pénurie des départs volontaires tout en allégeant le royaume d'une charge inutile. C'est dans ce sens que fut élaborée l'ordonnance du 10 novembre 1718, relative à la répression du vagabondage. Elle répond à un double objectif, le peuplement des colonies et l'élimination du danger que constituent les attroupements de vagabonds, surtout importants dans la généralité de Paris et dans les provinces du Nord, où ils s'adonnent à la contrebande

---

(1) A.M., B 1 29, f. 231 v-2, Les directeurs de la Cᵗᵉ d'Occident, 27 févr. 1718; f. 318, *op. cit.*, f. 335 v-6, Beauharnais, 20 mars 1718. — A.C., B 40, f. 11 v, 19 v, à La Galissonnière, 10 mars, 3 avril 1718 ; f. 103, 114 v-6, aux directeurs de la Cᵗᵉ d'Occident, 23 févr., 28 mars, 3 avril 1718.

(2) B. N., Ms.F.F. 8989, B. DE LA HARPE, *Journal du voyage de la Louisiane.*

(3) Bastille, 12683, Etat des hommes destinés pour estre envoyés aux Isles, oct. 1718.

(4) *Ibid.*

du sel et du tabac et multiplient les violences (1). Il est donc prescrit aux autorités locales de procéder à l'arrestation de tous vagabonds et gens sans aveu qui seront recensés, et il est stipulé que les sujets en bon « état physique » seront envoyés aux colonies. Pour supprimer plus sûrement le vagabondage, l'ordonnance enjoint aux paysans de ces généralités qui sont appelés à se déplacer de se munir d'un certificat d'identité, faute de quoi ils seront eux-mêmes passibles de déportation si on les arrête à une lieue de distance de leur domicile (2). Quelques mois plus tard, deux déclarations vinrent renforcer le document du 10 novembre en édictant de nouvelles mesures contre le vagabondage dans le but d'en faire bénéficier le peuplement colonial, dont elles reconnaissent les besoins plus explicitement que le texte précédent. La première, du 8 janvier 1719, renouvelle la consigne inscrite dans les ordonnances de Louis XIV, qui interdit le séjour à Paris des vagabonds et gens sans aveu, et, pendant la durée de leur condamnation, de ceux qui ont été bannis d'une ville ou d'une province du royaume. Elle étend en outre l'interdiction, après l'expiration de leur temps de condamnation, à tous les vagabonds qui auront été ou seront condamnés aux galères, ou qui, faute d'avoir gardé leur ban, auront encouru deux sentences de bannissement. Les hommes qui ne respecteront pas le règlement seront, après une période de détention à l'Hôpital Général, transportés dans les colonies pour y servir comme engagés, les femmes seront enfermées dans l'Hôpital Général pendant le délai que les juges leur assigneront (3). La deuxième déclaration, du 12 mars 1719, applique ces dispositions à l'ensemble du royaume : partout les juges pourront ordonner la déportation aux colonies de ceux qui encourront la peine des galères pour faits de vagabondage (4).

Aussi l'Hôpital Général reçoit-il en 1719 un gros effectif de sujets arrêtés en province qui, aux termes de l'ordonnance du 10 novembre 1718, sont maintenant destinés à la Louisiane : vagabonds et faux sauniers venus de la région de Châlons-sur-Marne, Troyes, Sens, Melun, se trouvent concentrés à Bicêtre en juillet 1719, attachés à la chaîne de Louisiane au nombre de 123, parmi lesquels figurent six Bohémiens ; faux sauniers

---

(1) *Les correspondants de Balleroy*, I, p. 374-5, 377.
(2) A.N., AD + 751, Ordonnance du roi contre les vagabonds...,
10 nov. 1718. — *Nouv. Mercure*, déc. 1718, p. 90-94.
(3) A.N., AD + 752, Déclaration du Roy donnée à Paris le 8 janv. 1719.
(4) Id., AD + 753, Déclaration du Roy... du 12 mars 1719. — U 362,
Extr. des registres... du Parlement, 12 mars 1719.

pris antérieurement et transférés en presque totalité des prisons de Picardie, de Laon et de Soissons dans celle de Bicêtre, y forment en mai 1719 une chaîne de 166 personnes pour le Mississipi (1). Tombant plus précisément sous le coup des deux déclarations de 1719 sont les nombreux « mendiants vagabonds » détenus à l'hôpital par lettre de cachet ou par sentence de police, dont une forte proportion figure déjà sur les listes dressées à Bicêtre en octobre 1718. Beaucoup ont été enfermés à plusieurs reprises à l'Hôpital, et même à la maison de force, comme « gueux ordinaires et séditieux ». Venus de tous les points du royaume, c'est à Paris qu'ils ont été arrêtés. Quelques-uns sont d'anciens apprentis ou d'anciens compagnons qui ont abandonné leur métier pour vivre de vols et de mendicité. Mais la plupart sont gens sans profession. Tous, en application de la déclaration du 8 janvier, doivent être « envoyés dans les isles du Mississipi » (2). A côté d'eux, et n'entrant pas dans la catégorie des vagabonds, on note parmi les sujets proposés pour la Louisiane beaucoup de voleurs de profession qui ont fait l'objet de plusieurs sentences d'emprisonnement, qui ont été bannis plusieurs fois de la capitale, des condamnés aux galères pour assassinats, des « scélérats débauchés », des sodomites faisant le commerce des jeunes garçons, autant d'éléments dont l'Hôpital Général essaie de se débarrasser à la faveur des ordonnances et déclarations sur le vagabondage (3).

Cette politique, d'autre part, désigne de plus en plus la Louisiane à l'attention des familles désireuses de se défaire de sujets que leur conduite rend indésirables. Déjà en 1718, à partir surtout du mois de juin, des demandes d'exil en Louisiane avaient été adressées au lieutenant général de police par des artisans ou par des représentants de la bourgeoisie qui sollici-

---

(1) Bastille, 10653, f. 157, 168-169, Etat des vagabonds remis à la maison de Bicêtre, 3 juill. 1719 ; 12708, Etat des personnes... qui ont été détachées de la chaîne le 24 mai 1719, Avis de M. de Machault sur le sort des... faux sauniers..., 18 mai 1719, Etat des prisonniers et faux sauniers... transférés... à Bicêtre, 18 mai 1719. — A.M., B 1 56, f. 59 v-60, 67-67 v, M. du Vigier, 1er mars 1721.

(2) Bastille, 12683, Etat de quelques particuliers détenus à l'hôpital... qui pourraient être envoyés aux îles de Mississipy ; 12708, Etat des vagabonds dangereux détenus à Bicêtre..., Noms et charges des vagabonds à proposer pour les Iles le 22 juillet 1719 ; 10664, Etat de quelques vagabonds à proposer pour les Iles.

(3) Bastille, 12708, Note anonyme sur 30 voleurs détenus à l'hôpital, 28 mars 1719 ; Etat des personnes renfermées à Bicêtre..., 26 avril 1719 ; 10656, f. 48-54, Dossier du nommé Dauphiné, 15 août 1719 ; 10672, Dossier J.-B. Ramerty, Laniel, Jean Bouquillard.

taient le départ d'un fils ou d'un neveu jugé incorrigible (1). Mais c'est surtout en 1719 que la pratique s'institue d'éliminer par ce moyen les membres dont la conduite ne paraît pas susceptible de s'amender. D'innombrables placets, émanant de familles de tous les milieux sociaux, parviennent alors au lieutenant général de police. Celui-ci ne se prononce qu'après une enquête qu'il confie à un commissaire de police de quartier, et il laisse ensuite la décision au régent. En fait, son opinion prévaut en bien des cas, surtout lorsqu'il s'agit d'un dossier particulièrement chargé qu'il accompagne de la mention suivante : « C'est un vrai sujet pour la Louisiane », « un fort mauvais sujet et qui mérite... d'être du nombre de ceux qui sont destinés pour les nouvelles colonies » (2). L'observation est significative de la réputation que la Louisiane a maintenant acquise, du fait de la politique officielle des déportations. Tout sujet taré est désormais jugé digne du Mississipi, et cette opinion se répand et s'exprime même à l'étranger (3). Généralement, il suffit d'une plainte déposée par les parents ou les voisins auprès du lieutenant général pour donner lieu à une enquête, et, si celle-ci confirme la véracité des faits exposés, le sujet mis en cause encourt l'emprisonnement à l'Hôpital Général, puis l'exil en Louisiane. Parfois, mais les cas sont rares, un conseil de famille se réunit par-devant un notaire ou un magistrat pour confirmer la demande d'exil que les parents ont formulée pour leur enfant et l'appuyer auprès du lieutenant de police ou du régent (4).

Les placets dont est saisi le lieutenant général concernent une majorité de jeunes gens de 18 à 25 ans, mais aussi des sujets de 25 à 35 ans, et jusqu'à des hommes de 45 et de 50 ans. Socialement, il s'agit au premier chef d'artisans et d'ouvriers, ou de fils d'artisans et de petits marchands. Dans une moindre proportion figurent les gagne-deniers et les domestiques, ou leurs

(1) Bastille, 10640, f. 218 suiv., 292, 332 suiv. ; 10641, f. 116 ; 10643, f. 69 et suiv., 231 suiv., 260 suiv. ; 10644, f. 202 suiv., 232 suiv. ; 10645, f. 74 suiv. ; 10647, f. 101 suiv. ; 10648, f. 221-2.
(2) Bastille, 10657, f. 84-9, Placet de Nicolas Gittard ; 10659, Dossier Louise Girault ; 10661, Dossier Claude Herbé.
(3) A.M., B 7 41, f. 100-100 v, Le S. de Moy, Livourne, 24 mai 1720.
(4) Bastille, 10673, Dossier Jean Sion. — A.N., Min. central, Et. LXV-204, Avis de parents, 5 mars 1720 : « Furent présents les parents et amis de Joseph-Jean-Baptiste de Lyon, 19 ans, fils de F.-Denis de Lyon, écuyer, conseiller du roi, et de Marie-Philippe Polastron de La Marque, veuve... Lesquels, sur ce qui leur a été représenté par la mère... que, malgré tous ses soins pour lui faire donner une bonne éducation, le dit J.-B. de Lyon aurait donné dans les plus excessives débauches..., il serait à propos que les comparants employassent leur crédit auprès du duc d'Orléans et de Mgr Le Blanc... pour le faire conduire à la Louisiane ou à Mississipy pour y rester jusqu'à ce qu'il ait donné des preuves d'une conduite plus régulière. »

enfants, ainsi que des fils de notaires, secrétaires ou procureurs du roi, avocats au Parlement, bourgeois de Paris et des villes de province. Les motifs invoqués contre les jeunes gens dont on demande l'internement, puis la déportation, se reprennent à l'infini. On leur reproche invariablement leur libertinage et leur fainéantise, leur fréquentation de vagabonds et de voleurs de profession, leur propension au jeu ou à l'ivrognerie, les vols qu'ils commettent, souvent au domicile familial, les voies de fait enfin sur leurs parents. Pour les familles soucieuses de leur réputation, l'exil obéit à la crainte que ces jeunes dévoyés ne les déshonorent par la fin à laquelle leur conduite les expose (1). Dans la pensée aussi d'éviter le déshonneur, une famille surprend une lettre de cachet ordonnant l'envoi de son fils en Louisiane afin de le soustraire au procès que lui instruit le tribunal du Grand Châtelet pour duel et assassinat (2).

Il est possible que certains de ces placets se soient inspirés de motifs d'intérêt personnel, et que les accusations formulées aient eu parfois pour but de débarrasser la famille d'un membre gênant dont les frères ou les proches parents convoitaient la part d'héritage (3). Les dossiers personnels nous sont parvenus sous une forme trop incomplète pour qu'il soit possible de conclure à un grand nombre de cas de cette nature, et l'accusé avait toujours la ressource d'adresser au lieutenant de police un placet contradictoire qui donnait lieu à un complément d'enquête, suivi parfois de sa mise en liberté (4). Il s'en faut d'ailleurs que tous les sujets internés à Bicêtre ou à La Salpêtrière à la demande de leurs familles, en attendant l'embarquement pour le Mississipi, aient été finalement acheminés sur la Louisiane. Leur sort, quel que soit le milieu social auquel ils appartiennent, est souvent lié à l'intervention de personnages influents qui, tantôt, leur épargnent la déportation, tantôt, au contraire, obtiennent leur exil définitif (5). Certains sont libérés à la requête même de leurs parents qui, après les avoir fait

---

(1) Bastille, 10650 à 10675, *passim* ; 12708, Etat des vagabonds dangereux détenus à Bicêtre, 23 avril 1719, Sentences de police.
(2) B.N., Ms. Joly de Fleury, 14, dossier 88, f. 95 s., 101, Affaire de Chavannes. — A.C., C 13 A 7, f. 43, De La Chaise, Nouvelle-Orléans, 6 sept. 1723.
(3) Bastille, 12708, Dossier de Brossine ; 10656, f. 119-142, Dossier Defaim de Morambert. — A.M., B 3 267, f. 272-272 v, Placet d'un père au sujet de son fils, soldat à La Nouvelle-Orléans.
(4) Bastille, 10657, f. 146-166, Dossier Duchemin.
(5) Bastille, 10652, f. 214-7, Placet de Marin Baudrion ; 10655, f. 323-330, Dossier Gervais Cottel ; 10658, f. 152-176, Placet Elisabeth Bourgeois ; 10659, Dossier Louise Girault ; 10665, Du Chastelet de Clefmont, 28 août 1719 ; 10669, Dossier Jean Mesplet ; 10674, Dossier Jean Tarré.

enfermer, se récusent à l'approche de l'embarquement afin que leurs enfants ne soient pas confondus avec les « mendiants et gens sans aveu destinés aux colonies » (1). Dans ce cas, les parents obtiennent d'autant plus aisément satisfaction qu'ils versent à l'Hôpital une pension pour les frais de séjour de leurs enfants (2). Il leur est plus difficile d'aboutir s'ils les laissent à la charge entière de l'Hôpital. Il arrive même qu'ils sollicitent le départ de leurs enfants faute de pouvoir acquitter la pension des prisonniers de Bicêtre (3). D'autres enfin sont éliminés en raison de leur trop grande jeunesse ou d'antécédents trop compromettants pour qu'on juge prudent de les jeter dans la société coloniale, ou parce qu'ils ont pu s'engager dans les régiments du roi (4).

Parmi les vagabonds arrêtés en province aux termes de l'ordonnance de novembre 1718, beaucoup aussi évitent la déportation du fait de l'examen médical sommaire qu'ils subissent dans les prisons de l'Hôpital — sur 123 prisonniers de Bicêtre, en juillet 1719, 18 sont libérés pour invalidité — et du fait des compléments d'information qu'ordonne le lieutenant de police en faveur de ceux qui se plaignent d'avoir été arrêtés sans « sujet légitime » : car de nombreuses erreurs avaient été commises par les maréchaussées locales, qui portaient pour la plupart sur des ouvriers obligés par les nécessités de leurs métiers de se déplacer de ville en ville et arrêtés faute de s'être munis de passeport ou parce qu'ils s'étaient trouvés réduits à la mendicité par manque de travail (5). Il en est de même pour les faux sauniers conduits sans discrimination des prisons de province à la maison de Bicêtre. L'examen personnel dont ils sont l'objet détermine l'acquittement de ceux — 17 sur une chaîne de 166 personnes — qui sont chargés de famille et qui sont d'âge trop avancé pour

---

(1) Bastille, 10649, Dossier Claude de Veugny ; 10651, Placet de Martin Amiard ; 10655, f. 235-243, Dossier Antoine Collard ; 10656, f. 314-336, Dossier Paul Desnotz ; 10659, Placet de la Vve Favereau ; 10663, Placet Louis Lavoisière ; 10674, Placet Jean Tournier ; 10675, Dossier J.-J. Viard.

(2) Bastille, 12708, Etat des personnes renfermées à Bicêtre, 26 avril 1719 (Claude de Veugny, Gilbert Baudrion), Dossier Besche.

(3) Bastille, 10643, f. 231 suiv., Placet Vve Antoine Guyot ; 10645, f. 274 suiv., Placet Pierre Masselot ; 10660, Dossier Pierre Garçon ; 12708, Etat des vagabonds dangereux..., 23 avril 1719 (J.-L. Gobille), Dossier François Leuridan.

(4) Bastille, 10655, f. 78-82, Dossier J.-B. Chabert ; 10660, Dossier Pierre Garçon ; 10672, Dossiers J.-B. Ramerty, Laniel, J. Bouquillard.

(5) Bastille, 10653, f. 116-8, Placet Nicolas Bethon ; f. 167-168, Etat des vagabonds remis à... Bicêtre... le 3 juill. 1719 ; f. 173, Placet Jean Pivin ; 10661, Liberté de J.-B. Hérel, 16 sept. 1719 ; 10666, Dossier Louis Lois ; 12708, Dossier Bonvoisin, Placet de la femme de Blaise Lambert.

se rendre en Louisiane, ou de quelques-uns qui sont victimes de fausses accusations (1). Les sujets les plus aisément graciés sont les matelots arrêtés pour fraude de tabac ou pour vagabondage : on préfère les retenir pour les navires du roi, dont les équipages ont été fortement réduits par les guerres du règne précédent (2).

D'après les états d'embarquement dont nous disposons, le nombre des sujets déportés en Louisiane, dans le courant de l'année 1719, par *Le Saint-Louis, Le Philippe, L'Union, La Marie, Les Deux-Frères, Le Maréchal-d'Estrées* et *Le Duc-de-Noailles,* tant déserteurs que vagabonds, mendiants, faux sauniers, fraudeurs de tabac, représente un total de 416 hommes, accompagnés d'une trentaine de femmes et d'enfants. Mais l'effectif qui atteignit la Louisiane fut réduit par la disparition de la plupart des passagers du *Maréchal-d'Estrées* qui transportait 87 faux sauniers et fraudeurs de tabac, 6 déserteurs, 12 vagabonds (3). Parmi les déportés, les fraudeurs de tabac sont particulièrement nombreux : 300 furent acheminés par les seuls navires de guerre de Campet de Saujon, qui appareillèrent de Brest et du Port-Louis à la fin de 1719 (4). Deux chaînes partirent à cet effet de Paris. Celle de Brest, composée de 93 hommes, 20 femmes et 4 enfants, posa aux autorités du port le problème difficile de leur internement en raison de l'encombrement des prisons de la marine par des fraudeurs venus de différentes paroisses et prêts à s'embarquer sur les mêmes navires, dont le mauvais temps retardait l'appareillage. Celle de Port-Louis, forte de 150 personnes, fut logée dans la citadelle (5). A la demande de Saujon, 100 personnes seulement, au lieu de 120 d'abord prévues par le conseil de marine, y compris les femmes et les enfants, furent embarquées

---

(1) Bastille, 12708, Etat des personnes... détachées de la chaîne le 24 mai 1719 ; Avis de M. de Machault sur le sort des... faux sauniers actuellement à Bicêtre, 18 mai 1719 ; Dossier Jacques Carry ; Placet de Pierre Marte et Jacques Chenu ; 10659, Placet Vve Favereau.

(2) A.M., B 1 39, f. 63 v, Le Brun, 9 juill. 1719 ; f. 95 v-96 v, Feydeau, 30 juill. 1719. — B 1 47, f. 19 v, Robert, 12 et 15 juill. 1720 ; B 3 261, f. 177-177 v, M. Meliand, Lille, 1er sept. 1719.

(3) A.C., G 1 464 (Passagers), pièces 9, 14, 13, 17, 22, 19.

(4) A.M., B 1 43, f. 21-21 v, Projet de mémoire du roi au S. de Saugeon... ; B 2 254, f. 257 v, à Rochambeau, 27 sept. 1720 ; f. 278, 399 v, à Beauregard, 29 sept., 25 oct. 1719. — A.G., A 2592, f. 95, Etat de la Louisiane en juin 1720.

(5) A.M., B 1 39, f. 19 v-20, Robert, juin-juill. 1719 ; f. 80 v-1, Clairambault, juill. 1719 ; f. 59 v-60, du Guay Trouin, juill. 1719 ; f. 254, 270 v-1, Robert, oct. 1719 ; f. 272 v, Saujon, 20 oct. 1719 ; f. 316, Robert, nov. 1719 ; f. 320-320 v, Beauregard, nov. 1719 ; B 2 254, f. 33 v, 61, 245, 426 v, à Robert, 12 juill., 24 juill., 23 sept., 3 nov. 1719 ; f. 41 v-42, à d'Argenson, 12 juill. 1719, f. 418 v, à M. Law, 30 oct. 1719 ; f. 442 v, à Saujon, 6 nov. 1719 ; B 3 257, f. 264 v-266 v, Rapport de Ph. Rebours, Lorient, 5 nov. 1719. — Lorient, 1 E 4 25, f. 543-5, 551, à Clairambault, 6, 23 sept. 1719.

sur chacun des trois navires. Plusieurs fraudeurs furent laissés
à terre à cause des maladies dont ils étaient atteints, ainsi que
les femmes dans un état de grossesse trop avancé, sans qu'on
puisse établir si l'acheminement des uns et des autres, envisagé
pour une date ultérieure, eut lieu effectivement (1).

A côté des hommes punis pour vagabondage, mendicité, vols,
vie débauchée, des groupes de femmes tirées de l'Hôpital Général
furent, pour les mêmes motifs, transportés en Louisiane, bien
que la peine de l'exil, dans les déclarations de 1719, ne fût
applicable qu'aux hommes. Le premier exemple de déportation
de femmes paraît avoir été un fait purement accidentel. Il est
possible qu'un certain nombre aient été envoyées dans la colonie
par les navires de mai 1718, mais rien ne permet de supposer
qu'elles aient appartenu à l'Hôpital Général, et l'allusion du
Nouveau Mercure, en septembre 1718, à la préparation d'un
départ d'une quarantaine de femmes ne peut être vérifiée (2).
Les femmes des premiers faux sauniers, d'autre part, qui partirent en compagnie de leurs maris, partageaient volontairement
l'exil de ces derniers.

Le premier convoi de la Salpêtrière au Mississipi sur lequel
on soit exactement informé est celui qui passa par *Les Deux-
Frères* en juillet 1719. Il groupait 16 personnes, dont l'acheminement sur la Louisiane se fit fortuitement, étant donné que leur
première destination avait été fixée pour Saint-Domingue ou la
Martinique. La plupart venaient de la maison de force de la
Salpêtrière, quelques-unes de la Correction. Au cœur du groupe
figuraient trois prisonnières, détenues par sentence criminelle
ou sanction de police, qui, en raison de leurs violences, avaient
été enfermées dans des cachots : Marie-Anne ou Manon Fontaine,
accusée d'une quinzaine d'assassinats, Marguerite Valet ou de
Valy, de Saint-Quentin, et Marie-Anne Porcher, dite Manon
Chevalier, d'Orléans, l'une et l'autre internées pour vols et
prostitution, toutes trois âgées de 30 à 38 ans. Dès le début de
janvier 1719, la supérieure de la Salpêtrière avait proposé leur
transfert dans les colonies, d'accord avec le procureur général,
qui, à cause de leur « rébellion » dans la maison de force, préconi-
sait leur exil à perpétuité (3). Les intendants des généralités,

---

(1) A.M., B 1 39, f. 283 v, Saujon, 26 oct. 1719 ; f. 361, Robert, nov. 1719 ;
B 2 254, f. 318-318 v, 441 v, à Robert, 16 oct., 6 nov. 1719 ; f. 417 v-8, à Law,
30 oct. 1719.
(2) *Nouv. Mercure*, mars 1719, p. 185 ; sept. 1718, p. 214.
(3) Bastille, 10659, Copie des arrêts et sentences criminelles... de la maison
de force, 27 nov. 1717 ; Joly de Fleury à M. de Machault, 2 févr. 1719 ; Requête
de la Sœur Supérieure, 3 janv. 1719.

maires et échevins des villes situées sur le trajet de Paris à Rochefort reçurent l'ordre de fournir voitures et chevaux nécessaires au transport des 3 prisonnières qui devaient attendre à Rochefort l'appareillage d'un navire pour Saint-Domingue ou la Martinique (1). Mais la Sœur Supérieure saisit l'occasion de leur départ pour essayer de « délivrer l'Hôpital et le public » d'un certain nombre de femmes de la maison de force qu'elle définissait comme des « séditieuses ». Plusieurs, après avoir subi le fouet ou la fleur de lys, ou avoir été bannies plusieurs fois de Paris pour vols et prostitution, avaient été condamnées à la détention à vie ; d'autres, arrêtées pour des motifs moins précis, comme Marie-Françoise de Jouy de Palsy, âgée de 17 ans à peine et issue d'une famille de vieille noblesse du Gâtinais, que sa mère accusait d' « humeur féroce et de mauvaise conduite », étaient internées « jusqu'à nouvel ordre » ; d'autres enfin avaient été condamnées à un temps d'emprisonnement limité qui, pour certaines, venait même d'expirer (2). Le procureur général Joly de Fleury ayant obtenu l'élimination presque entière de cette dernière catégorie sur l'observation qu'il n'eût pas été juste de déporter pour le restant de leurs jours des femmes dont la peine devait être de courte durée, 17 personnes furent dirigées sur Rochefort, et 16 seulement y arrivèrent (3). Toutes partirent en vertu de simples lettres de cachet, ce qui abrégeait la procédure d'abord envisagée par le procureur général, qui eût consisté à faire établir « des lettres de commutation de peine dans la règle » (4).

Elles quittèrent Paris dans les derniers jours de février et atteignirent Rochefort le 16 mars (5) : elles furent aussitôt internées dans les prisons de la ville. Mais, les services de la marine ayant refusé de s'occuper d'elles faute d'instructions du

(1) Bastille, 10659, Dossier M.-A. de Fontaine, M. de Valy, M.-A. Porcher ; Ordre du régent aux intendants..., maires et échevins..., 10 janv. 1719.

(2) Bastille, 10659, Copies des arrêts et sentences criminelles... de la maison de force, 27 nov. 1717 ; Noms et copie des arrêts... en vertu desquels les personnes sont enfermées... ; J. de Fleury à M. de Machault, 2 févr. 1719 ; 10647, f. 52 suiv., Placet... de Dame Françoise Choppin, veuve de Mᵉ Louis Le Coustelier...

(3) Bastille, 10659, Copies des arrêts et sentences criminelles... ; Noms et copie des arrêts... ; J. de Fleury à M. de Machault... — Marie Desmarais, 20 ans, accusée par la Supérieure d'être « une des plus fameuses débauchées », est celle qui ne figure point sur l'état d'embarquement, A.C., G 1 464 (Passagers), pièce 22.

(4) Bastille, 10659, Copie des arrêts de la Cour (M. Lafontaine, M. de Valy, M.-A. Porcher) ; J. de Fleury à M. de Machault, 2 févr. 1719.

(5) Bastille, 10659, *Mémoire des noms des femmes... qui doivent être conduites... à Rochefort*, 20 févr. 1719 ; Le procureur du roi de Rochefort, 18 mars 1719.

conseil de marine et les dames de la Charité ne pouvant leur venir
en aide parce que « surchargées de pauvres honteux », ce fut au
procureur du roi à Rochefort qu'il appartint de régler les questions d'ordre matériel que soulevait leur présence : le logement
d'abord, dans des prisons trop étroites et dépourvues de toutes
nécessités, qui disposaient seulement de 4 paillasses sans couverture ; le vêtement ensuite, les prisonnières, dont on avait retenu
l'argent et les hardes à l'hôpital, n'ayant pu changer de linge
depuis leur départ de Paris et se trouvant menacées par la
vermine ; la nourriture enfin, dont le refus de l'adjudicataire du
pain de rien fournir en raison de l'arriéré qui lui était dû pour le
service des prisons aggravait les difficultés (1). Comme le procureur du roi jugeait imprudent de laisser à un régime de pain
et d'eau des organismes épuisés par les mauvaises conditions du
voyage de Paris à Rochefort, il leur fit attribuer sur ses ressources
personnelles, outre le pain, une ration quotidienne de 5 à 6 onces
de légumes avec une sardine ou un hareng et une demi-once de
fromage, et il sollicita activement l'intervention du procureur
général Joly de Fleury en faveur des prisonnières dont la charge
lui incombait provisoirement (2). Grâce aux démarches de
celui-ci, les difficultés furent tranchées par le conseil de marine,
qui pourvut directement au vêtement et à la nourriture (3).
Mais il s'avéra impossible, faute de navire, de les acheminer vers
les Iles, pas plus que vers Cayenne, que le conseil envisagea de
leur assigner comme « le seul endroit » qui pût convenir à « pareille
marchandise » (4). Le délai d'attente à Rochefort eût été d'un
an et, comme le service de la marine n'entendait pas les garder
aussi longtemps à sa charge, il décida de les confier à la Cⁱᵉ d'Occident en lui prescrivant de les faire transporter en Louisiane. La
consigne fut exécutée par la Cⁱᵉ des Indes au mois de juillet 1719 (5). C'est donc du fait des hasards de la navigation que
le premier convoi de femmes de la Salpêtrière fut dirigé sur le
Mississipi.

(1) *Ibid.*
(2) Bastille, 10659, M. de Machault au Cⁱᵉ de Toulouse, 24 mars 1719,
à M. de Creil, 15 avril 1719.
(3) A.C., B 41, f. 76, à M. de Machault, 26 avril 1719 ; f. 197 v, à Beauharnais, 29 mars 1719.
(4) Bastille, 10659, Le procureur du roi, Rochefort, 18 mars 1719 ; 12708,
Le conseil de marine à M. de Machault, 26 avril 1719. — A.M. B 1 41, f. 335 v,
La Galissonnière, 6 avril 1719. — A.C., B 41, *op. cit.*
(5) A.C., B 41, f. 76 v, *op. cit.*, 226 v, à Beauharnais, 28 juin 1719. —
A.M., B 1 41, f. 335 v, *op. cit.* ; 367 v, Beauharnais, 13 avril 1719 ; B 1 42,
f. 62-62 v, M. de Machault, 16 mai 1719 ; f. 189 v, Beauharnais, 8 juill. 1719 ;
f. 276, La Galissonnière, Rochefort, 25 juill. 1719.

A cette date, un 2e convoi se préparait à la Salpêtrière, également recruté parmi les pensionnaires de la maison de force, mais beaucoup plus important. Plusieurs listes avaient été dressées par la supérieure, totalisant plus de 220 noms. Ce sont en majorité des femmes qui ont été enfermées pour vols, débauche et prostitution, pour débauche avec des hommes mariés, plusieurs pour faits répétés de mendicité, quelques-unes pour blasphème et irréligion ou pour assassinat (1). Certaines sont proposées pour la Louisiane à la demande de leurs familles. Pour être beaucoup moins nombreux que parmi les hommes, les cas de cette nature deviennent plus fréquents que l'année précédente. En 1718, les femmes dénoncées par leurs parents ou leurs voisins étaient, à quelques exceptions près, proposées pour l'hôpital, non pour les colonies (2). En 1719, l'idée de la déportation s'est accréditée dans le public, et bien des parents n'hésitent pas à demander que la sanction soit appliquée à leurs propres filles, qu'ils accusent de « libertinages » et « vie débauchée » (3).

Socialement, il est assez difficile de classer exactement les femmes qui figurent sur les listes de la Salpêtrière. Les rares indications relatives à leurs familles font allusion à des milieux modestes : on y relève quelques filles de gagne-deniers, 1 fille de soldat invalide, 1 fille de compagnon ébéniste, 1 fille de laboureur, 1 fille de tailleur... Quelques-unes sont en service domestique (4). Sur cet ensemble, originaire en presque totalité de Paris ou des provinces françaises, quelques étrangères se détachent : 5 jeunes Irlandaises, 3 Allemandes, 3 Lorraines, invariablement dénoncées pour « prostitution publique » ou pour « libertinage », et une dizaine de Bohémiennes, enfermées à la Salpêtrière depuis plusieurs années et dont les maris se trouvent, pour la plupart, aux galères (5). A côté, enfin, d'une majorité de femmes de 20 à 30 ans, plusieurs se distinguent par leur extrême

---

(1) Bastille, 12692, Personnes renfermées en la maison de force..., bonnes pour les Iles si Son Altesse Royale l'agréait.

(2) Bastille, 10638, f. 266 ; 10640, f. 39 suiv. ; 10644, f. 269 v ; 10647, f. 52 suiv., 68 suiv. ; 10648, f. 87 suiv.

(3) Bastille, 12692, Personnes renfermées en la maison de force... ; 10655, f. 171-6 (Dossier J. Chenost), f. 180-192 (Dossier Mathieu Chevallier), f. 254-7 (Jeanne Colin), 10657, f. 11-22 (Nicolas Artus Dianne), 197-203 (Connestable et Dufeu) ; 10661 (Dossier Louis Guédron) ; 10668 (Dossier Mauges) ; 10673 (Dossier Françoise Sausset) ; 10674 (Dossier Vve Thibault).

(4) Bastille, 10655, f. 171-6, 180-192 ; 10638, f. 266 ; 10648, f. 87 suiv. ; 10657, f. 11-22 ; 10661, Dossier Louis Guédron ; 10670, Dossier Marie Moule ; 10672, Placets de Pierre Quitat et du nommé Rafflond ; 10673, Dossier Françoise Rolland.

(5) Bastille, 12692, Personnes renfermées en la maison de force..., nᵒˢ 32-36, 39, 54-63, 96.

jeunesse, dont 2 âgées respectivement de 14 et 12 ans, l'une et l'autre accusées de « prostitution publique » (1). Il est possible que les noms des prisonnières de la maison de force aient inspiré à l'abbé Prévost celui de son héroïne : en dehors de la Manon Chevalier du premier convoi, on trouve sur les listes de la Salpêtrière une Marie-Madeleine Chavigny et une Marie Daneau, originaires respectivement de Versailles et de Paris, toutes deux surnommées Manon ; et en 1720, parmi les femmes conduites à la maison de force, figurera une Marie-Anne Lescau, originaire d'Amiens (2).

Finalement, sur les quelque 220 personnes proposées pour le Mississipi, 153 furent désignées par le régent et acheminées au mois d'octobre vers le port du Havre (3). Quelques-unes partaient volontairement, préférant l'exil à toute autre pénalité (4). Mais la plupart s'en allaient contre leur gré et plusieurs s'enfuirent en cours de route. Une quarantaine, d'autre part, en raison de leur état de santé, furent retenues à l'hôpital du Havre ou congédiées sur l'ordre du régent (5). En sorte que 96 personnes seulement partirent du Havre, le 12 décembre 1719, par la frégate *La Muline*, que commandait le capitaine de Martonne. Elles atteignirent l'île Dauphine le 27 février 1720, sous escorte des navires de Saujon : l'ordonnateur Hubert dressa le procès-verbal de leur arrivée dans la colonie (6). Si l'on ajoute aux 112 personnes de la maison de force passées par *Les Deux-Frères* et *La Muline* celles qui, prises pour faux saunage et pour fraude de tabac, subissaient au même titre que les hommes la peine de la déportation, le nombre des femmes qui, en 1719, furent exilées en Louisiane aurait été, d'après les listes d'embarquement que nous avons conservées, de 134 (7).

Le journal de Buvat fournit, il est vrai, une estimation numérique beaucoup plus élevée. Il représente plusieurs convois

---

(1) *Ibid.*, nᵒˢ 6-9, 18-19, 24, 34, 53, 70, 113, 124, 160.
(2) *Ibid.*, nᵒˢ 28, 126 ; Etat des personnes entrées à l'Hôpital Général par lettres de cachet sortantes des prisons...
(3) Bastille, 10653, f. 246-262, Dossier Blanchet ; 10670, Dossier Morainville ; 10672, Dossier Picard ; 10675, Dossier Riette. — Lorient, 2 P 20-II, Rôle du navire *La Muline*, Passagers pour la Louisiane.
(4) Bastille, 10667, Dossier Mahou ; 10673, Dossier Sausset ; 12692, Personnes renfermées en la maison de force, nᵒ 193. — Lorient, 2 P 20-II, *op. cit.*
(5) Lorient, *op. cit.* — Bastille, 10675, Dossier Riette.
(6) Lorient, *op. cit.*, 1 P 2, Répertoire général des papiers du bureau des armements... — A.E., *Mém. et Doc.*, Amérique, I, f. 96 v, Legac, *Etat de ce qui s'est passé à la colonie...*
(7) A.C., G 1 464 (Passagers), pièces 19, 22, 17. Le chiffre de 134 ne comprend pas les femmes qui accompagnent en Louisiane leurs maris condamnés pour faux saunage.

de jeunes gens et jeunes filles « qui s'élèvent dans les hôpitaux
de Paris » ou « qu'on y avait enfermés », étrangers en principe
au personnel de la maison de force, quittant la capitale en
août, octobre, novembre 1719 et à la fin de février 1720 : 3 de
ces convois auraient groupé 5 et 600 filles et jeunes garçons (1).
En septembre 1719, en outre, on aurait organisé avec les jeunes
gens des deux sexes détenus dans la prison du prieuré de Saint-
Martin-des-Champs, après les avoir sommairement mariés entre
eux, un convoi de 360 sujets qu'on aurait dirigé sur La Rochelle.
D'après le texte de Buvat, tantôt les filles prenaient place dans
des charrettes, et les garçons suivaient ; tantôt les uns et les
autres, liés deux à deux par des chaînes, étaient réduits à aller
à pied ; et parfois, dans une description qui évoquerait une scène
du roman de l'abbé Prévost, le cortège était suivi de carrosses
qui transportaient de jeunes galants désireux de faire escorte
aux filles qu'ils avaient connues (2). L'ensemble aboutit à un
effectif dont le chiffre élevé est difficile à concilier avec les possibilités qu'offre alors le mouvement de la navigation entre la France
et la Louisiane, et qui est en tout cas hors de proportion avec
les données des états d'embarquement de 1719. On ne peut
établir combien furent acheminés par les navires de 1720. Ceux-ci
appareillent pour la plupart dans la deuxième moitié de l'année,
lorsqu'ont pris fin les déportations en Louisiane, et les rôles
d'embarquement, à l'exception de celui du *Profond* où sont
inscrites « neuf filles venues du couvent des filles pénitentes
d'Angers », ne mentionnent alors que le personnel des concessions (3). Seuls *Le Duc-d'Orléans* et *Le Tilleul*, qui partent respectivement le 10 février et le 24 mai 1720, sont représentés comme
apportant en Louisiane des « gens de force », sans autre précision.
Mais le terme peut-il s'appliquer aux émigrants du journal de
Buvat ? Et les deux bâtiments partent de Dunkerque, et non de
La Rochelle, que celui-ci indique comme le port d'appareillage
uniforme de tous ces convois (4).

Il est très difficile, dans ces conditions, d'attribuer une valeur

(1) *Journal de la régence*, I, p. 386-7, 422, 441, 465 ; II, p. 40.
(2) *Ibid.*, I, p. 422, 438-9, 441, 465 ; II, p. 40.
(3) A.C., C 2 15, f. 37 v, Rôle des personnes embarquées sur le *Profond*.
(4) A.E., *Mém. et Doc.*, Amérique, f. 99 v, 100, *op. cit.* — A.M., B 4 37,
f. 410-413 v, J. Canno, Meulebeque, à Dunkerque, 21, 24 mai 1720 ; B 7 107,
f. 382, *Mémoire de Gaspard Bart*, à Dunkerque. — Lorient, 2 P 20-IV, Rôle
du *Duc-d'Orléans*. Un de ces navires de Dunkerque aurait apporté 300 forçats,
ce qui ne paraît pouvoir s'appliquer qu'à des hommes : quelques-uns seulement
survécurent. Arsenal, Ms. 4497, Pellerin, au Nouveau-Biloxi, 16 oct. 1720,
f. 65 v.

documentaire réelle au texte de Buvat. Il est possible que, du fait de la mortalité qui sévissait dans ces convois, le nombre des jeunes gens des deux sexes se soit sérieusement réduit pendant le trajet entre la capitale et le port d'embarquement et que les survivants aient gagné le Mississipi sous l'étiquette de fraudeurs et vagabonds, à moins qu'ils n'aient été enfermés, en attendant l'embarquement, dans les prisons de La Rochelle, de Lorient et de Belle-Isle, et que leur destination n'ait été modifiée après la promulgation de l'arrêt de mai 1720 (1). En fait, l'estimation basée sur les données des états d'embarquement paraît plus proche de la réalité que celle de Buvat : elle est corroborée dans une large mesure par les chiffres établis en Louisiane qui, en juin 1720, évaluent à 160 l'effectif des femmes déportées dans la colonie (2). Les six derniers mois de 1719 sont en tout cas la période des passages les plus nombreux de fraudeurs, vagabonds, déserteurs, prisonnières de la maison de force. C'est la période où les demandes d'envoi au Mississipi, émanant des milieux les plus divers, affluent dans les bureaux du lieutenant général.

Mais, à mesure que les départs forcés se multiplient, les résistances s'aggravent, et les tentatives d'évasion deviennent de plus en plus fréquentes parmi les sujets, hommes ou femmes, attachés aux chaînes de Louisiane. Au départ de Bicêtre, les fraudeurs de l'escadre de Saujon créent des difficultés à leurs gardiens. Au Port-Louis, plusieurs tentent de s'enfuir, et le commandant du navire, pour les contenir, doit renforcer la garde du bâtiment (3). Les évasions sont surtout nombreuses dans les convois de femmes, en partie du fait des complicités que celles-ci trouvent auprès des archers qui les escortent : 18 parviennent à s'évader du groupe qui est dirigé en octobre 1719 sur le port du Havre, dont quelques-unes sont ensuite reprises à Paris et de nouveau enfermées à l'Hôpital Général (4). En outre, dans les prisons parisiennes, parmi les détenus qui attendent l'ordre de départ pour la Louisiane, des soulèvements peuvent se produire, comme dans la prison du prieuré de Saint-

---

(1) Ci-dessous, p. 270-1.
(2) A.G., A 2592, f. 95, État de la Louisiane, juin 1720.
(3) A.M., B 1 39, f. 273 v, 320-320 v, Beauregard, oct. 1719, 6 nov. 1719 ; B 3 257, f. 261-2, 263, Beauregard, 3, 6 nov. 1719 ; f. 264 v-266 v, Rapport du maître de gabarre..., 5 nov. 1719. — Lorient, 1 E 4 25, f. 580, à Clairambault, 13 oct. 1719.
(4) Bastille, 10672, Dossier Picard, 10644, f. 269 s. (Lefèvre) ; 10648, f. 87 suiv. (Saint-Val) ; 10661, Bourbon à Machault d'Arnouville, 29 nov. 1719 ; 12692, État de quelques femmes... dont la liberté peut être proposée. — Lorient, 2 P 20-II, Liste nominative du convoi de *La Mutine*.

Martin-des-Champs où, le 1ᵉʳ janvier 1720, sur un total de
107 prisonniers, destinés au Mississipi, 59 hommes et femmes
parviennent à forcer les portes des deux guichets et à prendre la
fuite après avoir blessé leurs gardiens (1).

Le mécontentement se précise dans le courant de l'année 1720,
en raison de l'entrée en vigueur d'un programme de répression
de plus en plus systématique du vagabondage, en raison surtout
de ses modalités d'application, à un moment où le nombre
décroissant des placets qui sollicitent la déportation de jeunes
libertins paraît indiquer que le principe n'a plus la faveur de
l'année précédente (2). Dès novembre 1719, le garde des sceaux
avait notifié aux intendants la décision du souverain de procéder
à l'élimination définitive des vagabonds, gens sans aveu et
mendiants dans l'ensemble du royaume, en réservant pour les
colonies les hommes en état de travailler, et en enfermant les
vieillards et les infirmes, pour y être occupés aux ouvrages dont
ils seraient capables, dans les hôpitaux, dont le nombre serait
augmenté à cet effet. La décision, visiblement inspirée par Law
dont elle traduisait les idées, se proposait de débarrasser le pays
de la multitude de sujets oisifs qui causait « la disette d'ouvriers
et de gens de journée » et contribuait « à rendre inculte une partie
considérable des meilleures terres ». Pour en permettre la réalisation, le garde des sceaux prescrivait aux intendants d'ouvrir
une enquête sur les possibilités de création de nouveaux hôpitaux. Quelques mois plus tard, en février 1720, le projet entra
en voie d'exécution par l'institution de nouveaux cadres de
police dans la personne de 4 inspecteurs généraux, assistés d'un
personnel de lieutenants et de brigadiers, chargés d'effectuer,
avec l'aide bientôt des curés de paroisse, un recensement de
tous les mendiants du royaume, afin de procéder plus sûrement
à leur arrestation et de statuer ensuite sur leur destination (3).
Le 10 mars 1720, enfin, une dernière ordonnance confirma le
principe de la déportation des hommes valides en Louisiane ou
dans les autres possessions d'Amérique et celui de l'internement
des vieillards et des infirmes dans les hôpitaux de Paris et de
province (4). Autant de règlements qui reprennent, dans un
esprit plus systématique et sur un plan plus général, accompagné

(1) A.N., Bailliage du prieuré de Saint-Martin-des-Champs, Plaintes et
informations, Z 2 3744. — J. BUVAT, Journal de la régence, II, p. 1.
(2) Bastille, 10660, Dossier Gaillard ; 10696, f. 182 suiv., 205 suiv. ; 10697,
f. 26 suiv. ; 10699, f. 166-7 ; 10703, f. 32 suiv. ; 10706, f. 82 suiv. ; 10707,
f. 11 suiv. ; 10708, f. 175, 244.
(3) BUVAT, op. cit., II, p. 21-2, 92.
(4) A.N., AD-I, 25 B, Ordonnance du 10 mars 1720.

de moyens d'enquête et de répression plus étendus, ceux déjà énoncés dans les déclarations des premiers mois de 1719.

Mais la principale nouveauté consista à former, au mois d'avril, un corps d'archers spéciaux avec mission d'arrêter dans les rues de la capitale tous les mendiants et gens sans aveu, dont le nombre s'était accru avec l'évolution du système de Law (1). Ce sont les archers des « nouvelles brigades », que le public appela communément les « bandouliers du Mississipi » en raison de la bandoulière qui leur servait d'insigne (2). Or, pour tirer parti de la prime que la Cie des Indes leur promettait pour chaque arrestation, ces archers multiplièrent procédés arbitraires et violences, arrêtant sans discrimination des personnes de tout âge, des provinciaux venus à Paris pour régler des affaires personnelles, des vieillards, des ouvriers faussement accusés de mendicité, et dont la liberté n'était ordonnée après enquête qu'au bout de plusieurs semaines d'internement, s'en prenant même à des fils de familles bourgeoises. Buvat, Saint-Simon, les correspondants de la Mise de Balleroy dénoncent ces abus, dont rendent témoignage les dossiers personnels des archives de la Bastille, soulignés de remarques significatives sur cette époque où « l'on prenait toutes sortes de personnes indifféremment... pour envoyer aux Iles » et sur ces « archers qui ont si mal exécuté les ordres qu'ils avaient pour les vagabonds » (3). En province, des enlèvements ont également lieu, à Orléans par exemple, où une bande opère « sans commission du roi ni mandement de justice », et, sous la prétendue autorité du directeur de la Cie des Indes, J.-F. Delaporte, prend par surprise, par force, ou après les avoir enivrées, « des personnes de tous âges et de tout sexe » pour le Mississipi (4).

Il résultait de ces procédés un mécontentement grandissant, qui ne se traduit plus seulement par les évasions auxquelles donne lieu l'acheminement des convois (5). A Paris, la population s'oppose par la force à l'action des archers, et elle parvient à les tenir en échec à la suite de collisions sanglantes qui achèvent de

(1) *Journal de Dangeau*, t. 18, p. 274. — P. Harsin, *Œuvres complètes de J. Law*, III, p. 374. — *Lettres historiques* (57), 1720, p. 585-6.
(2) J. Buvat, *op. cit.*, II, p. 77-8, 87.
(3) Bastille, 10697, f. 205 suiv. ; 10701, f. 182 ; 10702, f. 27 suiv. ; 10704, f. 53 suiv. ; 10707, f. 61 suiv. ; 10713, f. 82 suiv., 102, 103 suiv., 116 suiv., 124-5.
(4) Orléans, Arch. du Loiret, B 1979. — D. M. Quynn, Recruiting in Old Orleans for New Orleans, *American Historical Review*, july 1941, p. 832-6.
(5) Bastille, 10654, f. 143-165 (Jacques Bricon) ; 10655, f. 109-116 (Robert Chaperon) ; 10673, Dossier Sergent ; 10696, f. 182 suiv. (Aubry).

discréditer le principe des envois en Louisiane (1). A Lorient où, du fait des armements de la Cⁱᵉ des Indes, s'effectuent d'importantes concentrations de déportés, l'agitation se manifeste dans la prison du château de Trifaven, qui est le lieu d'internement habituel. Dans ce local malsain, en partie délabré, plusieurs succombent dès leur arrivée, ou dans les jours suivants, aux fatigues et privations de la route, et le registre de catholicité de Lorient mentionne souvent l'inhumation des « esclaves de la Louisiane » ou des « Mississipiens du Château », dont il convient en bien des cas qu'on « ne sait pas les noms » (2). Mais il accuse aussi l'inhumation de soldats et de Mississipiens qui périssent dans le château au cours d'une révolte de ces derniers contre les gardes des compagnies d'invalides que le directeur Édouard de Rigby avait préposées à leur surveillance (3).

Devant l'attitude de la population parisienne et pour mettre un terme à l'arbitraire des archers, l'ordonnance du 3 mai 1720 leur imposa la consigne de ne se déplacer qu'en brigades, sous le commandement d'un exempt chargé de veiller à la stricte application des règlements sur le vagabondage, elle institua en faveur des sujets arrêtés un interrogatoire immédiat par un officier de police qui permettrait au lieutenant général de prononcer sans délai leur mise en liberté ou leur emprisonnement, elle prévit enfin des garanties contre l'arrestation des employés des communautés d'artisans (4). Mais ces mesures ne purent enrayer l'impopularité des arrestations qu'effectuaient les archers ou que la crédulité publique leur attribuait (5), et, quelques jours plus tard, par l'arrêt du 9 mai 1720, le roi, sur les représentations de la Cⁱᵉ des Indes, interdit les déportations « de vagabonds, gens sans aveu, fraudeurs et criminels » en Louisiane (6). A cette date, la Compagnie se flattait d'avoir mis fin à la pénurie de la main-d'œuvre dans la colonie par les transports de nègres qu'elle y assurait, tandis que les sociétés de colonisation, qui avaient elles-mêmes procédé à un important recrutement d'engagés, refusaient de se charger des vagabonds et criminels qui avaient été condamnés à servir en Louisiane. Le gouvernement,

(1) *Les correspondants de Balleroy*, II, p. 159-160. — *Lettres historiques* (57), 1720, p. 585-6. — BUVAT, *op. cit.*, II, p. 78. — *Journal de Dangeau*, t. 18, p. 277. — P. HARSIN, *op. cit.*, III, p. 374. — A.N., AD I 25 B, Ordonnance du 3 mai 1720 ; U 363, Delisle, Conseil secret du Parlement, 29 avril 1720.
(2) Registre de catholicité, Paroisse de Lorient, 27 mai-11 juill. 1720.
(3) *Ibid.*, 2 juin 1720. — A.M., B 3 264, f. 115 v, Rigby, 3 juin 1720.
(4) A.N., AD I 25 B, Ordonnance du 3 mai 1720. — J. BUVAT, *op. cit.*, II, p. 77-8, 87.
(5) J. BUVAT, *op. cit.*, II, p. 96-7.
(6) A.N., AD + 259.

dans ces conditions, renonça à une politique que les circonstances ne justifiaient plus (1). Peu après, 2 ordonnances suspendirent l'exécution de celle du 10 mars 1720, en raison du préjudice qu'elle causait aux travaux agricoles et de la perturbation qu'elle créait dans l'organisation du travail dans la généralité de Paris par l'arrêt que la crainte des sanctions qu'elle stipulait contre le vagabondage provoquait dans les déplacements des gens de la campagne et des ouvriers de tous métiers (2).

Graduellement, les nouvelles brigades entrent en sommeil. En juin 1720, elles manifestent encore une certaine activité. Après quoi, toute allusion disparaît à leurs archers, les demandes d'envoi au Mississipi deviennent de plus en plus rares, et les chaînes organisées pour les colonies cessent d'avoir la Louisiane pour objet (3). La dernière chaîne du Mississipi, forte de 212 prisonniers, paraît avoir atteint Lorient le 29 mai 1720 (4).

Il y avait alors dans la prison du château de Trifaven environ 400 détenus, et plus de 200 à Port-Louis (5). Un autre groupe, dont on ne peut fixer l'importance et dont la garde était difficilement assurée par des soldats de la marine, attendait une occasion d'embarquement dans les prisons d'Hennebont (6). Près de 200 étaient gardés à La Rochelle, et 250 environ dans la citadelle de Belle-Isle (7). Il n'est pas possible de faire une discrimination entre tous ces détenus, et de dire dans quelle proportion ils ont été arrêtés par les nouvelles brigades, ou relèvent d'arrestations antérieures, ou appartiennent aux jeunes recrues des hôpitaux qu'indique le journal de Buvat. Apparemment, l'intervention des archers du Mississipi est trop récente, leur action a été de trop courte durée pour qu'on puisse les considérer comme responsables d'un grand nombre de ces détentions.

La plupart de ces prisonniers devaient être acheminés vers les autres colonies d'Amérique. Un petit nombre seulement, qui

(1) *Ibid.* — J. Buvat, *op. cit.*, II, p. 82-3. — P. Harsin, *op. cit.*, III, p. 374.
(2) A.N., AD-I 25 B, Ordonnance de l'intendant de la généralité de Paris, 18 mai 1720 ; Ordonnance du roi, 15 juin 1720.
(3) Bastille, 10697, f. 26 suiv. ; 10699, f. 166-7 ; 10700, f. 35, 87 suiv. ; 10701, f. 183-4 (Etat de 9 mendiants arrêtés par les nouvelles brigades...) ; 10704, f. 16 suiv. ; 10709, f. 152 ; 10710, f. 70 suiv. ; 10711, p. 1 suiv... — A.M., B 1 47, f. 85, Requête de la famille Pelsaire.
(4) Bastille, 12708, Etat des particuliers destinés pour... la Louisiane, Lorient, 29 mai 1720.
(5) A.M., B 3 264, f. 115 v, Rigby, 3 juin 1720 ; B 1 51, f. 1013, Conseil de marine, 25 juin 1720. — *Gazette de Hollande*, 23 juillet 1720.
(6) A.M., B 3 264, f. 165-165 v, et B 1 46, f. 286, Champmorot, 7 juin 1720.
(7) A.M., B 1 52, f. 264 v-5, Conseil de marine, 12 nov. 1720 ; B 1 55, f. 674, La Jus, à La Rochelle, 2 mai 1721. — Char.-Mar., B 5591, L. A. de Bourbon aux officiers de l'Amirauté, 1er juill. 1720.

avaient été l'objet de commutations de peine, gagnèrent la
Louisiane (1). A la fin du mois de juin, le conseil de marine décida
de faire passer à Nantes 200 des détenus de Port-Louis pour les
diriger sur les colonies, en qualité d'engagés, à bord des navires
marchands : solution dont la pénurie de locaux susceptibles de
les abriter dans le château de Nantes, la rareté des armements
pour les Iles à la fin du système de Law, le petit nombre enfin
d'engagés que transportaient les navires marchands devaient
retarder l'application (2). Le local qui leur fut assigné n'était
pas sûr, beaucoup mirent la circonstance à profit pour s'évader,
et les autres ne furent acheminés que par petits groupes et après
une longue attente (3). Les prisonniers de la citadelle de Belle-
Isle furent dirigés sur Bordeaux, après libération toutefois des
vieillards et des infirmes, « pour la plupart des polissons ramassés
aux coins des rues », des femmes arrêtées pour faux saunage,
mendicité, prostitution, qui ne pouvaient être envoyées comme
engagées dans les colonies, et de quelques sujets que leurs familles
réclamaient (4). Ceux de La Rochelle, enfin, dont plusieurs
avaient été mis en liberté et dont l'effectif se trouvait réduit en
outre par les évasions et les maladies, furent envoyés en grande
partie au Canada et aux Iles (5). Dix-sept religionnaires du
Languedoc, condamnés du fait de leur religion à servir à vie en
Louisiane, qui figuraient parmi eux, furent relâchés à la demande
de l'ambassadeur d'Angleterre, dont le pays promettait de les
accueillir (6).

(1) A.C., B 42, f. 521, 523, au S. Langlade, 19 juin 1720 ; f. 527 v, au
S. La Jus, 6 août 1720.
(2) A.C., B 42, f. 68 v-9, à M. Marias, 22 mai 1720 ; f. 550, aux directeurs
de la Cie des Indes, 25 juin 1720. — A.M., B 3 264, f. 307-311 v, M. de Ricouart,
à Nantes, 2 juill. 1720. — Loire-Atl., B 280, à M. de Ricouart, 25 juin,
30 juill. 1720.
(3) A.M., B 3 264, f. 445, 483-488 v, M. de Ricouart, 12 nov., 16 déc. 1720.
— Loire-Atl., B 280, à M. de Ricouart, 25 oct., 4 déc. 1720.
(4) A.M., B 1 52, f. 144 v-5, Conseil de marine, 3 sept. 1720 ; f. 171 v-173 v,
Etat des femmes des prisons de Belle-Isle, 15 sept. 1720 ; f. 220 v, 265-265 v,
Conseil de marine, 6 oct., 12 nov. 1720 ; B 1 55, f. 125-6, Conseil de marine,
janv. 1721 ; B 3 264, f. 406, Ricouart, 11 nov. 1720 ; f. 408-408 v, Roger,
Belle-Isle, 4 oct. 1720. — A.C., B 42, f. 564-564 v, à M. Roger, 9 sept. 1720 ;
f. 567 v-8, à M. Desfourneaux, 20 oct. 1720 ; F 1 A 22, f. 6, Ordre à Champigny, 1er févr. 1721. — Loire-Atl., B 280, à M. de Ricouart, 13 nov. 1720.
(5) A.M., B 1 52, f. 264 v-5, Conseil de marine, 12 nov. 1720 ; B 1 55,
f. 674, La Jus, à La Rochelle, 2 mai 1721. — A.C., C 11 A 42, f. 90-90 v, Vaudreuil et Bégon, 26 oct. 1720 ; B 42, f. 414 v-5, Le roi à Feuquière et Bénard,
18 juin 1720 ; f. 518-9, à M. Charlot, 16 juin 1720. — Char.-Mar., B 5591,
L. A. de Bourbon aux officiers de l'Amirauté, 1er juill. 1720, B 5717, pièce 14,
pièce 183, B 5718, Déclaration du procureur, 5 janv. 1721.
(6) A.M., B 1 52, f. 168-168 v, La Jus, 3 sept. 1720 ; B 1 55, f. 851, Rostan, à
La Rochelle, 5 juill. 1721. — A.C., B 42, f. 525-525 v, à M. Charlot, 25 juin 1720 ;
f. 529, au S. La Jus, 20 sept. 1720. — *Gaz. de Hollande*, 8 oct. 1720.

Pour essayer de faire le bilan de cette politique d'émigration forcée, d'évaluer le nombre des exilés de toute sorte qui gagnèrent la Louisiane au cours de la période du Système de Law, on n'a d'autre base d'estimation, puisque les rôles d'embarquement ne nous donnent virtuellement aucun détail pour l'année 1720, que celle que nous fournit la Cie des Indes en mai 1721. A cette date, elle évalue à 1 278 l'effectif des « faux sauniers, fraudeurs ou exilés (1) transportés depuis l'avènement de la Cie d'Occident, ce qui, en déduisant les quelque 600 hommes qui sont passés en 1719, les 100 faux sauniers et déserteurs approximativement qui ont été acheminés en 1717-18, ne laisse pour l'année 1720 qu'un total de moins de six cents déportés.

L'arrêt du 9 mai 1720 ne concernait que les déportations de vagabonds, faux sauniers et criminels. Il ne touchait pas au principe de l'émigration forcée et n'empêcha point le conseil de marine d'organiser ensuite un nouvel envoi de filles des hôpitaux en Louisiane, mais recrutées dans un milieu différent de celles qui les avait précédées. Il ne s'agissait plus cette fois de détenues de la maison de force. Le convoi qui fut préparé à la Salpêtrière répondait au désir d'introduire en Louisiane des jeunes filles capables de fonder des foyers. On les prit parmi celles, âgées de 14 à 15 ans, qui avaient été élevées à l'Hôpital Général, on leur fournit un trousseau destiné à faciliter leur « établissement », et 3 officières laïques de la Salpêtrière furent chargées de les encadrer et de les surveiller. Ce sont les célèbres « filles de la cassette », qui appareillèrent de Nantes, pour la plupart, en juillet 1720, à bord de *La Baleine* sous le commandement du capitaine Keralot-Prigent (2) : quelques-unes étaient parties par *La Mutine* et *Le Chameau* (3). Elles atteignirent la Louisiane, au nombre de 88, suivant le témoignage de Bienville, en janvier 1721, après une traversée rendue pénible par l'inconduite du commandant du navire. Des ordres furent envoyés aux directeurs de la colonie « pour les bien traiter et les marier » (4).

L'arrivée de ces recrues était une mesure trop tardive pour

---

(1) A.C., C 13 C I, f. 329, *Mémoire de l'état actuel où est la... Louisiane*, 1721.
(2) Lorient, 2 P 20 III, Rôle de désarmement de *La Baleine*. — A.C., G 1 464 (Passagers), pièce 21 ; B 42 *bis*, f. 375-7, Brevets de sœurs conductrices..., juin 1720. — Buvat, *Journal de la régence*, II, p. 93.
(3) A.G., A 2592, f. 108, Bienville et Delorme, 25 avril 1721.
(4) A.E., *Mém. et Doc.*, Legac, *État de ce qui s'est passé à la... colonie.* — A.G., A. 2592, f. 108, *op. cit.* — Lorient, 1 P. 274-II, pièce 20, Bienville..., 25 avril 1721. — A.C., C 2 15, f. 121 v, M. de Machault à J. de Fleury. 12 mai 1721. — B.N., Ms. F.F. 14613, f. 365, Pénicaut, *Annales véritables...* — L.-H. Légier-Desgranges, De la Salpêtrière au Mississipi (*Bull. d'Information et de Documentation de l'Assistance Publique*, Paris, avril 1951), p. 57.

effacer la réputation que les envois de femmes de la maison de force, de vagabonds, fraudeurs et criminels avaient créée à la Louisiane. Si les déportations s'étaient limitées, comme au début de la Cie d'Occident, à un personnel de faux sauniers, la colonie en aurait subi un moindre préjudice, car il pouvait y avoir parmi ceux-ci des éléments utiles, capables de rendre des services par les métiers que certains pratiquaient. Sur les 45 faux sauniers qui partent par *Le Duc-de-Noailles*, en septembre 1719, plus de la moitié exerce des métiers utiles, menuisiers, taillandiers, laboureurs, tisserands, maçons..., et, sur les 29 fraudeurs de tabac que transporte le même navire, 16 possèdent des spécialités identiques ou approchantes (1). Les laboureurs sont souvent nombreux parmi les faux sauniers, et, lorsque Willart d'Auvilliers entreprend de recruter le personnel de la concession de Mézières, il s'adresse dans une large mesure à cette dernière catégorie (2). Il est encore plus significatif de constater que la Cie des Indes retient pour son service dans la colonie, en raison de leur utilité, des faux sauniers de Picardie, internés à la Tournelle, qui demandent à être transportés en Louisiane afin d'y rejoindre des parents et des amis, et qu'elle en engage d'autres dans diverses prisons grenetières du royaume (3). Mais, en envisageant la déportation en Louisiane comme une sanction dirigée contre les sujets qu'atteignaient les ordonnances sur le vagabondage et la mendicité, outre les criminels et les jeunes dévoyés, le gouvernement répandait dans le public l'image d'une colonie formant le lieu d'accueil de tous les indésirables du royaume. Et cette réputation survécut aux années du Système de Law (4). La chanson populaire, en insistant sur cet aspect du peuplement, et sur les injustices auxquelles il donne lieu, les détails et les commentaires dont il est l'objet dans les journaux ou les mémoires contemporains, achèvent de discréditer le pays dans l'opinion publique (5). A l'étranger, la Louisiane, à la fin du Système de Law, apparaît aussi sous un jour défavorable. La représentation que les comédiens allemands de Dusseldorf donnent à la cour de

---

(1) A.C., G 1 464 (Passagers), pièces 19, 22, 17.
(2) *Ibid.*, pièce 22. — B.N., F° fm 17257, p. 122-3, *Mémoire pour le S. François d'Auvilliers.*
(3) A.M., B 1 49, f. 16 v, Conseil de marine, 23 janv. 1720 ; B 1 51, f. 699-700, Conseil de marine, 16 avril 1720.
(4) A.C., C 13 B 1, *Mémoire sur la Louisiane*, envoyé à M. Berrier, 15 avril 1761 ; C 13 C 1, f. 31, *Mémoire sur la Louisiane.* — A.N., M 1027, Purry au duc de Bourbon. — Buvat, *Journal de la régence*, II, p. 21-2.
(5) E. Raunié, *Chansonnier historique*, III, p. 21-4. — J. Buvat, *op. cit.*, p. 432-5, 438-9, 441. — Saint-Simon, *Mémoires*, éd. de Boislisle, XXXV, p. 267-8. — *Journal de Dangeau*, t. 18, p. 226, 275, 325.

l'électeur de Cologne en décembre 1720, et dont les allusions qu'elle contient sur le Mississipi occasionnent un vif incident avec le ministre de France, a trait, suivant toute vraisemblance, aux déportations de prostituées et de vagabonds (1). Bientôt, d'ailleurs, sur la scène française, les comédiens italiens s'empareront de ce thème et en favoriseront la diffusion dans le public (2). Et le Suisse Jean-Pierre Purry, quelques années plus tard, se fera l'écho de la mauvaise réputation que la colonie conservera dans la population helvétique (3). Cette réputation de la Louisiane, la crainte de se voir contraints d'y finir leurs jours, au même titre que des galériens et des criminels, expliquent les réactions hostiles des soldats et des matelots que les exigences du service du roi destinent au Mississipi. Les levées d'hommes que l'intendant de Brest, en octobre 1720, effectue pour Saint-Domingue, sont précisément contrariées par l'appréhension qu'éprouvent les Bretons qu'on ne les envoie en Louisiane ; et, la même année, l'intendant de Rochefort ne parvient à prévenir les désertions parmi les ouvriers destinés aux Iles du Vent qu'en leur donnant l'assurance qu'on ne les acheminera pas sur la Louisiane (4). Mais les difficultés de recrutement des équipages du *Henry* et du *Toulouse*, en 1720, fournissent l'exemple le plus évident de la crainte et de l'hostilité que suscite la colonie. Indépendamment de la modicité de la « solde du roi » que le conseil de marine refuse de porter au niveau de celle de la Cie des Indes, il y a à la base de l'impopularité de cette campagne le sentiment des matelots qu'on les envoie en Louisiane « pour les y laisser toute leur vie » et pour y subir la loi commune des déportés (5). Le conseil de marine a beau prescrire aux administrateurs des ports de désabuser les familles, il réussit difficilement à dissiper l'appréhension ou « l'épouvante » qu'inspire le voyage du Mississipi. Plusieurs matelots, détenus pour faux saunage, s'enfuient dans le comté de Nice pour échapper à la réquisition, et ils n'acceptent de revenir en territoire français que sous la promesse qu'ils seront graciés s'ils servent sur *Le Henry* et *Le Toulouse* (6). Finalement, les autorités du port de Toulon ne

(1) *Gazette de Hollande*, 17 déc. 1720.
(2) A.C., C 13 A 5, f. 76, Purry au duc d'Orléans.
(3) A.N., M 1027, Purry au duc de Bourbon.
(4) A.M., B 1 52, f. 103 v-4, M. de La Roulais, 6 août 1720 ; f. 250 v, M. Robert, 25 oct. 1720 ; B 1 46, f. 289 v-90, M. de Ricouart, 11 juin 1720. — A.C., B 42, f. 207 v, à Beauharnais, 13 août 1720.
(5) A.M., B 2 255, f. 485-485 v, à M. Hocquart, 15 nov. 1719.
(6) A.M., B 2 255, f. 551-551 v, au S. Riouffe, 20 déc. 1719 ; B 2 259, f. 45 v-6, au S. Riouffe, 31 janv. 1720 ; f. 209-210, à M. Desforts, 1er juill. 1720 ; B 1 45, f. 142, 645-6, Riouffe, 14 janv., 10 juin 1720.

parviennent à constituer les équipages qu'en retenant les matelots de navires du roi prêts à désarmer, en faisant arrêter ceux des bâtiments marchands qui entrent en rade ou qui sortent des services de la quarantaine, et en procédant à des levées forcées dans les départements de Provence et du Languedoc, qui fournissent généralement un personnel de mauvaise qualité (1). « L'éloignement » que les hommes manifestent pour la campagne de Louisiane est tel que la plupart doivent être embarqués les menottes aux mains (2).

Les déportations n'étaient pas seules responsables de cette situation. Les conditions de vie dans la colonie, les épreuves que traversa le personnel des concessions, les injustices ou les brutalités que les engagés eurent à subir, pendant les traversées, de la part de certains commandants de navires, les propos démoralisants que ceux-ci leur tenaient sur la colonie (3), ne purent qu'ajouter à l'impopularité de la Louisiane. Enfin les liens trop étroits qui unissaient la colonie au système de Law, les ruines et les déceptions que l'effondrement de l'édifice causa dans la population après avoir éveillé des espérances en partie basées sur les promesses de la mise en valeur du Mississipi, pesèrent pendant de longues années sur sa réputation. Mais les envois forcés en Louisiane représentent l'aspect du peuplement qui a le plus défrayé la chronique contemporaine et suscité les commentaires les plus nombreux : dans la pensée populaire, c'est l'élément qui, plus qu'aucun autre, a compromis la réputation du pays.

(1) A.M., B 2 255, f. 543 v, B 2 259, f. 4 v-5, au commandeur d'Ally, 20 déc. 1719, 3 janv. 1720 ; B 2 259, f. 14, à M. Hocquart, 10 janv. 1720 ; B 1 45, f. 54-5, Hocquart, déc. 1719 ; f. 160-1, Caffaro, 21 janv. 1720.
(2) A.M., B 2 259, f. 34 v, au commandeur Dally, 24 janv. 1720 ; B 1 45, f. 160-1, *op. cit.* ; f. 190-1, 206, 241, Les intendants... de Marseille, 24 janv., 4 févr., 5 févr. 1720 ; f. 193-4, 259, Le commandeur Dailly, janv.-févr. 1720.
(3) A.C., C 13 A 6, f. 123 v-4, Leblond de La Tour, 8 janvier 1721.

Chapitre VII

L'ÉMIGRATION ÉTRANGÈRE

Sur l'ensemble des émigrants qui gagnent la Louisiane au cours des années du Système de Law se détache le groupe des étrangers, essentiellement formés de Suisses et d'Allemands. Dans sa période la plus active, la colonisation de la Louisiane a donné lieu à des velléités d'émigration dans des pays voisins de la France, en Hollande par exemple, où l'agent de la marine à Amsterdam transmet au conseil quelques demandes de départ pour le Mississipi dont il a été saisi (1). Mais c'est surtout parmi les Suisses et les Allemands que l'on observe un nombre appréciable d'émigrants, bien que leur effectif ne corresponde pas à celui que leur attribuent les gazettes contemporaines dans des notes qui en exagèrent l'importance et qui représentent le mouvement comme l'application d'un plan de colonisation méthodique (2).

On distingue parmi les Suisses deux groupes d'émigrants. L'un se compose d'un certain nombre de familles destinées à la concession de Law et du duc de Guiche. Mais notre information se réduit ici à une allusion tardive du directeur Médéric de Romigny, dans le compte de liquidation de la recette et dépense de la dite concession, aux frais qu'a entraînés la conduite de 59 familles suisses d'Orléans à Lorient (3). Vraisemblablement, elles atteignirent Lorient au début de juillet 1720, et il est possible que les quelque 20 familles suisses (67 personnes) dont le rôle des *Deux-Frères* accuse le départ au mois de novembre suivant, sous la direction d'un brigadier, aient fait partie de ce contingent (4).

(1) A.M., B 7 40, f. 121, 165 v-6, Le S. Pottin, à Amsterdam, 15 févr., 11 mars 1720.
(2) *Nouv. Mercure*, janv. 1720, p. 199-200. — *Gazette de Hollande*, 9 févr., 20 févr. 1720. — J. Buvat, *Journal de la régence*, II, p. 31.
(3) A.N., V 7 256, Jugement des commissaires généraux députés... pour juger... les affaires de J. Law, 1er févr. 1725.
(4) A.E., *Mém. et Doc.*, Amérique, I, f. 103-103 v, Legac, *État de ce qui s'est passé à la Louisiane...* — G 1 464 (Passagers), pièce 21 (*Les Deux-Frères*).

Le deuxième groupe est constitué par une compagnie de soldats-ouvriers dont le recrutement fut effectué par un gentilhomme de Neuchâtel aux termes d'une capitulation que la Cᶦᵉ des Indes négocia au début de 1720. Le capitaine qui en opéra le recrutement resta en France, et il confia le soin de conduire en Louisiane les quelque 200 hommes de la troupe à son jeune frère, le capitaine par commission François-Louis de Merveilleux. Le plus important départ eut lieu par *La Mutine*, à la mi-novembre : 141 personnes au total, représentées par une dizaine de familles et 108 soldats-ouvriers, charpentiers, forgerons, maçons..., placés par spécialités sous la direction d'un ou plusieurs sergents-maîtres ; le « restant » de la compagnie partit peu après par *Les Deux-Frères*, puis par *La Vénus*, qui n'appareilla qu'en avril 1721 (1). Judiciairement, la troupe devait jouir de la même autonomie que la compagnie générale des gardes-suisses et ne dépendre que de son conseil de guerre. Bien qu'elle dût participer à la défense de la colonie et, le cas échéant, « se battre en gens de guerre », elle était surtout destinée à fournir des escouades d'ouvriers préposés à la réalisation des travaux qui leur seraient ordonnés. A l'expiration de leurs engagements, des facilités seraient faites aux hommes ou aux officiers qui voudraient s'établir dans le pays (2).

Simultanément enfin, la Cᶦᵉ des Indes engageait, pour l'affecter non plus spécialement à la Louisiane, mais à l'ensemble de ses possessions coloniales, le régiment suisse de Karrer, dont les registres paroissiaux de Lorient et de Port-Louis constatent la présence dans ces deux localités à partir du mois d'août 1720. Les 3 compagnies qui le composent, — compagnie colonelle, compagnies du capitaine Goezman et du capitaine Ruesch, — semblent avoir comporté une majorité de catholiques. Le régiment arrive à Lorient avec un aumônier catholique, le chanoine François-Joseph Klinclaus de Strasbourg, et ses capitaines appartiennent à la même religion (3). Mais on y trouve aussi des calvinistes. Deux abjurent solennellement leur hérésie dans

---

(1) G 1 464 (Passagers), pièces 51 *(Mutine)*, 54, 58 *(Vénus)*, 21 *(Deux-Frères)*. — A.E., *Mém. et Doc.*, Amérique, I, f. 103, LEGAC, *op. cit.* — A.C., B 42 *bis*, f. 338-342, Commission de capitaine d'une compagnie d'ouvriers suisses..., 4 janv. 1720 ; D 2 C 51, f. 27-9, Projet de capitulation pour la compagnie suisse... ; f. 106, Liste apostillée des officiers des troupes entretenues à la Louisiane. — Lorient, 2 P 20-III, Rôle de désarmement de *La Mutine*. — P.R.O., CO 5-358, f. 174-9, Projet de capitulation pour la compagnie suisse de la Cᶦᵉ des Indes...
(2) A.C., D 2 C 51, f. 27-9, *op. cit.*
(3) Registre de catholicité de Lorient, 30 sept. 1720 ; 5, 10 févr. 1721. — Registre paroissial de Port-Louis, f. 365, 375, 361.

l'église du Port-Louis. D'autres, en revanche, restent fidèles à
leur religion, bien que, dans ce cas, leurs enfants ne soient
baptisés que sous parrainage catholique (1). Cette dualité de
confessions est liée au recrutement même de ces hommes, qui
comprennent à la fois des éléments originaires du territoire
suisse, d'Alsace, de Danzig, et même d'Orléans (2). Mais
la Cie de Merveilleux représente le seul transport de soldats
suisses qui ait été effectué en Louisiane au cours du Système de Law. Et, contrairement à la consigne que le régent
venait de donner à ses représentants à l'étranger, elle introduisit
également en Louisiane un certain nombre de sujets protestants,
dont l'un des plus actifs et des plus convaincus devait être le
capitaine de Merveilleux (3). Pour sa part, le régiment de Karrer
resta stationné à Lorient et Port-Louis jusqu'au mois de juillet 1721. Ses conditions de vie étaient peut-être meilleures que
celles des émigrants allemands qui s'apprêtaient alors à se rendre
au Mississipi. Le fait qu'un hôpital lui ait été réservé à Lorient
semblerait indiquer que ses hommes y recevaient au moins des
soins élémentaires. Pourtant, les nombreux décès que mentionne
le registre paroissial, de septembre à décembre 1720, parmi les
soldats de 25 à 40 ans feraient allusion à un état sanitaire défectueux. En juillet 1721, le régiment fut transféré à Rochefort,
où s'établit la compagnie colonelle, forte de 250 hommes, et
à La Rochelle, où les 2e et 3e compagnies tinrent désormais
garnison (4).

Beaucoup plus importante apparaît l'émigration allemande
dont Law prit l'initiative aussitôt qu'il eut obtenu sa grande
concession de la Cie des Indes. Il nous dit qu'il fit alors appel à
des laboureurs et des artisans de langue allemande afin de
« ménager les peuples du royaume », suivant la théorie, si souvent
exprimée à l'époque, que le peuplement colonial risquait de
compromettre l'essor démographique de la métropole (5). Il
laissa le soin d'en opérer le recrutement à l'un de ses secrétaires,

---

(1) Registre paroissial de Port-Louis, f. 347, 365, 369, 371.
(2) *Ibid.*, f. 361, 365, 371. — Registre de catholicité de Lorient,
30 sept. 1720 ; 5, 10 févr. 1721.
(3) A.M., B 7 110, f. 143, au S. Pothin, 4 mars 1720 : « L'intention du
régent est qu'aucun étranger ne puisse passer (en Louisiane) à moins qu'il
ne soit catholique. » — A.C., D 2 C 51, f. 106, Liste apostillée des officiers des
troupes...
(4) A.M., B 1 55, f. 852, 854-5, Rostan, à La Rochelle, 5 juill. 1721 ; B 2 256,
f. 36-7 (1721), Règlement du Conseil qui établit la quantité de denrées...,
20 août 1721. — A.C., F 1 A 22, f. 92-8, Ordres au S. Gaudion (3 sept.-
31 déc. 1721) ; f. 125, Versement pour le régiment de Karrer, 27 sept. 1721.
(5) P. HARSIN, *Œuvres complètes de J. Law*, III, p. 263.

l'économiste Melon. Celui-ci s'adressa surtout aux populations de la vallée du Rhin, qui avaient déjà fourni de nombreux immigrants aux colonies anglaises, et que la dureté des épreuves qu'elles venaient de traverser sous le règne de Louis XIV prédisposait à bien accueillir ses offres (1). Il en vint d'Alsace ou du Wurtemberg, du pays de Bade, des électorats de Mayence et de Trèves, et même de Bavière et du Holstein (2). Law, apparemment, les destinait à sa concession de la rivière des Arkansas (3).

La première allusion à l'arrivée d'une partie de ces familles allemandes en territoire français apparaît dans le *Nouveau Mercure* de mai 1720, qui annonce le passage à Toul de 70 d'entre elles (4). Elles semblent avoir ensuite gagné la ville d'Orléans, où s'effectua la concentration générale des émigrants et où deux convois furent organisés à destination de Lorient, l'un sous la direction des Srs Giberty et de la Bouverie, qui dut y arriver au début de juillet, date où la présence des premières familles allemandes est attestée par le registre paroissial, l'autre, groupant 450 familles, sous la direction de Michel Vaudron, qui remit sa troupe au directeur de la Cie des Indes, Édouard de Rigby, le 21 du même mois (5). Vaudron qui, pour une « conduite » aussi nombreuse, près de 2 000 personnes, était seulement assisté d'un valet allemand, note le caractère extrêmement ordonné du convoi (6). L'acheminement de ces familles semble s'être effectué dans des conditions paisibles. On ne signale quelques désordres que dans le bourg de Couëron, où des Allemands destinés au Mississipi firent arrêter et décharger des charrettes employées au transport des bois du roi pour y mettre leurs hardes (7). Au total, près de 4 000 Allemands traversèrent le territoire français et atteignirent Lorient dans l'été de 1720, 3 991 exactement : tel est le chiffre que fournit la Cie des Indes comme représentant l'effectif des émigrants allemands et suisses dont elle dut assurer la subsistance à partir du 3 juillet 1720,

---

(1) *Gazette*, Paris, 1717, p. 443, 467, 550.
(2) G 1 464 (Passagers), pièce 21 *(Deux-Frères, Garonne, Charente, Saône)*. — H. DEILER, *The Settlement of the German Coast of Louisiana*, Philadelphia, 1909, p. 27-8.
(3) P. HARSIN, *op. cit.*, III, p. 263. — A.C., C 13 C 4, f. 212 v, *Mémoire de F. Chastang et M. Delaire à M. de Salmon*. — A.N., V 7 254, Jugement des commissaires... députés... pour juger... les affaires de Law, 24 avril 1721.
(4) P. 171.
(5) A.N., V 7 254, Jugement des commissaires..., 24 avril 1721 (contient la requête de M. Vaudron). — A.C., B 42 *bis*, f. 404, Ordre de la Compagnie, 2 avril 1721.
(6) V 7 254, *op. cit.*
(7) A.M., B 2 258, f. 190-190 v, à M. de Brou, 17 oct. 1720.

pendant leur séjour dans l'agglomération (1). Par la suite, elle réclama à Law le remboursement des frais qu'elle avait ainsi encourus pour une population essentiellement destinée aux concessions du financier (2). C'est d'ailleurs, approximativement, l'effectif que la Compagnie d'Occident avait antérieurement prescrit d'envoyer en Louisiane pour accélérer « l'établissement » de la colonie : « 4 200 personnes » qu'elle s'était proposé de recruter parmi les « laboureurs d'Alsace » (3).

La bourgade de Lorient n'était pas en mesure de loger un effectif aussi élevé, qui se trouvait entièrement réuni dans ses limites, en dehors de l'agglomération du Port-Louis, où les Allemands n'apparaissent que comme des éléments de passage, au moment de l'embarquement (4). Quelques rares familles furent logées au château de Trifaven, ou, peut-être, chez les habitants (5). Mais la majorité fut installée dans un campement improvisé, où des tentes furent dressées autour d'une source qui alimentait une fontaine, d'où le nom de « tentes de la belle fontaine » que lui applique le registre paroissial de Lorient. En fait, le camp se trouvait sur le territoire de la paroisse de Plœmeur, mais la proximité plus grande de la cure de Lorient explique que les décès et les baptêmes aient été consignés sur le registre de cette dernière paroisse (6). Là vécurent pendant plusieurs mois ces quelques milliers d'Allemands, pauvrement alimentés, médiocrement protégés des intempéries. Les détails matériels de leur séjour furent réglés par un commis de Law, le Sr Lessard, dont la dureté donna lieu à de nombreuses plaintes de la part des émigrants (7).

Leurs conditions d'existence expliquent le grand nombre des décès qui se produisent dans leurs rangs pendant les mois qui suivent leur arrivée à Lorient, elles expliquent surtout la forte proportion de la mortalité infantile dans un milieu qui compte beaucoup d'enfants en bas âge : 16 meurent au mois de juillet,

---

(1) V 7 254, Jugement des commissaires du conseil..., 8 mai 1721.
(2) *Ibid.* — P. Harsin, *op. cit.*, p. 263.
(3) A.G., A 2592, f. 151, Extrait des délibérations des directeurs de la Cⁱᵉ d'Occident.
(4) Registre paroissial de Port-Louis, f. 297, 305, et janv. 1721.
(5) Registre de catholicité de Lorient, 9 déc. 1720, 18 sept. 1720, 12 janv. 1721. La mention d'un baptême effectué « à la maison », le 18 sept. 1720, paraît indiquer un cas de logement chez l'habitant.
(6) Ce renseignement est dû à l'obligeance de Mlle Beauchesne, archiviste de la marine à Lorient, qui nous a confirmé l'existence, avant les destructions de la dernière guerre, d'une rue de la Belle-Fontaine sur l'emplacement présumé du camp des familles allemandes.
(7) Lorient, 1 E 4 27, f. 89, 99, à M. Renault, 2 mars, 19 mars 1721.

18 en août, 14 en septembre, contre 4 en août, 9 en septembre,
7 en novembre parmi les adultes (1). Les quelques vieillards qui
ont préféré suivre leurs familles pour tenter un voyage au-dessus
de leurs forces disparaissent aussi. Une sorte de maladie épidé-
mique, d'autre part, marquée par « des fièvres continues avec
transport au cerveau et beaucoup de vers », exerçait des effets
meurtriers (2). Les inhumations, dont le nombre trop élevé
exige parfois le recours sommaire à la fosse commune, ont lieu
en présence de deux témoins seulement, « tous Allemands » note
le registre paroissial (3). Comme beaucoup de ces familles sont
catholiques, enterrements et baptêmes se font suivant le rite
habituel de la paroisse. Dans le cas de parents luthériens, qui
refusent d'abjurer leur religion, les enfants nouveau-nés, de
même que chez les Suisses, sont baptisés dans l'église catholique,
en présence d'un parrain et d'une marraine catholiques et de
langue allemande (4). A plus forte raison, les enfants orphelins
d'âge plus avancé, nés d'Allemands luthériens, reçoivent-ils le
baptême catholique : la cérémonie, accomplie cette fois devant
parrains de langue française, originaires de la région, a la valeur
d'une abjuration (5). C'est le premier pas dans la voie de l'assi-
milation religieuse du groupe, qui se précisera dans la colonie
à mesure que les mariages dans les familles françaises effaceront
les différences de confessions. Mais, pour le moment, plusieurs
familles protestantes, dont le conseil de marine envisagera
bientôt de tirer parti pour la défense de la colonie contre les
Espagnols, s'apprêtent à gagner la Louisiane avec les émigrants
allemands (6).

Les embarquements pour le Mississipi ne commencèrent
qu'au mois de novembre. Le premier contingent partit alors par
Les Deux-Frères, qui devaient atteindre la Louisiane à la fin de
février 1721 (7). Le navire transportait 146 personnes (32 hommes,
36 femmes et 75 enfants), commandées par un prévôt, et appartenant à deux paroisses seulement, l'une de l'électorat de Trèves,

(1) Registre de catholicité de Lorient.
(2) A.G., A 2592, f. 128-128 v, Du Vergier, 25 mai 1721.
(3) A.C., C 2 15, f. 155, La Franquerie à la Compagnie, Lorient, 24 mars 1721.
(4) Registre de catholicité, Lorient, 13, 18 août 1720.
(5) Ibid., 12 janv. 1721.
(6) A.C., C 2 15, f. 117, Les commissaires du conseil à Bienville, 2 mai 1721 ;
D.F.C., nº 21, Mémoire sur la colonie de la Louisiane (fin 1720) : « Il y a encore
actuellement à Lorient près de 4 000 Allemands ou Suisses, y compris les femmes
et enfants, que la Compagnie destine pour fortifier ses barrières en plaçant les
protestants du côté des Espagnols et les catholiques du côté des Anglais. »
(7) A.E., Mém. et Doc., Amérique, I, f. 103, LEGAC, État de ce qui s'est
passé...

l'autre d'Alsace ou du Wurtemberg (1). C'était une faible proportion de l'effectif total qui attendait à Lorient. En sorte que
le plus grand nombre se trouvait encore à terre, réparti entre le
château de Trifaven et les tentes de la belle fontaine, lorsque
Law quitta la France en décembre 1720 (2). A cette date, l'état
sanitaire de cette population paraît s'améliorer. La mortalité
infantile diminue, les naissances compensent les décès, elles les
dépassent même légèrement (3). Mais, à la fin du mois, les navires
que la Cie des Indes destine au transport des colons allemands
commencent leurs préparatifs en vue de l'appareillage. A bord
de ces bâtiments, les émigrants, groupés par paroisses d'origine,
sous le commandement de prévôts, retrouvent de mauvaises
conditions d'hygiène et, de nouveau, la mortalité sévit dans
cette population affaiblie par le long séjour qu'elle vient d'effectuer à Lorient. L'épidémie qui s'était déclarée à terre reprend
toute sa vigueur. Beaucoup meurent « en rade », avant l'appareillage. Parmi les 210 passagers de *La Garonne*, on enregistre
6 décès, dont 5 d'hommes dans la force de l'âge, au cours de la
dernière semaine de décembre, et, peu après son départ de
Lorient, le navire relâchera à Brest, où il laissera 16 malades
qui ne tarderont pas à mourir (4). Si 4 décès seulement ont lieu
à la fin de janvier 1721 parmi les 249 émigrants que transporte
La Charente, 13 se produisent à la même date, dont 10 le 30 janvier, portant sur des Allemands « dont on n'a pas pu dire les
noms », parmi les 270 passagers de *La Saône* (5).

La traversée devait leur réserver de nouvelles épreuves,
auxquelles beaucoup ne survécurent pas. Et les circonstances de
leur arrivée en Louisiane réduisirent encore leur effectif. Mais,
s'il ne resta qu'un petit nombre des quelques milliers d'Allemands qui s'étaient concentrés à Lorient, la faiblesse de leur
effectif fut compensée par le rôle de premier ordre qu'ils furent
appelés à jouer dans la mise en valeur de la colonie.

(1) G 1 464 (Passagers), pièce 21. — H. Deiler, *op. cit.*, p. 27-8.
(2) A.C., D.F.C., *op. cit.* Le mémoire est de la fin de 1720, il est inexactement daté de 1723, sous le n° 3 de la même série.
(3) Registre de catholicité, Lorient, déc. 1720-févr. 1721.
(4) *Ibid.*, 23-31 déc. 1720. — G 1 464 (Passagers), Noms des Allemands
que la flûte *La Garonne* a débarqués... à Brest..., pièce 21 *(Garonne)*.
(5) G 1 464 (Passagers), pièce 21 *(Saône)*. Les chiffres cités sont ceux
fournis par les états d'embarquement. Ils ne correspondent pas à ceux du
manuscrit de Dumont de Montigny, Ayer Collection, Newberry Library,
Chicago, qui évalue à 700 hommes l'effectif des émigrants de la Charente.

TROISIÈME PARTIE

LA SCÈNE COLONIALE

Chapitre Premier

LE GOUVERNEMENT COLONIAL

L'avènement de la Cie d'Occident, comme l'avènement de Crozat quelques années plus tôt, détermina le renouvellement partiel du personnel chargé de la gestion de la Louisiane. Le changement ne fut pas immédiat, bien que la Compagnie, dès septembre 1717, eût soumis au souverain les choix qu'elle avait faits (1). Mais ses décisions ne furent connues en Louisiane qu'au début de 1718, et, dans l'intervalle, les dirigeants restèrent ceux des années précédentes. Lépinay fit encore enregistrer au conseil supérieur les Lettres patentes portant création de la Cie d'Occident, et il ne fut relevé de son gouvernement que sur la notification que lui en apporta *La Dauphine* ; il reçut en échange le gouvernement de l'île de la Grenade, d'où il comptait accéder à celui de la Martinique (2). L'ingénieur Artus, qui était chargé du commandement des troupes, fut rappelé à la même date, sans doute sur les plaintes qu'avait formulées l'ordonnateur Hubert ; le directeur de Crozat, Raujon, et le contrôleur Le Bart, dont les emplois étaient supprimés, restèrent dans la colonie pour rendre compte de leur gestion et ne regagnèrent la métropole que l'année suivante (3). Bienville, jusque-là réduit aux fonctions

(1) A.C., B 39, f. 450, à Bienville, 27 sept. 1717 ; D 2 C 50, f. 4-5, La Cie d'Occident au régent, 20 sept. 1717 ; D 2 C 51, f. 19-19 v, la Cie d'Occident au conseil de marine.
(2) A.C., B 39, f. 450 v, à L'Epinay et Hubert, 27 sept. 1717 ; C 13 A 5, f. 269-70, L'Epinay, 13 juin 1719. — A.M., B 1 43, f. 67 v, Conseil de marine, 4 déc. 1719 ; B 1 52, f. 167 v-8, M. de Caffaro, 14 juill. 1720.
(3) A.C., B 39, f. 456 v-7, Au S. Artus, 27 sept. 1717 ; C 13 A 5, f. 351 v-2, Conseil de commerce, île Dauphine, 14 nov. 1719 ; C 13 C 1, f. 82, Hubert, s. d. ; F 3 241, f. 165 v, Instruction pour le capitaine Arnaudin, 1er oct. 1717 ; B 42 *bis*, f. 233, Règlement... pour la régie de la... Louisiane, 23 avril 1718, f. 260-1, Ordonnance de la Cie d'Occident, 7 nov. 1718. — A.M., B 1 41, f. 31-31 v, Artus au conseil de marine.

de lieutenant de roy, succéda à Lépinay sur la demande de la
Compagnie, mais seulement en qualité de « commandant général
de la province de la Louisiane » (1). Au-dessous de lui, Dugué
de Boisbriant, qui exerçait les fonctions de major de la province,
fut promu au commandement de la rivière Mobile et de l'île
Dauphine, ainsi qu'au poste de 1er lieutenant de roy, tandis que
Chateaugué, devenu 2e lieutenant de roy, prenait le commandement des troupes (2). Les uns et les autres étaient autorisés à
servir « sur les commissions de la Compagnie » tout en conservant
les rangs et grades qu'ils avaient au service du roi (3).

Le personnel dirigeant fut donc en partie recruté sur place,
parmi les éléments qui avaient l'expérience de la vie coloniale.
La Compagnie écarta la demande de Rémonville, qui, toujours
aux prises avec les difficultés de son armement, avait sollicité
un emploi en Louisiane (4). Hubert, sans abdiquer ses attributions de commissaire ordonnateur, assuma la charge de directeur
de la Cie d'Occident. Celle-ci lui confie la régie de ses affaires,
elle l'invite à procéder au recouvrement de tous les effets et
marchandises que Crozat a pu laisser entre les mains de ses
commis, le charge de donner ses ordres aux commandants des
navires qui arriveront en Louisiane. De son emploi d'ordonnateur il garde le rôle d'informateur du conseil de marine qu'il
promet, avec Bienville, d'instruire de tout ce qui se produira
dans la colonie, et la tâche de mettre au net la comptabilité du
pays pendant la période de la guerre de Succession d'Espagne (5).

En outre, la Compagnie se propose de se faire représenter en
Louisiane par d'autres directeurs qui seront ses « députés », avec
lesquels le commandant devra compter car il ne pourra, sans
leur consentement, engager aucune guerre ni conclure aucun
traité avec les nations indigènes ni fonder de nouveaux établis-

(1) A.C., B 39, f. 452, Provision de commandant général... pour Bienville,
20 sept. 1717 ; B 41, f. 616 v, Lettres patentes..., août 1719.
(2) B 39, f. 454-454 v, Commission... pour le S. de Boisbriant, 13 avril 1718 ;
B 40, f. 611, Commission pour le S. de Chateaugué, 13 avril 1718 ; B 42 bis,
f. 89, Permissions... de servir pour la Cie d'Occident, 20 sept. 1717 ; f. 125-6,
Commission... pour le S. de Boisbriant ; f. 441 suiv., Etat-major de la Louisiane.
(3) A.C., A 22, f. 27, art. XI, Lettres patentes d'août 1717.
(4) A.M., B 1 21, f. 59-59 v, Rémonville, 21 sept. 1717 ; f. 73-4, Lusançay,
16 sept. 1717 ; B 1 47, f. 128 v-9, Conseil de marine, 6 oct. 1720 ; B 1 53 (1),
f. 31, Conseil de marine, 14 févr. 1719. — A.C., C 13 B 1, Rémonville,
21 sept. 1717 ; F 2 C 1, f. 233-4, Conseil de marine, 24 sept. 1718.
(5) A.C., B 39, f. 449 v, à Hubert, 27 sept. 1717 ; B 42 bis, f. 183-4, Ordre
de la Compagnie... à Hubert, 24 sept. 1717 ; f. 185-6, Instruction pour le
capitaine Voyer, déc. 1717 ; C 13 A 5, f. 155, Bienville, 12 juin 1718 ; f. 161 v,
Bienville, 25 sept. 1718 ; f. 194-194 v, Hubert, 18 nov. 1718.

sements (1). L'autorité dont Bienville disposera sous le nouveau régime ne sera donc point une autorité sans contrôle. C'est ce qui explique que, en dépit de l'attribution de la croix de Saint-Louis, que le régent lui accorda sur la proposition de la Compagnie, et bien que son autorité ait englobé le « pays des sauvages illinois », il ait accueilli avec réserve la nouvelle de sa nomination à la dignité de commandant général (2). Il aurait souhaité le titre de gouverneur, qui lui aurait conféré plus de prestige, plus d'indépendance, et il ne cessera de le réclamer, d'autant plus que, aux yeux des concessionnaires qui arrivent en Louisiane, il est le véritable chef de la colonie, alors qu'il se plaint de n'avoir en réalité qu'un « fantôme d'autorité » (3).

Effectivement, par la dualité de pouvoirs qu'elle instituait, la Compagnie menaçait de perpétuer dans la colonie le régime de divisions des années précédentes, à un moment où l'unité de direction eût été particulièrement nécessaire. Le défaut n'apparaît pas au début, tant que le gouvernement se partage entre Bienville et Hubert, dont les désaccords ne se manifesteront qu'ultérieurement (4). Mais, en avril 1718, la Compagnie décide d'augmenter le nombre de ses directeurs, et elle prévoit l'institution dans la colonie d'un conseil de gouvernement, à la tête duquel figurera Bienville, qu'elle vient aussi de désigner comme directeur général et qui, en sa double qualité de commandant et directeur, doit « présider à tous les conseils qui se tiendront » (5). Aussitôt après siègeront les deux directeurs généraux, Hubert et de Larcebault, chargés respectivement de représenter la Compagnie dans les comptoirs de la Nouvelle-Orléans et de la Mobile, nantis, au même titre que Bienville, d' « un plein pouvoir dans la colonie », et appelés comme lui à « prendre séance... dans

---

(1) B 39, f. 452-4, ou A 22, f. 35-6, Provision de commandant général... pour Le Moyne de Bienville ; B 40, f. 608 v-609 v, ou A 22, f. 56 v, Provision de 1er commandant général pour Le Moyne de Sérigny.

(2) B 39, f. 164-164 v, à M. Pinsonneau, 27 sept. 1717. — A 22, f. 39, Arrêt... qui incorpore le pays des sauvages illinois..., 27 sept. 1717. — B 1 30, f. 318, Hubert, 10 juin 1718. — D 2 C 50, f. 4-5, La Cie d'Occident (au régent), 20 sept. 1717.

(3) C 13 A 5, f. 165 v-6 ; C 13 A 6, f. 285 v, Bienville, 25 sept. 1718, 4 mars 1722. — B 1 41, f. 167 v-8, et B 1 42, f. 299 v-300, Bienville, 25 sept. 1718. — A.E., *Mém. et Doc.*, Amérique, I, f. 10-10 v, Bienville, 20 oct. 1725. LE PAGE DU PRATZ, *Histoire de la Louisiane*, I, p. 87-8.

(4) A.E., *Mém. et Doc.*, Amérique, I, f. 202 v, Bienville, 10 juin 1718. — B.N., Ms. F.F. 8989, f. 6, BÉNARD DE LA HARPE, *Journal du voyage de la Louisiane...*

(5) B 42 *bis*, f. 188, Commission de directeur général pour Bienville, 14 mars 1718 ; f. 233, Règlement pour la régie... de la Louisiane, 23 avril 1718.

tous les conseils » qui s'y réuniront (1). Les deux lieutenants de
roy, qui présideront le conseil en l'absence de Bienville, prendront
rang ensuite. Viendront enfin le directeur particulier Charles
Legac, préposé au comptoir de l'île Dauphine, les commis en
chef des différents comptoirs et les deux ingénieurs de la Compagnie, Perrier et Méan. Toutes les décisions devront être prises à
la pluralité des voix : en cas de partage seulement, le président
disposera de deux voix (2).

En fait ce conseil, que les textes désignent généralement sous
le nom de conseil de commerce ou, plus rarement, sous celui de
conseil de la Louisiane (3), comprendra un personnel moins
nombreux que ne le prévoient les instructions officielles en raison
des distances qui séparent les postes assignés aux directeurs, en
raison de l'affectation de Boisbriant, dès 1718, au commandement du secteur des Illinois, de la captivité de Chateaugué à
La Havane en 1719-20, et de la disparition prématurée de l'ingénieur Perrier, qui mourut au cours de la traversée de France en
Louisiane en 1718. Avant l'arrivée de Larcebault, qui n'eut lieu
qu'en mars 1719, et du fait des fréquentes absences de Bienville,
il se réduit en bien des cas à trois membres seulement, Hubert,
Legac et un commis de la Compagnie (4). En avril 1719, on y
note la présence régulière de Bienville, Hubert, Larcebault,
Legac, que les opérations contre l'Espagne retiennent à l'île
Dauphine, où le conseil se réunit, et la présidence en est momentanément assumée à la fois par Bienville et son frère Sérigny,
qui exercent conjointement le commandement général de la
colonie (5). Dans les mois suivants, Hubert, que ses fonctions
appellent à la Nouvelle-Orléans et dont l'attention se portera
bientôt, de plus en plus, sur la région des Natchez, y figure plus
rarement, tandis que, à la place de Larcebault, que les Espagnols
font prisonnier à la capitulation de Pensacola, siège Monicault

---

(1) B 42 *bis*, f. 189, 190, Commissions... pour Hubert et de Larcebault,
14 mars 1718 ; f. 233, *op. cit.*
(2) B 42 *bis*, f. 187-8, Commission... pour le S. Le Gac, 14 févr. 1718 ;
f. 233-4, *op. cit.* ; f. 291-3, Règlement que la Cᵗᵉ d'Occident veut être observé...,
25 avril 1719.
(3) C 13 A 5, f. 329, 331, 331 v, 333, 334..., Délibérations du conseil de
commerce. — A.G., A 2592, f. 91 v, Etat de la Louisiane, juin 1720.
(4) A.E., *Mém. et Doc.*, Amérique, I, f. 86 v, LEGAC, *Etat de ce qui s'est
passé à la colonie...* — C 13 A 5, f. 330 v-1, Délibérations du conseil de commerce,
— F 3 241, f. 238 v, Règlement que la Compagnie veut être observé,
25 avril 1719.
(5) C 13 A 5, f. 331 v, 332 v, Délibérations du conseil de commerce... —
B 42 *bis*, f. 141, Ordre du roi au S. de Sérigny ; f. 144, Provisions de 1ᵉʳ commandant général...

de Villardeau qui, arrivé en Louisiane en septembre 1719, y prend la direction du comptoir de la Mobile (1). Normalement, le conseil comprend 3 à 4 membres, 5 au maximum. Le départ de Villardeau pour la France, en mai 1720, où il se propose de mettre la Compagnie au courant de la situation difficile de la colonie et qui ne sera remplacé qu'au mois de septembre par le Sr Delorme, le retour de Sérigny dans la métropole en juin 1720 en amoindrissent encore l'effectif. Il arrive même alors qu'il ne compte plus que deux membres (2). Bien que, en principe, le conseil n'eût pas de lieu de réunion fixe, ses séances, en 1718-19, se tinrent habituellement à l'île Dauphine, et, en 1720, en dépit de la concentration croissante d'activité qui s'opérait au vieux Biloxi, elles eurent lieu fréquemment encore à l'île Dauphine et à la Mobile (3).

Ainsi constitué, le conseil intervient dans toutes les questions qui intéressent la gestion de la colonie, il se prononce sur les opérations militaires consécutives à la déclaration de guerre à l'Espagne, sur la mise en état de défense des points où une agression est à redouter, sur les mesures d'assistance nécessaires aux postes intérieurs, il surveille le personnel qu'emploie la Compagnie, révoque les sujets qu'il juge inutiles, en engage de nouveaux, suspend même les officiers militaires, sous réserve de l'approbation de la Compagnie, s'efforce de réglementer les prix usuraires qui se pratiquent dans la colonie... (4). Il s'attribue même l'autorité judiciaire lorsque, mécontent de la conduite du procureur général Chartier de Baulne, il le suspend de ses fonctions et s'arroge le droit de connaître seul des affaires civiles et criminelles à la place du conseil supérieur de la Louisiane [septembre 1719] (5). La mesure ne modifia guère, d'ailleurs, le

---

(1) C 13 A 5, f. 211 v, Larcebault, 6 juill. 1719 : f. 311 v, Chateaugué, 9 août 1719 ; f. 333 v, 335, 337, 338 v-9, 344 v, 354 v, 356 v, 359 v, 360, 360 v, Délibérations du conseil de commerce, sept.-oct. 1719, janv. 1720... — A.E., *Mém. et Doc.*, Amérique, I, f. 93 v, Legac, *État de ce qui s'est passé...* — B 42 *bis*, f. 288-9, Commission... pour le S. de Villardeau.
(2) A.E., *Mém. et Doc.*, Amérique, I, f. 97 v, 99, 101, Legac, *op. cit.* — A.C., C 13 A 5, f. 354 v, 359 v-60, 369, 370 v, Délibérations du conseil de commerce, 9 mai, 14 avril, 12 juill., 24 mai 1720. — G 1 464 (Passagers), pièce 39.
(3) A.C., C 13 A 5, f. 329, 331, 331 v, 333, 335-6, 353 v, 355, 359, 360, 364, 368-368 v, Délibérations du conseil de commerce...
(4) C 13 A 5, f. 329, 330-330 v, 331 v, 343-343 v, 361..., Délibérations du conseil de commerce.
(5) A.E., *Mém. et Doc.*, Amérique, I, f. 87, Legac, *op. cit.* — C 13 A 5, f. 213, Bienville..., 18 nov. 1719 ; f. 335-335 v, Délibérations du conseil de commerce, 7 sept. 1719. — B 40, f. 607-607 v, Provisions de procureur général..., 14 mars 1718.

régime judiciaire de la colonie puisque, peu après, le roi réorganisa le conseil supérieur sur la même base que ceux de la Cie des Indes dans ses comptoirs de Surate et de Pondichéry : la présidence cessa désormais d'en appartenir au gouverneur et à l'intendant de la Nouvelle-France, et le recrutement de ses membres se limita aux seuls représentants de la Compagnie et aux lieutenants de roy, si bien que, à l'exception du procureur général et du greffier, la composition en devint identique à celle du conseil de gouvernement (1). La première place y est occupée par le commandant et directeur général, Bienville. Viennent ensuite Hubert, qui siège en qualité de premier conseiller et fait les fonctions de président du tribunal, puis les 3 autres directeurs pour la Compagnie, Larcebault, Villardeau et Legac, ou leurs successeurs, qui ont rang de conseillers, et les 2 lieutenants de roy, Boisbriant et Chateaugué, qui siègent comme conseillers d'épée (2). Pour bien marquer la part prépondérante des représentants de la Compagnie, il est spécifié que Bienville n'aura la première place qu'autant qu'il sera directeur général. S'il perd cet emploi, il en sera réduit, bien que commandant général, à siéger après tous les directeurs, le 1er conseiller prenant alors la première place (3). Comme par le passé, le conseil supérieur juge en dernier ressort, au civil comme au criminel, il reçoit les appels des juridictions instituées dans les lieux éloignés sous la présidence des directeurs des comptoirs particuliers de la Compagnie, et la justice reste strictement gratuite (4). C'est en principe à la suite d'infractions à cette dernière règle que le conseil de commerce venait de prononcer la suspension de Chartier de Baulne : le poste resta vacant jusqu'à l'arrivée de François Fleuriau en 1723 (5).

Toute la puissance administrative et judiciaire finit donc par appartenir à un petit nombre d'hommes, dont un seulement cumule les fonctions de commandant et directeur général. La suspension de Chartier de Baulne simplifie la situation en éliminant temporairement ce pouvoir judiciaire dont les représentants, le procureur et son substitut Guénot de Tréfontaine, investis de

(1) A 22, f. 98 suiv., Lettres patentes en forme d'édit pour régler... le conseil supérieur..., août 1719 ; f. 103, Lettres patentes sur celles d'août 1719..., 27 oct. 1720. — A.M., B 1 42, f. 313-4, Projet de Lettres patentes.
(2) A 22, f. 100 v-101, Lettres patentes en forme d'édit..., août 1719. — B 42, f. 502, 502 v, 503, Provisions de 1er, 2e et 3e conseillers...
(3) A 22, f. 99, op. cit.
(4) A 22, f. 99-100, op. cit.
(5) C 13 A 5, f. 335 v, Délibérations du conseil de commerce, 7 sept. 1720. — C 13 A 6, f. 269, 277-279 v, Conseil de marine, 14 sept., 16 nov. 1722. — C 13 C 4, f. 193 v, Durand, 27 avril 1732. — A.M., B 1 52, f. 206, Conseil de marine, 29 sept. 1720.

commissions du roi, se réclamaient d'une autorité supérieure à celle de la Compagnie, dénonçaient la tyrannie de celle-ci, faisaient obstacle aux règlements du conseil et entretenaient l'indiscipline parmi les faux sauniers et les vagabonds (1). Mais, comme toutes les décisions doivent être prises à la pluralité des voix, et quelque limité que soit le personnel dirigeant, l'accord se réalise rarement entre ses membres. Outre que cette consigne de ne prendre de décision qu'en assemblée commune, dans un pays où les postes assignés aux directeurs sont séparés par de grandes distances, paralyse les initiatives de ceux qui ne peuvent assister aux réunions et crée, dans les moments difficiles, de regrettables délais d'exécution (2), elle fait ressortir les désaccords qui opposent les hommes chargés de gouverner. Entre Bienville et Hubert, entre Bienville et Legac, des animosités personnelles se manifestent rapidement (3). Surtout des conflits d'attributions divisent les commandants militaires et les directeurs. Ceux-ci, aux termes des instructions de la Compagnie, interviennent dans les questions de discipline militaire, ils prétendent à l'obéissance des officiers et des troupes, réclament le droit d'interdire les officiers des postes intérieurs qui refusent de leur obéir, cassent, le cas échéant, les règlements que ces derniers formulent (4) et amoindrissent d'autant l'autorité du commandant. Partant de la prérogative que la Compagnie leur reconnaît de se prononcer sur le choix des nouveaux établissements, ils sont responsables de décisions inutiles, celle notamment de reprendre possession du Vieux Biloxi, sur un emplacement rendu malsain par les marais qui l'entourent, et le commandant général attribue à l'action des directeurs, devant lesquels il dit s'être trouvé désarmé, les désordres que provoque l'arrivée du personnel des concessions et les faibles progrès que la colonie réalise (5). De là de perpétuelles oppositions de vues au sein du gouvernement, une confusion d'autorité qui paralyse les décisions. Le commandant et les directeurs s'accusent réciproquement d'abuser de leur autorité respective, et cette confusion s'aggravera encore à la fin de

---

(1) A.G., A 2592, f. 95 v, Etat de la Louisiane, juin 1720.
(2) *Ibid.*
(3) C 13 A 5, f. 159, Bienville, 12 juin 1718. — G 1 465, Faucon Dumanoir, Requête au conseil supérieur de la Louisiane, 20 mai 1723 (note marginale).
(4) C 13 A 5, f. 344, 350 v-1, 370 v, Délibérations du conseil de commerce, oct., nov., 1719, 24 mai 1720 ; f. 351-351 v, Représentations faites par Legac. — C 13 A 6, f. 109, B. DE LA HARPE, *Mémoire sur la Louisiane*, 1720. — B.N., Ms. F.F. 8989, f. 40 v-1, BÉNARD DE LA HARPE, *Journal du voyage...*
(5) C 13 A 6, f. 106 v-7, 109, *Mémoire* de B. DE LA HARPE, 1720 ; f. 168, Bienville, 20 juill. 1721 ; f. 172 v-4, Bienville, 8 août 1721.

l'année 1720 avec l'arrivée des ingénieurs du roi, qui inter-
poseront entre les « gens de plume » et le « militaire » le rouage
supplémentaire du « génie » (1).

Entre Bienville et Hubert, les bons rapports qu'observe
Bénard de La Harpe lorsqu'il arrive en Louisiane ne tardent pas
à s'altérer (2). La rupture est complète à la fin de 1720. Hubert
donne alors sa démission de directeur, et il souhaite son retour
dans la métropole (3). Boisbriant, s'il met en doute l'honnêteté
de l'administration de Bienville, accuse Hubert de négligence
dans l'exercice de ses fonctions et d'un certain manque de
scrupule dans la gestion des magasins de la Compagnie (4).
Bienville a pu heurter Hubert par le comportement intéressé
dont il semble bien avoir fait preuve dans sa gestion de la colonie,
mais il est possible que la préférence qu'Hubert manifeste
dès 1719 pour le secteur des Natchez, le peu de sympathie qu'il
exprime pour le site de la Nouvelle-Orléans, les difficultés qu'il
éprouve à mener de front son emploi de directeur et la tâche de
mettre en ordre toute la comptabilité de la colonie depuis
l'année 1706, l'aient à son tour compromis dans l'opinion du
commandant général et aient aggravé le désaccord qui se trouvait impliqué dans la nature même des fonctions des deux
hommes (5).

Pour mettre fin à ces divisions, la Compagnie, en septembre 1720, partage l'autorité entre un « ministre » ayant
mission de la représenter, et le commandant général, investi
seulement de pouvoirs militaires. Le successeur d'Hubert dans
ses fonctions de directeur et de 1er conseiller au conseil supérieur,
Michel-Léon du Vergier, prit désormais le titre de directeur-
ordonnateur (6). Mais cette nouvelle division des pouvoirs, des-

(1) A.E., *Mém. et Doc.*, Amérique, I, f. 99, 112, 113, Legac, *Etat de ce qui
s'est passé à la colonie..., Ce qu'on estime nécessaire pour... la colonie...* — A.C.,
C 13 B, I, *Mémoire... d'instruction pour M. Périer...*, 30 sept. 1726, f. 1-4.
(2) B.N., Ms. F.F. 8989, f. 6, B. de La Harpe, *op. cit.*
(3) A.E., *Mém. et Doc.*, Amérique, I, f. 100 v, Legac, *Etat de ce qui s'est
passé...* — A.M., B 1 52, f. 206, Conseil de marine, 29 sept. 1720.
(4) B.N., Ms. F.F. 8989, *op. cit.*, f. 25. — A.C., C 13 A 6, f. 275-276 v,
La dame Hubert, 21 oct. 1722. — A.G., A 2592, f. 86, Boisbriant, 6 juill. 1719.
(5) A.C., C 13 A 5, f. 158 v-9, Bienville, 12 juin 1718 ; f. 289-290, Hubert,
4 oct. 1719. — C 13 A 7, f. 37 v-38 v, De La Chaise, Nouvelle-Orléans,
6 sept. 1723. — B 41, f. 612-612 v, à Bienville, 10 mai 1719 ; f. 613, à Hubert,
10 mai 1719. — A.M., B 1 30, f. 428-428 v, Hubert, 10 juin 1718. — Arsenal,
Ms. 4497, Pellerin à M. Soret, au... Biloxi...
(6) B 1 52, f. 206, *op. cit.* — A.C., C 2 15, f. 25, Fonctions du commandant
général et du directeur ordonnateur, 15 sept. 1720. — *Journal de l'établissement
des Français... (attribué à B. de La Harpe)*, p. 240-1. La nomination de
du Vergier fut suivie de celle d'un « secrétaire de la direction de la colonie »,

tinée à prendre effet avec l'arrivée de du Vergier en juillet 1721, grandissait le rôle de l'ordonnateur au détriment de celui du commandant : dans une certaine mesure, elle exprime la méfiance dont Bienville commençait à être l'objet dans l'entourage du régent, qui lui imputait à tort la responsabilité des difficultés que traversait la colonie (1). Chacun présidera désormais un conseil séparé, le conseil de guerre, où siègeront, au-dessous du commandant, l'ordonnateur, les officiers d' « épée », et les directeurs, et qui réglera les questions d'ordre militaire et de politique indigène, et le conseil de commerce, qui comprendra, sous la présidence de l'ordonnateur, le commandant et les directeurs, et s'occupera des « entreprises de commerce » et de la gestion du pays. Mais l'ordonnateur possède par rapport à son conseil une indépendance d'action que n'a pas le commandant général, dont toutes les initiatives doivent être soumises au conseil de guerre. Il pourra même réquisitionner les troupes et les officiers qu'il jugera nécessaires pour le service de la Compagnie, et aucune dépense, même d'ordre militaire, ne pourra être engagée sans son consentement (2). Ses instructions lui confèrent un droit de contrôle général sur les fortifications, sur le personnel de la Compagnie, sur la vie économique de la colonie (3). Cette liberté d'action, opposée aux entraves que subit l'autorité du commandant général, risque de tourner contre l'attente de la Compagnie et de prolonger les conflits des mois précédents en provoquant le mécontentement de Bienville qui, fort de sa longue expérience du pays et de ses populations, se résignera difficilement, en dépit de la satisfaction qu'il témoignera de la nomination de du Vergier, aux concessions qu'on prétend lui imposer (4).

L'année 1720 se termina dans l'atmosphère de désaccords et de discussions qui compromettaient depuis si longtemps l'efficacité du gouvernement de la colonie et qui entretenaient un état général de désordre et d'indiscipline (5). Le conseil de commerce, qui n'a qu'une faible autorité sur la population, est en fréquents désaccords avec la Compagnie elle-même dont il

le S. Guillet : B 42 *bis*, f. 382-3, Commission pour le S. Guillet, 10 oct. 1720. — A.C., C 13 A 6, f. 393 v, Délibérations du conseil de commerce, 10 déc. 1722. — A.G., A 2592, f. 113 v, Du Vergier et Delorme, 22 juill. 1721.
(1) A.G., A 2592, f. 126 v, Bienville, fort Louis, 6 août 1721.
(2) A.C., C 2 15, f. 14-23, *Mémoire... d'instruction au S. Duvergier*, 15 sept. 1720.
(3) C 13 A 6, f. 14-23, *Mémoire... d'instruction au S. Duvergier*, 15 sept. 1720.
(4) A.G., A 2592, f. 126 v-127 v, *op. cit.* ; f. 130 v, Du Vergier, 7 août 1721.
(5) C 13 A 6, f. 109, B. DE LA HARPE, *Mémoire sur... la Louisiane*, 1720 ; f. 329 v, 337 v-8, Leblond de La Tour, 30 août 1722, 9 sept. 1722.

réprouve la politique de parcimonie qu'elle s'efforce de faire prévaloir dans la colonie sans en mesurer les dangers (1). En substituant son autorité à celle du roi, la Cie des Indes n'était point parvenue à s'imposer ou à instituer un régime vraiment neuf qui assurât au pays l'unité de direction qu'eussent exigée les deux événements essentiels de la scène coloniale au cours des années du système de Law, le conflit franco-espagnol d'une part, et, d'autre part, l'arrivée du personnel des entreprises de colonisation.

(1) C 13 A 5, f. 349-349 v, Délibérations du conseil de commerce, nov. 1719.

Chapitre II

LE CONFLIT FRANCO-ESPAGNOL

La guerre qui éclate entre la France et l'Espagne au début de 1719, conséquence de l'évolution de la politique du régent, marque sur le plan colonial l'aboutissement de longues années de tension entre les possessions des deux couronnes. La création de la Cie d'Occident a suscité un nouvel élément de division entre les deux puissances. Dans les colonies, l'événement a répandu le sentiment que le conflit est imminent : en 1717, en 1718, la conviction s'en exprime à Cuba et à Saint-Domingue, et, à La Havane, les autorités espagnoles font preuve d'une telle malveillance que la Cie d'Occident interdit à ses navires de s'y arrêter (1). En Louisiane, la correspondance d'Hubert, de Bienville, de Le Maire, persiste dans les tendances agressives qu'elle n'a cessé de manifester sous le régime de Crozat : toute proposition relative à la fixation des frontières de la colonie étend le territoire français, sans tenir compte de la position espagnole de Pensacola, de la Floride à la baie Saint-Bernard, qu'on envisage comme une base d'attaque éventuelle contre le Nouveau Mexique ; tout projet d'expansion vers l'Ouest y est dirigé contre l'Espagne, tel le projet d'occupation du cours supérieur de la rivière des Arkansas dont Bienville attend qu'il permette de commander le passage du Vieux au Nouveau Mexique et de harceler les caravanes qui l'utilisent (2).

De son côté, la Cie d'Occident donne dès le début à ses représentants des consignes qui suscitent de nouveaux démêlés avec les Espagnols autour de positions sur lesquelles les deux puis-

---

(1) C 13 A 5, f. 69 v-70, L. Galdy, la Jamaïque, 1er nov. 1717. — B 42 *bis*, f. 186, Instruction pour le capitaine Voyer. — A.M., B 1 30, f. 7 v-10, Chateaumorant et Mithon, 7 mars 1718, B 2 251, f. 134, au S. Jonchée, 28 mars 1718. — A.E., *Mém. et Doc.*, Amérique, I, f. 209 v, Bienville, 10 juin 1718.

(2) A.E., *Mém. et Doc.*, Amérique, I, f. 138 v-9, *Mémoire au sujet de... la Louisiane* ; f. 205, Bienville, 10 juin 1718. — A.C., C 13 A 5, f. 123-4, Hubert, 27 nov. 1717 ; C 13 C 2, f. 153 v, 154 v, 156, 162 v, *Mémoire de F. Le Maire*, 1718.

sances élèvent des prétentions rivales. C'est en 1718 l'ordre
d'occuper la baie Saint-Joseph, à l'Est de Pensacola, afin d'assurer
à la France un port qui remplace celui de l'île Dauphine, et qui
forme une nouvelle base de pénétration dans le territoire des
Creeks : Chateaugué en prend possession au mois de mai, et il y
élève le modeste fort Crèvecœur, pour l'abandonner, après en
avoir reconnu l'inutilité, deux mois plus tard (1). Mais cette
opération sans lendemain suscite les protestations immédiates
des Espagnols qui revendiquent la position comme relevant de
leur domination et qui, aussitôt après le départ des Français,
y installent à leur tour une garnison « de peu de conséquence » (2).
C'est, en août de la même année, l'ordre de prendre possession
de la baie Saint-Bernard, que le roi sanctionnera quelques mois
plus tard, et qui n'aboutira qu'en 1720 à une mission de reconnaissance infructueuse, sous la direction du capitaine Béranger (3).
Survenant peu après la tentative que les Espagnols venaient de
faire pour s'y établir, la consigne était significative de la rivalité
qui se jouait aux abords de la colonie française (4). Aussi bien
les Espagnols s'efforcent-ils de détacher des Français les Creeks
voisins du fort Toulouse et de ressaisir les Apalaches qui se sont
établis en terre française, sous la protection du fort de la
Mobile (5).

Toutefois, la situation est tempérée par la volonté de la
France de ne pas rompre toutes relations commerciales : à Saint-
Domingue et aux Iles, le régent recommande toujours à ses
représentants de bien recevoir les navires espagnols dans l'intérêt
du commerce français ; et, sous l'interdiction officielle de faire
escale à La Havane, des exceptions sont prévues pour les bâti-

---

(1) A.E., *Mém. et Doc.*, Amérique, I, f. 203 v-204 v, Bienville, 10 juin 1718 ;
f. 215 v, Bienville, 18 juin 1718. — A.C., C 13 A 5, 155 v-6, 161 v-162 v, Bienville, 12 juin, 25 sept. 1718 ; C 13 C 4, f. 11, Chateaugué, 25 juin 1718 ; f. 73-73 v,
Mémoire de Béranger, voir carte 1, p. 312-3.

(2) C 13 A 5, f. 157 v-8, Bienville, 12 juin 1718. — F 3 24, f. 111, Sérigny,
26 oct. 1719. — A.E., *Mém. et Doc.*, Amérique, I, f. 215-215 v, Bienville,
18 juin 1718. — CHARLEVOIX, *Journal d'un voyage...*, VI, p. 263.

(3) A.M., 3 JJ 201 (10), f. 1 v-5, *Journal du voyage du S. B. de La Harpe...*,
1721 ; 4 JJ 14, dossier 10, *Journal du voyage du S. Béranger*. — A.C., B 42 *bis*,
f. 229-230, Ordre au commandant général, 26 août 1718 ; A 22, f. 94, Ordonnance du 16 nov. 1718 ; C 13 A 6, f. 171, Instructions au S. de La Harpe,
10 août 1721 ; f. 176 v-7, Bienville, 15 déc. 1721 ; C 13 C 4, f. 79-87, *Mémoire
du S. Béranger*. — A.E., *Mém. et Doc.*, Amérique, I, f. 101 v-2, LEGAC, *Etat
ce de qui s'est passé... à la colonie...*

(4) C 13 A 5, f. 163, Bienville, 25 sept. 1718 ; f. 285 v, Hubert, 25 avril 1719.
— C 13 C 2, f. 156 v, *Mémoire de F. Le Maire*, 1718.

(5) C 13 A 5, f. 117 v-8, La Tour, au fort Toulouse, 17 mars 1718. —
C 13 C 2, f. 156 v, *op. cit.* — A.M., 3 JJ 200 (4), *Mémoire de F. Le Maire*,
13 mai 1718. — A.E., *Mém. et Doc.*, Amérique, I, f. 210 v-1, Bienville,
10 juin 1718.

ments français auxquels les Espagnols auront convenu de confier des « chargements de retour » (1). A la veille de la rupture, un navire de la Cte d'Occident prend à fret à La Havane une importante cargaison de tabac pour le roi d'Espagne, tandis qu'un navire espagnol parvient à traiter à l'île Dauphine du tabac et du bois de Campêche contre des marchandises françaises (2). Lorsque, enfin, la guerre éclate, il est prescrit à l'intendant des îles du Vent de recevoir avec égards les navires espagnols, contrepartie des bons procédés que le roi d'Espagne demande aux administrateurs des îles Canaries d'observer envers les bâtiments français (3). A Saint-Domingue, les deux parties de l'île conviennent d'un état de neutralité réciproque dont il résulte une amélioration des rapports de la période de paix (4). C'est, dans une large mesure, une réédition sur la scène coloniale de la situation qui se présente sur le territoire métropolitain, où ni le décret du 1er novembre ni la déclaration de guerre n'interrompent l'activité commerciale des Français dans les ports ibériques, même dans les villes comme Alicante où le sort de leurs négociants est particulièrement déshérité (5).

Dans les possessions coloniales, seule la Louisiane devient alors le théâtre d'un conflit armé, car les Espagnols redoutent l'action de la nouvelle compagnie, l'accroissement de puissance que ses projets de peuplement pourront apporter aux positions françaises, la menace qui en résultera pour les districts miniers du Mexique, surtout si le « formidable établissement » qu'elle prépare bénéficie de l'appui des populations indigènes. Les Espagnols, écrit Hubert, « sont persuadés avec juste raison qu'ils perdront le Mexique si nous prenons pied en ce pays (6).

(1) B 40, f. 237, *Mémoire au chevalier de Feuquières*, 15 mars 1718 ; f. 262, 406-406 v, *Mémoire pour le S. de Silvecanne et le S. Duclos*, 15 mars, 22 juin 1718. — B 42 *bis*, f. 186, 223, Instruction pour le capitaine Voyer et le S. Méchin. — C 9 A 15, Chasteaumorant et Mithon, 8 mars 1718 ; C 9 A 16, Mithon, 22 sept. 1719.

(2) A.M., B 1 42, f. 123 v-4, De Rossel, à New York, 6 avril 1719. — A.E., *Mém. et Doc.*, Amérique, I, f. 86 v, LEGAC, *Etat de ce qui s'est passé...* — A.C., C 13 A 5, f. 209, Bienville et Larcebault, 15 avril 1719. — A.G., A 2592, f. 119 v, Les directeurs de la Louisiane, 22 janv. 1721.

(3) A.M., B 1 40, f. 137-137 v, 156 v, 256 v, Porlier, Ténérif, 17 avril, 13 mai, 18 sept. 1719.

(4) A.M., B 1 42, f. 149 v-150 ; B 1 43, f. 100-101, Châteaumorant et Mithon, 25 mars, 24 juill. 1719 ; B 1 55, f. 575-8, Sorel et Duclos, 3 févr. 1721. — C 9 A 16, Châteaumorant et Mithon, 6 avril, 15 août 1719 ; Sorel, 8 août 1719 ; Mithon, 22 sept. 1719.

(5) B 1 40, f. 86 v-87 v, Nieulon, Mayorque, 18 févr. 1719 ; f. 96 v, Sarsfield, Cadix, 6 mars 1719 ; f. 123 v-4, Du Pin, Alicante, 22 avril 1719 ; f. 188 v, Soulés, Barcelone, 6 août 1719. — B 7 38, f. 85, Barber, Cadix, 15 mai 1719. — B 3 256, f. 370, M. de Silly, 5 déc. 1719.

(6) B 1 40, f. 192-192 v, Porlier, 20 juin 1719. — B 1 43, f. 38-9, Mithon,

L'appréhension qu'ils éprouvent ne se limite pas aux territoires voisins de la Louisiane. Même aux Canaries, elle suscite une inquiétude qui compromet dans une certaine mesure les bons rapports des représentants des deux nations (1). De là le désir de la Cour d'Espagne de « détruire dans sa naissance » la colonie du Mississipi (2). De là l'intervention de ses navires dans un conflit dont la France donna elle-même le signal en transmettant à Bienville l'ordre d'occuper le port de Pensacola alors que les Espagnols, qui ignoraient encore l'ouverture des hostilités, ne se gardaient point. De là, enfin, la dureté des représailles dont usèrent les autorités de La Havane à l'égard des équipages français qui allèrent leur remettre les prisonniers espagnols de Pensacola.

Pourtant les opérations militaires et navales se réduisirent à peu de chose. Elles consistèrent d'abord en une offensive contre Pensacola, aussitôt après l'arrivée, sous le commandement de Lemoyne de Sérigny, du *Maréchal-de-Villars* qui apportait la nouvelle de la déclaration de guerre et un ordre d'agression immédiate contre la position espagnole (3). Pensacola n'offrait pas seulement à la France l'intérêt de sa rade. C'était un nouveau jalon autour du pays des Creeks, qui, s'ajoutant à celui du fort Toulouse, pouvait renforcer ses possibilités d'action parmi ces populations dont elle recherchait l'alliance commerciale. L'assaut fut conduit simultanément par terre et par mer. Trois frégates de la Cⁱᵉ d'Occident, transportant des troupes, des concessionnaires et des habitants de bonne volonté, et soutenues par 4 chaloupes qui, avec 80 hommes de débarquement, longeaient la côte sous le commandement de Bienville, y participèrent, ainsi qu'une force militaire de 3 à 400 indigènes, encadrés par 60 soldats, qui furent acheminés le long du littoral sous la direction de Chateaugué (4). Le fort de l'île Sainte-Rose, qui commandait l'accès de la rade, et celui de Pensacola capitulèrent devant le corps de débarquement, sous la menace des 3 frégates, avant même l'arrivée des troupes de terre (5). Mais *Le Maréchal-de-Villars*

---

31 juill. 1719. — B 1 50, f. 209-10, Mithon, 16 nov. 1719. — C 13 A 5, f. 285 v, Hubert, 25 avril 1719.

(1) A.M., B 7 39, f. 127, 139, Porlier, 18 sept. 1719.

(2) A.M., B 1 43, f. 38-9, *op. cit.*

(3) A.C., C 13 A 5, f. 274, Bienville, 20 oct. 1719 ; F 3 24, f. 109 v, Sérigny, 26 oct. 1719. — A.E., *Mém. et Doc.*, Amérique, I, f. 87-87 v, LEGAC, *Etat de ce qui s'est passé...*

(4) A.E., *Mém. et Doc.*, Amérique, I, f. 87 v, *op. cit.* — A.C., F 3 24, f. 109 v, *op. cit.* ; C 13 A 5, f. 211, 274 v, Sérigny, 18 juin 1719 ; Bienville, 20 oct. 1719.

(5) A.E., *Mém. et Doc.*, Amérique, I, f. 87 v-8, *op. cit.* — A.C., C 13 A 5, f. 211-211 v, *op. cit.* — A.M., 3 JJ 287 (22 D), Le Maire à de L'Isle, 19 mai 1719.

et *Le Comte-de-Toulouse* qui, conformément aux dispositions de la capitulation, ramenèrent alors à La Havane la garnison de Pensacola, furent saisis par les Espagnols, et les équipages et les officiers furent en presque totalité retenus dans la ville où, privés de subsistance, ils tombèrent en grande partie à la charge de l'ancien directeur de la Compagnie royale de l'Assiente et du chevalier de Grieu, qui s'employa à leur venir en aide (1).

A cette action rapide et facile succède la brève contre-offensive des Espagnols, appuyée sur des forces navales dont *Le Comte-de-Toulouse* et *Le Maréchal-de-Villars*, battant désormais pavillon ibérique, constituent les deux plus grosses unités (2). Le fort de Pensacola est aussitôt repris par un effectif de 1 200 hommes, aux mains desquels tombent Chateaugué et le directeur Larcebault, avant que les renforts conduits par Sérigny et de Noyan, le neveu de Bienville, n'aient pu secourir la position (3). Après quoi, l'escadre espagnole se porte contre l'île Dauphine, dans le dessein de s'emparer de l'agglomération de la Mobile pour pénétrer ensuite dans le Mississipi (4). Mais, en dépit de la supériorité de ses forces, les agressions contre l'île Dauphine échouent devant les travaux de défense organisés par Sérigny ; deux tentatives de débarquement dans la baie de la Mobile sont également repoussées après avoir donné lieu à des pillages d'une certaine gravité, et, dès le 26 août, les navires espagnols repartent en direction de Pensacola (5).

Le dernier épisode s'ouvre avec l'arrivée à l'île Dauphine, le 1er septembre, de 3 navires du roi encadrant, sous le commandement de Desnos de Champmeslin, 2 bâtiments de la Cie des Indes, qui mettent les Français en mesure de ressaisir la rade de Pensacola (6). Comme dans le premier cas, les navires agirent

---

(1) A.E., Amérique, I, f. 88 v-9, *op. cit.* — A.M., B 1 43, f. 222-3, Jonchée, 19 juill. 1719 ; B 1 40, f. 262 v-3, Barber, 12 sept., 18 oct. 1719 ; B 1 50, f. 141-2, La Galissonnière, 19 déc. 1719. — A.C., C 13 A 5, f. 277 v-8, Bienville, 20 oct. 1719. — A.M., B 2 257, f. 280, à Robert, 29 avril 1720 ; B 2 258, f. 19 v-20 v, à l'archevêque de Cambrai, 15 juill. 1720. — A.E., Amérique, VI, f. 229-233. Déclaration de Meschin et de Grieu à La Havane, 8 juill. 1719.

(2) A.E., *Mém. et Doc.*, Amérique, I, f. 90 v, *op. cit.* — A.C., C 13 A 5, f. 305 v-6, Relation de ce qui s'est passé depuis la reprise de Pensacola...

(3) C 13 A 5, f. 303 v-4, Relation de ce qui s'est passé... ; f. 311-311 v, Chateaugué, 9 août 1719 ; f. 312-312 v, De Noyan, 12 août 1719 ; f. 275, 279 v, Bienville, 20 oct. 1719. — F 3 24, f. 112 v-114, Sérigny, 26 oct. 1719.

(4) C 13 A 5, f. 312, *op. cit.*

(5) F 3 24, f. 113-8, *op. cit.* — C 13 A 5, f. 304 v-309, Relation de ce qui s'est passé... — A.E., *Mém. et Doc.*, Amérique, I, f. 92 v, Legac, *Etat de ce qui s'est passé...* — B.N., Ms. F.F. 8989, Bénard de La Harpe, *Journal du voyage...*, f. 27.

(6) A.E., *Mém. et Doc.*, Amérique, I, f. 93, Legac, *op. cit.* — A.M., B 1 43, f. 20 v suiv., Projet de mémoire du roi au S. de Saugeon...

en coopération avec des forces de terre, 150 Canadiens et volontaires et environ 400 indigènes que commandaient Bienville et le lieutenant de La Longueville. De nouveau, les Français se rendirent maîtres des forts de Pensacola [14 septembre], ils y firent plus de 1 200 prisonniers, enlevèrent une faible quantité d'argent constituée par les vases sacrés de la chapelle, tandis que l'escadre s'emparait de plusieurs vaisseaux espagnols et reprenait *Le Maréchal-de-Villars* et *Le Comte-de-Toulouse* (1). Les prisonniers furent divisés en deux groupes. Plus de la moitié fut envoyée à La Havane pour y être échangée contre les Français détenus depuis le début des hostilités : en fait et en raison des réticences du gouverneur espagnol, ceux-ci ne revinrent de La Havane qu'en avril 1720, et Chateaugué et les officiers majors ne furent libérés qu'au mois de juillet suivant (2). Le 2e groupe fut acheminé sur la France, mais une centaine d'officiers et de soldats s'arrêtèrent à la Martinique pour rallier ensuite Saint-Domingue, et il n'arriva dans la métropole qu'environ 150 officiers, valets, matelots ou soldats, qu'on répartit entre Brest et Bordeaux, où leur subsistance fut assurée par les munitionnaires de la marine. La suspension d'armes qui intervint peu après et les fonds que leur adressa la Cour de Madrid leur permirent de regagner l'Espagne dès le mois de mai 1720 (3).

La capitulation de Pensacola n'avait pourtant pas une valeur décisive, car les Espagnols préparaient à la Vera-Cruz un armement important que l'escadre de Champmeslin, affaiblie par la maladie qui décimait les équipages et par le mauvais état de ses bâtiments, dont l'un, *Le Triton*, devait s'échouer à la Martinique, n'aurait peut-être pas pu tenir en échec (4). La destruction de

(1) F 3 24, f. 120 v-123, Sérigny, 26 oct. 1719. — C 13 A 5, f. 278 v-9, *op. cit.* ; f. 339-40, Délibération du conseil tenu à bord... — B 1 50, f. 159-162, Champmeslin, 3 janv. 1720 ; f. 175, Conseil de marine, 16 janv. 1720. — B 2 256, f. 1 v-3, Arrêt du 24 janv. 1721. — B 2 258, f. 329 v-330 v, à Robert, 23 déc. 1720.

(2) C 13 A 5, f. 360-360 v, Conseil de commerce, 15 avril 1720. — C 9 A 16, La Rigaudière-Pradelle à M. Mithon, 8 déc. 1719. — A.E., *Mém. et Doc.*, Amérique, I, f. 95 v, 97 v, 99, v, 101 v, LEGAC, *État de ce qui s'est passé...*

(3) B 1 46, f. 34-34 v, 163 v, 188, Robert, janv., mars 1720 ; f. 145, 233, Champmeslin, mars, 22 avril 1720 ; f. 218 v-9, 263, Michel, 13 avril, mai 1720 ; f. 273, Clairambault, 27 mai 1720 ; B 1 51, f. 1001-1003, Sorel et Mithon, 18 févr. 1720 ; f. 1022, Bénard, 24 avril 1720 ; B 1 52, f. 17, Sainvilliers, 1er et 14 mai 1720. — B 2 257, f. 118-118 v, 205 v, 268 v-9, 271, 353 v, à Michel, Robert, Clairambault, Le Blanc, 21 févr., 30 mars, 24 avril, 21 mai 1720. — B 3 267, f. 5, 10-10 v, 13, 17-18, 21-21 v, Le Blanc, 25 janv., 17 févr., 21 mars 1720. — C 9 A 19, Sorel et Duclos, 20 janv. 1721.

(4) B 1 43, f. 40-43 v, Champmeslin, 10 et 12 août 1719 ; B 1 50, f. 209-10, Mithon, 16 nov. 1719 ; B 1 51, 1023-4, Bénard, 4 mai 1720 ; B 1 52, f. 31 v, M. de Vienne, 11 juill. 1720. — B 3 264, f. 316, Ricouart, 16 juill. 1720. — A.C., C 13 A 5, f. 280, Bienville, 20 oct. 1719 ; F 3 24, f. 125-7, Sérigny, 26 oct. 1719.

la flotte espagnole par la tempête sur la côte mexicaine, à la fin de 1719, fut l'événement qui décida du succès de la campagne (1). Il n'y eut plus désormais d'engagement sur le littoral de la Louisiane, et les Français restèrent jusqu'à la fin des hostilités en possession de la rade de Pensacola. Ils détruisirent le fort espagnol, trop spacieux pour la « garde d'avis » qu'ils y laissèrent : une dizaine de soldats, commandés par un officier subalterne, qui construisirent quelques casernes et une manière de « petit fort de bois », autour duquel les Français entretenaient un groupe de 8 indigènes, recrutés parmi les populations voisines de la Mobile, Apalaches, Chattaux, Pascagoulas, qu'ils relevaient tous les mois, avec mission de surveiller les Espagnols de Saint-Marc et de donner avis de leurs mouvements aux autorités du fort Louis (2). L'arrivée à l'île Dauphine, successivement, des navires de guerre de Campet de Saujon, Saint-Villiers et Caffaro, destinés à prémunir la colonie contre une attaque éventuelle des Espagnols [février-juillet 1720], resta dans ces conditions sans objet. L'expédition de Caffaro-Valette de Laudun fut rendue inutile par la suspension d'armes que les deux puissances venaient de signer (3). Les deux navires qui la composaient, et qui n'atteignirent la Louisiane qu'après le départ des frégates de Saujon et Saint-Villiers, n'auraient d'ailleurs pu se mesurer seuls avec une escadre importante qui venait précisément d'appareiller de Cadix pour La Havane et Pensacola, mais qui, à la nouvelle de la trêve, s'était repliée sur la Vera-Cruz (4).

En dehors des opérations littorales, le conflit franco-espagnol ne donne lieu qu'à un engagement armé dans l'intérieur du continent. Sur la frontière de la rivière Rouge, aucune action militaire ne se produit, bien que ni les Français ni les Espagnols ne reconnaissent les titres auxquels leurs nations respectives prétendent sur les postes qu'elles y occupent (5). L'expédition

(1) A.M., B 1 48, f. 439, Partyet, 26 août 1720 ; B 4 37, f. 406 v, Conseil de marine, juin 1720. — A.C., C 13 A 6, f. 12-12 v, Bienville, 28 avril 1720 ; C 13 C 4, f. 73 v, Rapport du capitaine Béranger ; C 9 A, 18, Mithon, Léogane, 18 mai 1720.

(2) A.G., A 2592, f. 89, Etat de la Louisiane, juin 1720.

(3) C 13 A 5, f. 368-9, Conseil de commerce, 12 juill. 1720.

(4) B 1 48, f. 122, 163, Barber, Cadix, 19 févr., 4 mars 1720 ; f. 141, 178, 210-1, Porlier, 8 févr., 6, 20 mars 1720. — B 1 52, f. 17, 21, Sainvilliers, 1er mai ; f. 74-5, Mithon, 18 mai ; f. 132-132 v, Robert, 12 août ; f. 234-5, Conseil de marine, 20 oct. 1720. — B 1 55, f. 410-1, Bénard, 24 nov. 1720. — B 4 37, f. 407 v-8, Conseil de marine, juin 1720. — B 7 41, f. 45 v-46 v, Porlier, 20 mars 1720 ; f. 72, Morville, La Haye, 24 mai 1720. — A.C., B 42, f. 27 v-28 v, Additions au mémoire du roi au S. de Saujon, 13 févr. 1720. — A.E., *Mém. et Doc.*, Amérique, I, Legac, *Etat de ce qui s'est passé...*, f. 96-99 v.

(5) A.C., C 13 C 2, f. 153 v-4, *Mémoire de F. Le Maire*, 1718.

de Bénard de La Harpe dans la vallée de la rivière Rouge, dont Bienville lui a attribué le commandement, l'établissement en 1719 de son « fort malouin » sur le territoire des Nassonites suscitent les protestations du vice-roi de la province des Tejas, Martin de Alarcon, qui s'apprêtait précisément à occuper le même secteur et qui en revendiquait la propriété pour la Couronne d'Espagne (1). Mais, lorsque la guerre éclate, la zone de la rivière Rouge reste à l'écart des opérations militaires. Le conseil de commerce y ordonne des préparatifs de défense en prévision d'une offensive ennemie, il projette même d'acheminer par les Natchitoches un fort détachement de Français et d'indigènes contre les districts miniers des Espagnols, et Bienville prescrit au commandant des Natchitoches, le lieutenant Blondel, de les chasser de leur mission des Adayes (2). Mais, avant que celui-ci n'ait rien entrepris, les Espagnols abandonnent leur mission, dont les religieux faisaient depuis le début fonction d'aumôniers pour la garnison française, et leurs troupes évacuent le *presidio* des Assinais pour se replier derrière la rivière de la Trinité (3). En sorte que l'expédition de Blondel contre les Adayes n'entraîne pas d'hostilités ouvertes. Bénard de La Harpe, au retour de ses explorations, à la fin de 1719, et conformément aux instructions pacifiques de la Cie des Indes, invite les religieux espagnols, avec lesquels il avait tenté dès son arrivée d'établir des rapports commerciaux, à regagner leur mission en leur donnant l'assurance qu'ils y seront en pleine sécurité (4). Et, pendant toute la durée de la guerre, la frontière de la rivière Rouge resta paisible. Sa tranquillité ne fut troublée que par l'appréhension de préparatifs militaires des Espagnols en vue de reprendre possession des Assinais, par des velléités d'organisation, du côté des Français, d'expéditions pour les tenir en échec, mais ni ces menaces ni ces projets n'aboutirent (5).

Il n'y eut d'engagement armé que sur le haut Missouri, et la partie se joua seulement entre un détachement espagnol d'une soixantaine de cavaliers, accompagnés de guerriers padoucas (Co-

---

(1) B.N., Ms. F.F., 8989, f. 3-3 v, 6, 12-14, 15 v, 16, 29 v, 38, B. DE LA HARPE, *Journal du voyage...* — C 13 B 1, B. de La Harpe, Saint-Malo, 8 août 1763. — *Nouv. Mercure*, févr. 1718, p. 114.

(2) C 13 A 5, f. 332 v, 344, Conseil de commerce, 25 avril, 26-30 oct. 1719. — C 13 A 6, f. 157, Bienville, 10 déc. 1721.

(3) B.N., Ms. F.F. 8989, f. 16-16 v, 17, *op. cit.* — A.C., C 13 A 6, f. 157, *op. cit.* ; f. 169, Bienville, 20 juill. 1721. — A.M., 3 JJ 201 (5), Relation des découvertes de B. de La Harpe.

(4) B.N., Ms. F.F. 8989, *op. cit.*, f. 14-14 v, 16, 23-24 v.

(5) *Ibid.*, f. 37-8. — A.C., C 13 A 6, f. 12-12 v, Bienville, 28 avril 1720 ; f. 26 v, B. de La Harpe, 1er mai 1720.

manches), et les Otos de la rivière Platte. L'expédition avait
été organisée par le vice-roi du Nouveau-Mexique, sous la direction de Pedro de Villazur, sur le rapport des Padoucas que les
Français avaient réussi à s'établir sur le Missouri supérieur :
elle avait mission de les refouler et de jeter les bases d'un poste
espagnol qui entreprendrait aussitôt l'exploitation des mines (1).
Mais, parvenu près du confluent des branches nord et sud de la
rivière Platte, le détachement fut anéanti par les Panis-Mahas
et les Otos qu'une haine invétérée, commune à toutes les populations du Missouri, opposait aux Padoucas (août 1720). Quelques
objets qui avaient appartenu à des membres de l'expédition,
pièces et vaisselle d'argent, bréviaire, ornements ecclésiastiques,
ainsi qu'un fragment de leur journal de route parvinrent par les
Indiens de la région aux établissements français des Illinois (2).

Si l'on excepte cette action assez peu importante, où les
Français ne se trouvent pas directement impliqués, le conflit
avec l'Espagne tient tout entier dans les quelques opérations de
la zone littorale. La guerre terminée, la France et l'Espagne ne
tardèrent pas à reprendre leurs positions antérieures du fait de la
restitution de Pensacola et de la réoccupation par les Espagnols de
la province des Tejas en 1721, et les rapports des deux puissances
redevinrent ce qu'ils avaient été dans les années précédentes.
Une surface persiste de méfiance hostile, qui continue de donner
lieu à des incidents et des manifestations de malveillance de la
part des autorités, mais sous laquelle des relations commerciales
clandestines sont toujours possibles (3). Avant même la suspension d'armes de 1720, une tentative a été faite pour établir avec
La Havane, par l'intermédiaire de l'alcade de la ville, des échanges
de marchandises contre bestiaux, et, si le projet a échoué, il a
suscité des sympathies dans l'entourage du gouverneur (4). Il est
vrai que le désir qui se manifeste en Louisiane d'engager des
rapports commerciaux aux points de rencontre des deux empires

---

(1) C 13 C 4, f. 232-7, Traduction d'une feuille de journal en espagnol... —
A.M., 3 JJ 387 (29), Lallement, aux Cascaskias, 5 avril 1721.
(2) C 13 A 6, f. 169-169 v, Bienville, 20 juill. 1721 ; f. 297 v, Chassin,
1er juill. 1722. — A.G., A 2592, f. 99 v-100, Boisbriant, 22 nov. 1720. — CHAR-
LEVOIX, *Journal d'un voyage...*, V, p. 463-4. — Marc de VILLIERS, Le massacre
de l'expédition du Missouri, *Journal de la Soc. des Américanistes*, 1921, n. s.,
t. 13, p. 239-255. — Bernard de VOTO, *Westward the Course of Empire*, London,
1953, p. 183.
(3) A.C., C 13 C 4, f. 97 v-8, *Mémoire du capitaine Béranger* ; B 42, f. 325 v-6,
au chevalier de Feuquières, 10 déc. 1720. — A.M., B 7 109, f. 61-2, au duc de
Saint-Aignan, 29 janv. 1719.
(4) A.G., A 2592, f. 105, Leblond de La Tour, 8 janv. 1721 ; f. 119 v, Les
directeurs de la Louisiane, 22 janv. 1721.

procède toujours d'une pensée de conquête aussi bien que de gains. Le grand mémoire que dresse Bénard de La Harpe à son retour en France, à la fin de 1720, rejoint de ce point de vue les mémoires antérieurs de F. Le Maire et d'Hubert, avec cette différence que, préoccupé des explorations qu'il a réalisées, il considère la haute vallée de la rivière Rouge et celle de la rivière des Arkansas comme la zone essentielle du commerce, en attendant qu'elle devienne le point de départ de l'expansion en terre espagnole (1). Aux rapports pacifiques qui s'y formeront d'abord avec les Espagnols succédera par la suite la phase agressive de la conquête, dirigée en premier lieu contre le Nouveau-Mexique et basée sur la rivière des Arkansas, puis contre le Vieux-Mexique, que La Harpe conseille d'attaquer simultanément par la rivière Rouge et par la baie Saint-Bernard (2). Et pareils projets, en dépit de leur lointaine échéance, ne pouvaient que justifier l'inquiétude que l'occupation de la Louisiane causait aux Espagnols.

Quelque limitées qu'eussent été les opérations militaires, elles avaient pourtant démontré la faiblesse réelle de la colonie française. Les divisions qui existaient dans le gouvernement ne semblent pas avoir compromis la direction des opérations, sauf peut-être dans le secteur de la rivière Rouge où les directeurs de la Compagnie, d'après La Harpe, empêchèrent l'envoi des renforts demandés par Bienville (3). Mais d'autres faiblesses s'accusent dans ces mois difficiles, notamment la précarité du ravitaillement de la colonie, qui se trouve brusquement aggravée du fait des exigences de la guerre et de l'arrivée du personnel des concessions. Le premier assaut contre Pensacola, la mobilisation de forces indigènes déterminent une importante consommation de vivres, et les pertes matérielles que subissent les Français lorsque les Espagnols reprennent Pensacola, les pillages que ces derniers effectuent dans la baie de la Mobile diminuent encore les ressources de la colonie (4). La pénurie alimentaire explique dans une large mesure l'inutilité des efforts tentés contre Pensacola avant l'arrivée de Champmeslin, l'obligation où se trouve alors

(1) B.N., Ms. F.F. 8989, *op. cit.*, f. 37-9. — C 13 A 6, f. 101-102 v, B. DE LA HARPE, *Mémoire sur l'état présent... de la Louisiane...*
(2) C 13 A 6, f. 104 v-5, B. DE LA HARPE, *op. cit.*
(3) B.N., Ms. F.F. 8989, f. 36 v-7, *op. cit.* — A.C., F 3 24, f. 109 v, 120 v-1, Sérigny, 26 oct. 1719. — A.E., *Mém. et Doc.*, Amérique, I, f. 88 v, 93 v-4, LEGAC, *Etat de ce qui s'est passé...*
(4) C 13 A 5, f. 277, Bienville, 20 oct. 1719, f. 304-304 v, Relation de ce qui s'est passé depuis la reprise de Pensacola. — A.E., *Mém. et Doc.*, Amérique, I, f. 93 v, *op. cit.*

Bienville de renvoyer chez eux les Indiens de la rivière Mobile qu'il avait fait venir pour défendre l'île Dauphine et qui exigeaient d'être « nourris à discrétion ». Elle est cause de la décision de Champmeslin d'envoyer à La Havane la majeure partie des prisonniers qu'il a faits à Pensacola (1). La situation n'est sauvée partiellement que par l'arrivée, de loin en loin, de bâtiments de la Compagnie ou de navires destinés au ravitaillement des escadres du roi, qui laissent dans la colonie une partie de leurs vivres au moment où celle-ci « touche à une famine », et par la capture d'un navire espagnol en rade de Pensacola (2).

Une faiblesse aussi dont la guerre démontre la gravité est la mauvaise qualité des troupes françaises en raison des déserteurs ou des sujets enrôlés par châtiment qui leur sont incorporés. Aussitôt après la prise de Pensacola en mai 1719, beaucoup tentent de se joindre aux Espagnols, et, dès que ces derniers engagent leur contre-offensive, la défection d'une soixantaine de soldats, l'attitude douteuse du reste de la garnison mettent Chateaugué dans la nécessité de livrer la position (3). Lorsque, enfin, les Espagnols parviennent aux abords de la colonie française, plusieurs parmi les faux sauniers qu'on leur oppose refusent le combat, et des soldats incendient les casernes de l'île Dauphine et le camp palissadé qui y tient lieu de fort. Finalement, près de 140 renégats, qui s'étaient solidarisés avec les Espagnols, furent capturés au cours des opérations : les uns furent immédiatement exécutés, les autres furent condamnés à servir la Compagnie à vie comme forçats. Cette attitude d'une partie des troupes ne fut pas étrangère à la décision de Champmeslin et Sérigny de détruire le fort de Pensacola et de n'y laisser qu'une garde d'avis sur laquelle il fût au moins possible de compter (4). Bienville s'inquiète avec raison de la présence de déserteurs dans un pays

---

(1) C 13 A 5, f. 277-277 v, *op. cit.* — C 13 A 6, f. 49, Villardeau, 26 févr. 1720. — F 3 24, f. 119 v, 123, Sérigny, 26 oct. 1719. — A.E., *Mém. et Doc.*, Amérique, I, f. 93 v, *op. cit.* — B.N., Ms. F.F. 8989, *op. cit.*, f. 28.

(2) A.E., Amérique, I, f. 93 v, *op. cit.* — F 3 24, f. 123 v, *op. cit.* — C 13 A 5, f. 368-368 v, Conseil de commerce, 12 juill. 1720. — A.M., B 1 55, f. 89-90, Bigot, 20 déc. 1720 ; B 2 257, f. 127-127 v, à Robert, 26 févr. 1720.

(3) F 3 24, f. 112, Sérigny, 26 oct. 1719. — C 13 A 5, f. 211 v, Sérigny, 18 juin 1719 ; f. 212 v, 275, Bienville, 28, 20 oct. 1719 ; f. 311 v, Chateaugué, 9 août 1719.

(4) C 13 A 5, f. 279 v, Bienville, 20 oct. 1719 ; f. 306-308 v, Relation de ce qui s'est passé... — C 13 A 6, f. 364 v, Rapport de Drouot de Valdeterre. — A.E., *Mém. et Doc.*, Amérique, I, f. 91-2, 95, LEGAC, *Etat de ce qui s'est passé...* — A.M., B 1 50, f. 159, Champmeslin, 3 janv. 1720 ; B 1 52, f. 284 v-285 v, Conseil de marine, 19 nov. 1720. — A.G., A 2592, f. 91 v, Etat de la Louisiane, juin 1720. — A.E., Amérique, VI, f. 315-315 v, au sujet de l'évasion d'un groupe de matelots et soldats à bord d'un brigantin qui rallie La Havane.

dont ni les frontières ni les côtes ne sont gardées, où les soldats ou les équipages prêts à faire défection sont sûrs d'être accueillis en Caroline ou dans les possessions espagnoles. Aussi demande-t-il au conseil de marine, dès octobre 1719, de ne plus en envoyer en Louisiane : ce sont des gens qui, en cas d'une nouvelle agression espagnole, n'hésiteront pas à prendre parti contre la France, et dont on ne peut attendre qu'ils s'attachent à une colonie où ils viennent par la contrainte (1). Néanmoins, on continua d'enrôler des déserteurs, des sujets coupables de vols ou de meurtres, auxquels le service colonial permettait d'éviter les galères (2). Les rôles d'embarquement du *Saint-Louis*, de *L'Union*, de *La Marie* [mars-mai 1719], mentionnent des envois de « déserteurs des troupes du roi » (3), et, s'il n'en est plus question ensuite sur les états des passagers, il ne s'ensuit pas que la mesure ait été abandonnée puisque, par *Le Comte-de-Toulouse*, arrive en juillet 1720 la compagnie du chevalier de Saint-Georges, formée de soldats du régiment de La Motte, qui sont autant de déserteurs des troupes françaises réfugiés en Italie pendant la guerre avec l'Espagne dont le roi avait décidé de former un corps spécial à destination des colonies (4). Et ces recrues du régiment de La Motte provoqueront en 1721 une tentative de mutinerie parmi la garnison du fort Toulouse, qui exigera des sanctions identiques à celles que Bienville avait prises pendant la campagne de Pensacola (5).

Cette incorporation de déserteurs n'affaiblit pas seulement les moyens de défense de la colonie (6). Elle compromet, dans une certaine mesure, les bienfaits de la politique d'accroissement des forces militaires du pays que poursuivent successivement la

(1) C 13 A 5, f. 212 v, Bienville, 28 oct. 1719 ; f. 276 v-7, Bienville, 20 oct. 1719 ; f. 295, Hubert, 28 nov. 1719.

(2) B 1 42, f. 99-101, Conseil de marine, 4 juin 1719. — B 1 46, f. 36, M. de Beaune, 1er janv. 1720 ; f. 94, Robert, janv.-févr. 1720. — B 2 254, f. 516 v-7, à M. Descartes, 4 déc. 1719. — B 2 255, f. 36-36 v, à Champmeslin, 25 janv. 1719. — B 2 256, f. 12 v-13 (1720), Ordre du roi, 26 févr. 1720. — B 2 257, f. 38-38 v, 128 v-9, 189 v, à Robert, 15 janv., 26 févr., 24 mars 1720. — B 3 267, f. 272-272 v, Placet d'un père au sujet de son fils...

(3) G 1 464 (Passagers), pièces 9, 14, 13.

(4) B 1 45, f. 156, Hocquart, janv. 1720. — B 1 48, f. 74, M. de Vincelles, 19 janv. 1720. — B 7 40, f. 113, M. de Vincelles, 19 janv. ; f. 138, De La Chausse, 13 févr. 1720. — B 7 110, f. 157, à M. de Moy, 18 mars 1720 ; f. 159, à de La Chausse, 18 mars 1720. — A.C., D 2 C 51, f. 36, Etat des officiers qui doivent commander... — B.N., Ms. F.F. 8989, B. DE LA HARPE, *Journal du voyage...*, f. 31. — *Nouv. Mercure*, sept. 1719, p. 205 ; févr. 1720, p. 159. — J. BUVAT, *Journal de la régence*, I, p. 452. Le capitaine de Saint-Georges (Reg. paroissial de la Mobile, 29 août 1720) regagne la métropole au début de 1721, A.G., A 2592, f. 108, Bienville, 25 avril 1721.

(5) C 13 A 6, f. 181, Bienville, 15 déc. 1721.

(6) B 1 51, f. 676, Saujon, 19 janv. 1720.

Cie d'Occident et la Cie des Indes. Dès octobre 1717, la Cie d'Occident achemine par *La Dauphine* l'effectif de la c^{ie} de Bonnille, qui n'avait pu partir en 1716, mais dont le capitaine meurt pendant la traversée (1). L'année suivante, par les navires qui partent au mois de mai, elle envoie 250 recrues dans la pensée de porter à 400 hommes l'effectif des 8 compagnies existantes. Elle envisage même de doubler l'importance numérique de chaque compagnie, et, si elle renonce à ce projet, si elle laisse l'effectif des compagnies sur le pied habituel de 50 hommes, en février 1719 elle décide, pour faire face au danger espagnol, d'entretenir en Louisiane 20 compagnies d'un millier d'hommes (2). Peu après, l'attribution par le souverain à la Cie des Indes, en mai 1719, d'un fonds annuel de 300 000 livres, pour les besoins de la défense, lui permit d'engager la réalisation de ce programme. A cette date, les forces distribuées de la Nouvelle-Orléans à la Mobile étaient évaluées à 400 hommes, chiffre qui doit être majoré des 68 hommes de la c^{ie} Diron, détachée aux Illinois (3). Et, dans les mois suivants et jusqu'à la fin de 1720, l'effectif prévu d'un millier d'hommes, à en juger par les rôles d'embarquement et par l'état des forces militaires dressé par le conseil de la colonie, aurait été atteint et même dépassé (4). Mais le « règlement sur la régie des affaires » de Louisiane de septembre 1721 indique que l'effectif réel ne fut jamais supérieur à celui de 16 compagnies (5). Ce n'en était pas moins un progrès manifeste sur les années précédentes. Simultanément, la Cie des Indes projetait d'organiser les habitants en formations de milice, elle se préoccupait de pourvoir les troupes, plus régulièrement, d'armes et de vêtements, mais il s'en faut qu'elle ait en cela remédié à toutes les défectuosités du service : à la fin de 1720, Diron note qu'aucune garnison n'a encore bénéficié

(1) A.C., B 42 *bis*, f. 249, *Mémoire sur l'habillement...* ; f. 445, compagnies d'infanterie entretenues en Louisiane ; B 38, f. 176, à Beauharnais, 20 sept. 1716 ; B 39, f. 78, à La Galissonnière, 24 juill. 1717. — A.M., B 1 9, f. 371 v, Bonnille, 4 sept. 1716 ; B 1 20, f. 523-523 v, Beauharnais, 19 août 1717. — A.E., *Mém. et Doc.*, Amérique, I, f. 206, Bienville, 10 juin 1718.

(2) B 42 *bis*, f. 244, Etat de la dépense... ; f. 249-250, *op. cit.* ; f. 286-7, Ordonnance de la Compagnie. — A.E., *Mém. et Doc.*, Amérique, I, f. 205 v-6, Bienville, 10 juin 1718 ; f. 468 v, Projet des dépenses...

(3) B 42 *bis*, f. 253, Etat de ce qui doit être envoyé aux Illinois... ; C 13 A 5, f. 210 v, Bienville et Larcebault, 15 avril 1719. — B.N., F.F. 8989, BÉNARD DE LA HARPE, *Journal du voyage...*, f. 3 v, 6 v.

(4) A.C., G 1 464 (Passagers), pièces 6, 9, 7, 14... ; C 2 15, f. 37-37 v, Rôle des (passagers du *Profond*) ; D 2 C 51, f. 30-37, Etat des officiers qui doivent commander..., janv. 1721. — A.M., B 4 37, f. 413-413 v, Meulebeque, 24 mai 1720. — A.E., *Mém. et Doc.*, Amérique, I, f. 99 v, 100 v-101, 102 v-3, LEGAC, *Etat de ce qui s'est passé...*

(5) C 13 A 6, f. 222 v-3. C 13 A 12, f. 205 v.

d'un habillement complet, et la plupart des soldats, faute de fusils de guerre, ne disposent que d'armes de traite (1).

La Compagnie paraît surtout avoir éprouvé des difficultés à se procurer les officiers nécessaires à l'encadrement des troupes. Du fait de la mort des capitaines Bonnille et de Lause de Ville-marets, du fait de la promotion de Chateaugué au commandement général des troupes, il ne restait en 1717, à la tête des compagnies, que les capitaines Richebourg, Mandeville, Bajot et Gauvry. La Cie d'Occident attribua aussitôt des grades de capitaines aux lieutenants de La Tour et Diron d'Artaguiette, puis à l'Écossais Jacques Gordon, ancien lieutenant-colonel au service des Véni-tiens, et au lieutenant Hersan (2), en sorte que les 8 compagnies initiales se trouvèrent régulièrement pourvues. Mais des cassa-tions, qui ne tardèrent pas à être prononcées, la promotion de Diron, en mars 1720, aux fonctions d'inspecteur général des troupes et milices, créèrent plusieurs vacances, et, parmi les capitaines d'infanterie nouvellement recrutés en France, certains, faute de compétence, restèrent sans emploi dans la colonie, quelques-uns moururent peu après leur arrivée, d'autres enfin se dédirent de leurs engagements et renoncèrent à servir en Louisiane (3). La Compagnie, dans ces conditions, ne parvint pas à compléter l'effectif des cadres supérieurs. La situation ne différait point à l'échelon des lieutenants, à celui des sous-lieutenants, qui fut introduit dans les compagnies de Louisiane par les règlements de 1718 et 1719 (4), ou à celui des enseignes. Partout il existe des vides occasionnés par des retours en France, des désistements ou des désertions, et la population coloniale n'est pas encore en mesure de fournir des sujets capables de commander : si l'on excepte quelques cas isolés, comme celui

---

(1) A.C., B 42 *bis*, f. 249-251, *Mémoire sur l'habillement et armement...* ; f. 350-3, Instruction pour M. Diron... — A.G., A 2592, f. 101-101 v, Les direc-teurs de la colonie..., 22 janv. 1721 ; f. 121, Diron, 2 avril 1721. — L'armement des hommes devait comporter un fusil, une baïonnette et une petite hache d'arme.

(2) B 42 *bis*, f. 443-6, compagnies... entretenues en Louisiane ; f. 481, capitaines nommés par la Compagnie. — G 1 464 (Passagers), pièce 6. — A.E., *Mém. et Doc.*, Amérique, I, f. 206, Bienville, 10 juin 1718.

(3) B 42 *bis*, f. 274, Ordre de révocation du S. Bajot, 11 févr. 1719 ; f. 347, Commission d'inspecteur général... ; f. 350-3, Instruction pour M. Diron..., 23 mars 1720 ; f. 445, compagnies... entretenues en Louisiane... — D 25 51, f. 30-31, Etat des officiers qui doivent commander... — C 13 A 5, f. 343, 344, 359, Délibérations du conseil de commerce, 26-30 oct. 1719, 11 avril 1720 ; C 13 A 6, f. 145-145 v., Conseil de commerce, 18 janv. 1721. — B 1 52, f. 171-171 v, Conseil de marine, 15 sept. 1720. — B.N., Ms. F.F. 8989, B. DE LA HARPE, *Journal du voyage...*, f. 3. — B. DE LA HARPE, *Journal historique de l'établis-sement des Français...*, p. 232.

(4) B 42 *bis*, f. 287, Ordonnance de la Compagnie..., 11 févr. 1719.

du fils de Charles Le Sueur, qui obtint une enseigne, puis une lieutenance, le recrutement des cadres est essentiellement pourvu par la métropole, et il est sujet à de nombreux aléas (1). Cette insuffisance du commandement, le fait que les hommes ne sont généralement pas « en compagnies réglées », expliquent les fréquents abus qui se commettent, l'habitude des soldats de négocier leurs vêtements et jusqu'à leurs armes, et l'impression de négligence ou d'abandon que Diron d'Artaguiette consignera en bien des cas au cours de ses tournées d'inspection (2). Avec des troupes affaiblies par les enrôlements de déserteurs, insuffisamment encadrées, médiocrement armées ou vêtues, la colonie, en dépit des progrès réalisés, n'aurait pu soutenir un effort de guerre prolongé.

L'offensive espagnole de 1719 fit enfin ressortir la vulnérabilité de la défense littorale de la Louisiane. A l'ouverture des hostilités, la France n'occupait sur la côte que la position de l'île Dauphine, qui n'avait plus de port et dont tout le système défensif se réduisait à un « camp pour loger les troupes », entouré d'une palissade et soutenu par une mauvaise batterie d'artillerie (3). La Compagnie, logiquement, envisagea d'abord de lui substituer la rade de Pensacola, et, aussitôt après la première capitulation du fort, celle-ci devint pendant quelques semaines le lieu d'abord de la colonie. Les premiers navires en provenance de la côte de Guinée, *La Dauphine*, *Le Saint-Louis*, y débarquèrent des esclaves, des troupes, des concessionnaires, et l'on y transporta une partie des effets de l'île Dauphine (4). Mais les Espagnols, en reprenant le port, y saisirent vivres et marchandises, détruisirent *La Dauphine*, capturèrent *Le Saint-Louis*, et, lorsque Champmeslin laissa la rade de Pensacola aux mains d'une garde d'avis, la défense littorale se trouva de nouveau réduite à l'île Dauphine, où le danger d'une nouvelle agression espagnole menaçait de devenir particulièrement grave si la position restait le point d'arrivée des passagers et des marchandises (5).

C'est alors qu'il fut décidé de restituer à l'île aux Vaisseaux, dont la côte nord comportait un mouillage « à l'abri de tout

(1) D 2 C 51, f. 31 v-35, Etat des officiers qui doivent commander... ; f. 107 v, Liste apostillée des officiers des troupes entretenues...
(2) C 13 A 6, f. 223, Règlement sur la régie... de la Louisiane, 5 sept. 1721. — F 3 241, f. 363, Instruction pour le S. Brusley..., 19 déc. 1722.
(3) A.E., *Mém. et Doc.*, Amérique, I, f. 82-82 v, LEGAC, *Etat dans lequel a été trouvée la colonie*, f. 203 v, Bienville, 10 juin 1718. — C 13 A 5, f. 182-182 v, Liste des bâtiments... de l'île Dauphine qui appartiennent au roi, mars 1718 ; f. 294-5, Hubert, 28 nov. 1719. — C 13 C, 1, f. 82 v-83, 83 *bis*, Hubert, s. d.
(4) A.E., *Mém. et Doc.*, Amérique, I, f. 89, LEGAC, *Etat de ce qui s'est passé...* — C 13 A 5, f. 274-5, Bienville, 20 oct. 1719.
(5) Amérique, I, f. 91, *op. cit.* — C 13 A 5, f. 275, *op. cit.*

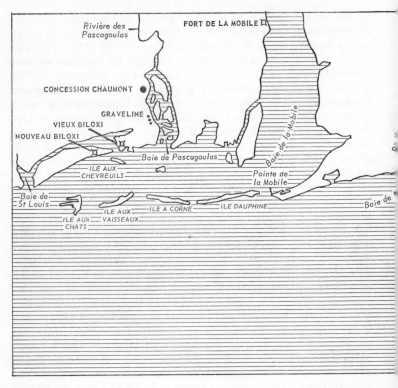

CARTE 1. — Les positions littora[les]

mauvais temps » et que ses faibles dimensions rendraient plus
facile à fortifier, le rôle de port de débarquement qu'elle avait
joué au début de l'occupation française (1). Sur le littoral du
continent, sur l'emplacement du « Vieux-Biloxi », que d'Iberville
avait précisément choisi pour y édifier sa première colonie,
autour d'une rade en eau peu profonde, mais protégée par les
îles qui la précédaient [île aux Chevreuils, île à Corne, île aux
Vaisseaux], une agglomération nouvelle serait édifiée, au « centre
maritime de la colonie ». Dès le début de 1720, les préparatifs

---

(1) C 13 A 5, f. 46, 49-49 v, Hubert, 26 oct. 1717 ; f. 141, Hubert, *Mémoire
sur la Louisiane*, oct. 1717 ; f. 156 v, Bienville, 12 juin 1718 ; f. 214 v, Coussot,
île Dauphine, 28 juin 1718. — A.E., *Mém. et Doc.*, Amérique, I, f. 96, Legac,
État de ce qui s'est passé...

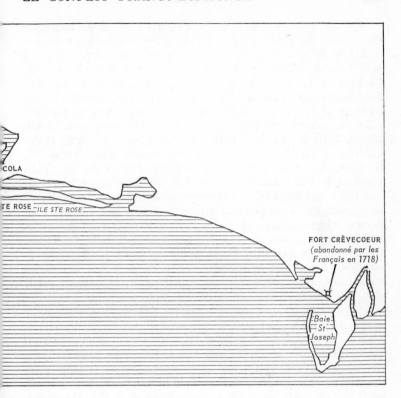

COLA

TE ROSE *ILE STE ROSE.*

FORT CRÈVECOEUR
*(abandonné par les
Français en 1718)*

*Baie
St
Joseph*

tefeuille 138, division 1, pièce 7.)

commencèrent pour l'aménagement de la position, sous la direction de l'officier-concessionnaire Drouot de Valdeterre, qui se
flatte, avec l'aide de quelque 200 hommes, d'avoir fait essarter,
à ses frais, au milieu des bois, deux vastes emplacements, autour
desquels s'élevaient des « baraques » pour les soldats, des pavil-
lons pour les officiers, des magasins. Mais, dès avril 1720, Drouot
de Valdeterre fut cassé de son grade de capitaine par le conseil
de la colonie, à la demande de Sérigny, qui l'accusait d'intem-
pérance, et il regagna peu après la métropole, où il saisit inutilement la Cie des Indes des injustices dont il se disait victime (1).

(1) A.E., Amérique, I, f. 96, 98, *op. cit.* — C 13 A 5, f. 294 v, Hubert,
28 nov. 1719, f. 342-342 v, 360-1, Délibération du conseil de commerce,
26-30 oct. 1719, 15 avril 1720. — C 13 A 6, f. 383 v-5, *Mémoire de Drouot de*

En fait, si la rade de l'île aux Vaisseaux offrait un mouillage
sûr, le site du Vieux-Biloxi, que les directeurs avaient imposé
contre le sentiment de Bienville et Sérigny, ne convenait point
pour l'établissement projeté (1). A son arrivée, à la fin de 1720,
Leblond de La Tour critique ce « plateau entouré de marais »
dont la présence entretient une insalubrité permanente et dont
les eaux, malsaines et bourbeuses, sont cause de la forte mortalité
qui sévit parmi les troupes et le personnel des concessions. L'obligation, faute d'espace, d'étaler les « baraques des soldats et des
habitants » dans les marécages aggrave l'insalubrité générale (2).
En outre, les communications sont difficiles entre l'île aux Vaisseaux et le Vieux-Biloxi, que sépare, sur 5 lieues de longueur,
une faible profondeur d'eau, encombrée de bancs de sable, où
les marchandises ne peuvent être acheminées que par des chaloupes, fréquemment sujettes à s'échouer, et que les matelots,
en bien des cas, ne peuvent décharger dans la rade du Vieux-
Biloxi qu'en se mettant à l'eau, ce qui est une nouvelle cause de
mortalité (3). Aussi le conseil, dès la fin de 1720, décida-t-il
d'interrompre les travaux et de transférer l'établissement sur le
site plus ouvert et plus accessible du Nouveau-Biloxi (4).

On s'explique, dans ces conditions, l'hostilité que Bienville
manifesta rapidement envers la position du Vieux-Biloxi (5).
C'est là, pourtant, qu'abordèrent dans la seconde moitié de 1720
les ingénieurs du roi, les troupes, concessionnaires, gens de force,
que les frégates de la Cie des Indes amenaient de la métropole.
Pendant la plus grande partie de l'année, le conseil de commerce
avait encore tenu ses séances, de préférence, à l'île Dauphine.
A la fin de 1720, il commença de se réunir au Biloxi, les directeurs
s'y transportèrent, et il ne resta plus à l'île Dauphine qu'une

---

Valdeterre. — A.N., M 1027, Drouot de Valdeterre à l'assemblée générale de la
Cie des Indes. — A.M., 3 JJ 387 (28), D. de Valdeterre à Law, 28 juin 1720. —
*Mémoire de L. D... (Dumont de Montigny) contenant les événements qui se
sont passés à la Louisiane...,* Ayer Collection, Newberry Library, Chicago,
f. 64-70.
   (1) C 13 A 6, f. 106 v, BÉNARD DE LA HARPE, *Mémoire sur l'état... de la
Louisiane,* 1720. — A.G., A 2592, f. 92, Etat de la colonie, juin 1720.
   (2) C 13 A 6, f. 106 v-7, *op. cit.* ; f. 121 v-123, 143-4, Leblond de La Tour,
8 janv. 1721, 20 déc. 1720.
   (3) C 13 A 6, f. 122, 143-143 v, *op. cit.* — C 13 C 2, f. 156, LE MAIRE, *Mémoire
sur la Louisiane,* 1718. — C 2 15, f. 12, *Mémoire sur ce que la Cie des Indes
peut tirer...* — B 1 55, f. 89-90, Bigot, 20 déc. 1720.
   (4) C 13 A 6, f. 121 v-2, *op. cit.* ; f. 145, Délibération du conseil de commerce,
20 déc. 1720. — A.E., *Mém. et Doc.,* Amérique, I, f. 106 v, LEGAC, *Etat de la
province de la Louisiane,* 5 mars 1721.
   (5) A.E., *Mém. et Doc.,* Amérique, I, f. 98, LEGAC, *Etat de ce qui s'est
passé...*

petite garnison, un garde-magasin et quelques habitants (1).
Mais le déplacement de l'établissement de l'île Dauphine n'impli-
quait nullement une amélioration de la défense littorale. Il ne
pouvait être encore question de fortifier l'île aux Vaisseaux. A
la fin de 1720, la défense consiste toujours dans les quelques
travaux de l'île Dauphine et dans le fort à 4 bastions de la Mobile,
construction de bois « entourée de pieux de cèdre » à laquelle
Leblond de La Tour niera toute efficacité (2).

S'il a souligné la faiblesse militaire du pays, le conflit franco-
espagnol, en immobilisant sur le littoral une grande partie du
personnel des concessions, a eu de fâcheuses répercussions sur
la colonisation proprement dite. La guerre s'inscrit ici comme
une circonstance aggravante dans l'ensemble des facteurs qui
ont paralysé l'acheminement des concessions et retardé le mouvement colonisateur.

(1) A.G., A 2592, f. 91 v, Etat de la Louisiane, juin 1720. — A.E., *Mém.
et Doc.*, Amérique, I, f. 105 v, LEGAC, *Etat de la province de la Louisiane*,
5 mars 1721. — C 13 A 5, f. 355-355 v, 360 v ; C 13 A 6, f. 142-142 v, Conseil
de commerce, 30 janv., 15 avril, 26 sept. 1720. — A.M., B 1 55, f. 89, Bigot,
20 déc. 1720. — F 3 241, f. 273 (B 42 *bis*, f. 380-1), Ordre pour le S. de Louboey,
1er oct. 1720.

(2) C 13 A 5, f. 182-3, Liste des bâtiments de l'île Dauphine. — C 13 A 6,
f. 311, Leblond de La Tour, 23 avril 1722. — A.G., A 2592, f. 128, Chateaugué,
28 juin 1721.

Chapitre III

COLONISATION ET PEUPLEMENT

Le fait dominant du mouvement colonisateur dans les années du Système de Law est la prise de possession de la vallée du Mississipi, qui va bientôt supplanter les positions littorales auxquelles se réduisait encore l'occupation française de la Louisiane. La plupart des entreprises de colonisation, à partir du début de 1718, s'orientent vers les rives du fleuve ou les secteurs limitrophes, et plusieurs des habitants du fort Louis de la Mobile abandonnent les terroirs qu'ils occupaient, plus anciennement défrichés, pour se porter vers la même région.

Dans les six premiers mois de 1718, 2 jalons s'établissent dans la vallée du fleuve, qui en amorcent la prise de possession. C'est d'abord la concession de Paris-Duverney-Delagarde, dont le personnel, peu nombreux, put aisément se procurer, à son arrivée à l'île Dauphine, les vivres et les embarcations qui lui permirent de gagner le lieu de sa destination, sur la rive droite du fleuve et sur l'emplacement d'un ancien village de Bayagoulas, à 4 lieues à l'amont du confluent de la rivière des Tchitimachas (1). Le site en fut choisi à une distance suffisante du fleuve pour ne pas être exposé aux inondations, et, quelques mois plus tard, Bénard de La Harpe eut l'occasion d'admirer les débuts satisfaisants de l'exploitation, dont les plantations de mûriers que fit effectuer le directeur, le Sr Dubuisson, assurèrent bientôt la notoriété (2).

C'est ensuite l'agglomération de la Nouvelle-Orléans. La fondation, vraisemblablement, en coïncide avec l'ouverture de l'habitation de Paris-Duverney, dont le personnel arrive par *La*

---

(1) A.E., *Mém. et Doc.*, Amérique, I, f. 82 v-3, Legac, *Etat dans lequel a été trouvée la colonie...* ; f. 126 v, Legac, *Ce qu'on estime nécessaire pour... la Louisiane.* — B.N., Ms. F.F. 8989, f. 6 v, Bénard de La Harpe, *Journal du voyage...* ; F.F. 14613, Pénicaut, *Relation ou Annale véritable...*, f. 314.

(2) C 13 A 5, f. 221, Bienville, 6 juin 1718. — G 1 465, Etat des compagnies d'infanterie... en mai 1724, n° 3. — A.N., M 1026, *Mémoire concernant la Louisiane* (1721). — Charlevoix, *Journal d'un voyage...*, VI, p. 202.

Dauphine, en même temps que les instructions relatives à l'établissement d'une ville sur le Mississipi. La décision, apparemment, a été prise dès le mois de septembre puisque, le 1ᵉʳ octobre, la Compagnie nomme le garde-magasin et caissier du comptoir qui doit être établi à la Nouvelle-Orléans sur le fleuve Saint-Louis (1). La résolution de créer « à 30 lieues au haut du fleuve un bourg que l'on nommerait la Nouvelle-Orléans », qui figure dans l' « extrait des délibérations... faites par les directeurs de la Cⁱᵉ d'Occident », est donc, suivant toute vraisemblance, antérieure au mois d'octobre (2). La question de savoir si le nom de la Nouvelle-Orléans, qui fut choisi en l'honneur du régent, était en septembre 1717 aussi connu en Louisiane que dans la métropole est difficile à trancher, car le mémoire d'Hubert dont fait état M. Marc de Villiers pour le prouver est postérieur à l'arrivée des instructions de *La Dauphine* (3). Le missionnaire Le Maire, en tout cas, parle de la Nouvelle-Orléans comme d'un nom que la colonie reçut de la métropole en 1718 : « Cette année... », écrit-il, « il est venu des ordres de transférer le principal établissement au bas du Mississipi, sous le nom de Nouvelle-Orléans » (4).

Le choix de la vallée du Mississipi répondait au vœu depuis longtemps formulé en faveur de l'occupation de celle-ci (5). Mais, sur l'emplacement exact de la ville, les avis différaient, et si, dès les premières années de la colonie, la partie voisine du lac Pontchartrain, à la hauteur du « portage des Bilocchy », avait été recommandée, le cours amont du fleuve était aussi préconisé en raison de la fertilité de ses rives : en 1722, Charlevoix jugera que le canton des Natchez conviendrait mieux qu'aucun autre à la capitale de la colonie (6). Quant à la Cⁱᵉ d'Occident, si elle désigne immédiatement le personnel préposé à l'agglomération, le garde-magasin Arnaud Bonnaud, le chirurgien Pierre Bérard, le major d'Avril, ancien capitaine réformé au régiment de Royal-Bavière, chargé de commander les troupes

---

(1) B 42 *bis*, f. 180, Commission de garde-magasin..., 1ᵉʳ oct. 1717. — F 3 241, f. 166, Instruction pour le S. Bonnaud, 1ᵉʳ oct. 1717.
(2) A.G., A 2592, f. 150.
(3) A.E., *Mém. et Doc.*, Amérique, I, f. 138 suiv., 140 v, *Mémoire au sujet de... la Louisiane*. — LE PAGE DU PRATZ, *Histoire de la Louisiane*, I, p. 38. — Marc de VILLIERS, *Histoire de la fondation de La Nouvelle-Orléans*, p. 20.
(4) C 13 C 2, f. 155, *Mémoire de F. Le Maire*, 1718.
(5) C 13 A 5, f. 139 v-140, HUBERT, *Mémoire sur la colonie...*, oct. 1717. — A.M., 3 JJ 201 (4), BARON, *Mémoire des observations...*, 1714 ; *Observations touchant la colonie...*, 1715.
(6) A.M., 3 JJ 201 (4), BARON, *Mémoire des observations...*, 1714. — C 13 A 5, f. 142, HUBERT, *op. cit.* — CHARLEVOIX, *Journal d'un voyage...*, VI, p. 169.

et les habitants, elle ne fixe pas avec certitude l'emplacement
qui doit lui être assigné : dans sa résolution du mois de septembre,
elle spécifie qu'il sera fondé, à 30 lieues de l'embouchure, un
bourg, où l'on pourra « aborder par le fleuve et par le lac Pontchartrain », mais, dans les instructions qu'elle remet à l'ingénieur
Perrier, en avril 1718, elle préconise plutôt le confluent du bayou
Manchac et du Mississipi (1). Il est possible, dans ces conditions,
que Bienville ait lui-même arrêté le choix définitif du terrain,
en se basant sur la facilité des communications qu'il permettait
d'entretenir avec la partie amont du fleuve et, par le bayou
Saint-Jean et le lac Pontchartrain, avec les postes littoraux (2).

Apparemment, les travaux commencèrent dans le courant
de mai 1718, sous la direction de Bienville, qui laissa ensuite le
commandement au S. Paillou (3). Les débuts furent très lents
en raison du petit nombre des ouvriers : au début de juin, une
centaine d'hommes, dont environ 50 faux sauniers, travaillaient
aux opérations de défrichement (4). Bienville fixa lui-même le
site de la ville, il fit tracer l'alignement qui devait former la
façade de l'agglomération vers le fleuve, à une certaine distance
de celui-ci, il présida aux premiers défrichements, auxquels le
directeur de la concession Paris-Duverney, Dubuisson, parti-
cipait déjà peut-être avec ses engagés (5). Si l'ingénieur Perrier,
auquel la Compagnie donna mission de marquer l'enceinte,
d'ordonner autour d'un fort central les alignements des rues et
les « divisions de terrain convenables à chaque habitant », n'était
pas mort pendant la traversée, les travaux auraient peut-être
obéi à un programme plus complet (6). Faute d'ingénieur, tout
se réduit à une besogne de défrichement qui progresse lentement
du fleuve vers l'alignement tracé par Bienville, suivant un plan
sommairement triangulaire dont la base s'appuie sur le Missis-

(1) B 42 *bis*, f. 219-220, Instruction pour le S. Perrier, 14 avril 1718 ;
f. 244, 247, Etat de la dépense que la Compagnie a ordonnée..., 1718 ; f. 442,
Etat-major de la Louisiane... — A.G., A 2592, f. 150, Extrait des délibérations... faites par les directeurs de la Cⁱᵉ d'Occident. — A.E., *Mém. et Doc.*,
Amérique, I, f. 285, Réflexions sur tout ce qui pourrait... contribuer à l'établissement de la colonie...
(2) A.E., *Mém. et Doc.*, Amérique, I, f. 200 v, Bienville, 10 juin 1718. —
B.N., Ms. F.F. 14613, PÉNICAUT, *Relation ou Annale véritable...*, f. 309. —
LE PAGE DU PRATZ, *Histoire de la Louisiane*, II, p. 260.
(3) LE PAGE DU PRATZ, *op. cit.*, I, p. 41, 83.
(4) A.E., *Mém. et Doc.*, Amérique, I, f. 200 v, *op. cit.* — A.M., 3 JJ 394
(4-113), Bobé à de L'Isle, 20 sept. 1718.
(5) A.E., *Mém. et Doc.*, Amérique, I, f. 200 v, *op. cit.* — A.C., D.F.C.,
n° 68.
(6) B 42 *bis*, f. 220-1, Instruction pour M. Perrier, 14 avril 1718. — B.N.,
Ms. F.F. 8989, BÉNARD DE LA HARPE, *Journal du voyage...*, f. 2.

sipi (1). C'est l'aspect de cette zone en voie de défrichement que décrivent les premiers observateurs : Le Page du Pratz, qui constate à la fin de l'été qu'il n'y a sur le site de la ville qu'une « baraque couverte de feuilles de latanier », servant de logement au commandant ; B. de La Harpe qui, en décembre 1718, décrit un terrain marécageux, « couvert de bois et de cannes », détrempé par les infiltrations du fleuve, rendu malsain et fiévreux par son humidité et par l'abondance des moustiques (2).

Contre cet excès d'humidité, contre le danger des inondations auquel se trouve exposée toute la région riveraine du fleuve, Bienville préconise déjà l'établissement de levées de terre et d'un canal qui relie le Mississipi au lac Pontchartrain (3). C'est aussi ce que pense Le Maire, qui, dès le début des travaux, avait fait des réserves sur l'insalubrité du site et sur l'absence d'eau potable (4). Et B. de La Harpe estime que l'emplacement en est trop près du fleuve, et il laisse entrevoir la possibilité d'un transfert vers les terres plus hautes des Natchez (5). Là, pourtant, dans cet espace qui commence à s'ouvrir dans un paysage « entrecoupé de cyprières », Bienville reçoit à la fin de 1718 une délégation de Tchitimachas avec lesquels il convient des termes de leur réconciliation avec les Français (6).

Dans cette période initiale, le ravitaillement de la position se fait par les bateaux qui, de la zone littorale, gagnent le lac Pontchartrain pour s'engager ensuite dans le bayou Saint-Jean, d'où leurs chargements, transbordés sur des charrettes, atteignent La Nouvelle-Orléans, à une lieue de distance, par de mauvais chemins (7). Le Mississipi n'est pas encore utilisé. Exceptionnellement, le brigantin *Le Neptune* le remonte en juillet 1718, chargé d'effets pour la Nouvelle-Orléans (8). La fondation de la ville n'en pose pas moins la question de son accès fluvial, et, par suite, celle de l'entrée du Mississipi. Bienville, à la demande de la Compagnie, venait de faire effectuer des sondages dans la passe de l'E., et il suggérait de creuser la barre qui sépare le fleuve de la mer pour en ouvrir le passage aux gros navires (9).

(1) A.C., D.F.C., n° 68. Cf. Carte 3, pp. 328-9.
(2) LE PAGE DU PRATZ, *op. cit.*, I, p. 83. — B.N., Ms. F.F. 8989, *op. cit.*, f. 6.
(3) C 13 C 4, f. 14, Bienville et Larcebault, 15 avril 1719.
(4) A.M., 3 JJ 200 (4), LE MAIRE, *Mémoire sur la Louisiane*, 13 mai 1718.
(5) B.N., Ms. F.F. 8989, *op. cit.*, f. 6.
(6) *Ibid.*, f. 6 v. — F.F., 14613, PÉNICAUT, *op. cit.*, f. 319-21.
(7) LE PAGE DU PRATZ, *op. cit.*, I, p. 46. — C 13 A 5, f. 209, Bienville et Larcebault, 15 avril 1719. — A. M., 3 JJ 201 (8), Relation de la rivière de la Mobile.
(8) B.N., Ms. F.F. 8989, *op. cit.*, f. 2 v ; F.F. 14613, *op. cit.*, f. 312.
(9) B 42 *bis*, f. 215, Instruction pour M. Perrier, 14 avril 1718. — C 13 A 5,

Le problème, dont l'essor de la ville dépendait dans une large mesure, ne devait être résolu qu'ultérieurement. Pour le moment, la Compagnie ne cesse de prescrire aux officiers de ses navires d'examiner, pendant leur séjour en Louisiane, les bouches du fleuve et d'en établir l'exacte profondeur d'eau (1).

De la population de la Nouvelle-Orléans, à ce stade préliminaire, les informations ne permettent pas d'établir si, à côté des ouvriers et des faux sauniers employés à la tâche du défrichement, elle comporte déjà des habitants qui se destinent au travail de la terre. Parmi les passagers qui arrivèrent au mois d'août 1718, la Compagnie avait prévu, pour s'établir « dans l'enceinte de la ville », environ 70 personnes, groupées autour de 15 concessionnaires auxquels des terres seraient attribuées aux abords immédiats de la Nouvelle-Orléans (2). Quelques-uns de ces nouveaux venus se retrouveront par la suite dans le personnel employé par la Compagnie, Pierre Robert en qualité de menuisier, Marlot de Verville en qualité de garde-magasin de la Nouvelle-Orléans, à la place d'A. Bonnaud qui devait être révoqué pour contrebande... (3). Mais, sur le sort de la plupart d'entre eux, il est impossible de se prononcer. Les travaux semblent avoir été trop peu avancés pour qu'il ait pu se former, sur ce sol en voie de défrichement, une population sédentaire. Seul Le Page du Pratz, qui est au nombre de ces concessionnaires, s'installe momentanément sur le bayou Saint-Jean, où quelques habitants avaient formé depuis plusieurs années une petite colonie qui allait bientôt devenir le « village du bayou Saint-Jean ». Il fut accueilli par un de ces anciens colons, le Canadien Antoine Rivard de Lavigne, et il y établit rapidement une nouvelle habitation (4).

Les deux jalons de la concession Paris-Duverney et de la Nouvelle-Orléans marquent donc, dans l'été de 1718, la première étape de la prise de possession de la vallée du fleuve. Quelques

f. 157-157 v, Bienville, 12 juin 1718. — A.E., *Mém. et Doc.*, Amérique, I, f. 200 v-1, Bienville, 10 juin 1718.

(1) B 42 *bis*, f. 185-6, 214, 218-9, Instructions pour le capitaine Voyer et M. Perrier. — F 3 24, f. 140, *Mémoire sur l'établissement de La Nouvelle-Orléans*.

(2) B 42 *bis*, f. 252, Etat de la distribution qui doit être faite à la Louisiane des nouveaux habitants..., 23 avril 1718.

(3) C 13 A 5, f. 210 v, Bienville et Larcebault, 15 avril 1719 ; f. 331 v, Délibération du conseil de commerce, 25 avril 1719. — G 1 464, Recensement de La Nouvelle-Orléans, 24 nov. 1721.

(4) LE PAGE DU PRATZ, *Hist. de la Louisiane*, I, p. 24, 39, 45-6, 82-6. — A.E., *Mém. et Doc.*, Amérique, I, f. 24 v, BIENVILLE, *Mémoire sur la Louisiane* (1725) ; f. 86, LEGAC, *Etat de ce qui s'est passé...* — A.C., G 1 464, Recensement de la Nouvelle-Orléans, 24 nov. 1721. — M. GIRAUD, *Histoire de la Louisiane française*, I, p. 176-7, 199, 326, n. 3.

mois plus tard, une nouvelle zone de colonisation commence à se dessiner sur la rive gauche du Mississipi, à 3 lieues à l'amont de la Nouvelle-Orléans, dans le secteur de l'ancien village des Chapitoulas, du fait de l'arrivée de quelques habitants de la Mobile qui abandonnent les sols sablonneux qu'ils occupaient pour les plus riches terroirs du fleuve. Ils partent dans leurs embarcations, et, tirant parti de leur connaissance du littoral et des voies d'eau, ils gagnent aisément la vallée du Mississipi et s'y établissent à peu de frais (1). Le signal est donné par le Canadien Chauvin de La Frénière. A la fin de 1718, il atteint les Chapitoulas, où d'autres habitants, son frère Chauvin de Léry, et peut-être son autre frère Chauvin de Beaulieu, et le Canadien Trudeau ne tardent pas à le rejoindre avec leurs bestiaux (2). Dès la fin de 1720, leurs habitations disposeront de quelques esclaves noirs et seront en mesure de produire une petite récolte de riz (3). A côté d'eux, les frères Guénot de Tréfontaine et leur associé J.-B^te Massy, qui étaient venus en Louisiane pour s'y adonner au commerce, prennent à leur tour des lots de terre dans la même zone. Le Canadien Graveline enfin, sans renoncer à son habitation de la rivière Pascagoula, y obtient une concession en avril 1719 (4).

Tous ces colons s'établissaient en réalité sur des terres dont la Cie d'Occident s'était réservé le droit de disposer à titre seigneurial, en vertu de ses Lettres patentes d'août 1717. Depuis le confluent du bayou Manchac jusqu'au Détour à l'Anglais, sur 40 lieues de longueur et sur les deux rives du fleuve, elle se proposait de se constituer un domaine propre et d'y établir, suivant les dispositions de l'arrêt du 12 octobre 1716 (5), des habitants nantis de lots de terre peu étendus auxquels elle

---

(1) C 13 C 4, f. 91 v, *Mémoire du capitaine Béranger...* — CHARLEVOIX, *Journal d'un voyage...*, VI, p. 205.

(2) A.E., *Mém. et Doc.*, Amérique, I, f. 109 v, LEGAC, *Etat de la situation... de la Louisiane*, 5 mars 1721. — A.C., G 1 464, Recensement... de la Nouvelle-Orléans, 24 nov. 1721 (village des Chapitoulas), Recensement... depuis les Ouacha... jusqu'à la ville de La Nouvelle-Orléans..., 15 nov. 1724, n°s 11 et 12.

(3) A.E., *Mém. et Doc.*, Amérique, I, f. 107 v, LEGAC, *Etat de la situation...* — A.C., C 13 C 1, f. 330-330 v, *Mémoire de l'état... où est la colonie* (1721). — B.N., Ms. F.F. 14613, PÉNICAUT, *Relation ou Annale véritable...*, f. 358.

(4) A.E., *Mém. et Doc.*, Amérique, I, f. 109 v, LEGAC, *op. cit.* — A.C., C 13 C 2, f. 193, *Journal de Diron.* — G 1 464, Recensement du 24 nov. 1721. — B.N., Ms. F.F. 14613, f. 358-9, *op. cit.* — A.G., A 2592, f. 92 v, Etat de la Louisiane, juin 1720. — Louisiana State Hist. Museum, New Orleans, Concession du 24 avril 1719. — M. GIRAUD, *Hist. de la Louisiane française*, II, p. 118, 143.

(5) A.C., A 22, f. 22-3, Arrêt au sujet des terres de la Louisiane, 12 oct. 1716.

imposerait « cens, rentes et devoirs seigneuriaux » (1). Aussitôt
après sa fondation, la Compagnie avait fait part de ses intentions
à l'ordonnateur Hubert et lui avait interdit, en conséquence,
d'accorder dans ces limites aucune concession en franc-alleu (2).
Mais la consigne ne fut pas respectée. Plusieurs concessions y
bénéficièrent du franc-alleu, et les terrains y furent distribués
sans souci des formalités que la Compagnie avait prescrit d'observer pour régulariser les titres de propriété (3). Bienville non
seulement n'appliqua point le règlement, mais, dès le mois de
mars 1719, il s'attribua, avec l'approbation d'Hubert, deux
espaces de terrain considérables en franc-alleu autour de la
Nouvelle-Orléans : l'un qui s'étendait sur 3 lieues de front
environ et sur 40 arpents de profondeur, depuis les bornes de
la ville jusqu'aux premiers terrains de l' « anse des Chapitoulas »,
et sur lequel il devait établir par la suite plusieurs familles allemandes ; l'autre, en face et à l'aval de la Nouvelle-Orléans, sur
la rive droite, de 133 arpents de front et une lieue de profondeur,
qu'il devait répartir entre des familles canadiennes (4). Ces deux
espaces, dont la mise en valeur exigea de Bienville des avances
onéreuses, étaient en grande partie « noyés » : c'est l'argument
qu'il invoqua pour faire approuver par la Cie des Indes, en
février 1720, les concessions qu'il venait de s'attribuer en franc-
alleu, contrairement aux dispositions de la Cie d'Occident (5).
Mais, par la suite, lorsque la Cie des Indes prétendit exiger
l'application du premier règlement, tous les titres de propriété
de Bienville se trouvèrent remis en question. En 1720, les travaux
de protection et de drainage n'étant pas encore commencés,
toutes ces terres se présentaient comme des pays de bois et de
cannes que le fleuve submergeait périodiquement (6).

Tandis que le régisseur de Paris-Duverney et les quelques
habitants venus de la région de la Mobile engagent effectivement
la colonisation de la vallée du Mississipi, les concessionnaires qui

(1) A 22, f. 129-130, Arrêt concernant les terres situées à la Louisiane,
10 août 1728. — C 13 A 5, f. 208, Bienville, 6 juin 1718.
(2) A 22, f. 129 v, *op. cit.*
(3) *Ibid.*
(4) A.C., G 1 465 (Dossier Bienville), M. de Salmon, 7 avril 1734, Extrait
du registre des enregistrements des concessions..., Concession en franc-alleu
à Bienville, 27 mars 1719 ; Procès-verbaux d'arpentage, 8 févr. 1728,
20 nov. 1737, 25 nov. 1737.
(5) A 22, f. 129, Arrêt concernant les terres... — G 1 465 (Dossier Bienville), Concession en franc-alleu à Bienville, 27 mars 1719 ; Arpentage du
20 nov. 1737.
(6) A.E., *Mém. et Doc.*, Amérique, I, f. 126, LEGAC, *Ce qu'on estime nécessaire pour... la conservation de la colonie.*

arrivent de la métropole à partir d'août 1718 n'obtiennent, à quelques exceptions près, que des résultats médiocres. En dépit de leurs moyens plus élevés que ceux des colons de la Mobile, la plupart furent victimes du défaut d'organisation qui se manifeste au départ même de la métropole, et dont le premier effet fut d'imposer aux entreprises des délais d'embarquement coûteux dans les ports du royaume. La société des frères Scourion, celle d'Ét. Demeuves, dont le départ était prévu pour le début de décembre 1717 et de janvier 1718, ne quittèrent La Rochelle qu'à la fin de mai 1718, et ce long retard fut cause de dépenses imprévues dans lesquelles se consuma une partie de leur capital initial (1). Et la plupart des concessions subirent le même contretemps au Port-Louis en 1720 (2).

Mais le défaut d'organisation s'accusa surtout à l'arrivée en Louisiane, où la Compagnie ne se trouva pas en mesure de remplir l'engagement qu'elle avait pris d'assurer la nourriture et le transport du personnel des concessionnaires jusqu'au lieu de leurs habitations (3). Dès le début, il s'avéra que la colonie n'avait pas un nombre d'embarcations suffisant pour acheminer les engagés et les bagages des entreprises. Bienville en fit l'aveu à B. de La Harpe (4). Il en résulta que les premières concessions se trouvèrent pendant quatre mois et plus immobilisées sur le littoral de l'île Dauphine, où, pourtant, la Compagnie s'était engagée à ne pas les retenir plus d'un mois (5). L'ouverture des hostilités avec l'Espagne augmenta encore la durée de l'attente, car le personnel des concessions fut en grande partie retenu pour participer aux opérations militaires, et, comme celles-ci exigeaient en outre la mobilisation de toutes les embarcations disponibles, les transports se trouvèrent virtuellement interrompus entre le littoral et l'intérieur (6). La fin des hostilités n'améliora point

---

(1) C 13 A 5, f. 14, *Mémoire sur la Cie d'Occident.* — C 13 C 4, f. 210, 212, F. Chastang et M. Delaire à M. Salmon, 1737 ; f. 218, Conditions accordées... aux Srs J.-B. Delaire... — A.N., Min. central., Et. XCVI-249, Conditions accordées... aux Srs Charles et Hector Scourion, 20 oct. 1717.

(2) A.C., G 1 465, *Mémoire à MM. les Directeurs... de la Cie des Indes pour... les intéressés en la concession de Sainte-Catherine.* — A.N., M 1026, Dossier Louisiane, *Mémoire au sujet des établissements faits à la Louisiane par la Cie des Indes.*

(3) B 42 *bis*, f. 241-3, *Mémoire sur la nourriture qui doit être fournie...*, 23 avril 1718. — LE PAGE DU PRATZ, *Hist. de la Louisiane*, I, p. 35.

(4) B.N., Ms. F.F. 8989, B. DE LA HARPE, *Journal du voyage de la Louisiane*, f. 6. — C 13 A 5, f. 164, Bienville, 25 sept. 1718 ; f. 182, Inventaire des bâtiments de mer..., 1er mars 1718.

(5) C 13 A 5, f. 210 v suiv., F. Chastang et M. Delaire à M. Salmon ; f. 219, Conditions accordées... aux Srs J.-B. Delaire... — A.E., *Mém. et Doc.*, Amérique, I, f. 85 v, LEGAC, *État de ce qui s'est passé à la colonie...*

(6) C 13 A 5, f. 280, Bienville, 20 oct. 1719. — A.E., *Mém. et Doc.*, Amérique,

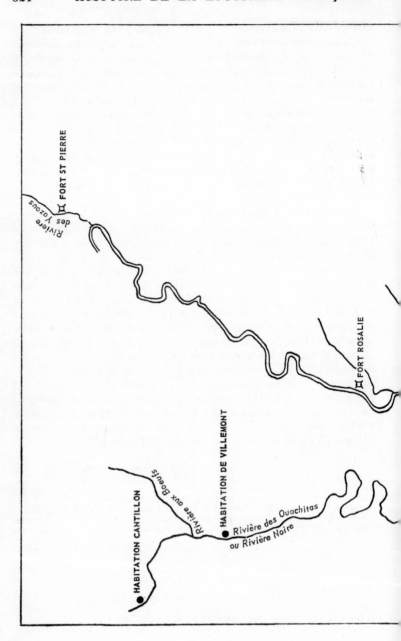

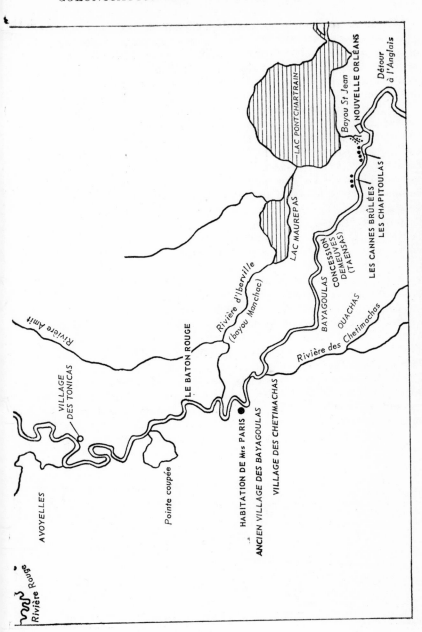

CARTE 2. — Les premières concessions du cours inférieur du Mississipi

la situation. A l'augmentation de l'effectif des engagés que provoque alors l'arrivée des grandes concessions s'oppose de plus en plus l'insuffisance des possibilités de construction des bateaux plats qu'exige la navigation locale : la pénurie de clous et d'ouvriers spécialisés, calfats, charpentiers, la rareté des moulins à scie, l'obligation de s'en remettre au travail lent des scieurs de long, sont autant de causes qui paralysent la construction des embarcations, en dépit de la présence à la Mobile d'un maître constructeur de bateaux (1). Les quelques prises effectuées sur les Espagnols, généralement en mauvais état, ne pouvaient remédier à cette insuffisance (2). L'expérience que fit ultérieurement Leblond de La Tour démontra qu'on aurait pu employer, comme l'avaient conseillé Bienville et d'Artaguiette d'Iron, les gros navires de la Compagnie pour acheminer directement vers les rives du Mississipi le personnel qu'ils avaient transporté dans la colonie. Mais, du fait de la mésentente des membres du conseil, on renonça à une tentative dont le directeur Legac prédisait l'échec (3).

De là un encombrement des zones de débarquement, qui prend un aspect particulièrement alarmant à la fin de 1720 et au début de 1721. Déjà, en février-mars 1720, l'arrivée de l'escadre de Saujon et de deux navires de la Compagnie chargés d'un important effectif de gens de force, femmes, concessionnaires, avait créé à l'île Dauphine une situation difficile (4). Mais celle-ci s'aggrave au Vieux-Biloxi lorsque, à la fin de l'année, à côté des officiers et des soldats, des forçats, fraudeurs, vagabonds, femmes de la Salpêtrière, « tous mêlés ensemble », s'y accumulent le personnel des grandes concessions de Law, d'Artaguiette, Deucher-Coëtlogon, Le Blanc, d'Artagnan, celui des entreprises de Sainte-Reyne, du duc de Guiche, du Mis d'Ancenis, et, bientôt après, les engagés d'Antoine Chaumont et du Mis de

I, f. 87-87 v, 89 v, LEGAC, op. cit. — B. DE LA HARPE, Journal historique de l'établissement des Français..., p. 152-9.

(1) A.E., Mém. et Doc., Amérique, I, f. 100 v-103, LEGAC, op. cit. ; f. 108, LEGAC, Etat de la situation... de la Louisiane, 5 mars 1721. — A.C., G 1 465, Requête de Faucon-Dumanoir, aux Natchez, 10 janv. 1725. — A.G., A 2592, f. 91-92 v, Etat de la Louisiane, juin 1720.

(2) C 2 57, f. 137-9, Arrêt du 24 janv. 1721. — A.E., Mém. et Doc., Amérique, I, f. 95 v, LEGAC, Etat de ce qui s'est passé...

(3) C 13 A 6, f. 312-3, 322 v, Leblond de La Tour, 25 avril 1722, 30 août 1722. — C 13 C 4, f. 91 v, Mémoire du capitaine Béranger. — G 1 464, Recensement de la Nouvelle-Orléans..., 24 nov. 1721 (notes sur les concessions). — A.M., 3 JJ 201 (11), Pauger à Bienville, 25 janv. 1722. — Journal historique de l'établissement des Français..., p. 236.

(4) A.E., Mém. et Doc., Amérique, I, f. 96 v-97 v, LEGAC, Etat de ce qui s'est passé...

Mézières : d'après Legac, plus de 2 500 personnes sont alors immobilisées autour du golfe du Biloxi (1).

Or, cette concentration de population créa dès le début un grave problème alimentaire. La Compagnie avait été mise en garde contre le danger qu'il y aurait à ne pas expédier en Louisiane une quantité de vivres, farines et viandes salées, calculée pour le nombre des passagers qu'elle se proposait d'y envoyer (2). Dès 1718, pourtant, il apparut que les envois de vivres ne répondaient pas au nombre des nouveaux venus. Bienville en fit à plusieurs reprises l'observation dans sa correspondance, et, peu après la première arrivée substantielle de passagers, la Compagnie fut pressée de ravitailler d'urgence la colonie (3). La pénurie, à cette date, était telle que les autorités coloniales, loin de pouvoir assurer la subsistance des concessionnaires, se virent dans la nécessité de prendre pour les besoins généraux de la population sur les stocks de vivres dont la société Demeuves avait eu la précaution de pourvoir son personnel (4). Ce fut le début d'une épreuve qui, par la suite, allait devenir de plus en plus fréquente, et, si quelques apports de vivres eurent lieu alors, grâce au passage de bâtiments de la Compagnie ou de navires du roi, les résultats en furent en partie compromis par les arrivées de concessionnaires ou de fraudeurs que ces mêmes bâtiments amenaient, ou par les prélèvements que les escadres royales, encombrées de malades, opéraient sur le cheptel et les animaux de basse-cour de la colonie (5).

La guerre terminée, surgit le problème de l'augmentation numérique croissante du personnel des concessions sans arrivée correspondante de vivres. Le pays lui-même tire un trop faible parti encore de ses ressources pour être en mesure de subvenir à l'alimentation de tant de monde. La Compagnie, écrit Bienville,

---

(1) *Ibid.*, f. 106-106 v, LEGAC, *Etat de la situation... de la Louisiane.* — B.N., Géographie, Portefeuille 138 *bis*, div. 2, pièce 4, Plan de Leblond de La Tour, avec légende.

(2) C 13 A 5, f. 142 v, HUBERT, *Mémoire sur la colonie*, oct. 1717. — A.E., *Mém. et Doc.*, Amérique, I, f. 78-79 v, *Mémoire sur la Louisiane*, 1717 ; f. 143-4, *Mémoire au sujet de l'établissement de la colonie* ; f. 210, Bienville, 10 juin 1718.

(3) C 13 A 5, f. 164, Bienville, 25 sept. 1718. — B 42 *bis*, f. 242-3, *Mémoire sur la nourriture qui doit être fournie...*, 23 avril 1718. — A.M., B 1 42, f. 298 v-9, Bienville, 25 sept. 1718. — A.E., *Mém. et Doc.*, Amérique, I, f. 86 v, LEGAC, *Etat de ce qui s'est passé...* — B.N., Ms. F.F. 8989, B. DE LA HARPE, *op. cit.*, f. 1 v, 3 v, 6.

(4) C 13 C 4, f. 210 v, F. Chastang et M. Delaire à M. Salmon... — C 13 A 7, f. 37-37 v, Delachaise, Nouvelle-Orléans, 6 sept. 1723.

(5) A.E., *Mém. et Doc.*, Amérique, I, f. 93 v, 96-97 v, 99-99 v, 101-101 v, LEGAC, *Etat de ce qui s'est passé...*

agissait « comme si nous avions habité un pays cultivé » (1). En dépit du passage du *Henry* et du *Toulouse* en juillet 1720, et de l'arrivée en septembre du vaisseau du roi *Le Portefaix*, la colonie connaît alors une disette à peu près permanente, d'autant plus que les vivres qui arrivent de la métropole, farines, lard, bœuf, médiocrement sélectionnés à l'achat, se trouvent généralement avariés à la fin des traversées (2). En sorte que les « concessions », immobilisées sur le littoral du golfe, n'eurent d'autre alternative que de consommer les vivres qu'elles destinaient pour les premiers besoins de leurs hommes, lorsque ceux-ci auraient atteint le terrain de leurs habitations (3). Encore n'en avaient-elles pas la libre disposition : pour subvenir à l'alimentation de la garnison et des nombreux employés qui sont aux gages de la Compagnie, les officiers en réquisitionnent une grande partie, comme ils l'ont déjà fait en 1718, et, par cette mesure, où les victimes ne voient souvent qu'une manifestation de malveillance, ils compromettent les possibilités ultérieures de ces entreprises (4). Au début de 1721, ce sera par suite pour celles-ci la nécessité de faire appel aux « vivres sauvages », au maïs surtout, dont les hommes s'accommodent difficilement, et dont les prix élevés en raison de la mauvaise récolte de l'année précédente leur imposent des dépenses considérables (5). La ressource locale de la pêche, dont firent usage les petites concessions du début, ne pouvait combler

(1) *Ibid.*, I, f. 32 v, Bienville, *Mém. sur la Louisiane* (1725) ; f. 99 v-104 v, Legac, *op. cit.*

(2) C 13 A 5, f. 368-368 v, Conseil de commerce, 12 juill. 1720. — C 13 A 6, f. 142-142 v, Conseil de commerce, 26 sept. 1720 ; f. 312 v-3, L. de La Tour, 25 avril 1722. — G 1 465, *Mémoire à MM. les Inspecteurs... pour... les intéressés en la concession de Sainte-Catherine.* — B.N., Ms. F.F., N.A., 9309, f. 6-6 v, *Mémoire concernant la Louisiane*, 1724. — A.E., *Mém. et Doc.*, Amérique, I, f. 101, Legac, *op. cit.* — M 1026, Dossier Louisiane, *Mém. concernant la Louisiane* (1721).

(3) G 1 465, Faucon-Dumanoir aux intéressés en la colonie de Sainte-Catherine, 18 juill. 1721, *Mémoire à MM. les Inspecteurs...* — C 13 C 2, f. 191-2, *Journal de Diron.*

(4) A.G., A 2592, f. 107 v, Bienville et Delorme, 25 avril 1721 ; f. 115 v, Du Vergier et Delorme, 20 août 1721. — A.E., *Mém. et Doc.*, Amérique, I, f. 107 v, Legac, *Etat de la situation... de la Louisiane...*, 5 mars 1721. — G 1 465, Requête présentée au roi par F.-Dumanoir, F.-Dumanoir aux intéressés en la colonie de Sainte-Catherine, 19 juill. 1721 ; F.-Dumanoir, *Requête présentée au conseil supérieur de la Louisiane...*, 20 mai 1723 ; *Mémoire à MM. les Inspecteurs...* — C 13 C 2, f. 192, 194, *Journal de Diron.* — A.N., M 1026, Dossier Louisiane, *Mémoire au sujet des établissements faits à la Louisiane...*

(5) G 1 465, F.-Dumanoir aux intéressés..., 18 juill. 1721 ; *Requête présentée au conseil supérieur...*, 20 mai 1723 ; *Mémoire pour répondre aux accusations formées contre J.-B. F.-Dumanoir*, art. 6. — A.E., *Mém. et Doc.*, Amérique, I, f. 107 v, Legac, *Etat de la situation... de la Louisiane...* — C 13 A 6, f. 332 v, Leblond de La Tour, 30 août 1722.

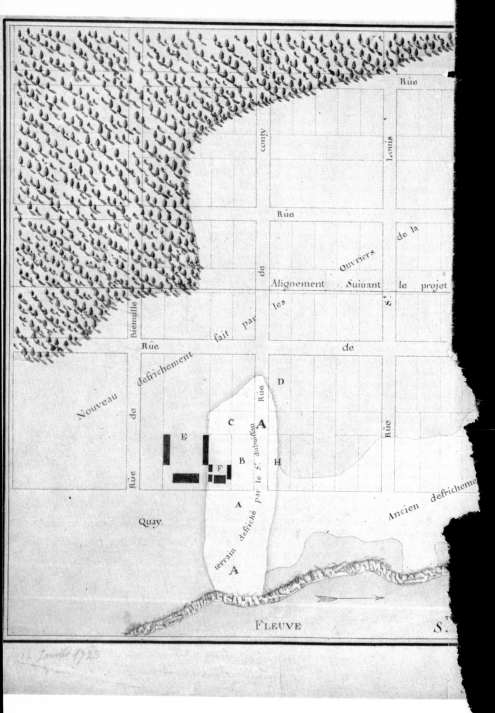

Rüe

conty

Louis

Rüe

de

de la

Ouvriers

Bienuille

Alignement Suiuant le projet

les

Rüe

fait par

de

Nouveau

defrichement

de

Rüe

D

Rüe

Rüe

C

A

E

F

B

H

A

terrain defriché par le St dubuisson

Quay.

Ancien defrichement

A

FLEUVE

S.

16 Janvier 1723

CARTE 3. — Carte de la Nouvelle-Orléans, LEB
(D.F.C., n° 68, Archives de

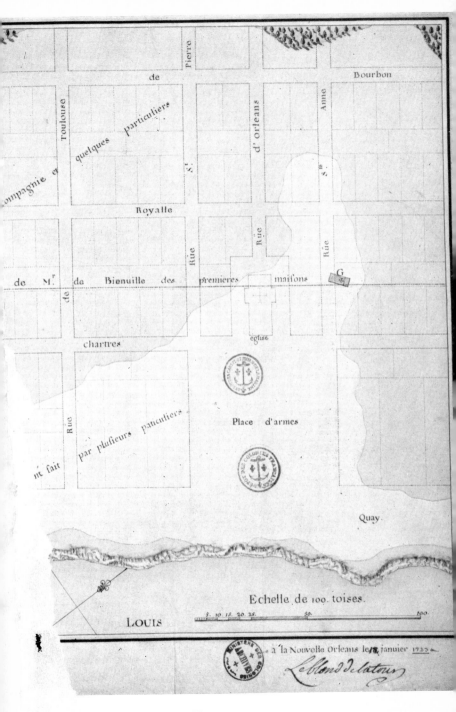

LA TOUR, 12 janvier 1723.
...onies.)

le déficit des denrées alimentaires de France (1). Pour ajouter
enfin à la détresse générale, le conseil de la colonie s'opposait
au projet de certaines concessions d'envoyer des bélandres à
Saint-Domingue pour y échanger des cargaisons de bois contre
des vivres (2).

L'immobilisation des entreprises de colonisation, la réquisition de leurs provisions alimentaires sont les deux plus graves
erreurs qu'aient commises les représentants de la Cie des Indes.
Tout le mouvement colonisateur s'en trouva différé, paralysé
dans une large mesure, et les réalisations, dans bien des cas,
définitivement compromises. Bien des concessions se trouvèrent
désormais « hors d'état de rien entreprendre et de s'établir » (3).
Financièrement, l'arrêt prolongé sur le littoral, plus d'un an
pour certaines, impliqua effectivement des frais qui amoindrirent
les capitaux dont elles auraient pu disposer pour leur tâche
colonisatrice (4). L'obligation où se virent la plupart d'entre elles
d'édifier au Biloxi, où rien n'était prévu pour les recevoir, des
abris afin de loger leurs hommes, des magasins pour prévenir le
renouvellement des vols qui s'étaient produits au débarquement
tant que les marchandises avaient été entreposées sous des tentes,
ou sur le sable sans aucune protection, fut une source de dépenses
supplémentaires, que compliquait, dans le cas de la concession
Deucher-Coëtlogon, la nécessité de modifier, à cause de son
insalubrité et en procédant à l'achat d'un nouveau terrain,
l'emplacement que les directeurs lui avaient d'abord assigné (5).

Surtout la mort, dans cette période d'attente, d'un grand
nombre d'engagés constitua une lourde perte pour les concessions.
Les mauvaises conditions matérielles de cette attente sur le
littoral, la mauvaise qualité de la nourriture que distribuaient
à l'arrivée les directeurs de la colonie, le découragement qui,

(1) Le Page du Pratz, *Hist. de la Louisiane*, I, p. 170.
(2) G 1 465, *Mémoire des intéressés... à MM. les Inspecteurs... de la Cie
des Indes*, 1725.
(3) A.M., 3 JJ 387 (30 D), Alexandre, aux Chouachas, 10 sept. 1722. —
A.C., C 13 C 2, f. 177-177 v, Pauger à Bienville, 25 janv. 1722 ; G 1 464,
Recensement... de La Nouvelle-Orléans, 24 nov. 1721, art. Mississipi.
(4) A.N., M 1026, Dossier Louisiane, *Mémoire au sujet des établissements
faits à la Louisiane...* — G 1 465, *Mémoire à MM. les Inspecteurs... pour les
intéressés en la concession Sainte-Catherine.*
(5) A.E., *Mém. et Doc.*, Amérique, I, f. 103 v-4, Legac, *État de ce qui s'est
passé...* — A.G., A 2592, f. 116, Réplique des directeurs des concessions au
conseil de commerce..., 2 août 1721. — A.C., C 13 A 6, f. 109, B. de La Harpe,
Mémoire sur l'état... de la Louisiane, 1720 ; G 1 465, *Requête présentée au roi...
par J.-B. Faucon-Dumanoir* ; *Réponses au mémoire d'observations fait par
Kolly... pour J.-B. F.-Dumanoir*, art. 2-4, art. 55 et suiv. — B.N., Ms.F.F. 8989,
B. de La Harpe, *Journal du voyage...*, f. 29 v, 41.

très vite, se répand parmi ces hommes partiellement désœuvrés, astreints à un régime alimentaire dont ils ne parviennent pas à prendre leur parti, la fréquence des maladies enfin dont l'absence d'hôpital et de logements appropriés augmente la gravité, causent alors de nombreux décès dans le personnel des concessions. Le flux de sang, le scorbut surtout, la « maladie la plus difficile à guérir dans ce pays », exercent des effets meurtriers (1). La plupart des concessions se trouvent surchargées de malades, et les soins que l'on donne à ces derniers, l'achat des « rafraîchissements » et des remèdes qui leur sont nécessaires, augmentent les dépenses, et souvent sans résultat, puisque la concession Deucher-Coëtlogon, en dépit des achats qu'elle effectue, perd dans l'espace de quelques jours 90 de ses engagés sur un effectif total de quelque 240 personnes. Au début de 1721, Leblond de La Tour évalue à 500 ou 600 le nombre des décès survenus au Biloxi dans les 6 mois précédents (2). L'incendie qui éclate au début d'octobre 1720 dans l'établissement du Vieux-Biloxi, et qui semble avoir été provoqué par l'indiscipline des troupes, aggrave à son tour la mortalité et les pertes matérielles. La nature même du pays, l'excès de la chaleur et de l'humidité, l'usure rapide du linge qui en résulte, la détérioration des articles de quincaillerie sous l'action de la rouille, ajoutent sans cesse aux frais généraux des sociétés, sans compter les dégâts que provoquent l'abondance des mites et le pullulement des rongeurs dont le littoral est infesté (3). Les dépenses occasionnées par ce long séjour sur la côte devinrent par la suite un sujet de contestations entre les concessionnaires et les directeurs qu'ils avaient placés à la tête de leur personnel. Il est possible que tout ne soit pas inexact dans le reproche qu'ils adressèrent à ces derniers d'avoir engagé des frais inutiles, avec une certaine légèreté. Mais les directeurs

---

(1) G 1 465, *Mémoire à MM. les Inspecteurs... pour les intéressés en la concession...* ; *Réponses au mémoire d'observations...*, art. 44, 52 ; *Mémoire pour répondre aux accusations contre J.-B. F.-Dumanoir*, art. 1, 9. — C 13 A 5, f. 211, Bienville et Larcebault, 18 juin 1719. — C 13 A 6, f. 133 v, Leblond de La Tour, 9 déc. 1721. — A.G., A 2592, f. 91, Etat de la Louisiane, juin 1720. — A.N., M 1026, Dossier Louisiane, *Mémoire concernant la Louisiane...*

(2) G 1 465, Requête présentée au roi... par J.-B. F.-Dumanoir, *Mémoire pour répondre aux accusations formées contre J.-B. F.-Dumanoir...*, art. 1, 9 ; *Mémoire d'observations du S. Kolly...*, art. 44, 61 ; *Réponses au mémoire d'observations...*, art. 37, 44, 54, 61. — A.G., A 2592, f. 129, Du Vergier, 25 mai 1721. — B.N., Ms. F.F., N.A. 9303, f. 194, Leblond de La Tour, 8 janv. 1721.

(3) A.E., *Mém. et Doc.*, Amérique, I, f. 102 v, LEGAC, *Etat de ce qui s'est passé...* — A.C., C 13 A 6, f. 385, *Mémoire de Drouot de Valdeterre*, 1733 ; G 1 465, *Réponses de F.-Dumanoir au mémoire d'observations...*, art. 45, 46, 58. — A.M., 3 JJ 387 (30 A) (30 E), Alexandre, au Biloxi, 1722. — A.G., A 2592, f. 110 v, Bienville et Delorme, 24 juin 1721.

paraissent plutôt avoir été débordés par l'ampleur de leur tâche, par un concours de circonstances qui les prirent au dépourvu et pour lesquelles ils ne trouvèrent ni aide efficace ni même sympathie auprès des officiers de la Cie des Indes. L'accusation, en tout cas, reste exacte qu'ils adressèrent à la Compagnie de n'avoir pas tenu les engagements envers les sociétés de colonisation et d'avoir été par là responsable de l'échec partiel d'un mouvement qui, au contact des réalités, perdit rapidement de son ampleur initiale.

Engagé dans d'aussi mauvaises conditions, le mouvement colonisateur ne donne effectivement, dans la période du Système, que de faibles résultats. Parmi les sujets qui arrivent en Louisiane en août 1718, seuls Le Page du Pratz et Bénard de La Harpe parviennent à quelques réalisations. L'un et l'autre sont à la tête de petites entreprises pour lesquelles les problèmes du transport et des vivres sont assez facilement résolus (1). Mais ils ne contribuèrent que dans une faible mesure à l'occupation du sol : Le Page abandonna son terrain du bayou Saint-Jean au bout d'un an environ et La Harpe, s'il explora efficacement la région de la rivière Rouge, ne fonda aux Nassonites qu'un poste sans conséquence (2). En dehors de ces résultats limités, on n'observe guère que des échecs parmi les concessionnaires d'août 1718. L'entreprise des frères Scourion, en grande partie ruinée et décimée par son séjour à l'île Dauphine, se disloque après deux tentatives inutiles de colonisation aux Natchez et aux environs de la Mobile. Un de ses associés, Louis Tixerant, fils du maître quincaillier Gabriel Tixerant, figurera par la suite, en qualité de garde-magasin, dans le personnel de la Compagnie à la Nouvelle-Orléans (3). Le personnel des frères Brossard gagne difficilement la vallée de la rivière Rouge, mais, incapable de résister au milieu, il ne tarde pas à se disperser (4). Quant à l'entreprise que commandite le banquier Étienne Demeuves, elle passe par de malencontreuses vicissitudes. La perte pendant son arrêt à l'île Dauphine de ses meilleurs engagés qui, las de

(1) C 13 A 6, f. 28, Requête de B. de La Harpe. — B.N., Ms. F.F. 8989, B. DE LA HARPE, *Journal du voyage...*, f. 3 v, 6. — LE PAGE DU PRATZ, *op. cit.*, I, p. 39, 41.

(2) C 13 A 6, f. 33, Requête de B. de La Harpe... — B.N., Ms. F.F. 8989, B. DE LA HARPE, *op. cit.*, f. 13-4. — A.E., *Mém. et Doc.*, Amérique, I, f. 84 v, LEGAC, *Etat de ce qui s'est passé...*

(3) A.E., *Mém. et Doc.*, Amérique, I, f. 85 v-6, *op. cit.* — B.N., Ms. F.F. 14613, PÉNICAUT, *Relation ou Annale véritable...*, f. 316. — Louisiana State Hist. Museum, New Orleans, 1722 (Vols constatés par le garde-magasin Louis Tixerant).

(4) A.E., *Mém. et Doc.*, Amérique, I, f. 84-84 v, LEGAC, *op. cit.*

cette attente, passent au service de la Compagnie, la réquisition
d'une partie de ses vivres, le sacrifice momentané de son matériel
et de ses marchandises que l'insuffisance des embarcations et la
malveillance du directeur Legac, sinon de Bienville, ne lui
permettent pas d'acheminer, l'absence de moyens de transport
la détournent du projet qu'elle avait formé de s'établir sur la
rivière Rouge pour essayer d'y lier commerce avec les Espagnols (1). Les associés, les frères Delaire, Chastang, de La Roue,
obtinrent en dédommagement une concession d'une égale étendue
de 4 lieues carrées, sur l'emplacement de l'ancien village des
Taensas et sur la rive droite du fleuve, que Bienville et Hubert
lui accordèrent en franc-alleu, bien que dans les limites du
domaine de la Compagnie, à 8 lieues au-dessus de la Nouvelle-
Orléans : 4 emplacements leur furent aussi concédés à l'intérieur
de la ville (2). Mais ils atteignirent les Taensas avec un personnel
réduit, avec peu de marchandises, avec des moyens financiers
diminués par l'attente à La Rochelle et à l'île Dauphine (3). Les
débuts de la concession furent des plus lents. Dès le mois de
décembre 1718, La Harpe la jugeait « en mauvais état », et les
contretemps qu'elle essuya en 1719-20, la perte du matériel
— moulins pour filer, chaudrons et bassins pour le tirage — que
Demeuves lui fit acheter en Dauphiné pour l'exploitation de la
soie, la mort du contremaître qu'il avait engagé pour en prendre
la direction achevèrent de décourager les associés. La plupart
se désistèrent, Antoine de La Roue mourut en 1720, et, seul,
Michel Delaire, assisté de quelques domestiques, resta sur place,
laissant en fait à l'abandon, faute de main-d'œuvre et de ressources financières, les riches terrains qui lui avaient été
attribués (4).

A la fin de 1718, la zone colonisée n'avait donc fait aucun
progrès dans la vallée de la rivière Rouge, et, dans celle du
Mississipi, elle se réduisait aux 2 positions de la concession Paris-
Duverney et des abords de la Nouvelle-Orléans, sans autre

(1) C 13 C 4, f. 210 v, *Mémoire de F. Chastang et de M. Delaire à M. de Salmon*, 1737. — B 1 29, f. 172 v, Requête des Srs Delaire..., conseil de marine,
14 févr. 1718. — B.N., Ms. F.F. 8989, f. 6, B. DE LA HARPE, *op. cit.* — C 13 A 7,
37-37 v, Delachaise, Nouvelle-Orléans, 6 sept. 1728.
(2) C 13 C 4, f. 216-7, Concession aux Srs Delaire, Chastang... — LE PAGE
DU PRATZ, *Hist. de la Louisiane*, II, p. 243. — Atlas, Service hydrographique
de la marine, 4040 C-14, Carte du Mississipi, dressée par Broutin en 1731.
(3) C 13 C 4, f. 210 v-212, *Mémoire de F. Chastang et de M. Delaire à
M. de Salmon*, 1737 ; f. 214, Condamnation de la Cᵗᵉ des Indes envers Chastang,
Delaire..., 7 déc. 1737.
(4) C 13 C 4, f. 211 v-212, *op. cit.* ; f. 214-5, *op. cit.* — CHARLEVOIX, *Journal
d'un voyage...*, VI, p. 205. — C 13 A 7, f. 37-37 v, *op. cit.*

jalon dans l'espace intermédiaire que l'établissement sans avenir
de la société d'Étienne Demeuves. L'année 1719 et les six premiers mois de 1720 ne sont pas non plus une période d'évolution
décisive. Le personnel des concessionnaires qui arrivent par *Le
Comte-de-Toulouse* en mars 1719, avant l'ouverture des hostilités
est assez rapidement évacué vers la Nouvelle-Orléans. Lantheaume et Dubreuil, accompagnés de 18 personnes, s'y établissent dans le secteur des Chapitoulas, à l'aval des terrains des
frères Chauvin dont ils viennent renforcer l'action par leurs
qualités de labeur : Dubreuil surtout accomplira une œuvre
intéressante par son ingéniosité et ses initiatives (1). Un peu
plus tardivement, le procureur général Chartier de Baulne
s'installe, avec son personnel médiocrement qualifié, aux confins
de cette zone des Chapitoulas, à 2 lieues seulement de la Nouvelle-Orléans, mais peu après il cédera sa terre aux frères Chauvin (2). Et le reste de l'année 1719 est pour la plupart des concessions qui atteignent le littoral de la Louisiane une période
d'immobilité. Seul, le personnel de Cantillon parvient à gagner
la Nouvelle-Orléans dans le courant du mois d'août (3). Pour
les autres concessions, leur acheminement vers le Mississipi ne
commencera qu'à la fin de 1719 (4). Mais un petit nombre seulement
de concessionnaires paraissent avoir atteint leurs destinations :
sur un total de 22 portés sur les états d'embarquement, et sans
tenir compte de Ph. Renaut qui se destinait aux Illinois, 3 seulement, 4 peut-être, nous sont connus pour avoir effectivement
ouvert des habitations, dont l'un, Drouot de Valdeterre, se
cantonna dans la région du Vieux-Biloxi où il ne fit qu'un séjour
de quelques mois (5). Plusieurs, qui ne disposaient que de faibles
moyens, durent renoncer à leurs projets de colonisation pour

(1) Charlevoix, *op. cit.*, *loc. cit.* — A.C., G 1 464, Recensement... de
la Nouvelle-Orléans, 24 nov. 1721 (village des Chapitoulas) ; Recensement
des habitants depuis la ville de La Nouvelle-Orléans..., 15 nov. 1724, n° 10. —
Arsenal, Ms. 4497, Pellerin à M. Soret, au Nouvel établissement du Bilocy,
f. 52-3. — B.N., Ms. F.F. 14613, Pénicaut, *Relation ou Annale véritable...*,
f. 359.
(2) G 1 464, Recensement des habitants..., 15 nov. 1724, n° 12 ; Recensement... de La Nouvelle-Orléans, 24 nov. 1721. — A.E., *Mém. et Doc.*, Amérique, I, f. 109 v, Legac, *État de la situation de la... Louisiane.* — B.N., Ms.
F.F. 14613, Pénicaut..., f. 339.
(3) A.E., *Mém. et Doc.*, Amérique, I, f. 91, *État de ce qui s'est passé...* —
C 13 A 5, f. 304, Relation de ce qui s'est passé depuis la reprise de Pensacola...
— F 3 24, f. 120, Sérigny, 26 oct. 1719.
(4) A.E., *Mém. et Doc.*, Amérique, I, f. 96-96 v, 98, 100 v, 101, Legac,
État de ce qui s'est passé...
(5) *Ibid.*, I, f. 109 v-110, Legac, *État de la situation... de la Louisiane*,
5 mars 1721. — G 1 464, Recensement du 24 nov. 1721, villages du bayou
Saint-Jean, des Colapissas, des Chapitoulas.

prendre de l'emploi auprès de la Cie des Indes, comme le fit
Bail de Beaupré aussitôt après son arrivée en février 1720 (1).
D'autres, rapidement découragés par les épreuves qu'ils traversèrent, quittèrent sans doute la colonie, comme Chantreau de
Beaumont qui, ayant perdu sa femme peu après le débarquement
et subi le vol de tous ses effets, repassa en France, d'où, après
s'être remarié et avoir pris momentanément du service dans la
concession du duc de Guiche, il fit ultérieurement et sans beaucoup de succès une nouvelle tentative de colonisation en Louisiane (2). Le groupe du banquier Richard Cantillon qui, sous la
direction du frère de celui-ci, Bernard Cantillon, et dans la pensée
de se rapprocher des Espagnols, ouvrit avec une quarantaine
d'engagés une nouvelle zone de colonisation dans la vallée de
la rivière Noire ou des Ouachitas, affluent du cours inférieur de
la rivière Rouge, fut à peu près seul à réussir. Dans la même vallée,
le concessionnaire Mirbaise de Villemont jeta également, mais
avec un personnel moins nombreux, les bases d'une habitation
qui devait être de courte durée (3).

En dehors de ces nouvelles positions, séparées de la concession Paris-Duverney par une longue solution de continuité dont
les terres sont peu connues, l'aspect de la colonisation dans la
vallée du Mississipi ne varie guère dans la période des hostilités.
La partie occupée se réduit toujours aux abords immédiats de
la Nouvelle-Orléans et à la zone des Chapitoulas, et aux deux
concessions plus éloignées et moins sujettes aux inondations
des associés d'Étienne Demeuves et de Paris-Duverney, l'une
pauvrement établie, l'autre, au contraire, en plein essor (4).
Entre les Chapitoulas et la concession Demeuves, dans la zone
des Cannes-Brûlées, à 5 lieues de la Nouvelle-Orléans, une
nouvelle habitation est pourtant sur le point de s'établir,
sur l'initiative d'un officier qui vient d'être relevé de ses

---

(1) C 13 A 5, f. 329 v, Délibérations du conseil de commerce, 12 mars 1719.
(2) C 13 A 6, f. 41-3, Chantreau de Beaumont aux... directeurs... de la...
Louisiane, 24 mai 1720. — A.N., V 7 257, Jugement sur Ch. de Beaumont,
19 févr. 1733. — A.C., G 1 464, Recensement du 5 nov. 1724, n° 23 ; G 1 464
(Passagers), pièce 61 (Saône). — Lorient, Registre de catholicité, 16 juin 1721.
(3) A.E., *Mém. et Doc.*, Amérique, I, f. 109 v, 110, 126 v, 129, LEGAC, *État
de la situation... de la Louisiane*, 5 mars 1721. — A.N., K 1232, n° 46, Rivière
des Ouachitas ou noire avec habitations... — B.N., Ms. F.F. 14613, f. 338,
PÉNICAUT, *op. cit.* — CHARLEVOIX, *Journal d'un voyage...*, VI, p. 198.
(4) G 1 464, Recensement du 24 nov. 1721 ; G 1 465, Recensement des
habitations et habitants... de la Louisiane au 1er janv. 1726 ; Extrait d'un
état des compagnies d'infanterie entretenues par la Cie des Indes... (Bayagoulas), 20 déc. 1724. — A.E., *Mém. et Doc.*, Amérique, I, f. 126-126 v, LEGAC,
op. cit.

fonctions, le S. de Saint-Julien, originaire de Normandie (1).

Et, dans les six derniers mois de 1720, la zone colonisée n'accuse aucune extension, puisque le personnel des grandes concessions se trouve alors retenu sur le littoral jusqu'à ce que les entreprises se mettent en mesure de gagner l'intérieur, en grande partie par leurs propres moyens (2). Il n'y aura d'exception que pour la concession Chaumont qui, arrivée au début de 1721, ira s'établir sur la rivière des Pascagoulas, à quelques lieues du point de débarquement, et qui échappera ainsi à l'attente au Biloxi et à toutes ses funestes conséquences (3). Pour la plupart des autres, la prise de contact avec la Louisiane marquera le début de graves épreuves, auxquelles s'ajoutera la réduction de leurs possibilités financières avec l'effondrement du Système de Law, et beaucoup alors, même l'entreprise Chaumont, se désagrégeront ou se confineront dans une tâche sans envergure dont certaines prétendront, dans d'interminables procès, rejeter la responsabilité sur les régisseurs de leurs exploitations.

A la lenteur de la prise de possession correspond la lenteur de la croissance de la Nouvelle-Orléans. L'agglomération, réduite au rôle d'entrepôt pour les concessionnaires qui se rendent dans la vallée du Mississipi, n'a pas l'importance administrative du Vieux-Biloxi où réside le personnel dirigeant (4). Le commandement, d'abord attribué au major d'Avril, passe ensuite au neveu de Bienville, le S. de Noyan (avril 1720), mais, celui-ci ayant pris au mois de septembre le commandement du convoi des Illinois, la Cie des Indes lui substitue le S. Banés, qui n'atteint la Louisiane qu'à la fin de 1720 (5). En fait, pendant la majeure partie de l'année 1720, le commandement paraît avoir appartenu

(1) A.E., Amérique, I, f. 126, op. cit. — G 1 464, Recensement du 24 nov. 1721 (village des Cannes-Brûlées). — C 13 A 5, f. 359 v, Délibérations du conseil de commerce, 11 avril 1720. — D 2 C 51, f. 111, Liste apostillée des officiers..., 1734. — M. GIRAUD, op. cit., II, p. 103.

(2) G 1 465, Réponses de F.-Dumanoir au mémoire d'observations fait par Kolly..., art. 46, 61, Mémoire à MM. les Inspecteurs... pour les intéressés en la concession de Sainte-Catherine... — A.E., Mém. et Doc., Amérique, I, f. 104, LEGAC, Etat de ce qui s'est passé...

(3) A.E., Amérique, I, f. 105 v, LEGAC, Etat de la situation... de la Louisiane...

(4) Ibid., f. 106, 119, ibid. — Atlas du Service hydrographique de la marine, 4040 C, 65 bis, Carte de La Nouvelle-Orléans... avant (d'en faire la capitale).

(5) C 13 A 5, f. 359, Conseil de commerce, 11 avril 1720. — D 2 C 51, f. 39, Etat des appointements... des commandants. — G 1 464 (Passagers), n° 37. — B 42 bis, f. 346-7, Commission de major... pour le S. de Bannez, 20 mars 1720. — A.M., 3 JJ 387 (29), Lallement, 5 avril 1721. — B.N., Ms. F.F. 8989, B. DE LA HARPE, Journal du voyage..., f. 29 v-30.

à l'ancien aide-major Paillou de Barbezan, devenu major général
de la colonie (1). Bienville, qui réside habituellement au Biloxi,
n'y fait que de courts séjours, et Hubert y dirige le petit personnel
de la Compagnie (2).

En 1719-20, le poste paraît n'avoir comporté qu'un magasin
et quelques maisons, et, lorsqu'arrive l'ingénieur Adrien de
Pauger au début de 1721, il y constate un ensemble de « mauvaises baraques » que chacun a édifiées à sa fantaisie, un terrain
encore « rempli d'arbres, cannes et broussailles », dont l'épaisseur
exige de nouveaux défrichements avant qu'il soit possible de
tracer les rues et les alignements. L'année suivante, Charlevoix
en décrira encore le site comme un « lieu sauvage et désert que
les arbres et les cannes couvrent encore presque tout entier » (3).
Un magasin, cependant, a été édifié sur le bayou Saint-Jean, au
point où les charrettes se substituent aux bateaux, à l'effet d'y
entreposer les marchandises en provenance du littoral (4). La
réalité diffère du tableau que le *Nouveau Mercure* présente
en 1719 d'une agglomération de 600 maisons (5) ! De plus en
plus, l'emplacement s'avère malsain, surtout pendant l'été, en
raison de l'humidité du sol, de l'excès de la chaleur et de la
profusion des insectes, les ouvriers y travaillent « dans l'eau,
dans la vase », et, de plus en plus, le choix en est critiqué à cause
des risques d'inondation, qui se manifestent avec force au printemps de 1719 (6). La crue dure six mois cette année-là, et
Bienville lui-même paraît en avoir éprouvé un certain pessi-
misme : il convient avec Larcebault que des travaux d'endigue-
ment pourront seuls permettre la construction d'une ville dans
ce terrain noyé. La Harpe, à son retour en France, juge sévèrement ce « pays... impraticable, difficile à dessécher, malsain,

---

(1) B 42 *bis*, f. 441-2, Etat-major de la Louisiane ; f. 469, Commission de
major général..., 31 déc. 1717. — C 13 C 4, f. 192, Durand, 27 avril 1732. —
A.E., *Mém. et Doc.*, Amérique, I, f. 101, 109, LEGAC, *Etat de ce qui s'est passé...* ;
Etat de la situation... — G 1 464, Recensement du 24 nov. 1721.
(2) A.E., *Mém. et Doc.*, Amérique, I, f. 101, 109, *op. cit.* — A.M., B 4 37,
f. 405, Conseil de marine, juin 1720.
(3) C 13 A 5, f. 209, Bienville et Larcebault, 15 avril 1719. — C 13 A 6,
f. 132 v-3, 314-315 v, Leblond de La Tour, 9 déc. 1721, 28 avril 1722. — CHAR-
LEVOIX, *Journal d'un voyage...*, VI, f. 192-3. — P.R.O., CO 5-358, f. 23 v,
Thos. SMITH, *A description of Moble and Mississippi*, fevr. 1720.
(4) A.M., 3 JJ 201 (8), Relation de la rivière de la Mobile... — C 13 C 4,
f. 191-2, Durand, 27 avril 1732.
(5) *Nouv. Mercure*, mars 1719, p. 184-5. *Mercure historique et polit.*, 1719
(t. 67), p. 435.
(6) C 13 C 1, f. 98-98 v, *Mémoire pour servir à l'établissement de la Louisiane.* — C 13 A 6, f. 314 v, Leblond de La Tour, 28 avril 1722. — A.M.,
3 JJ 387 (30 D), Alexandre, 10 sept. 1722.

couvert de bois ». Avec plus de malveillance, Legac refuse à la Nouvelle-Orléans toute possibilité d'avenir : le Biloxi est à ses yeux la position où doit se concentrer tout l'essor ultérieur de la colonie, et il conseille l'abandon pur et simple de l'établissement du Mississipi, sans tenir compte du fait que le fleuve est appelé à devenir, de son propre aveu, la grande artère de la colonisation (1). Sans aller aussi loin, Hubert craint que les difficultés d'accès au Mississipi ne fassent échouer toute tentative de faire un port à la Nouvelle-Orléans (2). Ces jugements expliquent que la Cie des Indes hésite encore à se prononcer sur le site définitif. Dans ses instructions à l'ordonnateur Duvergier, en septembre 1720, elle envisage de placer à la Nouvelle-Orléans ou « à l'embouchure du ruisseau de Manchac » le « dépôt général pour l'intérieur », et elle prescrit à Leblond de La Tour d'étudier la situation de la ville pour la « réformer, s'il le juge nécessaire, en la transportant dans un endroit convenable et moins sujet aux inondations » (3).

L'insuffisance de la main-d'œuvre et des moyens techniques qu'eût exigés l'aménagement du site, la confusion générale créée par la guerre avec l'Espagne, l'arrêt prolongé sur le littoral de ces concessions dont l'acheminement vers les rives du fleuve aurait stimulé l'essor de l'agglomération, l'absence encore de prospection systématique des possibilités de la navigation à l'embouchure du Mississipi, l'incertitude qui entoure toujours l'avenir de la position, l'attitude malveillante enfin du directeur Legac, sont autant de causes qui contribuent à la stagnation de la future capitale (4).

Il est plus contestable de conclure à une hostilité bien arrêtée de la population de la Mobile à l'égard de la Nouvelle-Orléans sur la foi d'une lettre du missionnaire Le Maire où il déclare ignorer, en mai 1719, « la disposition exacte » de la ville « par rapport aux lacs Pontchartrain et de Maurepas » (5). Le départ, dès la

(1) C 13 A 5, f. 209, Bienville et Larcebault, 15 avril 1719 ; f. 212, Bienville..., 28 oct. 1719. — C 13 A 6, f. 107 v, B. DE LA HARPE, *Mémoire sur l'état... de la Louisiane*, 1720. — G 1 464, Recensement du 24 nov. 1721. — A.G., A 2592, f. 92 v, Etat de la Louisiane, juin 1720. — A.E., *Mém. et Doc.*, Amérique, I, f. 112 v-3, 118 v-9, 120, LEGAC, *Ce qu'on estime nécessaire...* — B.N., Ms. F.F. 8989, B. DE LA HARPE, *op. cit.*, f. 40. — LE PAGE DU PRATZ, *Hist. de la Louisiane*, I, p. 157 ; II, p. 260-1.
(2) C 13 A 5, f. 285 v-6, Hubert, 25 avril 1719.
(3) B 42 *bis*, f. 311, Instruction pour L. de La Tour..., 8 nov. 1719. — C 13 A 6, f. 17, 19, *Mémoire pour servir d'instruction au S. Duvergier*.
(4) A.C., F 3 24, f. 111 v, 112 v, 114, 124-5, Sérigny, 26 oct. 1719. — A.M., 3 JJ 387 (30 D), Alexandre, 10 sept. 1722. — CHARLEVOIX, *Journal d'un voyage...*, VI, p. 169-70, 206, 209.
(5) A.M., 3 JJ 387 (22 D), Le Maire à de L'Isle, 19 mai 1719 ; 3 JJ 200 (4),

fin de 1718, de quelques-uns des anciens habitants de la Mobile
pour le Mississipi paraîtrait plutôt indiquer que la position avait
immédiatement inspiré des préjugés favorables (1). Malheureusement, la lenteur des progrès de la ville, l'insalubrité du site,
l'importance de la crue de 1719, répandirent parmi ses premiers
habitants le désir d'abandonner une région dont on ne savait
encore quel serait le sort pour des terroirs plus élevés, que leur
niveau prémunirait contre les inondations du fleuve. A la fin
de l'année, par suite, un certain nombre de départs, encouragés
par le directeur Hubert, commencent à s'effectuer vers la région
des Natchez, qui deviendra au début de 1720 un centre de colonisation actif avec l'arrivée de ces premiers émigrants de la Nouvelle-Orléans et des ouvriers de Clérac (2).

Tel est, à la fin de l'année 1720, l'état de la colonisation dans
la basse vallée du Mississipi. Il n'y a de groupes de colons relativement compacts que dans le voisinage de la Nouvelle-Orléans,
aux Chapitoulas et dans la zone du bayou Saint-Jean. Au-delà
s'échelonnent quelques positions isolées, celle des Taensas, celle
des Bayagoulas, celles de la rivière des Ouachitas, que séparent
des espaces vides, et qui jalonnent à intervalles irréguliers la
voie des postes intérieurs de la rivière Rouge, des Natchez et
des Illinois.

En dehors du cours inférieur du Mississipi, l'occupation du
sol réalise quelques gains dans la zone plus anciennement colonisée du littoral et du fort Louis de la Mobile. L'abandon presque
complet de l'île Dauphine, où il ne reste que 7 habitants, a pour
contrepartie une occupation plus effective de la rivière Pascagoula, où s'établissent, à partir du début de 1720, à côté du
Canadien Graveline, déjà nanti d'une belle habitation, les colons
qui ont renoncé à leurs terrains antérieurs de l'île (3). Sur la
rivière de la Mobile, à l'amont de l'agglomération du fort Louis,
qui forme un ensemble de quelque 70 maisons, une quarantaine
de soldats s'établissent en 1720 sur une distance de 25 lieues
environ, et ils ouvrent, avec les avances que la Compagnie leur a
faites en leur donnant congé, de petites habitations où ils se

Le Maire, *Mémoire sur la Louisiane*, 1718. — Marc de Villiers, *Histoire de la
fondation de La Nouvelle-Orléans*, p. 15-6.
      (1) C 13 C 2, f. 177 v, de Pauger, 25 janv. 1722.
      (2) C 13 A 5, f. 212, Bienville..., 28 oct. 1719. — B.N., Ms. F.F. 8989,
f. 40, 64 v, B. de La Harpe, *op. cit.* — Arsenal, Ms. 4497, Pellerin à M. Soret,
f. 53 v-54.
      (3) G 1 464, Recensement du fort Louis de la Mobile et villages circonvoi-
sins, 28 juin 1721. — A.G., A 2592, f. 92 v, Etat de la Louisiane, juin 1720. —
Giraud, *Hist. de la Louisiane française*, II, p. 132.

proposent de recueillir du riz, du maïs et des fèves. A côté d'eux, 10 à 12 petits concessionnaires ont déjà engagé dans le même secteur une besogne de défrichement. Mais la mise en valeur du sol ne commencera sérieusement que l'année suivante, lorsque la région disposera d'une main-d'œuvre noire un peu plus conséquente : à cette date, tous les villages indiens des environs de la Mobile, Apalaches, Taensas, Thomés, Mobiliens, comprendront quelques habitants d'origine française ou canadienne qui s'y adonneront à la culture avec un petit nombre d'esclaves (1).

Mais, s'il est possible de mesurer les progrès de la colonisation au cours de ces premières années, il est plus difficile de préciser l'apport démographique total de la période. Les arrivées qui se produisent alors ne représentent pas un gain définitif pour le peuplement, étant donnée l'importance de la mortalité qui sévit parmi les nouveaux venus (2). La désagrégation rapide des premières concessions est significative des pertes que subit dès le début le mouvement colonisateur. Legac note que les entreprises des frères Scourion et Brossard perdent « la plupart de leurs gens » aussitôt qu'elles atteignent leur destination. Des 85 à 100 personnes de l'entreprise Demeuves-Delaire, il ne restera 2 ans plus tard que 3 à 4 domestiques, et même le personnel de Paris-Duverney se dispersera en grande partie puisque, en 1721, il ne comptera plus que 4 engagés sur un effectif initial de 25 personnes (3). Pour les concessions qui arrivent dans les années suivantes en 1719, en 1720 surtout, nous savons que l'attente sur les sables du Biloxi eut des conséquences désastreuses. Mais on ne pourra apprécier l'état définitif du peuplement que lorsque sera effectué un recensement au moins partiel de la population, ce qui ne se produira que dans le cours de l'année 1721, après l'arrivée de la compagnie suisse et du contingent supplémentaire des émigrants allemands. Pour le moment, il est seulement possible de dire que la colonie qui, à l'avènement de la Cie d'Occident, comptait une population de quelque 500 personnes (4), reçut dans la période du Système de Law, au titre des concessions, près de 1 820 hommes et de 200 enfants et plus de 300 femmes, y compris l'effectif des 2 compagnies militaires de

---

(1) G 1 464, *op. cit.* — A.G., A 2592, f. 90 v-1, *op. cit.* ; f. 127 v, Chateaugué, 28 juin 1721.
(2) A.E., *Mém. et Doc.*, Amérique, I, f. 32 v, BIENVILLE, *Mémoire sur la Louisiane*, 1725.
(3) *Ibid.*, I, f. 84-6, LEGAC, *Etat de ce qui s'est passé...* — G 1 464, Recensement du 24 nov. 1721 (Concession de M. Dubuisson).
(4) M. GIRAUD, *op. cit.*, II, p. 120-1.

Claude Le Blanc (1). A ce total, établi sur les *données souvent incertaines* des états d'embarquement, s'ajoutent les 69 matelots et officiers de navires, les 18 cultivateurs de tabac, les 20 à 25 mineurs et les quelque 130 ouvriers engagés par les soins de la Cte des Indes, ainsi que plus de 1 200 fraudeurs et vagabonds, et 220 à 250 femmes des hôpitaux, dont 130 à 160 prises pour vol, prostitution, fraude et mendicité, et 88 recrutées parmi les pensionnaires de l'Hôpital Général. Mais, de cet ensemble, il ne devait subsister en dernière analyse qu'un apport démographique restreint pour la colonie.

Le personnel des concessions ne semble pas avoir été qualifié pour soutenir les exigences de la nature qu'il affrontait, pour se plier à ses conditions de vie et pour aborder avec succès la tâche du défrichement et de la mise en valeur. Bienville critique âprement le recrutement des engagés des sociétés Brossard, Scourion, Demeuves, encombrés de sujets inutiles, sans connaissance du travail de la terre ou des métiers indispensables « aux travaux les plus pressés », et nous savons que les engagements de Chartier de Baulne ne répondaient pas à des préoccupations colonisatrices (2). Il est possible que, avec l'arrivée des grandes concessions, les choix se soient améliorés et qu'un certain nombre d'éléments capables de faire œuvre utile, ouvriers et laboureurs, aient alors gagné la colonie. Néanmoins, le personnel qualifié était insuffisant, et, en 1721, le conseil de la colonie se vit obligé de licencier et de rapatrier beaucoup d'ouvriers des concessions parce qu'ils « ignoraient les métiers pour lesquels ils étaient employés » (3). Et, quelle que fût la capacité de ces engagés, ils n'étaient pas préparés aux difficultés de la vie coloniale, pas plus que les administrateurs de tout rang qui surchargeaient les entreprises et dont les gages élevés en absorbaient les fonds. Pour tous, l'adaptation au climat, au régime alimentaire, supposait une période prolongée pendant laquelle il leur était difficile de contribuer efficacement à la mise en marche des exploitations, surtout lorsqu'ils se trouvaient encombrés de familles dont la présence compliquait le problème de l'adaptation (4). De là le

(1) Ci-dessus, p. 222-5.
(2) C 13 A 5, f. 163 v-4, Bienville, 25 sept. 1718, f. 121, Sérigny, Bienville..., 18 juin 1719. — A.E., *Mém. et Doc.*, Amérique, I, f. 85, LEGAC, *État de ce qui s'est passé...*
(3) C 13 C 2, f. 144 v, *Journal de Diron*. — A.G., A 2592, f. 114 v, Du Vergier et Delorme, 10 août 1721. — W. d'Auvilliers note des observations significatives sur le mauvais recrutement du personnel de la concession de Mézières, F° fm 17257, p. 15-16.
(4) A.E., *Mém. et Doc.*, Amérique, I, f. 34 v-5, 208 v, BIENVILLE, *Mémoire sur la Louisiane*, et lettre du 10 juin 1718. — C 13 A 6, f. 326-326 v, Leblond

reproche qu'encourra la Cie des Indes de n'avoir pas suffisamment fait appel, pour peupler la Louisiane, aux habitants des colonies les plus proches, Canada, Martinique, Saint-Domingue. Mais, en réalité, le principe de l'appel aux populations coloniales suscitait surtout l'hostilité du conseil de marine et des autorités locales, plus que de la Compagnie (1).

Plus discutable encore apparaît l'utilité du personnel déporté d'autorité. Parmi les faux sauniers, à la rigueur, figuraient des laboureurs et des hommes de métier dont la colonie pouvait tirer parti. Beaucoup contribuèrent, dès 1718, au défrichement du site de la Nouvelle-Orléans, d'autres furent employés sous la direction d'un commandeur à l'aménagement de l'agglomération de la Mobile, d'autres enfin à celui du Vieux-Biloxi (2). Mais, à côté des fraudeurs des droits du roi, les vagabonds, criminels, déserteurs étaient plus difficilement utilisables. Les concessionnaires, assez rapidement, n'en voulurent plus. Quelques-uns avaient été condamnés à servir la Compagnie à vie, d'autres s'étaient engagés envers elle pour une durée limitée, et, dans certains cas, la Compagnie entreprit de leur faire apprendre un métier en Louisiane (3). Mais, pour la plupart, aucune disposition n'avait été prise pour leur procurer des emplois. C'est ce qui explique que la Compagnie ait demandé au souverain, en décembre 1720, l'autorisation d'attacher à son service tous les déportés, en qualité d'engagés, pendant cinq ans, moyennant « la subsistance et les hardes », et, à l'issue de leurs engagements, une récompense qui leur permettrait de commencer « quelque petit établissement » dans la colonie (4). Mais il est douteux qu'elle ait pu les employer efficacement. A en juger par le silence presque complet des recensements ultérieurs, par le témoignage de Leblond de La Tour, beaucoup désertèrent,

de La Tour, 30 août 1722. — C 13 C 4, f. 47 v, *Mémoire des services du S. de Bienville...* ; f. 92, *Mémoire du S. Béranger.* — C 13 C 1, f. 114 v, *Mémoire pour servir à l'établissement de la Louisiane.* — Charlevoix, *Journal d'un voyage...,* VI, p. 217.

(1) C 13 C 1, f. 121 v, Idée générale de la manière dont le commerce de la Louisiane... — C 13 A 5, f. 102 v, 108 v, Conseil de marine, 5 juill. 1717. — A 22, Lettres patentes d'août 1717, art. LVI, f. 32 v.

(2) A.G., A 2592, f. 90 v, Etat de la Louisiane, juin 1720. — A.E., *Mém. et Doc.,* Amérique, I, f. 96 v, Legac, *Etat de ce qui s'est passé...* — C 13 C 1, f. 338 v, Duché, *Mémoire sur la colonie...* — G 1 464 (Passagers), pièce 19. Cf. ci-dessus, p. 274.

(3) A.G., A 2592, f. 91, *op. cit.* — A.C., G 1 412, f. 141 v-2, *Mémoire au sujet de quelques particuliers...* — Arsenal, Arch. de la Bastille, 10662, Dossier J.-B. Jacquy, 10645, f. 74 suiv.

(4) A.M., B 1 52, f. 307-307 v, Conseil de marine, 2 déc. 1720. — A.C., B 42 f. 569 v-70, Le roi à Bienville et Duvergier, 4 déc. 1720.

beaucoup moururent, et cette main-d'œuvre gratuite, peu susceptible de s'attacher au pays, n'eut guère de part à l'établissement
de la colonie (1).

Quant aux convois de femmes qui furent acheminés sur la
Louisiane en 1719 et 1720, leur contribution au peuplement
paraît avoir été faible. Si l'on excepte celui de 1704, dont toutes
les femmes se sont mariées dans la colonie et dont la conductrice
Marie-Françoise de Boisrenaud, en 1718, s'emploie encore à
faire l'instruction des enfants de la Mobile, les envois qui ont
précédé ceux de la Cie d'Occident n'ont donné lieu qu'à un petit
nombre de mariages (2). Les groupes qui arrivent en 1719 et 1720
ne donnent pas de meilleurs résultats. Les habitudes de vie de
ces femmes de la maison de force et, dans bien des cas, leur état
de santé ne pouvaient que prévenir contre elles la population
coloniale, et, quel que soit le tableau que nous présente Dumont
de Montigny de l'empressement dont elles auraient été l'objet,
les données qu'il est possible de réunir sur les mariages effectués
à cette date indiquent au contraire qu'une infime minorité
ont contracté des unions régulières (3). Sur les 16 femmes du
convoi des *Deux-Frères*, qui atteignent la Louisiane à la mi-
novembre 1719, 2 seulement, Marie-Louise Brunet, pourtant
désignée au départ comme « libertine et débauchée parfaite »,
et Étiennette Genet, contractent mariage à la Nouvelle-Orléans
les 8 août 1720 et 12 mars 1721 (4). Aucune trace des autres
ni à la Nouvelle-Orléans ni à la Mobile, où il n'existe pour cette
époque, il est vrai, que le registre des baptêmes. Des 20 « femmes
et filles prises pour fraude » que transporte le même navire,
2 figurent sur le registre des mariages de la Nouvelle-Orléans
en 1720 (5), et, pour les 96 déportées qui arrivent par *La Mutine*
à la fin de février 1720, on ne relève que 13 mariages, qui s'éche-

---

(1) A.E., *Mém. et Doc.*, Amérique, I, f. 34, Bienville, *Mémoire sur la
Louisiane* (1725). — C 13 A 6, f. 336 v, Leblond de La Tour, 9 sept. 1722. —
G 1 464, Recensement de La Nouvelle-Orléans, 24 nov. 1721. — A.G., A 2592,
f. 95, Etat de la Louisiane, juin 1720. — Arsenal, Ms. 4497, Pellerin, au Nouveau-Biloxi, 16 oct. 1720, f. 65 v.
(2) C 13 A 5, f. 212 v, Bienville, Legac..., 28 oct. 1719. — A.M., B 1 30,
f. 429-429 v, Conseil de marine, 10 déc. 1718. — B.N., Ms. F.F., N.A., 9301,
f 253, Duclos, 15 juill. 1713 ; f. 274 v, La Mothe Cadillac, 26 oct. 1713.
(3) C 13 A 6, f. 297-297 v, 299 v, Chassin, aux Illinois, 1er juill. 1722. —
A.G., A 2592, f. 105, Leblond de La Tour, 8 janv. 1721. — Le Mascrier,
Mémoires historiques sur la Louisiane, II, p. 30-37. — M***, *Journal d'un
voyage à la Louisiane*, p. 256. — *Mémoire de L. D. (Dumont de Montigny)*,
officier ingénieur..., Newberry Library, Ayer Coll., Chicago, f. 63.
(4) G 1 464 (Passagers), pièce 22. Registre des mariages, cathédrale Saint-
Louis, Nouvelle-Orléans.
(5) Marie-Jeanne Goguet et Françoise Flassin, Registre de la cathédrale
Saint-Louis, Nouvelle-Orléans, 29 juill. et 3 sept. 1720.

lonnent d'avril 1720 à mai 1722 (1). La lenteur avec laquelle ces femmes trouvaient parti explique que, en juin 1720, la presque totalité d'entre elles ait encore été à la charge de la Compagnie, qui devait assurer leur subsistance jusqu'à la date de leur mariage (2). Au début de janvier 1721, l'ingénieur Leblond de La Tour déplore l'extrême lenteur des unions qui s'effectuent, et il en attribue la cause à la « laideur » ou aux « débordements » des femmes qu'on envoie en Louisiane : « Personne », écrit-il, « ne se présente pour les demander » (3).

Les « filles de la cassette » elles-mêmes paraissent, par leur recrutement et leur conduite, avoir laissé beaucoup à désirer. Sur un effectif total de 78 — 10 moururent peu après leur arrivée, au début de 1721 — 19 se marièrent assez vite. Mais, à la fin du mois d'avril, il en restait 59 qui, « très mal choisies », avaient de la difficulté à se pourvoir. « Avec toutes les attentions du monde », écrivent alors Bienville et le directeur Delorme, « on ne saurait les contenir » (4). L'un et l'autre critiquent aussi le choix des sœurs conductrices, chargées d'encadrer le convoi, ne les jugeant pas qualifiées pour la tâche qu'on leur avait confiée. Faute de pouvoir, dans ces conditions, les marier à de « bons habitants », on prit le parti d'en unir plusieurs à des matelots ou à des ouvriers des concessions, en exigeant des uns et des autres l'engagement formel de se fixer à vie dans la colonie (5). Les mariages s'effectuèrent dès lors en plus grand nombre. Plusieurs furent célébrés au Vieux-Biloxi par l'aumônier de la concession Chaumont, Jean Richard, et, à la fin de juin 1721, Bienville écrivait qu'il ne restait plus à établir qu'une trentaine de femmes du convoi de *La Baleine* (6). A cette date, il est rare-

---

(1) La liste nominative des 96 déportées de *La Mutine* figure dans les archives du port de Lorient, 2 P 20-II : Marie-Louise Balivel et Catherine Boyard se marient au Vieux-Biloxi en nov. 1720, Registre cathédrale Saint-Louis ; Marie-Anne Fourché et Jeanne Pouillot, mariées à des soldats, donnent naissance à 2 enfants légitimes à la Mobile (Reg. paroissial de la Mobile, 18 janv. et 8 oct. 1721. — G 1 464, Recensement du fort Louis..., 28 juin 1721) ; Marie-Anne Dinan, Marguerite Salot, Marie Grené, Jeanne Longueville, Marie Dimanche, Marguerite Le Tellier, Louise Fontenelle se marient à La Nouvelle-Orléans (Reg. cathédr. Saint-Louis, 8, 11 août, 9 sept. 1720, 24 mars, 7, 9 juin 1721, 2 juin 1722) ; Marie Raflon se marie au fort Louis le 19 mai 1722 (Reg. cathédr. Saint-Louis) ; Françoise Deveaux épouse un soldat au fort Louis (Recensement du fort Louis de la Mobile, 28 juin 1721, sur lequel 2 autres de ces femmes, Angélique Reffe et Marianne Brossard, figurent comme n'étant pas mariées).
(2) A.G., A 2592, f. 95, Etat de la Louisiane, juin 1720.
(3) *Ibid.*, f. 105, Leblond de La Tour, 8 janv. 1721.
(4) *Ibid.*, f. 108, 25 avril 1721.
(5) *Ibid.*, f. 105, *op. cit.* ; f. 111 v, Bienville et Delorme, 24 juin 1721.
(6) *Ibid.*, f. 111 v, *op. cit.* Registre de la cathédrale Saint-Louis, mars-juin 1721.

ment question, dans la correspondance coloniale, des groupes arrivés en 1719-20 : la plupart de ces femmes, dont un petit nombre parvinrent à se marier, et dont 13 seulement figurent, sous l'étiquette « femmes de force », dans le recensement de la Nouvelle-Orléans en novembre 1721, subirent vraisemblablement la loi commune à la majorité des déportés et du personnel des concessions, elles disparurent en grand nombre, victimes de la disette, des conditions de vie qu'elles subirent, de leur mauvais état de santé, sans qu'il fût fait mention de leur sépulture dans les quelques documents d'état civil de cette période initiale (1).

Les femmes dont le peuplement de la colonie aurait pu bénéficier étaient plutôt celles qui appartenaient au personnel des concessions ou celles qui figuraient dans les familles des engagés de ces mêmes concessions. Les femmes ou les filles des soldats, celles des hommes des compagnies de Claude Le Blanc, celles enfin des officiers ou des administrateurs des concessions introduisirent aussi des éléments susceptibles de se prêter à la création de foyers permanents. Mais la mortalité du début en emporta un certain nombre, et beaucoup regagnèrent la métropole à l'expiration de leurs engagements (2).

L'insuffisance de l'apport démographique de ces quelques années est cause que la population ait de plus en plus recherché la main-d'œuvre servile, indispensable désormais aux besoins accrus de la colonisation. Le rôle des esclaves indigènes tend à devenir plus important que dans les années précédentes, en dépit du prix élevé qu'ils atteignent du fait de la réconciliation avec les Tchitimachas et de la politique de paix que la Cie des Indes s'efforce de faire prévaloir entre les populations du Missouri (3). Assurément, l'Indienne est plus appréciée que l'Indien dans la société coloniale en ceci qu'elle constitue toujours l'élément habituel de la domesticité servile des Blancs de toute condition, depuis le commandant général et les directeurs de la Compagnie jusqu'aux officiers ou enseignes des compagnies militaires et aux simples habitants (4). Fatalement, l'usage continue de donner lieu à la pratique du concubinage entre les maîtres et leurs esclaves, malgré les dénonciations de l'évêque de Québec (5).

(1) G 1 464, Recensement... de La Nouvelle-Orléans, 24 nov. 1721. — C 13 C 1, f. 31, *Mémoire sur la Louisiane...* A.G., A 2592, f. 105, *op. cit.*
(2) C 13 A 6, f. 310 v-311, Leblond de La Tour, 23 avril 1722.
(3) B 42 *bis*, f. 390, 391, Ordonnance des 28 et 30 oct. 1720. — A.G., A 2592, f. 98 v, Boisbriant, 5 oct. 1720.
(4) Registre paroissial de la Mobile, 17, 25 janv., 7 juin, 5 août 1718, 1er févr. 1719, 19 oct., 15 déc. 1720.
(5) A.M., B 1 29, f. 161 v-2, L'évêque de Québec au conseil de marine, 15 oct. 1717.

Et, si les enfants issus de ces rapports sont parfois dûment baptisés, suivant le rite catholique, ils suscitent contre eux des préjugés qui, quelle que soit la condition du père — le cas de la fille bâtarde du capitaine de Mandeville sera particulièrement significatif — compromettront leurs possibilités de mariage dans les milieux qui pourraient favoriser leur ascension sociale (1). Mais, à côté des femmes indigènes, quelques hommes commencent à figurer dans le personnel agricole des habitations, bien que l'Indien encourre le reproche de ne pas se prêter aux travaux de la terre, par manque d'assiduité : on les trouve surtout au service des habitants de la colonie qui ont pris des terres sur les bords du Mississipi ou du bayou Saint-Jean (2).

Beaucoup plus efficacement que les indigènes, les Noirs forment la main-d'œuvre qui supplée à la pénurie des ouvriers blancs. De plus en plus, on les juge indispensables aux travaux de défrichement et de culture à cause de leur capacité d'adaptation au climat, et c'est à eux que Bienville et Villardeau conseillent de faire appel pour mettre le pays en valeur (3). Dès 1718, la Cⁱᵉ d'Occident se mit en devoir de satisfaire à l'obligation que lui faisaient ses Lettres patentes d'importer en Louisiane une main-d'œuvre noire en armant pour la côte de Guinée *L'Aurore* et *Le Grand-Duc-du-Maine*, qui appareillèrent de Saint-Malo pendant l'été, à quelques semaines l'un de l'autre. Les deux navires atteignirent la colonie en juin 1719, dans la période la plus active du conflit avec l'Espagne : *L'Aurore* ne transportait que 200 esclaves, et *Le Grand-Duc-du-Maine* 250, au lieu de 400 et 500 qui leur avaient été fixés respectivement, et, dans le courant de l'année suivante, il arriva seulement un contingent supplémentaire de 127 Noirs par le navire *L'Hercule* (4). Il faut attendre l'année 1721 pour que les navires négriers, entre autres *Le Grand-Duc-du-Maine*, *L'Affriquain*, *La Néréide*, introduisent

(1) Registre paroissial de la Mobile, 17 janv. 1718, 26 juin, 19 oct. 1720. — G 1 412, f. 122, 137, Etat des éclaircissements que la Compagnie demande de plusieurs particuliers...

(2) G 1 464, Recensement de La Nouvelle-Orléans, 24 nov. 1721.

(3) C 13 A 5, f. 212, Bienville, Legac..., 28 oct. 1719 ; f. 331, Conseil de commerce, 10 avril 1719.

(4) B 42 *bis*, f. 201, 205, Instructions pour les S. Herpin et de Landouine..., 4 juill. 1718. — Lorient, 1 P 118, pièce 1, Rôle... de l'équipage du... *Grand-Duc-du-Maine* ; 2 P 20-I, Etat des retenues faites aux équipages de *L'Aurore* et du *Grand-Duc-du-Maine*. — A.E., *Mém. et Doc.*, Amérique, I, f. 89-89 v, 99 v, LEGAC, *Etat de ce qui s'est passé...* — B.N., Ms. F.F. 8989, f. 31, B. DE LA HARPE, *Journal du voyage de la Louisiane.* — *Le Saint-Louis*, que la Cⁱᵉ d'Occident avait destiné à la côte d'Angole, se rendit directement au Mississipi avec un effectif de concessionnaires en 1719, G 1 464 (Passagers), pièce 9, B 42 *bis*, f. 225-7, Instr. pour le capitaine du Coulombier, 26 sept. 1718.

dans la colonie un nombre d'esclaves plus conséquent (1).

Pourtant, l'arrivée de ce contingent si limité, pour lequel on jugeait encore inutile de formuler un règlement de police différent de celui qui régissait les esclaves indigènes, créa des difficultés aux autorités coloniales (2). Le débarquement des 2 premiers groupes s'effectua à Pensacola, que les Français venaient d'enlever aux Espagnols. Un certain nombre y furent aussitôt mis au travail, les autres furent dirigés sur l'île Dauphine pour y être distribués aux habitants. Mais c'étaient autant de bouches de plus à nourrir au moment où la disette sévissait dans la colonie, d'autant plus que les habitants, appréhendant les conséquences de l'agression espagnole contre l'île Dauphine et mécontents des conditions de vente de la Compagnie, les laissèrent pendant plusieurs mois à la charge entière de celle-ci (3). Le prix du nègre « pièce d'Inde » avait été fixé à 180 piastres (650 livres) payables, pour les anciens habitants, moitié comptant, moitié à un an, et pour les nouveaux habitants, moitié à un an et moitié à deux ans (4). Mais, bien que le choix fût laissé aux acheteurs de payer en argent ou en marchandises ou en denrées agricoles, la pénurie monétaire et la rareté de toutes choses ne permettaient pas à la population d'acquérir des nègres sur cette base (5). Les habitants, effectivement, rejetèrent les conditions qui leur étaient proposées, et le conseil de commerce, après deux mois et demi d'attente, leur permit d'utiliser en payement les billets émis par Crozat ou par la Compagnie [sept. 1719] (6). C'est par ce moyen sans doute que plusieurs habitants, notamment les frères Chauvin, procédèrent aux premiers achats de Noirs (7). A la Mobile, le registre paroissial commence à noter, au début de 1720, dans la domesticité de Chateaugué, du chirurgien-major, du notaire,

---

(1) Lorient, 1 P 274, liasse 2, pièce 20, lettre du Biloxy, 25 avril 1721. — C 13 C 1, f. 329 v, *Mémoire de l'état actuel (de) la colonie...*, 1721.

(2) A 23, f. 5, Règlements faits par le conseil supérieur..., 12 nov. 1714.

(3) A.E., *Mém. et Doc.*, Amérique, I, f. 89, LEGAC, *Etat de ce qui s'est passé...* — A.C., F 3 24, f. 112, 115 v-6, Sérigny, 26 oct. 1719. — C 13 A 5, f. 211, Bienville..., 18 juin 1719, f. 333, Conseil de commerce, 6 sept. 1719. — A.G., A 2592, f. 149, Extrait des délibérations... de la Cie d'Occident, art. 2.

(4) B 42 *bis*, f. 255-6, Ordre que la Cie d'Occident veut être observé..., 27 mai 1718. La définition de la pièce d'Inde est ainsi donnée : « Le nègre de 17 ans et au-dessus, sans défauts corporels, est réputé pièce d'Inde ; La négresse de 15 ans et au-dessus jusqu'à 30 sera réputée pièce d'Inde. » Le cours de la piastre pour l'achat d'un Noir était fixé à 3 livres 12 sols, B 42 *bis*, f. 255.

(5) C 13 A 5, f. 210 v, Bienville et Larcebault, 15 avril 1719.

(6) C 13 A 5, f. 333-333 v, Conseil de commerce, 6 sept. 1719.

(7) A.E., *Mém. et Doc.*, Amérique, I, f. 107 v-8, LEGAC, *Etat de la situation de... la Louisiane.*

d'un officier des troupes, la présence d'esclaves noirs à côté des indigènes. La Cie des Indes, pour sa part, se réserva quelques nègres pour le service de ses postes littoraux et de son exploitation des Natchez, et elle en achemina un certain nombre vers la Nouvelle-Orléans pour participer à la besogne du défrichement (1). Mais le règlement du début de septembre, s'il améliorait les conditions de vente, ne modifiait pas les délais de payement, et les habitants les jugeaient insuffisants (2). La Compagnie reprendra la question par la suite, sans parvenir à leur donner satisfaction (3). Pour le moment, les expéditions de Noirs se font avec trop de lenteur pour combler les besoins réels de la main-d'œuvre. Un des reproches que Bienville et Diron d'Artaguiette adresseront à la Cie des Indes sera précisément de n'avoir pas adopté dès le début une politique de fournitures généreuses de nègres en utilisant à cet effet les fonds qu'elle dépensait en envois de forçats, de vagabonds ou d'ouvriers sans compétence. L'un et l'autre, aussi bien que le directeur Legac, attribueront à l'insuffisance des esclaves noirs la cause principale de la stagnation de l'économie coloniale et de l'échec des concessions (4).

(1) *Ibid.*, f. 110. — C 13 A 5, f. 355, 355 v, Conseil de commerce, 30 janv. 1720. — Arsenal, Ms. 4497, Pellerin, au... Biloxy, f. 53.
(2) C 13 A 5, f. 210 v, Bienville et Larcebault, 15 avril 1719.
(3) A.N., M 1026, Dossier Louisiane, *Mémoire au sujet des établissements aits à la Louisiane par la Cie des Indes*, et *Mémoire concernant la Louisiane*.
(4) A.E., *Mém. et Doc.*, Amérique, I, f. 32-32 v, 34-5, BIENVILLE, *Mémoire sur la Louisiane* (1725), f. 120 v-121, LEGAC, *Ce qu'on estime nécessaire pour... la Louisiane.* — C 13 A 6, f. 310 v, Leblond de La Tour, 23 avril 1722. — C 13 C 2, f. 194 v, *Journal de Diron.* — G 1 464, Recensement de la Nouvelle-Orléans, 24 nov. 1721.

Chapitre IV

LA VIE ÉCONOMIQUE

Pendant la période du Système de Law, la vie économique de la Louisiane n'accuse effectivement que des progrès à peine perceptibles. L'agriculture, du fait de l'immobilisation des grandes concessions, du recrutement trop souvent défectueux de la main-d'œuvre et du faible effectif des arrivées de Noirs, ne parvient, ni pour les cultures vivrières ni pour les cultures commerciales, à des réalisations suffisantes pour subvenir aux besoins alimentaires de la population ou pour introduire dans le pays un élément nouveau de prospérité. Les cultures vivrières de la métropole, blé, froment ou seigle, exclues des abords du littoral par le climat, supposent dans la zone intérieure de « grands défrichés et labourages » qui ne deviendront possibles qu'avec l'accroissement de la population et du nombre des esclaves noirs, avec la diffusion des animaux de trait et l'emploi généralisé du matériel nécessaire aux labours (1). Quant à la culture du riz, qui répond à la nature du climat et que la Cᵗᵉ d'Occident, dès le début, s'efforce d'encourager en recommandant aux capitaines de ses navires l'achat de graines de semence à Saint-Domingue ou sur la côte africaine, elle demande une occupation étendue de la basse vallée du Mississipi et des bords de la rivière Mobile, où quelques habitants commencent à peine à s'y adonner (2). L'absence de moulin ne permet pas à la population de tirer parti des productions de la colonie (3). Dans le

---

(1) C 13 C 2, f. 194 v, *Journal de Diron*. — C 13 A 5, f. 212, Bienville, Legac..., 28 oct. 1719. — G 1 464, Recensement de la Nouvelle-Orléans, 24 nov. 1721 (chevaux et bestiaux). — A.M., 3 JJ 387 (30 D), Alexandre, 10 sept. 1722. — A.E., *Mém. et Doc.*, Amérique, I, f. 69 v-75 v, Duché (?), *Mémoire sur la Louisiane*, 1717, f. 122 ; Legac, *Ce qu'on estime nécessaire...*, f. 210, Bienville, 10 juin 1718.

(2) B 42 *bis*, f. 178, 201, 205, 226, Instructions pour le S. Bonnaud, les S. Herpin, de Landouine, et du Coulombier. — C 13 C 1, f. 330 v, *Mémoire sur l'état actuel... de la Louisiane*. — A.E., *Mém. et Doc.*, Amérique, f. 105, Legac, *État présent de la Louisiane*, mars 1721.

(3) C 13 A 7, f. 68 v, Delachaise, Nouvelle-Orléans, 6 sept. 1723.

cas du maïs, il n'existe que de rares moulins à bras, les habitants
en sont réduits à le piler, et la récolte, laissée généralement aux
soins des indigènes, est souvent exposée à « manquer » : le peu
de farine de maïs qu'elle produit, inférieure en valeur nutritive
à celle du blé, ne saurait remplacer pour la population la farine
de froment (1).

La situation agricole, dans ces conditions, diffère peu de
celle des années précédentes : une faible production de maïs,
de pois et de fèves, un médiocre élevage de porcs et de volailles
en sont les éléments habituels — les porcs sont surtout nombreux dans quelques îles du littoral où ils vivent à l'état sauvage —, et la population, dont les arrivées de colons ont singulièrement accru les besoins, ne peut remédier à cette insuffisance
que par les importations de vivres de la métropole. Quant à
l'élevage du gros bétail, il accuse toujours la même faiblesse.
Si quelques habitants, comme Bienville ou les frères Chauvin,
possèdent des troupeaux d'une certaine importance, le cheptel
ne permet pas encore une production de viande de boucherie,
ce qui condamne les nouveaux venus à un régime débilitant de
viandes salées importées ou à l'usage de la « viande sauvage »
dont la production est limitée ou saisonnière (2). Devant le
refus des Espagnols de La Havane de fournir des animaux,
Bienville et la Cⁱᵉ d'Occident envisagent d'en importer de Saint-
Domingue, mais, en 1719 et 1720, les navires qui touchent au
Cap français sont trop encombrés pour être en mesure d'appliquer la consigne, et le conseil de commerce recherche inutilement
d'autres marchés d'approvisionnement de gros bétail, soit vers
la Caroline, où quelques habitants de la Mobile parvenaient à
s'en procurer par l'intermédiaire des Caouitas, soit, de nouveau,
auprès des Espagnols de Cuba, auprès des garnisons du Texas,
ou dans les ports mexicains (3). A la fin de 1720, le problème du

(1) C 13 A 5, f. 44 v, 53-53 v, Hubert, 2 juin, 26 oct. 1717 ; f. 329 v, Délibé-
rations du conseil de commerce, 12 mars 1719. — A.E., *Mém. et Doc.*, Amérique,
I, f. 210, Bienville, 10 juin 1718.
(2) G 1 464, Recensement de La Nouvelle-Orléans..., 24 nov. 1721 (village
des Chapitoulas), Recensement des habitants du fort Louis..., 28 juin 1721. —
A.M., 3 JJ 387 (30 D), Alexandre, 10 sept. 1722 ; 4 JJ 14, dossiers 9 et 13,
Journaux de bord de *La Marie* et *La Durance*. — A.E., *Mém. et Doc.*, Amérique,
I, f. 109 v, LEGAC, *Etat de la situation... de la Louisiane* ; f. 116 v, LEGAC, *Ce
qu'on estime nécessaire...* ; f. 142 v-3, HUBERT, *Mémoire au sujet de la colonie...*,
1717.
(3) A.E., *Mém. et Doc.*, Amérique, I, f. 103 v, 107, LEGAC, *Etat de ce qui
s'est passé, Etat de la situation...* ; f. 209, Bienville, 10 juin 1718. — C 13 A 5,
f. 277, Bienville, 20 oct. 1719 ; f. 344 v, Délib. du conseil de commerce,
oct. 1719. — B 42 *bis* f. 178-9, 197, 200, 263-4, 306-7, Instructions pour le

gros bétail n'est toujours pas résolu, l'alimentation de la colonie
conserve une incertitude qu'aggravent les prélèvements opérés
pour les équipages des navires du roi et pour le personnel des
concessions. Tout au plus Bienville peut-il alors espérer que, la
phase la plus active des transports de colons étant sur le point
de se terminer, les navires pourront bientôt prendre à Saint-
Domingue un nombre d'animaux suffisant pour permettre la
constitution d'un cheptel qui affranchira la population de sa
servitude envers la métropole (1).

Pas plus que les cultures vivrières, les cultures commerciales
n'entrent avec l'avènement de la Cie d'Occident dans une période
d'essor. On parle des possibilités de la culture de l'indigo, qui
vient à l'état sauvage au-dessous des Natchez, mais rien n'est
encore fait (2). L'exploitation du mûrier suppose des plantations
régulières car il est illusoire, tant que l'arbre pousse au hasard
dans les forêts, d'essayer d'en tirer parti pour la production de
la soie. Le directeur de la concession Paris-Duverney en a le
premier donné l'exemple, et Hubert, qui a introduit la graine
de ver à soie en Louisiane, s'applique à en faire l'élevage sur sa
plantation des Natchez (3). Mais ce ne sont encore que des
initiatives isolées dont ne profite pas l'économie générale.

La culture du tabac est cependant sur le point de donner quelques résultats. On sait que la Cie d'Occident, en se portant adjudicataire de la ferme du tabac, se proposait d'en étendre la production dans les colonies de manière à subvenir à la consommation
du royaume. L'arrêt sur la liberté du commerce du tabac, dont
Law escomptait un accroissement de la consommation française,
l'interdiction qu'il faisait d'en pratiquer la culture dans la
métropole, avaient aussi pour but d'encourager la production
du tabac dans les possessions d'outre-mer et de la répandre en
Louisiane (4). Aussi la Cie d'Occident prit-elle rapidement des

S. Bonnaud, M. de Rossel, le S. Bérault, le chevalier de Grieu, M. de Martonne.
— A.G., A 2592, f. 90 v, Etat de la Louisiane, juin 1720.
(1) Lorient, 1 P 274, 2, pièce 20, Bienville, Delorme... aux directeurs de la
Cie des Indes, 25 avril 1721.
(2) G 1 465, f. 89, Faucon-Dumanoir, aux Natchez, 18 juill. 1721. CHAR-
LEVOIX, *Journal d'un voyage...*, VI, p. 171-2.
(3) C 13 C 4, f. 95 v, *Mémoire du capitaine Béranger*. — C 13 A 5, f. 53 v,
209 v, 221, Hubert, 26 oct. 1717 ; Bienville, 15 avril 1719, 6 juin 1718. —
F 3 241, f. 373, Instruction pour le S. Perry. — A.E., *Mém. et Doc.*, Amérique,
I, f. 212 v, Bienville, 10 juin 1718. — LE PAGE DU PRATZ, *Histoire de la Loui-
siane*, III, p. 350-3. — CHARLEVOIX, *Journal d'un voyage...*, VI, p. 202.
(4) A.N., G 1 104, f. 6, Edits, déclarations, arrêts concernant le tabac,
Arrêt du 29 déc. 1719. — B.N., Ms. F.F. 7726, f. 319 v, *Mémoires sur les fermes
générales*. — P. HARSIN, *Œuvres complètes de J. Law*, III, p. 361. — A. GIRARD,
La réorganisation de la Cie des Indes, *Rev. d'histoire moderne et contemporaine*,
XI, 1908-9, p. 26.

mesures pour en favoriser la culture au Mississipi, soit en prescrivant aux commandants de ses navires de se procurer de la
semence à Saint-Domingue et d'y exhorter un certain nombre
de ses petits habitants à s'établir en Louisiane pour y communiquer leur connaissance du travail du tabac, soit surtout en
envoyant dans la colonie le groupe des ouvriers de Clérac :
grâce à eux, l'exploitation du tabac devint un peu plus active
aux Natchez, et, en 1721, la colonie put en expédier en France
une petite quantité (1). Mais cette première expérience fit ressortir que la culture n'en prendrait d'importance que le jour où
de nombreux esclaves noirs y seraient affectés et où des ateliers
de tonnellerie créeraient les facilités d'emballage nécessaires à
une exportation d'une certaine ampleur (2).

Quel que soit l'avenir qu'on leur attribue, aucune de ces
cultures ne peut encore alimenter un commerce avec la France.
Les ressources de la forêt ne sont pas suffisamment exploitées
non plus pour donner lieu à une exportation proprement dite.
Le goudron produit en Louisiane est d'excellente qualité, mais,
comme la colonie n'est pas encore en mesure de fabriquer des
barils étanches, toute expédition en est rendue impossible. Le
personnel capable d'extraire et de façonner la gomme des arbres
est d'ailleurs peu nombreux. En fait, l'extraction ne se pratique
qu'aux environs de la Mobile. Elle est l'œuvre du « faiseur de
goudron » Dominique Belsagui, qui, faute de baril pour le
contenir, renonce au goudron liquide pour se confiner dans la
production du bray gras (3). Les mâts et les bois de construction
des navires, bien qu'ils intéressent particulièrement la Compagnie,
ne donnent lieu qu'à une activité sporadique. Çà et là, quelques
navires du roi remplacent leurs mâts de hune dans la colonie.
Mais l'exploitation des bois de cette qualité est chose difficile :
la forêt est éloignée des points d'embarquement, et la main-
d'œuvre manque. La production du bois n'a, par suite, qu'un

---

(1) C 13 A 5, f. 102 v-3, Délibér. du conseil de marine, 5 juill. 1717. —
C 13 A 6, f. 234, Règlement sur la régie... de la Louisiane, 5 sept. 1721. —
B 42 *bis*, f. 178-9, Instruction pour le S. Bonnaud. — Lorient, 1 P 274, 2,
pièce 21, Bienville, Legac..., 5 mars 1721. — LE PAGE DU PRATZ, *op. cit.*,
I, p. 126.

(2) B 42 *bis*, f. 268-9, Ouvriers demandés par l'état... de la Louisiane,
juin 1718. — A.E., *Mém. et Doc.*, France, 1260, f. 223, *Mémoire pour le partage
de l'administration de la C*[le] *des Indes...*, 18 nov. 1727. — A.N., M 1026, Dossier
Louisiane, *Mémoire concernant la Louisiane*, 1721.

(3) C 13 C 1, f. 331, *Mémoire de l'état actuel... de la Louisiane*, 1721. —
B 42 *bis*, f. 269-70, Ouvriers demandés... — F 3 241, f. 373, Instruction pour
le S. Perry... — A.G., A 2592, f. 91, Etat de la Louisiane, juin 1720 ; f. 117 v-8,
Les directeurs de la Louisiane, 22 janv. 1721.

intérêt purement local. Un moulin à scie que l'ingénieur Méan vient de construire à proximité de la Mobile débite des planches et bordages pour la population, mais en quantité insuffisante pour la fabrication du nombre de bateaux plats qu'exigerait la navigation intérieure ou pour permettre un commerce avec la France ou Saint-Domingue. Si l'on excepte quelques essences médicinales, sassafra, bois d'esquine, dont de faibles quantités arrivent de loin en loin dans les ports atlantiques, la France ne tire encore pratiquement aucun parti des forêts de Louisiane (1).

La peau de chevreuil est la seule production qui soit un objet de commerce avec la métropole. Normalement, la colonie en traite une quinzaine de mille, chaque année, avec les Alibamons, les Creeks, les Chactas, ou les Chicachas (2). La région du haut Mississipi fournit peu de pelleteries à cause de la difficulté des transports et des risques de détérioration entre les Illinois et le littoral (3). Les peaux de chevreuil, dans le climat du Sud, sont également sujettes à s'avarier, d'autant plus que la Compagnie en confie la traite et la manipulation à des commis qui n'observent pas les précautions nécessaires à leur conservation. Le commerce en est, par suite, généralement une cause de pertes pour la Compagnie, et, dès 1720, Legac conseille à celle-ci de renoncer à son monopole et de s'en remettre à la seule initiative privée (4).

C'est en outre un commerce que l'insuffisance et le prix élevé des marchandises de traite ne permettent pas de pratiquer sur une grande échelle (5). En 1719, la Compagnie, à la demande de Bienville qui oppose ses prix à ceux que pratiquent les Anglais,

(1) B 1 52, f. 180-180 v, Renault, Port-Louis, 13 sept. 1720. — B 1 28, f. 244-244 v, Beauharnais, nov. 1718. — B 42 bis, f. 216, Instruction pour M. Perrier, 14 avril 1718 ; f. 260, La Cᵉ d'Occident au S. Méan, 7 nov. 1718 ; f. 268, 270, Ouvriers demandés..., juin 1718. — C 13 A 6, f. 21, Mémoire pour... le S. Duvergier, 15 sept. 1720. — F 3 24, f. 123, Sérigny, 26 oct. 1719. — A.E., Mém. et Doc., Amérique, I, f. 29 v-30, BIENVILLE, Mémoire sur la Louisiane, 1725 ; f. 124, LEGAC, Ce qu'on estime nécessaire pour... la Louisiane ; f. 205, Bienville, 10 juin 1718. — Lorient, 1 P 274, 2, pièces 20, 21, Bienville..., 25 avril, 5 mars 1721. — Char.-Mar., E 486, Papiers Paul Depont, Etat des maisons, magasins, effets, et marchandises...
(2) A.G., A 2592, f. 90, Etat de la Louisiane, juin 1720.
(3) C 13 A 5, f. 209, 211 v, Bienville et Larcebault, 15 avril, 18 juin 1719.
(4) A.G., A 2592, f. 84 v-5, D'Herbanne, 20 févr. 1718. — C 13 A 6, f. 20 v, Mémoire... pour le S. Duvergier, 15 sept. 1720. — A.E., Mém. et Doc., Amérique, I, f. 25 v, BIENVILLE, Mémoire sur la Louisiane, 1725 ; f. 121 v-2, LEGAC, Ce qu'on estime nécessaire... pour... la Louisiane.
(5) A.E., Mém. et Doc., Amérique, I, f. 108-108 v, LEGAC, Etat de la situation... de la Louisiane, 5 mars 1721. — C 13 A 5, f. 359 v-60, Délibérations du conseil de commerce, 14 avril 1720.

a consenti des tarifs plus modérés qu'à l'époque de Crozat, elle a réduit de moitié les majorations que le financier imposait sur les marchandises de France, et elle a prescrit l'application dans la colonie, à partir du mois de décembre, d'un barème fixant, en ordre croissant des postes du littoral à ceux de l'intérieur, les prix de vente de tous les articles importés de la métropole (1). Malgré tout, et tandis que la Compagnie n'offre d'une peau de chevreuil que 20 ou 25 sols suivant ses dimensions, les marchandises de traite restent beaucoup plus chères que dans les possessions britanniques, tout en étant de qualité inférieure (2).

Le niveau élevé des prix des articles importés, conséquence de la moindre activité des manufactures françaises et de la hausse générale qu'enregistre le marché de la métropole dans la dernière année du Système de Law, aggrave la cherté de la vie que provoque en Louisiane la pénurie de toutes choses. Celle-ci s'accuse de plus en plus avec l'accroissement numérique de la population. Les engagés des concessions, les équipages des navires, la Compagnie pour assurer la subsistance du personnel de force, de ses ouvriers, des esclaves, font alors appel aux denrées agricoles du pays, et ces dernières, du fait de leur insuffisance et de la forte demande dont elles sont l'objet, atteignent des prix excessifs qui, parfois, empêchent les navires de passage de se procurer les « rafraîchissements » nécessaires. La volaille se vend, en 1720, 1 piastre la pièce et jusqu'à 6 livres, le pain 20 sols la livre, et Faucon-Dumanoir évalue à 5 livres par jour pour un officier et à 3 livres pour un simple engagé les frais de nourriture de son personnel au Biloxi, alors que, dans la métropole, les indemnités de nourriture prévues pour les engagés des concessions sont habituellement de l'ordre de 10 sols par jour (3).

Or, pour se procurer les denrées alimentaires, la Compagnie, faute de numéraire, achète contre marchandises, et elle diminue

---

(1) C 13 A 5, f. 343 v, *Délibérations du conseil de commerce*, oct. 1719 ; f. 353-353 v, Bienville et Villardeau, 18 déc. 1719. — C 13 A 6, f. 150 v-1, *Délibérations du conseil de commerce*, 28 janv. 1722. — B 42 *bis*, f. 276-280, *Ordonnance de la Cte d'Occident...*, 25 avril 1719.
(2) Ci-dessous, p. 388-9. — B 42 *bis*, f. 293-4, *Ordonnance de la Cte d'Occident...*, 25 avril 1719. — C 13 A 5, f. 359 v, *Délibérations du conseil de commerce*, 14 avril 1720. — C 13 A 6, f. 51, *Mémoire sur les Natchitoches* (1721-2). — C 13 C 1, f. 115, *Mémoire pour servir à l'établissement de la Louisiane*. — A.N., M 1027, *Projet de S. Purry*.
(3) C 13 C 5, f. 353, Bienville..., 18 déc. 1719. — G 1 465, *Mémoire... pour les intéressés en la concession de Sainte-Catherine*, Réponses (de F.-Dumanoir) au mémoire d'observations fait par Kolly... — A.E., *Mém. et Doc.*, Amérique, I, f. 101-101 v, Legac, *État de ce qui s'est passé...* — A.M., B 1 55, f. 91-5, Bigot, 20 déc. 1720. — A.G., A 2592, f. 114, Duvergier et Delorme, 22 juill. 1721. — Arch. du Morbihan, *Engagements au Mis de Mézières*, déc. 1719.

d'autant les réserves de ses magasins. Aussi bien acquitte-t-elle en marchandises les gages de son personnel, les salaires des journées de travail, et, dans une large mesure, le montant des lettres de crédit qu'elle délivre aux concessionnaires au départ de la métropole, la toile de Rouen constituant l'article de paye-ment le plus habituel. Car la Cⁱᵉ des Indes, pas plus que Crozat, n'a d'argent dans ses caisses de la colonie : elle n'y tient qu'une faible quantité de numéraire pour le prêt des soldats (1).

Mais ce système donne lieu à un agiotage effréné dont la Compagnie est en bien des cas la victime. Elle émet en effet des « billets de marchandises » ou « billets de caisse », échangeables dans ses magasins, qui tiennent lieu dans le public d'argent monnayé, mais qui subissent de 60 à 80 % de perte. L'habitant qui livre ses denrées à la Compagnie, l'ouvrier qui lui fournit son travail n'acceptent ce mode de payement qu'en majorant leurs prix de près de 100 % (2). C'est pour la Compagnie une source de lourdes pertes, car les porteurs de ces billets, après les avoir reçus de ses commis au double de leur valeur, prétendent les échanger dans ses magasins contre des marchandises calculées sur la base du tarif de 1719 (3). Et la tentative faite par le conseil de commerce pour « déraciner l'usure » en majorant pour les porteurs de billets les prix des marchandises de 100 % dans les magasins de la Compagnie échoua devant l'agitation que la mesure suscita dans la population. La Compagnie continua donc de recevoir les billets à leur pleine valeur, sans tenir compte de la dépréciation qu'ils subissaient dans le public, et de céder ses marchandises aux prix fixés par le tarif en question (4).

Cet agiotage contribue à la hausse constante du régime des prix dans la colonie, en dépit des essais de taxation de certaines denrées par le gouvernement local (5). Le prix des denrées alimen-taires du pays et celui de la journée de travail (2 piastres) se trouvent virtuellement doublés du fait de l'usage permanent des billets (6). Beaucoup, après s'être procuré des marchandises

---

(1) A.E., *Mém. et Doc.*, Amérique, I, f. 104 v, 108, Legac, *Etat de ce qui s'est passé...* ; *Etat de la situation... de la Louisiane.* — C 13 A 5, f. 353-353 v, Bienville et Villardeau, 18 déc. 1719.

(2) C 13 A 5, f. 208 v, Bienville, Hubert, 15 avril 1719 ; f. 353, *op. cit.*

(3) C 13 A 5, f. 353 v, *op. cit.*

(4) C 13 A 5, f. 213, Bienville, Villardeau..., 18 nov. 1719 ; f. 353-353 v, *op. cit.* ; 353 v-4, Délibérations du conseil de commerce, 9 mai 1720. — C 13 C 1, f. 318 v-9, 320 v, Réponse de la Cⁱᵉ... au conseil de Louisiane.

(5) C 13 A 5, f. 213, *op. cit.* ; f. 336-7, Délibérations du conseil de commerce, 13 sept. 1719. — C 13 A 6, f. 148 v, 149, Taxations, 20 juill., 27 sept. 1721.

(6) C 13 A 5, f. 353-353 v, Bienville et Villardeau, 18 déc. 1719. — A.E., *Mém. et Doc.*, Amérique, I, f. 213-213 v, Bienville, 10 juin 1718.

contre billets au magasin de la Compagnie, les négocient à la faveur de la pénurie générale avec de gros bénéfices en échange de billets qu'ils n'acceptent qu'à 50 ou 60 % de perte, provoquant ainsi des hausses considérables (1). D'autres revendent dans l'intérieur, à des prix usuraires, les eaux-de-vie qu'ils ont achetées dans les comptoirs littoraux (2). A tous les échelons, l'usure se pratique : l'habitant, le forçat même, aussitôt qu'ils ont quelques possibilités, font du commerce usuraire, et les commis de la Compagnie revendent à des prix qui dépassent de beaucoup ceux du tarif officiel les articles de la meilleure qualité qu'ils prennent dans les magasins (3).

Le seul moyen de mettre un terme à cette situation eût été d'introduire dans le pays une quantité suffisante de numéraire pour éviter le recours à ces billets discrédités et dont les cours variaient au gré de chacun. Il en serait résulté plus de facilité dans les transactions, plus de stabilité dans les prix et les salaires, et les commis, payés en argent, auraient été moins tentés de détourner les marchandises de la Compagnie (4). Mais il n'y a d'autre numéraire dans la colonie qu'un médiocre apport de monnaie française pour les besoins des troupes, le peu d'argent qui appartient au personnel des concessions, et les quelques espèces qui proviennent de transactions limitées avec les garnisons espagnoles et qui expliquent l'habitude persistante, malgré la guerre, d'évaluer les prix en monnaie d'Espagne, la piastre, au cours de 4 et 5 livres, constituant la véritable unité monétaire (5).

La décision du régent d'introduire en Louisiane une somme de 25 millions de livres en billets de la Banque royale ne paraît pas s'être réalisée : aucun indice n'existe de cette circulation

(1) C 13 C 1, f. 320-1, Réponse (de la Cⁱᵉ des Indes) au... conseil de la Louisiane.
(2) C 13 A 6, f. 148 v, Ordonnance du 20 juill. 1721 ; f. 328 v, Leblond de La Tour, 30 août 1722. — C 13 A 5, f. 332, Délibérations du conseil de commerce, 25 avril 1719.
(3) C 13 A 6, f. 108-108 v, B. DE LA HARPE, *Mémoire sur l'état... de la Louisiane*, 1720 ; f. 330, Leblond de La Tour, 30 août 1722. — C 13 C 1, f. 166-166 v, *Mémoire sur la Louisiane...* F 2 A 13, Ordonnance de la Cⁱᵉ d'Occident..., 25 avril 1719. — A 23, f. 32 v, Règlement de la Cⁱᵉ des Indes, 2 sept. 1721, art. 8.
(4) A.E., *Mém. et Doc.*, Amérique, I, f. 213-213 v, Bienville, 10 juin 1718. — C 13 A 6, f. 108, *op. cit.*
(5) C 13 A 5, f. 336, Délibérations du conseil de commerce, 13 sept. 1719. — C 13 A 6, f. 51, *Mémoire sur les Natchitoches* (1721-2). — C 2 15, f. 12 v, *Mémoire sur ce que la Cⁱᵉ des Indes peut tirer de bénéfice...* (1720). — G 1 465, art. 55, Réponses (de F.-Dumanoir) au mémoire d'observations fait par Kolly... — F 3 241, f. 226 *ter*, Ordonnance au sujet du cours des piastres, 10 nov. 1718. — A.N., G 7 1628-9, Arrêt du Conseil d'Etat, 16 juill. 1719.

dans les documents contemporains (1). Sur le plan monétaire,
la colonie forme un monde fermé, et les nombreuses variations
des monnaies françaises dans la période du Système n'y ont point
de répercussion (2). Le pays souffre surtout de l'absence de
petite monnaie. Cette faiblesse, déjà notée sous le régime de
Crozat, est restée sans solution, et elle le restera jusqu'à l'année 1721, en dépit des nombreuses demandes qui en seront
faites dans l'intervalle au conseil de marine (3).

Le malaise économique de la Louisiane prolonge sous le
régime de la Cie d'Occident et de la Cie des Indes le mécontentement que la population avait manifesté dans les années précédentes : elle accuse maintenant le nouveau monopole, elle lui
reproche de laisser le pays dépourvu des articles les plus nécessaires, et, de nouveau, elle réclame la liberté du commerce
contre la Cie des Indes, qui prétend appliquer son privilège avec
la même rigueur que son prédécesseur (4). Aussi intransigeante
que Crozat, la Compagnie interdit au personnel des concessions
tout négoce de marchandises de traite, à ses commis et aux
officiers de ses navires tout commerce privé dans la colonie, et
elle prescrit d'exercer sur ses vaisseaux, à leur départ et à leur
retour, une stricte surveillance afin d'empêcher l'embarquement
d'aucune pacotille et le débarquement de marchandises qui
auraient pu être traitées clandestinement (5). Mais les bénéfices
qu'assure le commerce de détail dans un pays aussi médiocrement
approvisionné provoquent de nombreuses infractions au règlement, et elles sont souvent le fait des officiers de bord ou des
commis : A. Bonnaud, l'écrivain de *La Dauphine*, lorsqu'il se
rend à la Nouvelle-Orléans comme garde-magasin, porteur
d'instructions relatives à l'interdiction du commerce privé, se
munit, en plein accord avec le capitaine du navire, de marchan-

(1) *Ibid.*
(2) G 1 465, *Mémoire pour répondre aux accusations formées contre
J.-B. F.-Dumanoir...*, art. 3.
(3) A.N., G 7 777, f. 50, Conseil de régence du 19 déc. 1716. — A.C., B 39,
f. 177 v, au duc de Noailles, 18 déc. 1717 ; C 13 A 5, f. 211, Bienville et Larcebault, 18 juin 1719. — B.N., Ms. F.F. 8989, Bénard de La Harpe, *Journal
du voyage...*, f. 40 v.
(4) C 13 A 5, f. 283 v, Hubert, 25 avril 1719. — A.N., M 1024, Chemise III
(Louisiane), Réflexions sur les instructions présentées au conseil par le S. Drouot
de Valdeterre...
(5) B 42 *bis*, f. 186, Instruction pour le capitaine Voyer ; f. 235, Règlement
pour la régie de la... Louisiane, 23 avril 1718 ; f. 237-9, Ordonnance de la Cie
d'Occident, 14 avril 1718 ; f. 239-40, Ordre de la Cie d'Occident interdisant
aux habitants..., 14 avril 1718 ; f. 295-7, Instruction pour le S. de La Mancelière Gravé, 1er mai 1719. — B 40, f. 179 v-80, à Champmeslin, 21 sept. 1718. —
B 41, f. 131, *Mémoire au S. de Saujon*, 24 sept. 1719.

dises qu'il entend négocier pour son compte personnel (1).

En fait, les malversations des commis sont rendues inévitables par la modicité de leurs appointements. Les 400 livres qu'ils touchent ne répondant pas au coût de la vie, ils ont recours à des pratiques frauduleuses, que facilite le désordre de la comptabilité consécutif à l'absence de personnel compétent (2). Le conseil de commerce réagit de son mieux soit en procédant, dans la limite des choix qui lui sont possibles, à des remaniements de personnel destinés à éliminer les sujets dont la conduite est particulièrement répréhensible, soit surtout en accordant, contre le gré de la Compagnie, les augmentations de gages qui lui paraissent indispensables. Mais il ne parvient pas pour autant à mettre un terme à des malversations ou à des abus dans lesquels des directeurs et des conseillers ne tarderont pas à se trouver compromis (3).

Pour atténuer le mécontentement général, le conseil adopte une attitude conciliante et compréhensive à l'égard de tous les éléments venus « à petits gages ». Il augmente les appointements des chirurgiens malgré l'interdiction de la Compagnie, seul moyen de prévenir l'interruption d'un service pour lequel on devra bientôt recourir aux chirurgiens des concessions, il refuse d'exécuter l'ordre de la Compagnie de supprimer les distributions de vin et d'eau-de-vie aux équipages de ses navires et à ses ouvriers (4). Envers les troupes surtout, il fait preuve de dispositions libérales parce que le mécontentement risque ici d'avoir de graves conséquences du fait de la nature de leur recrutement et de l'augmentation de leur effectif. La solde qui leur est attribuée ne leur permet pas de subsister (5). Comme l'argent d'Espagne a virtuellement disparu avec la prise de Pensacola, et

---

(1) C 13 C 4, f. 194, Durand, 17 avril 1732. — C 13 A 5, f. 210 v, Bienville, Larcebault, 15 avril 1719. — B 42 *bis*, f. 179, 262, Instruction pour le S. Bonnaud, 1er oct. 1717 ; f. 262, Cassation de Bonnaud, 11 nov. 1718. — B.N., Fo fm 17257, *Mémoire pour François W. d'Auvilliers*, p. 46-9. — Char.-Mar., B 5715, pièce 15, Information de la Cie d'Occident, 24 oct. 1718.

(2) C 13 A 5, f. 210 v, *op. cit.* ; 212 v, Bienville, Legac..., 28 oct. 1719 ; 328, Legac, 24 janv. 1719. — C 13 C 4, f. 192-192 v, Durand, 17 avril 1732. — B 42 *bis*, f. 194-6, Instruction pour les teneurs de livres, avril 1718 ; f. 240-1, Règlement... pour les commis de la Louisiane, 14 mars 1718.

(3) C 13 A 5, f. 210 v, Bienville et Larcebault, 15 avril 1719 ; f. 211 v, Larcebault, 6 juill. 1719 ; f. 349-350 v, 361 v, Délibérations du conseil de commerce, nov. 1719, 15 avril 1720. — C 13 C 4, f. 192, Durand, 27 avril 1732. — F 3 241, f. 352, Arrêt du Conseil d'Etat, 8 déc. 1722.

(4) C 13 A 5, f. 212 v, Bienville, Legac, 28 oct. 1719 ; f. 350, 356-356 v, Délibération du conseil de commerce, nov. 1719, 30 janv. 1720. — C 13 A 6, f. 39, 44, Plaintes des matelots, 1er janv. 1720. — A.M., 3 JJ 387 (30 D), Alexandre, 10 sept. 1722.

(5) M. GIRAUD, *Histoire de la Louisiane française*, II, p. 108.

comme il y a très peu de numéraire dans la caisse de la Compagnie, les soldats sont de plus en plus payés en « billets de subsistance », d'une valeur de 5 livres, qui, pour les avantager, sont échangés au magasin contre 6 livres 10 sols de marchandises ou denrées alimentaires. Mais lorsque le magasin se trouve à court de denrées, le soldat négocie ses billets contre des vivres, à perte, avec les habitants, car ceux-ci ne les acceptent que pour une valeur d'une piastre au plus et ils en exigent ensuite plus de 6 livres au magasin. En sorte que le billet du soldat devient à son tour un nouvel élément d'agiotage au détriment des troupes et de la Compagnie (1).

Les officiers ne sont pas plus favorisés que les hommes. Eux aussi sont généralement payés en marchandises, et le peu d'argent dont ils disposent ne leur permet pas de se procurer des vivres au cours de la colonie (2). C'est ce qui explique qu'un jeune officier comme le chevalier Jean de Pradel se soit compromis dans un négoce privé destiné à suppléer à l'absence de ressources personnelles, qui motivera le jugement ultérieurement porté sur ses états — « plus attaché au commerce qu'au service » (3).

Or, à la fin de 1718, la Cⁱᵉ d'Occident décida de ramener la solde au niveau officiel de 9 livres par mois, de supprimer les billets de subsistance, de les remplacer par des attributions de vivres à prix modérés, dont la valeur serait déduite du montant du prêt. Pour les officiers, le choix leur était laissé de recevoir leurs appointements en argent ou en marchandises. Peu après, la Compagnie supprima, en raison de leur manque de capacité, la haute paye qui était attribuée aux soldats-ouvriers (4). Bienville et les membres du conseil de commerce s'empressèrent de signaler à la Compagnie le danger que présentait sa décision : toute réduction de solde menacerait d'entraîner la défection

---

(1) C 13 C 4, f. 191 v, op. cit. — C 13 A 5, f. 46 v, Hubert, 26 oct. 1717 ; f. 209 v-210, 211, Bienville et Larcebault, 15 avril, 18 juin 1719 ; f. 343, Conseil de commerce, oct. 1719. — B 42 bis, Ordonnance de la Cⁱᵉ d'Occident..., 7 nov. 1718. — A.E., Mém. et Doc., Amérique, I, f. 207-207 v, Bienville, 10 juin 1718.

(2) C 13 A 5, f. 210, op. cit. — A.G., A 2592, f. 121, Diron, 2 avril 1721. — A.E., Mém. et Doc., Amérique, I, f. 207, op. cit. — M***, Journal d'un voyage à la Louisiane, p. 260.

(3) B 42 bis, f. 455, Compagnies entretenues à la Louisiane... — D 2 C 51, f. 106, Liste apostillée des officiers des troupes... — F 3 241, f. 247-8, Extraits des registres du greffe du conseil supérieur, 13 déc. 1719.

(4) B 42 bis, f. 257-8, Ordonnance de la Cⁱᵉ d'Occident pour le payement des troupes ; f. 267, Ordonnance qui supprime la haute paye..., 8 déc. 1718 ; f. 287, Ordonnance de la Cⁱᵉ d'Occident pour le règlement..., 11 févr. 1719. — A.E., Mém. et Doc., Amérique, I, f. 208 v, Bienville, 10 juin 1718. — A 22, f. 48, Formule d'engagement d'ouvriers-soldats...

générale des troupes et de laisser le champ libre à la domination espagnole ; quant à la suppression des billets de subsistance, la mesure supposerait des distributions régulières de vivres dont Bienville et Larcebault doutaient qu'elles fussent possibles (1). Toutefois, comme la Compagnie refusait de revenir sur sa décision, le conseil de commerce se résigna à un régime de suppression graduelle des billets, applicable d'abord aux seules garnisons de la Mobile et de l'île Dauphine, puis aux autres postes du « bas de la colonie » lorsque ceux-ci seraient en mesure de fournir aux soldats des lards et des légumes secs de la métropole (2). Mais il refusa de rien changer au régime des postes intérieurs, beaucoup plus mal ravitaillés que ceux du littoral, par crainte d'une révolte des troupes (3). Simultanément, il s'efforçait d'améliorer le sort des officiers, de ceux surtout appelés à servir dans les postes éloignés, en les faisant bénéficier d'attributions de vivres à bas prix (4). Et, en dépit des instructions de la Compagnie, le conseil se réservait, lorsqu'une recrudescence de disette aggraverait le mécontentement, de revenir à un système de payement de la solde en marchandises calculé sur la base des anciens billets de subsistance (5).

Grâce à cette politique de concessions, grâce aux refus catégoriques qu'il oppose souvent aux consignes de la Compagnie, le conseil de la Louisiane parvient à prévenir les graves répercussions que les difficultés économiques auraient pu avoir sur la défense de la colonie.

(1) C 13 A 5, f. 209 v-210, Bienville, Larcebault..., 15 avril 1719 ; f. 212 v, Bienville, Legac..., 28 oct. 1719.
(2) C 13 A 5, f. 343, 349 v, Conseil de commerce, oct., nov. 1719. — A 2592, f. 101 v, Les directeurs de la colonie..., 22 janv. 1721.
(3) C 13 A 5, f. 343, 349 v-350, *op. cit.*
(4) C 13 A 5, f. 331 v-2, Délibération du conseil de commerce, 25 avril 1719.
(5) C 13 A 6, f. 150 v-1, Bienville, Duvergier..., 28 janv. 1722. — C 13 C 2, f. 205, *Journal de Diron.*

Chapitre V

LA VIE RELIGIEUSE

La période 1717-1720 n'améliore pas non plus la situation religieuse des années précédentes. Ni la C^{le} d'Occident ni la C^{le} des Indes ne s'intéressent à ce côté de la vie coloniale, et la composition de la population qu'elles introduisent en Louisiane, la facilité de mœurs qu'entretient la pratique de l'esclavage indigène ne sauraient favoriser le relèvement du niveau antérieur. Les directeurs généraux de Paris, préoccupés de réduire les dépenses de gestion de la colonie, recommandent à leurs représentants la plus stricte économie en matière de frais de culte, ils laissent en souffrance les appointements des missionnaires déjà établis dans le pays et réduisent ceux des ecclésiastiques qu'ils désignent à 400 livres contre 5 et 600 livres qui avaient été prévues jusquelà (1). Aucune église n'a encore été édifiée. A la Nouvelle-Orléans, les offices ont lieu dans un magasin, et ni au fort Louis ni à l'île Dauphine les projets de construction de locaux à usage du culte ne se sont réalisés (2).

Dans cette atmosphère d'abandon, la mission du Séminaire ne cesse de s'affaiblir. François Le Maire qui, à plusieurs reprises, avait exprimé son amertume de ses conditions de vie et de l'état d'esprit de la population, quitte la Louisiane à la fin de 1719 ou au début de 1720 (3), et Davion et Huvé restent dès lors dans

(1) C 13 A 5, f. 350, Délibération du conseil de commerce, nov. 1719. — F 1 A 19, f. 79, État des dépenses de la Louisiane en 1716 ; f. 280 v, Projet des dépenses pour 1717. — B 42 *bis*, f. 265-6, Brevet (pour le P. O'Donoghue), 20 nov. 1718. — A.G., A 2592, f. 105-105 v, Leblond de La Tour, 8 janv. 1721. — A.M., B 1 33, f. 35-7, Conseil de marine, 9 janv. 1718. — B.N., Ms. F.F. 8989, Bénard de La Harpe, *Journal du voyage de la Louisiane*, f. 7 v. — Arch. du Sém. de Québec, Missions, n° 73.

(2) C 13 A 5, f. 49-49 v, Hubert, 26 oct. 1717. — A. Laval, *Journal du voyage de la Louisiane*, Paris, 1728, p. 113. — Charlevoix, *Journal d'un voyage...*, VI, p. 192. — R. Baudier, *The Catholic Church in Louisiana*, New Orleans, 1939, p. 55-56. — J. Delanglez, *The French Jesuits in lower Louisiana*, p. 86-7. — M. Giraud, *Histoire de la Louisiane française*, II, p. 124-5.

(3) Le nom de F. Le Maire figure pour la dernière fois sur le registre paroissial de la Mobile, le 2 nov. 1719.

le bas de la colonie les seuls représentants de cette mission si difficilement engagée. Davion, devenu vicaire général de l'évêque de Québec, renonce en raison de son âge à son apostolat parmi les Tonicas (1). En août 1720, il se rend au Biloxi où, pendant quelques mois, il fait fonction de curé. Resté en Louisiane contre son gré, à la demande des dirigeants, il exercera ensuite son ministère à la Mobile, puis à la Nouvelle-Orléans, et ne regagnera la France qu'à l'arrivée des Capucins (2). Huvé dessert la paroisse de la Mobile jusqu'à la fin de 1720, péniblement à cause de sa demi-cécité, et il quittera la colonie au début de l'année suivante (3). Tandis que la mission du Séminaire s'éteint lentement, les 2 Jésuites dont l'arrivée avait si vivement inquiété Le Maire abandonnent les agglomérations du littoral dès la fin de 1718 : l'un, Guillaume Loyard, pour retourner en France ; l'autre, le P. Le Boullenger, pour se rendre aux Illinois (4).

En principe, il appartenait à la Compagnie de désigner les pasteurs chargés de la vie spirituelle de la colonie (5). Mais les 2 prêtres qu'elle choisit, l'Irlandais Bonaventure O'Donoghue en novembre 1718 et René-François Guérin en juin 1719, ne donnèrent pas suite à leur nomination, et la demande que fit de Toulon, en mai 1720, le Franciscain Antonio Oudeardo de servir en Louisiane ne paraît pas avoir pris effet (6). Si bien que, pendant la plus grande partie de cette période, la Cie des Indes n'intervint point dans la vie religieuse de la colonie, et les derniers représentants du Séminaire restèrent les seuls missionnaires permanents de la zone littorale.

L'arrivée des grandes concessions introduisit en Louisiane, à partir de l'été de 1720, un certain nombre d'aumôniers qui, bien qu'engagés pour les besoins de leur personnel, remplirent temporairement les fonctions de curé dans les postes du bas de la colonie : ce fut le cas, à la Nouvelle-Orléans, de juillet à

(1) CHARLEVOIX, *op. cit.*, VI, p. 194-5, 198. — B.N., Ms. F.F. 8989, B. DE LA HARPE, *Journal du voyage...*, f. 7. — LE PAGE DU PRATZ, *Histoire de la Louisiane*, I, p. 122-3.
(2) G 1 412 (A.C.), Reg. de ceux qui sont morts au... Biloxy pendant l'administration de M. Davion. — C 13 A 7, f. 264 v-5, De Pauger, 25 sept. 1723. — A.G., A 2592, f. 105-105 v, Leblond de La Tour, 8 janv. 1721. — Arch. du Sém. de Québec, Évêques, 172, P. Raphaël, 30 août 1723. — R. BAUDIER, *op. cit.*, p. 49.
(3) Registre paroissial de la Mobile, 12 janv. 1721. — Arch. Sém. Québec, Lettres O, n° 53, Tremblay à Glandelet, 5 juin 1712.
(4) J. DELANGLEZ, *op. cit.*, p. 80-1.
(5) A 22, Lettres patentes d'août 1717, f. 32 v, art. LIII.
(6) B 42 *bis*, f. 265-6, 299-300, Brevets d'aumôniers et missionnaires, 20 nov., 20 juin 1719. — R. BAUDIER, *op. cit.*, p. 47.

septembre 1720, de l'aumônier de la concession d'Artaguiette,
le Récollet Prothay Boyer ; et celui de la concession Chaumont,
Jean Richard, prête des missions étrangères, renonça même à
son engagement pour desservir le Vieux-Biloxi et la Nouvelle-
Orléans pendant quelques mois (1). A l'île Dauphine, au Vieux-
Biloxi, les aumôniers des navires de la Compagnie peuvent
aussi tenir lieu de curés pendant l'escale de leurs bâtiments,
tels l'aumônier de *La Dauphine*, le Carme Eustache de Saint-
Gabriel, en 1718, le P. Paulin, le prêtre Le Breton, aumônier
de *L'Alexandre*, en 1720 (2). Il est certain qu'il y avait parmi
ces aumôniers des éléments assez nombreux pour suppléer à
l'insuffisance des missionnaires du Séminaire, sans compter les
Pères jésuites qui effectuaient des séjours plus ou moins pro-
longés sur la côte, comme le P. de Ville à la Mobile et le P. Laval
à l'île Dauphine en 1719-20 (3). Mais ce n'était pas un personnel
stable. La plupart ne faisaient que passer dans des postes qu'ils
desservaient, et leur action sur la population ne pouvait tenir
lieu de celle de curés permanents.

C'est précisément pour donner à la mission de Louisiane une
stabilité à laquelle ne répondait plus l'effectif des prêtres du
Séminaire que l'ingénieur Adrien de Pauger suggéra à la Cⁱᵉ des
Indes. au début de 1720, de faire appel aux Carmes déchaussés (4).
Il en fit la proposition au moment où la Compagnie envisageait
d'attribuer la mission à un ordre différent de celui de la rue du
Bac : Jésuites, Capucins, Récollets offraient concurremment leurs
services (5). Pauger, qui opérait alors un important recrutement
d'engagés pour la colonie, proposa les Carmes en raison de ses
liens de parenté avec un de leurs religieux, le P. Jacques de
Saint-Martin, de la province de Normandie. Celui-ci obtint l'agrément du général de son ordre à l'ouverture de la mission de
Louisiane et au départ de 3 religieux dont il serait lui-même le
supérieur (6). La Compagnie, sur les représentations de Pauger,

(1) Registre de la cathédrale Saint-Louis, Nouvelle-Orléans. — A.G.,
A 2592, f. 105 v, Leblond de La Tour, 8 janv. 1721. — G 1 464 (Passagers),
pièce 51. — R. BAUDIER, *op. cit.*, p. 45-6, 48-9, 58.
(2) C 13 A 5, f. 147, Copie... d'une plainte... présentée à MM. de Bienville...
et Hubert, 17 juin 1718. — Registre cathédrale Saint-Louis, juill.-sept.,
nov. 1720.
(3) J. DELANGLEZ, *The French Jesuits in Lower Louisiana*, p. 81-2, 86.
(4) C 13 A 7, f. 263, De Pauger, 25 sept. 1723.
(5) Arch. des Carmes déchaussés (O.C.D.), Rome, Louisiana, Varia,
nº 115, J. de Saint-Martin au P... de Sainte-Anne, général des Carmes déchaussés, Dieppe, 10 janv. 1720. (Document communiqué par le P. Ch. O'Neill, S.J.)
(6) Arch. des Carmes déchaussés : J. de Saint-Martin au P... de Sainte-
Anne, 10 janv., 1ᵉʳ mars 1720 ; Texte du brevet accordé par les directeurs de
la Compagnie, 1ᵉʳ mars 1720.

accorda à chacun des missionnaires 400 livres d'appointements
et une ration de vivres journalière, elle s'engagea à leur faire
construire une église et un local d'habitation auquel serait joint
un terrain « spacieux » (1).

Mais le point le plus important en raison des répercussions
qu'il devait avoir était la juridiction que la Congrégation de la
Propagation de la Foi reconnut aux nouveaux missionnaires.
Car leur supérieur partait avec une patente de préfet aposto-
lique (2). Et l'accusation que Davion devait bientôt leur adresser
d'agir, aux termes des pouvoirs qui leur étaient accordés, dans
les limites du diocèse de Québec, en pleine indépendance de
l'évêque et de son vicaire général, de distribuer dispenses et
absolutions comme s'ils relevaient de leur seul supérieur général,
les plaintes qu'il formula de ces empiétements sur ses prérogatives, le reproche de violation des libertés de l'Église gallicane
qui s'y trouvait impliqué, devaient aboutir au rappel prématuré
des missionnaires que Pauger avait pris l'initiative d'introduire
en Louisiane (3).

Les 3 religieux que la Compagnie désigna le 1er mars 1720
étaient le P. Jacques de Saint-Martin, le supérieur de la mission,
le P. Charles de Saint-Alexis et le P. Guillaume de Sainte-Marie-
Madeleine. Mais, celui-ci s'étant désisté, Pauger le remplaça de
son propre chef par le P. Joseph de Saint-Charles que le supérieur
tenait pour une recrue assez peu désirable (4). En réalité, le
seul Carme dont les états d'embarquement accusent le départ
est le P. Jean-Mathieu de Sainte-Anne, qui atteignit la Louisiane
en août 1720, à bord de *L'Aventurier*, sans doute en compagnie
du P. de Saint-Martin et du P. de Saint-Alexis (5). C'est lui qui
devait assumer la direction de la mission du fait de la mort du
P. de Saint-Martin, peu après son arrivée (6). Dès le mois d'août,
il commença ses fonctions de curé au Vieux-Biloxi, à côté de
Davion, et, au mois de janvier suivant, il prit la succession
d'Huvé comme curé de la Mobile (7). Le P. de Saint-Charles

(1) *Ibid.* — B 42 *bis*, f. 345, Ordonnance pour l'embarquement d'un missionnaire, s. d. — A.G., A 2592, f. 105 v, Leblond de La Tour, 8 janv. 1721.
(2) Charles E. O'Neill, *Church and State in French colonial Louisiana*,
p. 189-192 (à paraître à Yale University Press).
(3) C 13 A 7, f. 264 v, De Pauger, 25 sept. 1723. — Ch. O'Neill, *op. cit.*,
p. 190-192. — J. Delanglez, *op. cit.*, p. 93.
(4) B 42 *bis*, f. 315, Brevets d'aumôniers missionnaires à la Louisiane,
1er mars 1720. — Arch. des Carmes déchaussés, J. de Saint-Martin au
P. de Sainte-Anne, 1er mars 1720.
(5) G 1 464 (Passagers), pièce 21 *(L'Aventurier)*.
(6) J. Delanglez, *op. cit.*, p. 93-4.
(7) Registre cathédrale Saint-Louis, août-sept. 1720. — Registre paroissial
de la Mobile, 18 janv. 1721.

arriva vraisemblablement quelques mois plus tard, peut-être avec l'ingénieur Pauger, à bord du *Chameau* (1). Il semble, ainsi que le P. de Saint-Alexis, n'avoir engagé son ministère qu'au début de 1721 (2).

Les 3 religieux se répartissaient alors entre la Nouvelle-Orléans — Joseph de Saint-Charles — et le poste de la Mobile, où se trouvaient le P. de Sainte-Anne et le P. de Saint-Alexis, qui était destiné à desservir le village indigène des Apalaches (3). On ne sait à peu près rien de l'apostolat de ces missionnaires. Apparemment, les conditions, satisfaisantes aux yeux de Pauger, que la Compagnie leur avait faites ne tardèrent pas à les décevoir et à leur inspirer un découragement qui leur fît envisager leur retour dans la métropole (4). Ils semblent pourtant s'être attachés à leurs paroisses et dévoués à leur tâche. Leur présence, l'esprit dans lequel ils agissaient auraient pu prévenir les dissensions religieuses des années suivantes. Mais leur mission fut de trop courte durée pour leur permettre de réaliser l'œuvre permanente qu'avait souhaitée l'ingénieur Pauger.

(1) A.E., *Mém. et Doc.*, Amérique, I, f. 102 v, Legac, *Etat de ce qui s'est passé à la colonie...*
(2) Registre cathédrale Saint-Louis, févr. 1721. — Registre paroissial de la Mobile, avril 1721.
(3) A.E., *Mém. et Doc.*, Amérique, I, f. 110 v, Legac, *Etat de la situation... de la Louisiane*, 5 mars 1721. — C 13 A 6, f. 146 v, Délibérations du conseil de commerce, 3 févr. 1721. — Registre paroissial de la Mobile, janv.-avril 1721.
(4) A.G., A 2592, f. 105 v, Leblond de La Tour, 8 janv. 1721.

Chapitre VI

L'OCCUPATION INTÉRIEURE

Les premières années de la Cie des Indes ne modifient pas le canevas de l'occupation intérieure. Au-delà des positions littorales, à l'amont de la vallée inférieure du Mississipi qui est en voie de colonisation, la France conserve, du fort Toulouse aux Illinois, par les postes de la rivière Rouge et des Natchez, ses positions antérieures, accrues du fort de la rivière des Yazous. Mais, aux abords de ces postes, des zones de colonisation, modestes encore, commencent à s'ébaucher, et, d'autre part, la France étend ses zones d'influence par les explorations qui s'effectuent en direction du Nouveau-Mexique. Et les progrès qu'elle réalise dans l'intérieur compliquent sans cesse la question des rapports avec les populations indigènes et suscitent de nouvelles causes de conflit avec les puissances qui lui opposent des ambitions rivales.

I

A l'avant-garde du fort de la Mobile, le fort Toulouse ou fort des Alibamons conserve son intérêt stratégique. Situé près du grand village des Alibamons, dans une zone où s'affrontent les intérêts français, anglais et espagnols, il ne figure qu'une petite enceinte de palissade qu'occupe, en 1717, une garnison de 25 hommes sous le commandement du lieutenant de La Tour. La vie y est difficile, les maladies fréquentes, et la proximité des Anglais, les avantages matériels qu'ils seraient en mesure de faire à la garnison, risquent de compromettre le loyalisme de celle-ci. De là la décision du conseil de la colonie, en 1719, d'y affecter un chirurgien et d'y céder aux soldats les marchandises aux mêmes tarifs qu'à la Mobile (1). En raison, d'autre part, du

_____

(1) C 13 A 5, f. 117, La Tour, fort Toulouse, 17 mars 1718 ; f. 210 v, Bienville et Larcebault, 15 avril 1719 ; f. 329-329 v, Conseil de commerce, 12 mars 1719. Pour l'emplacement du fort Toulouse et la répartition des

mauvais état du fort et de son importance, la Cte des Indes envisage de le reconstruire plus solidement et sur un plan plus étendu (1). Et, en 1720, elle porte l'effectif de sa garnison à 60 ou 70 hommes (2). A cette date, le S. de La Tour, du fait de son état de santé, a regagné le poste de la Mobile, et il a cédé son commandement au capitaine Marchand de Courcelles, au-dessous duquel figureront le major Péchon de Comte, qui n'arrive en Louisiane qu'à la fin de 1720, et le lieutenant Dumouchel de Villainville, plus ancien dans le service colonial (3). Mais la région est fertile, elle se prête à la culture du tabac, les indigènes y pratiquent un important élevage de volailles qui alimente en partie l'agglomération de la Mobile, et ils font avec les Français un commerce actif de maïs, d'huile d'ours et de peaux de chevreuil. Aussi le secteur commence-t-il à s'ouvrir à la colonisation : une vingtaine de soldats de la garnison, qui ont obtenu leur congé, secondés par quelques petits concessionnaires récemment arrivés, y prennent des terres au début de 1720 et s'apprêtent à les ensemencer, tandis qu'un petit groupe d'habitants de la Mobile s'établissent au confluent du Tombigbee et de l'Alabama, où ils forment un nouveau jalon d'occupation sur la voie du fort Toulouse (4).

Les positions que la France détient sur la rivière Rouge et sur le territoire des Natchez ne sont pas mieux fortifiées que celles des Alibamons. Le fort Saint-Jean-Baptiste des Natchitoches, le fort Rosalie des Natchez ne sont encore que des « espèces de redoutes fermées par une simple palissade ». Celui des Natchez, à la rigueur, est renforcé par 4 bastions d'angle et quelques pièces d'artillerie, mais celui des Natchitoches, en 1719, figure un simple « retranchement de pieux », sans canon ni pierrier. L'un et l'autre sont établis dans des sites défensifs de valeur inégale, le premier sur une colline qui domine le Mississipi, le deuxième dans une île entourée de bras d'eau qu'encombrent

populations indigènes, cf. M. Giraud, *Histoire de la Louisiane française*, II, p. 162-3.

(1) A.G., A 2592, f. 128, Chateaugué, 28 juin 1721. — F 3 24, f. 137, Instruction pour Leblond de La Tour, 4 nov. 1719.

(2) A.G., A 2592, f. 89 v, Etat de la Louisiane, juin 1720 ; f. 102, Les directeurs de la colonie, 22 janv. 1721. — A.E., *Mém. et Doc.*, Amérique, I, f. 105, Legac, *Etat de la situation de la Louisiane.*

(3) D 2 C 51, f. 31, 32 v, 34, Etat des officiers qui doivent commander..., 22 janv. 1721 ; f. 38 v-9, Etat des appointements que la Cte des Indes a jugé à propos d'accorder... — B 42 *bis*, f. 346-7, Commission... pour le S. Péchon de Comte, 23 mars 1720. — G 1 464 (Passagers), pièce 21 *(L'Aventurier).*

(4) A.G., A 2592, f. 89 v, 90 v, Etat de la Louisiane, juin 1720. — G 1 464, Recensement... du fort Louis... et villages circonvoisins, 28 juin 1721.

des « embarras de bois » difficilement franchissables et dont les communications avec le Mississipi ne sont possibles que 6 mois par an, en période de hautes eaux (1).

Les environs du fort des Natchitoches, insalubres et enveloppés de forêts, se prêtent cependant à la culture des légumes, des céréales et du tabac, et, là encore, il en résulte un commencement d'occupation du sol par quelques soldats licenciés de la garnison qui sont déjà en mesure de traiter à la Nouvelle-Orléans le maïs qu'ils produisent, ou l'huile d'ours que leur fournissent les indigènes (2). A une faible distance du fort, d'autre part, sur les sols de la rivière des Ouachitas, s'établissent les concessions de R. Cantillon et Mirbaise de Villemont. La guerre avec l'Espagne augmenta momentanément l'importance stratégique de la position. Au début de 1719, le commandement en fut confié au lieutenant Blondel, qui servait antérieurement chez les Natchez. Et, comme la palissade se dégradait, le conseil de commerce ordonna peu après de refaire et d'élargir le fort et d'y édifier des logements plus vastes. Mais les travaux, vraisemblablement, ne commencèrent qu'après les hostilités. En 1720, la garnison ne dépassait pas un effectif de 40 hommes, misérablement vêtus (3). Blondel mourut à la fin de la guerre. Il fut remplacé par le capitaine Renault d'Hauterive, fils du grand voyer de Tours, qui venait à peine d'arriver en Louisiane. Mais Saint-Denis, qui était revenu du Mexique en 1719, ne devait pas tarder à prendre le commandement de ce poste-frontière pour lequel il était plus qualifié qu'un officier de la métropole (4).

---

(1) C 13 C 2, f. 220 v, *Journal de Diron.* — C 13 A 6, f. 50 v, *Mémoire sur les Natchitoches* (1721-2). — G 1 464, Recensement des habitants du fort Saint-Jean-Baptiste..., 1er mai 1722. — B.N., Ms. F.F. 8989, BÉNARD DE LA HARPE, *Journal du voyage de la Louisiane,* f. 8 v-9. — CHARLEVOIX, *Journal d'un voyage...,* VI, p. 169. — LE PAGE DU PRATZ, *Hist. de la Louisiane,* I, p. 124.

(2) C 13 A 5, f. 215, Derbanne, 22 oct. 1723. C 13 A 6, f. 50-51 v, *op. cit.* G 1 464, *op. cit.* — B.N., Ms. F.F. 8989, B. DE LA HARPE, *Journal du voyage...,* 18. — LE PAGE DU PRATZ, *op. cit.,* II, p. 272-3.

(3) C 13 A 5, f. 215, Derbanne, 22 oct. 1723 ; f. 341, 344, Délibération du conseil de commerce, 18, 26-30 oct. 1719. — A.M., 3 JJ 201 (5), Relation des découvertes de B. de La Harpe... en 1719. — B.N., Ms. F.F. 8989, f. 7, 38, B. DE LA HARPE, *op. cit.* — A.G., A 2592, f. 94, Etat de la Louisiane, juin 1720.

(4) C 13 A 5, f. 304 v, Relation de ce qui s'est passé depuis la reprise de Pensacola... — C 13 A 6, f. 51, *Mémoire sur les Natchitoches* ; f. 317 v, Leblond de La Tour, 17 mai 1722. — D 2 C 51, f. 31, Etat des officiers qui doivent commander... ; f. 106, 110 v, Liste apostillée des officiers des troupes... — G 1 464 (Passagers), pièce 21 (l'*Aventurier*). — B.N., Ms. F.F. 8989, *op. cit.,* f. 11, 14613, PÉNICAUT, *Relation ou Annale véritable...,* f. 343-4. — M. GIRAUD, *Histoire de la Louisiane française,* II, p. 185.

La région des Natchitoches ne pouvait d'ailleurs se mesurer, par les possibilités qu'elle offrait à la colonisation, avec le secteur des Natchez. Autour du fort Rosalie, que défendait en 1720 une compagnie militaire sous les ordres du capitaine Bernaval, la beauté et la fertilité du pays faisaient l'admiration des premiers observateurs (1). Commercialement, du fait de leur localisation entre les Illinois et la Nouvelle-Orléans, les Natchez formaient, pour les convois qui circulaient sur le fleuve, un point d'arrêt et un lieu d'approvisionnement alimenté par le magasin que la Compagnie y avait placé sous la direction de son commis La Loire Flaucourt (2). La terre, d'une richesse inépuisable, légère et facile à travailler, produisait du blé, malgré l'absence de charrue, mais en faible quantité à cause de la difficulté qu'on éprouvait, faute de moulin, à en broyer le grain. La culture du maïs était plus répandue. Mais les habitants s'appliquaient surtout à la production du tabac (3).

Ainsi se présente l'économie des Natchez au début de 1720, lorsque la population de la Nouvelle-Orléans, découragée par la crue du Mississipi, commence à y rechercher des terres à l'abri des inondations. A son arrivée, Le Page du Pratz, qui a abandonné son terrain trop humide du bayou Saint-Jean, constate que quelques petites habitations, dont plusieurs appartiennent à des soldats de la garnison, se sont déjà formées autour du fort et du magasin (4). Le Page y choisit un terrain à proximité du fort, et il en retint 2 autres, plus étendus, à une lieue de celui-ci, sur les bords de la petite rivière des Natchez, affluent du Mississipi, l'un à l'intention du directeur Hubert, l'autre pour la Cie des Indes qui se préparait à y installer sa plantation de tabac sous la direction du régisseur de Montplaisir de La Guchay et avec les ouvriers recrutés à Clérac en Gascogne (5). Hubert prit peu après

---

(1) C 13 A 5, f. 344 v, Délibération du conseil de commerce, 26-30 oct. 1719. — G 1 465, Requête de F. Dumanoir au conseil supérieur de la Louisiane, 20 mai 1723. — D 2 C 51, f. 30 v, Etat des officiers..., 21 janv. 1721. — Arsenal, Ms. 4497, Pellerin, au (Nouv.-Biloxy), f. 55 suiv. — A.E., *Mém. et Doc.*, Amérique, I, f. 110, LEGAC, *Etat de la situation... de la Louisiane*, 5 mars 1721.
(2) C 13 A 5, f. 214, MM. de La Loire, aux Natchez, 15 mai 1718. — LE PAGE DU PRATZ, *Hist. de la Louisiane*, I, p. 125.
(3) C 13 A 5, f. 220, La Loire-Flaucourt, 29 juill. 1719. — C 13 A 6, f. 108, B. DE LA HARPE, *Mémoire sur l'état présent de la Louisiane*, 1720. — C 13 C 4, f. 15, MM. de La Loire, 15 mai 1718 ; f. 20-22, Du Tisné, 8 mars 1726. — B.N., Ms. F.F. 8989, *op. cit.*, f. 40. — CHARLEVOIX, *Journal d'un voyage...*, VI, p. 169.
(4) LE PAGE DU PRATZ, *op. cit.*, I, p. 125-7. — C 13 C 2, f. 220 v, *Journal de Diron*. — Arsenal, Ms. 4497, Pellerin, au (Nouveau-Biloxy), f. 55 suiv.
(5) LE PAGE DU PRATZ, *op. cit.*, I, p. 125-7, 137. — C 13 C 2, f. 221, *Journal de Diron*. — C 13 C 4, f. 20 v, Du Tisné, 8 mars 1726. — C 2 15, f. 132-3, au S. de Montplaisir, 27 juin 1721. — B 42 *bis*, f. 224, Brevet de commis parti-

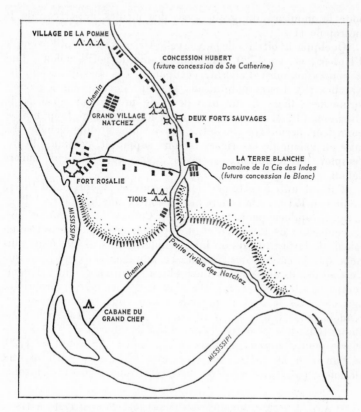

CARTE 4. — Habitations françaises des Natchez
(Extrait de la carte de BROUTIN, 1731, Atlas 4040 C-14)

possession de son terrain, et il se mit aussitôt en devoir d'en
faire une exploitation importante, s'y appliquant à la culture
du blé, pour laquelle il s'était muni de charrues, à l'élevage
d'une trentaine de bêtes à cornes, à la production enfin de la
soie et du tabac, avec l'aide de sa femme et d'une main-d'œuvre
de 25 à 30 esclaves noirs et indigènes. Il entreprit même d'y
faire établir par l'ingénieur machiniste Méan un moulin à eau

culier..., 26 sept. 1718 ; f. 227, Brevet d'inspecteur... pour le S. de Montplaisir...
12 oct. 1718. — CHARLEVOIX, *Journal d'un voyage...*, VI, p. 171. — LE MAS-
CRIER, *Mémoires historiques sur la Louisiane*, I, p. 117-133. — Atlas B.D.C.M.,
4040 C, 37, Carte particulière du cours du Mississipi..., par Broutin.

pour la mouture du grain avec des meules importées de la métropole (1).

Quelques habitants de la Nouvelle-Orléans suivirent l'exemple d'Hubert, et, en 1720, une quarantaine de petits colons, dont le concessionnaire Pellerin, occupaient des terrains chez les Natchez (2). Leurs habitations se dispersaient, sans « aucune forme de village », sur une lieue de profondeur au-delà du Mississipi (3). Mais leurs moyens d'action étaient trop limités pour leur permettre de défricher sur une grande échelle. La mise en valeur de ces riches terroirs supposait, comme ailleurs, l'emploi de nombreux esclaves noirs qui faisaient encore défaut (4).

Faisant suite à cette position des Natchez, le fort Saint-Pierre s'édifie en 1719 sur la rivière des Yazous, à une lieue d'un village indigène qu'occupent les Yazous, Coroas et Ofogoulas (5). L'occupation de la région était depuis longtemps préconisée en raison de la fertilité qu'on lui attribuait. Mais, si elle était plus riche que le canton des Natchez en animaux sauvages, puisque c'est au-dessus des Yazous que les bœufs commençaient à devenir communs sur le Mississipi, elle n'avait pas les mêmes propriétés agricoles. Le fort était précédé d'une zone marécageuse qui rendait inhabitables les bords de la rivière (6). La société Le Blanc-Belle-Isle avait pourtant choisi les abords du fort Saint-Pierre pour l'emplacement de sa concession. Au début de 1720, le Canadien Desliette, qui était attaché à la c^{ie} Diron aux Illinois, reçut l'ordre de se rendre aux Yazous avec une quinzaine

(1) A.G., A 2592, f. 107, Bienville et Delorme, 25 avril 1721 ; f. 118 v, Les directeurs de la Louisiane, 22 janv. 1721. — C 13 C 4, f. 95 v, *Mémoire du capitaine Béranger.* — A.E., *Mém. et Doc.*, Amérique, I, f. 110, LEGAC, *État de la situation... de la Louisiane*, mars 1721. — B.N., Ms. F.F. 8989, B. DE LA HARPE, *op. cit.*, f. 25 ; 14613, PÉNICAUT, *op. cit.*, f. 353.

(2) G 1 465, Requête de F.-Dumanoir au conseil supérieur de la Louisiane, 20 mai 1723. — A.G., A 2592, f. 93, État de la Louisiane, juin 1720. — B.N., Ms. F.F. 14613, PÉNICAUT, *op. cit.*, f. 339. — Arsenal, Ms. 4497, Pellerin à M. Soret...

(3) C 13 C 4, f. 20, Du Tisné, 8 mars 1726.

(4) A.E., *Mém. et Doc.*, Amérique, I, f. 110, *op. cit.* — LE PAGE DU PRATZ, *op. cit.*, I, p. 128. — C 13 C 2, f. 220 v, *Journal de Diron.* — G 1 465, Requête de F.-Dumanoir... — CHARLEVOIX, *op. cit.*, VI, p. 170.

(5) C 13 C 2, f. 224, 263, *Journal de Diron.* — C 13 A 5, f. 210 v, Bienville et Larcebault, 15 avril 1719. — A.M., *Mém. et Doc.*, Amérique, I, f. 205, Bienville, 10 juin 1718. — 3 JJ 201 (8), Relation de la rivière de la Mobile, 3 JJ 387 (29), Lallement, 5 avril 1721.

(6) A.M., 3 JJ 387 (29), Lallement, 5 avril 1721. — A.C., C 13 C 2, f. 220, *Journal de Diron.* — G 1 464, Recensement de La Nouvelle-Orléans, 24 nov.1721 (concession de M. Le Blanc). — A.E., *Mém. et Doc.*, Amérique, I, f. 78, *Mémoire sur la Louisiane*, s. d., f. 205, Bienville, 10 juin 1718. — CHARLEVOIX, *Journal d'un voyage...*, VI, p. 168.

d'hommes pour préparer le terrain en vue de l'arrivée du personnel de la société. Il prit ensuite le commandement d'une des deux compagnies que le ministre Le Blanc avait recrutées pour la défense de son exploitation (1). Et, lorsque les travaux de l'habitation commencèrent en 1721, ces compagnies tinrent garnison dans le fort Saint-Pierre, qu'avaient occupé jusque-là une trentaine d'hommes commandés par le sous-lieutenant de La Boulaye (2).

Mais, comme dans les années précédentes, c'est encore le secteur des Illinois qui constitue la position intérieure la plus importante. Une ligne relativement dense d'établissements est appelée à s'y former. Là seulement il existe un groupe de missionnaires permanents, qui entretiennent une certaine vie religieuse, alors que les autres centres de colonisation intérieure ne sont desservis que par des missionnaires de passage, comme le P. de Ville, que la mort surprend lors de son arrêt chez les Natchez en 1720 (3). Aux Illinois enfin, une vie administrative propre s'organisera, qui leur assurera un semblant d'autonomie dans la province de la Louisiane à laquelle la région a été rattachée par arrêt du 27 septembre 1717, à la demande de la Cie d'Occident : rattachement qui devint effectif en 1719 par le retrait de la petite garnison que le gouverneur Vaudreuil entretenait chez les Péorias, dans le poste de Pimiteoui (4).

Au début de la période de Law, la région est encore faiblement peuplée (5). Mais les ressources minières qu'on y situe attirent l'attention du public, et, dans les mémoires qui précèdent la création de la Cie d'Occident, dans les pourparlers

---

(1) Charles-Henri-Joseph Tonty, appelé Desliette du nom de sa grand-mère de Liette, C. TANGUAY, *Dict. généalogique des Canadiens français*. — B 42 *bis*, f. 253, Etat de ce qui doit être envoyé aux Illinois..., 23 avril 1718 ; f. 313-4, Ordre de la Compagnie au commandant des Illinois, 17 janv. 1720 ; f. 450, Compagnies d'infanterie entretenues..., lieutenants réformés. — F 3 241, f. 249, Commission de capitaine... pour le S. Deliettes, 2 janv. 1720.

(2) D 2 C 51, f. 39, Etat des appointements... (des) majors particuliers... — A.M., 3 JJ 387 (29), *op. cit.* — CHARLEVOIX, *Journal d'un voyage...*, VI, p. 167-8.

(3) LE PAGE DU PRATZ, *Histoire de la Louisiane*, I, p. 130. — J. DELANGLEZ, *The French Jesuits in Lower Louisiana*, p. 81-3.

(4) C 13 C 1, f. 168 v-9, *Mémoire sur la Louisiane*. — D 2 C 51, f. 19-19 v, La Cie d'Occident au conseil de marine. — A 22, f. 39, Arrêt du Conseil d'Etat..., 27 sept. 1717. — B 39, f. 259, à Vaudreuil et Bégon, 22 août 1717 ; f. 457-457 v, à l'officier qui commande aux Illinois. — C 11 A 40, f. 52 v-3, C 11 A 43, f. 7, Vaudreuil et Bégon, 26 oct. 1720 ; f. 287-8, *Mémoire sur l'estimation des bâtiments...*, 26 oct. 1721. — A.M., B 1 50, f. 424-5, Conseil de marine, 4 mars 1720. — A.E., *Mém. et Doc.*, Amérique, I, f. 127 v, LEGAC, *Ce qu'on estime nécessaire...*

(5) A.E., *ibid.*, I, f. 93 v, LEGAC, *Etat de ce qui s'est passé...*, f. 201 v, Bienville, 10 juin 1718.

auxquels celle-ci donne lieu, il est sans cesse question des Illinois, de l'intérêt que ce secteur, en raison de ses mines, présente pour l'ensemble de la Louisiane (1). Duché, à l'issue de ces conversations, presse le duc de Noailles de s'occuper sans tarder de leur exploitation, et il suggère que la nouvelle compagnie organise une formation d'une cinquantaine de mineurs, recrutés en partie parmi les 4 compagnies de mineurs du roi, et en partie dans les houillères du pays de Liège (2). Les rapports qui arrivent de Louisiane, ceux d'Hubert surtout, qui ouvrent vers le Missouri des perspectives plus larges d'exploitation minière, confirment les promesses de la région et expliquent que plusieurs mémoires aient représenté les Illinois comme le futur « chef-lieu » de la Louisiane (3). A son tour, la mise en valeur des mines supposera la réalisation d'un système de défense dirigé contre les entreprises éventuelles des puissances étrangères.

Pour répondre à cet ensemble de projets, la Cie d'Occident, dès le début de 1718, décida d'envoyer aux Illinois un personnel de mineurs spécialisés et de renforcer la défense de la région. Du groupe de Jacques Lochon, elle attendait qu'il inspirât à la population le désir de participer à l'extraction des mines dont ces quelques hommes lui donneraient l'exemple (4). Le groupe atteignit la Louisiane au mois d'août 1718, et, dès le mois de décembre, il quitta la Nouvelle-Orléans pour les Illinois, accompagné de 68 soldats et officiers, de plusieurs commis de la Compagnie, d'un certain nombre de faux sauniers et d'engagés : une centaine d'hommes au total, placés sous le commandement de Dugué de Boisbriant, qui n'arrivèrent aux Illinois, à cause du niveau élevé des eaux, qu'en mai suivant (5). Soldats et officiers constituaient la compagnie de Diron d'Artaguiette, sous les

(1) Ci-dessus, Ire Partie, chap. I et II.

(2) A.E., *Mém. et Doc.*, Amérique, I, f. 254-260, *Mémoire de Delorme pour le duc de Noailles*, f. 315-6, Duché au duc de Noailles, 19 mai 1717. Ci-dessus, p. 10-11 et 31.

(3) A.E., *Mém. et Doc.*, Amérique, I, f. 138, Hubert, *Mémoire au sujet... de la Louisiane* ; f. 223-4, Hubert, *Mémoire sur la rivière... du Missouri* ; f. 268 v, *Mémoire de Le Gendre Darminy* ; f. 282 v, 284, Réflexions sur ce qui pourrait... contribuer..., 3 avril 1717. — A.C., C 13 A 5, f. 143, Hubert, *Mémoire sur la Louisiane*, oct. 1717 ; f. 214, Preslé, île Dauphine, 10 juin 1718. — C 13 C 1, f. 61 v, Nouvelles de la Louisiane.

(4) B 42 *bis*, f. 232, Ordre que la Compagnie... veut être observé dans le travail des mines..., 26 août 1718.

(5) B 42 *bis*, f. 253, Etat de ce qui doit être envoyé aux Illinois... — C 13 A 5, f. 164 v, 281, Bienville, 25 sept. 1718, 20 oct. 1719 ; f. 210 v, Bienville et Larcebault, 15 avril 1719 ; f. 220, La Loire-Flaucourt, 29 juill. 1719. — A.G., A 2592, f. 85 v, Etat de la Louisiane, juin 1720. — B.N., Ms. F.F. 8989, B. de La Harpe, *Journal du voyage...*, f. 3 v, 5 v, 6 v.

ordres duquel servaient son jeune frère, le lieutenant Pierre d'Artaguiette d'Itouralde, et le lieutenant réformé Pierre Mélique, choisi en raison d'une vague connaissance du travail des mines qu'il avait acquise au cours d'un séjour au Pérou (1). Boisbriant, en sa qualité de commandant des Illinois, était chargé de faire édifier un fort qui commanderait la vallée du Mississipi et formerait la base de la défense de la région, et d'engager une œuvre de prospections minières.

Le fort, qui prit le nom de fort de Chartres en l'honneur du duc de Chartres, fut achevé à la fin de 1720, Legac le mentionne parmi les édifices de la colonie, au début de 1721 (2). Il s'agissait d'un fort de pieux, construit sur le modèle habituel de la colonie, qui se dressait sur la rive gauche du fleuve, à 6 lieues à l'amont de la mission jésuite des Kaskaskias (3). C'est le « nouvel établissement » dont parle Lallement lors de son passage aux Kaskaskias en avril 1721, et dont la première description nous sera fournie 2 ans plus tard par l'inspecteur Diron d'Artaguiette, qui avait lui-même participé à sa construction : « Un fort de pieux gros comme la jambe », situé sur le bord du Mississipi, « à droite en montant », « de figure carrée, ayant 2 bastions qui commandent toutes les courtines » (4). L'enceinte n'était soutenue que par une « lice », à laquelle tous les pieux étaient cloués. Comme tous les édifices de bois, le fort de Chartres ne devait pas durer plus d'une dizaine d'années : en 1732, il tombera en ruines (5).

Pour le moment, il répond bien à son objet. Il assure une protection efficace à la région, et il ne tarde pas à former un centre de colonisation sur les bords du Mississipi. La garnison, d'abord réduite à la seule compagnie du capitaine Diron, comprend à partir de 1720 2 compagnies, placées respectivement sous les ordres de Pierre d'Artaguiette, qui succède à son frère devenu inspecteur général des troupes, et de Claude-Charles du

(1) B 42 *bis*, f. 253, *op. cit.* ; f. 450, Compagnies d'infanterie entretenues... ; f. 499, Officiers réformés nommés par la Compagnie. — D 2 C 51, f. 31, Etat des officiers qui doivent commander..., 22 janv. 1721.
(2) A.G., A 2592, f. 93 v, Etat de la Louisiane, juin 1720. — A.E., *Mém. et Doc.*, Amérique, f. 110 v, 127 v, LEGAC, *Etat de la situation... de la Louisiane* ; *Ce qu'on estime nécessaire...*
(3) A.E., *Mém. et Doc.*, Amérique, I, f. 22 v, BIENVILLE, *Mémoire sur la Louisiane* (1725). — B. DE LA HARPE, *Journal historique de l'établissement des Français...*, p. 221.
(4) A.M., 3 JJ 387 (29), Lallement, 5 avril 1721. — A.C., C 13 C 2, f. 241 v-2, *Journal de Diron.* — Atlas B.D.C.M. 4040 C, 13, Fleuve Saint-Louis... relevé... par le S. Diron l'an 1719.
(5) C 13 B 1, Inventaire général des bâtiments... existant aux Illinois 1er juin 1732.

Tisné, nantis l'un et l'autre de commissions de capitaines (1).

Beaucoup plus lentes, les prospections minières ne donnent lieu en 1719 qu'à une courte expédition de reconnaissance, conduite, sous la direction de Boisbriant, par le commis principal de la Cᵉ des Indes, La Loire des Ursins, et le fondeur Lochon, avec quelques soldats et faux sauniers, quelques Indiens et le Canadien Bourdon, qui joue toujours aux Illinois le rôle d'interprète des langues indigènes (2). Elle ne dépasse pas l'emplacement antérieurement reconnu par La Mothe-Cadillac, près de la rivière de la Saline, et, faute de matériel approprié, elle n'aboutit qu'à des forages superficiels qui atteignent quelques lits de plomb mêlés d'argent (3). Les épreuves faites sur place s'avèrent satisfaisantes, elles sont ensuite confirmées dans la métropole par le directeur des affinages sur les échantillons envoyés par Bienville (4). Mais la prospection est trop sommaire pour permettre de conclure à l'existence de richesses minières. La Loire des Ursins, convaincu que les soldats ne s'astreindront pas à ce travail et que l'importation d'une main-d'œuvre française serait trop onéreuse, ne voit d'avenir que dans l'utilisation d'esclaves noirs (5).

Un deuxième essai eut lieu quelques mois plus tard : le succès en fut médiocre, et Lochon abandonna la partie pour regagner la métropole (6). Pourtant, la Compagnie s'efforçait de favoriser les prospections, dans l'espoir de bénéfices rapides (7). En 1720, un Espagnol, pris au siège de Pensacola, qui est censé au fait des travaux d'extraction, est envoyé aux Illinois (8). En mars 1721, surtout, arrive au fort de Chartres un convoi de 120 personnes, qui groupe un certain nombre de soldats et un personnel destiné à l'exploitation des mines, composé d'une compagnie de mineurs d'une quinzaine d'hommes, qui ont été acheminés par *Le Comte-de-Toulouse* avec le commis Philippe de

(1) D 2 C 51, f. 30, *Etat des officiers qui doivent commander...* — A.G., A 2592, f. 103, *Les directeurs de la colonie...*, 22 janv. 1721.

(2) C 13 C 2, f. 184, *Le Gardeur de L'Isle*, 21 juill. 1722.

(3) M. Giraud, *Histoire de la Louisiane française*, I, p. 329-330.

(4) F 3 24, 119 v, Sérigny, 26 oct. 1719. — F 3 241, f. 372 v, *Instruction pour le S. Perry...* — C 13 C 1, f. 331, *Mémoire de l'état actuel où est la colonie...* — A.G., A 2592, f. 85 v-6, Boisbriant à Duché, 6 juill. 1719.

(5) G 1 465, Des Ursins, *Détail du voyage des mines*, 10 juill. 1719.

(6) A.G., A 2592, f. 98, Boisbriant, 5 oct. 1720 ; f. 104, Leblond de La Tour, 8 janv. 1721.

(7) C 13 A 6, f. 19 v-20, 22 v, *Mémoire pour servir d'instruction au S. Duvergier*, 15 sept. 1720. — G 1 465, *Délibération de la Compagnie*, 15 sept. 1720.

(8) A.M., 3 JJ 387 (29), Lallement, 5 avril 1721, f. 16. — C 13 C 1, f. 331-331 v, *Mémoire de l'état actuel de la Louisiane*. — A.G., A 2592, f. 119, *Les directeurs de la Louisiane*, 22 janv. 1721.

La Renaudière, appelé à devenir aux Illinois « directeur des mines pour la C^le d'Occident », et d'une quarantaine d'engagés de la société Renaut-d'Artaguiette d'Iron, qui ont atteint la Louisiane par *L'Union*, en septembre 1719, sous la direction de Philippe Renaut lui-même, et se proposent d'entreprendre aux Illinois une tâche minière et colonisatrice (1). Arrivés dans la colonie pendant la période des hostilités, longtemps immobilisés sur le littoral, mineurs et engagés ne partent de la Nouvelle-Orléans qu'en septembre 1720, sous le commandement du neveu de Bienville, le S. de Noyan (2). En dépit de ces renforts, l'exploitation des mines restera longtemps encore une source de déceptions. Mais le peuplement, la prise de possession du sol y gagneront plus de consistance. Déjà, dans la troupe de Boisbriant, plusieurs ont sollicité des concessions. Boisbriant lui-même en demande une sur le bord du Mississipi, le lieutenant Pierre Mélique, le sous-lieutenant Nicolas-Michel Chassin ouvriront des habitations sur le Mississipi et la rivière Kaskaskia, ainsi que Philippe Renaut au nom de la société qu'il a formée avec d'Artaguiette d'Iron (3).

A la fin de 1720, cependant, le schéma de l'occupation du sol n'a pas encore varié. Le plus fort groupement de population reste établi sur la rivière Kaskaskia, à 2 lieues du confluent du Mississipi, autour de la mission des Pères jésuites, que dirigent depuis 1719 les PP. Le Boullenger et Guymonneau, auxquels s'ajoute, à partir de 1720, le P. Ignace de Beaubois qui prend la succession du supérieur, le P. de Ville (4). La mission des Cahokias-Tamarois, plus modeste en dépit de la présence, après une courte interruption consécutive au départ de M. Varlet, de 2 prêtres du séminaire de Québec, J.-P. Mercier et Thaumur de La Source, ne comprend qu'un petit noyau d'indigènes. Elle

(1) C 13 C 4, f. 138, Relation du voyage de M. de Bourgmont..., 1724. — C 13 A 5, f. 342 v, Délibérations du conseil de commerce..., 26-30 oct. 1719. — F 3 241, f. 372 v, Instruction pour le S. Perry. — G 1 464 (Passagers), pièces 6 et 14. — B.N., Ms. F.F. 8989, B. DE LA HARPE, *Journal du voyage...*, f. 25. — Kaskaskia Church Records, 1er juin 1721 (*Trans. Ill. St. Histor. Soc.*, Springfield, 1904, p. 394 suiv.). — Louisiana State Histor. Museum, New Orleans, Déclaration de Ph. Renaut, 18 juill. 1743.

(2) A.G., A 2592, f. 93, Etat de la Louisiane, juin 1720. — A.M., 3 JJ 387 (29), Lallement, 5 avril 1721, f. 1-5.

(3) A.G., A 2592, f. 98, Boisbriant, 5 oct. 1720. — C 13 A 6, f. 299 v, Chassin, aux Illinois, 1er juill. 1722. — C 13 C 2, f. 240 v, *Journal de Diron*, 17 avril 1722. — D 2 C 51, f. 33 v, Etat des officiers qui doivent commander les 25 compagnies d'infanterie... — G 1 465, Ordre de concession pour M. de Boisbriant, 1er sept. 1721. — Kaskaskia Manuscripts (Chester), Commercial Papers, I, 20 févr. 1723, Bail passé par N.-M. Chassin.

(4) D 2 D 10, n° 3, Noms des Pères jésuites qui sont à la Louisiane depuis 1718...

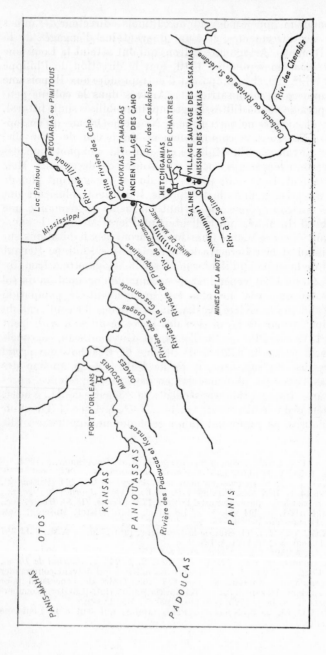

CARTE 5. — Établissements des Illinois
(D'après la carte de la Louisiane de d'Anville, 1732. B.N. Ge. DD. 2987. N° 8800 (b))

est située sur la rive gauche du fleuve, à 5 lieues au-dessous de l'embouchure du Missouri, le long d'une petite rivière à débit irrégulier dont les dépôts alluviaux éloignent lentement l'emplacement de la mission du bord du Mississipi (1).

Jésuites et prêtres du Séminaire, au même titre que les missionnaires de la zone littorale, subissent les effets de la politique d'économie de la Cie des Indes. Ni les uns ni les autres ne reçoivent d'appointements, à la seule exception du P. Le Boullenger, qui touche une rémunération de 600 livres pour s'être rendu aux Illinois en qualité d'aumônier du premier convoi. Et, lorsqu'ils demanderont à la Compagnie le versement des arriérés qui leur sont dus, celle-ci fera valoir que, aux termes de ses Lettres patentes, elle doit seulement entretenir les ecclésiastiques qui « seront à sa nomination », et qu'elle n'a point nommé les missionnaires des Illinois (2).

Mais le sort des prêtres des Missions étrangères est particulièrement déshérité parce qu'ils n'ont d'autres ressources que les fonds que leur donnent les Séminaires de Paris et de Québec, et que le gouverneur Vaudreuil, comme ils n'appartiennent plus à son gouvernement, interdit de leur porter aucun secours en nature (3). Les Jésuites, pourvus d'une mission plus prospère, y bénéficient des dîmes qu'ils prélèvent sur leurs fidèles (4). Leur village des Kaskaskias comporte, au début de 1721, quelque 80 maisons qui se distribuent le long de la rivière et dans la prairie qu'elle traverse. Les maisons, comme dans le bas de la colonie, sont des édifices de colombage ou « bois de charpente » reposant sur une sole de bois. Mais, à la différence de la zone littorale, la pierre à bâtir ne manque pas, et déjà les cheminées sont construites en pierre : l'usage s'en répandra à mesure que l'aisance gagnera et que la population deviendra plus nombreuse (5). Les habitants d'origine canadienne ne cessent d'aug-

(1) A. GOSSELIN, *L'abbé Thaumur de La Source*, *Bull. des Recherches historiques*, Québec, 1931, p. 724 suiv. — Mgr Taschereau, Mission du Sém. de Québec chez les Tamarois ou Illinois, Ms. du Séminaire Laval. Arch. du Séminaire Laval, Polygraphie, IX, 18, J.-P. Mercier et J. Courier, 12 avril 1735, 16, Description de la mission des Tamarois, 42, Carte de la mission des Tamarois. — C 13 C 2, f. 253-255 v, *Journal de Diron*, juin 1723. — CHARLEVOIX, *op. cit.*, VI, p. 137.
(2) D 2 D 10, n° 3, Noms des Pères jésuites...
(3) A.G., A 2592, f. 105 v, Leblond de La Tour, 8 janv. 1721. — Arch. Sém. Laval, Missions, n° 43, Mercier à Lyon Saint-Ferréol, 25 mai 1722, n° 73, Requête du Sém. de Québec, 1723 ; Polygraphie, IX, n° 26, *Mémoire pour l'établissement des Tamarois* ; Lettres M, n° 82, Le Sém. de Québec à celui de Paris, 18 oct. 1733.
(4) C 13 C 2, f. 240, *Journal de Diron*, 17 avril 1723.
(5) C 13 C 2, f. 240, 246, 247-247 v, *Journal de Diron*. — A.M., 3 JJ 387 (29),

menter : de nouveaux voyageurs se joignent à la population
sédentaire, malgré l'interdiction faite à la Compagnie de recevoir
en Louisiane aucun sujet des colonies voisines, et ils pratiquent
avec succès l'élevage du bétail, la culture du maïs et des légumes,
celle du blé surtout dont 3 moulins à chevaux permettent de
tirer parti (1). Les Pères jésuites, qui exploitent avec une main-
d'œuvre d'esclaves indigènes une métairie sur laquelle ils ont
placé leur moulin à vent, encouragent par leur exemple cette
activité agricole. Une cinquantaine de chevaux, acquis en partie
des Indiens du Missouri, sont employés au travail de la terre (2).

La région, indépendamment de ses promesses minières et
des ressources de son agriculture, possède aussi une activité
liée à son milieu primitif et à ses populations indigènes, Kaskaskias, Metchigamias, Cahokias, Tamarois, Péorias, dont l'existence
se partage entre une agriculture élémentaire et la pratique
périodique de la chasse, qui les occupe 7 mois par an (3). C'est
la production de la peau de castor, celle des viandes salées et
de l'huile d'ours, qui sont surtout le fait des Indiens et, dans une
moindre mesure, des Canadiens. Quelques voyageurs établis
aux Illinois transportent de loin en loin ces « viandes sauvages »
à la Nouvelle-Orléans pour les négocier (4). Mais les Canadiens
de la région traitent surtout avec les indigènes des pelleteries
qu'ils cèdent aux voyageurs venus du Canada contre les marchandises que ces derniers leur apportent. En sorte que le rattachement à la Louisiane des postes des Illinois n'a pas affecté
ce côté de leur économie. Les articles de traite y proviennent
toujours de la Nouvelle-France. Les convois qui remontent le
Mississipi sont extrêmement rares en effet, en dépit de la continuité de la voie d'eau, ils approvisionnent médiocrement la
région, et la pelleterie continue de s'écouler vers le marché du
Saint-Laurent (5).

Toutefois, la création d'un commandement local, l'arrivée,

Lallement, 5 avril 1721, f. 10-12. — M. GIRAUD, Histoire de la Louisiane française, I, p. 262-3.
    (1) A.G., A 2592, f. 93 v, Etat de la Louisiane, juin 1720 ; f. 104, Leblond
de La Tour, 8 janv. 1721. — A.M., 3 JJ 387 (29), op. cit., loc. cit. — A.C.,
C 13 C 2, f. 240, op. cit.
    (2) C 13 C 2, f. 240 v, op. cit. — A.G., A 2592, f. 93 v, 104, op. cit. ; f. 97 v,
Boisbriant, aux Cascaskias, 5 oct. 1720.
    (3) A.M., 3 JJ 387 (29), op. cit., f. 16. — A.C., C 13 C 2, f. 243 v-4, Journal
de Diron, avril 1723.
    (4) C 13 C 2, f. 225, 236, Journal de Diron... — A.E., Mém. et Doc., Amé-
rique, I, f. 45, BIENVILLE, Mémoire sur la Louisiane (1725).
    (5) C 13 C 1, f. 382 v, « Sur l'état de cette colonie... ». — C 13 C 2, f. 243,
Journal de Diron, avril 1723. — B 42, f. 462 v, à Vaudreuil, 20 août 1720. —
CHARLEVOIX, op. cit., VI, p. 152.

en 1719, d'un personnel assez nombreux sous les ordres de Boisbriant, ont provoqué aux Illinois une certaine perturbation. Les rapports se sont aussitôt tendus entre Boisbriant et le gouverneur du Canada, et l'institution d'un commandant dans une région où toute l'autorité de fait appartenait jusque-là aux Pères jésuites est devenue avec ces derniers une cause de mésentente. La décision que prend Boisbriant, en 1720, de séparer les Canadiens et les indigènes jusque-là groupés dans le village des Kaskaskias mécontente les religieux. Ils tentent de s'y opposer. Mais, finalement, pour ne pas sacrifier leur apostolat, ils se résignent à organiser une nouvelle mission sur la rivière Kaskaskia, à l'amont de la précédente, pour les seuls indigènes. Comme, en même temps, un de leurs missionnaires, le P. de Kereben, s'établit dans le petit village des Metchigamias, à 1/2 lieue au-dessus du fort de Chartres, l'action des Jésuites se distribue désormais, à partir de 1720, entre trois positions différentes (1). Enfin, l'accroissement de population qui se produit en 1719, la raréfaction des vivres qui en résulte, provoquent la hausse des prix des denrées agricoles. Le commis de la Compagnie, pour nourrir la garnison, doit emprunter farine et maïs à la population, et, faute de marchandises dans le magasin, il remet à celle-ci des billets de fournitures dont les porteurs ne parviennent pas à se faire rembourser, même à la Nouvelle-Orléans, où ils se rendent à cet effet (2). De là, un mécontentement général parmi les habitants, las d'avancer à crédit sans contrepartie, et parmi les soldats qui exigent, contre le coût de la vie, qu'on augmente la valeur de leurs billets de subsistance et qu'on leur cède les marchandises de la Compagnie, en dépit des frais de transport, aux mêmes prix qu'à la Nouvelle-Orléans (3).

Aux yeux de Boisbriant, une extension rapide des défrichements pourrait seule subvenir aux besoins accrus de la région, et, comme la main-d'œuvre est encore insuffisante, il demande instamment à Bienville de lui envoyer une centaine de Noirs qui lui permettront d'installer une exploitation capable d'assurer la subsistance du personnel civil et militaire de la Compagnie (4).

---

(1) A.G., A 2592, f. 98, Boisbriant, 5 oct. 1720. — A.M., 3 JJ 387 (29), Lallement, 5 avril 1721. — A.C., D 2 D 10, n° 3, Noms des Pères jésuites qui sont à la Louisiane... — C 13 A 10, f. 105 v-6, Requête des Pères jésuites. — Atlas, B.D.C.M. 4040 C 13, Fleuve Saint-Louis... relevé... par le S. Diron l'an 1719...
(2) A.G., A 2592, f. 97 v, 99, Boisbriant, 5 oct. 1720.
(3) *Ibid.*, f. 101 v, Les directeurs de la Louisiane, 22 janv. 1721.
(4) *Ibid.*

Partout dans la colonie, sur tous les points où s'esquissent des
zones de colonisation, l'importation de la main-d'œuvre noire
apparaît en 1720 comme la condition préalable de la mise
en valeur.

II

Tandis que se renforcent les positions intérieures, les explorations qui ont lieu à l'ouest du Mississipi élargissent la zone de
l'influence française et précisent la connaissance du milieu indigène en donnant accès à des populations nouvelles jusque-là
étrangères à la colonie. L'intérêt des aventures de l'enseigne
Simard de Bellisle, le fils du maire de Fontenay-le-Comte en
Poitou (1), qui erre pendant plus d'un an aux abords du littoral
du Texas où l'a laissé le capitaine du *Maréchal-d'Estrées*, puis
parvient à gagner le poste des Natchitoches avec l'aide d'un
groupe d'Assinais, est précisément d'avoir établi les premiers
contacts avec les populations strictement nomades de la région :
contacts qui démontrent l'hostilité foncière de ces Atakapas
et Clamclouches envers toute idée de pénétration étrangère sur
leur territoire (2).

Plus importantes, les explorations de Bénard de La Harpe
et du Tisné sur la rivière Rouge et la rivière des Arkansas et dans
le secteur intermédiaire se proposent de reconnaître les possibilités d'accès au Nouveau-Mexique et de découvrir les populations
les plus proches de la province espagnole (3). Du poste qu'il a
établi sur les terres des Nassonites ou Cadodaquios, La Harpe,
en 1719, entreprend de parcourir la région qui s'étend entre le
cours supérieur de la rivière Rouge et la branche sud de la rivière
des Arkansas *(Canadian river)*. C'est pour lui l'occasion d'aborder
de nombreuses populations indigènes, qui appartiennent au
groupe linguistique des Caddos. A toutes il distribue des présents
afin de gagner leur alliance et de les préparer, en cas de conflit,
à se solidariser avec la France : à celles voisines du poste qu'il
vient de fonder, au groupe des « nations errantes » qui occupent,
au-delà, le cours supérieur de la rivière Rouge, aux tribus enfin

(1) D 2 C 51, f. 108, Liste apostillée des officiers des troupes... — F 3 24,
f. 102, *Mémoire sur Scimars de Belle-Isle.*
(2) B.N., Ms. F.F. 8989, BÉNARD DE LA HARPE, *Journal du voyage de la
Louisiane...*, f. 25. — A.M., 3 JJ 201 (6), S. de BELLISLE, *Relation de ce qu'il
m'est arrivé depuis le 14ᵉ jour d'août 1719...* ; 3 JJ 201 (10), *Journal du voyage
du S. Bénard de La Harpe à la Baye Saint-Bernard...*, f. 3-4.
(3) C 13 A 6, f. 28 v, Requête de B. de La Harpe.

qui sont établies sur la *Canadian river* (1). Et toutes ces populations, jusque-là peu connues, sont le sujet d'observations qui
permettent de localiser leurs zones d'habitat, de décrire leurs
habitudes de vie purement nomades ou mi-nomades mi-sédentaires, de préciser les alliances qu'elles forment entre elles et
les guerres qui les divisent, souvent accompagnées de la pratique
de l'anthropophagie (2).

De son côté, du Tisné s'efforce en 1719 d'atteindre le territoire des Padoucas (Comanches), aux confins du Nouveau-
Mexique. Une première tentative par le Missouri échoua devant
l'hostilité des tribus missouris, établies près du confluent de la
rivière Kansas, qui ne lui permirent pas de pousser jusqu'aux
Panis (3). Une deuxième tentative par la voie de terre, de la
rivière de la Saline à la rivière des Osages, puis en direction de la
rivière des Arkansas, lui fit découvrir la branche N. de celle-ci
et lui permit d'atteindre un village de Panis, mais ces derniers
l'empêchèrent d'aller au-delà (4).

A mesure, en effet, que l'exploration progresse, de nouveaux
problèmes surgissent des contacts avec les indigènes. L'accès
aux terres espagnoles, qui est le but de La Harpe et du Tisné,
suppose un état de paix entre les populations qui les précèdent.
Mais ni l'un ni l'autre ne parviennent par des distributions de
présents à avoir raison, dans un cas, de la haine qui oppose les
tribus de la haute rivière Rouge et de la *Canadian river* aux
Cancis ou Cannecis (Apaches), dont le territoire s'interpose entre
celles-ci et le Nouveau-Mexique, et, dans l'autre, de l'état de
guerre permanent qui met aux prises les peuples du Missouri et
de la rivière des Arkansas et les Padoucas (5). C'est ce qui explique
le double échec de du Tisné : ni les Missouris ni les Panis ne lui
permettent de porter des marchandises à leurs ennemis, les
Padoucas. Quant à La Harpe, il ne peut obtenir l'alliance des
populations indigènes qu'il découvre qu'en leur promettant

(1) B.N., Ms. F.F. 8989, B. DE LA HARPE, *op. cit.*, f. 16 v, 19-20. — A.C.,
C 13 A 6, f. 28 v-29 v, *op. cit.*
(2) C 13 A 6, f. 32, *op. cit.* — B.N., Ms. F.F. 8989, *op. cit.*, f. 20. — A.M.,
3 JJ 201 (5), Relation des découvertes faites par le S. B. de La Harpe...
(3) 3 JJ 387 (27), Voyage du S. du Tisné en 1719 chez les Missouris...
et des Cascaskias aux Ausages et Panyoussa... — B.N., Ms. F.F. 8989,
B. DE LA HARPE, *op. cit.*, f. 21 v. — Marc de VILLIERS, *La découverte du Missouri*, p. 68-9. — *Journal historique de l'établissement des Français*, p. 168-9.
(4) 3 JJ 387 (27), *op. cit.* — B.N., Ms. F.F. 8989, *op. cit.*, *loc. cit.* — *Journal
historique de l'établissement des Français*, p. 168-172.
(5) B.N., Ms. F.F. 8989, *op. cit.*, f. 16 v, 21 v-22. — Atlas B.D.C.M., 4040 C,
7, Carte des explorations de B. de La Harpe.

l'aide de la France contre les Cancis, et il doit renoncer à tout espoir de pacification (1).

Le même problème de politique indigène se pose pour le commandant des Illinois. Lui aussi voudrait rallier toutes les populations du Missouri à l'idée de la paix avec les Padoucas, qui gardent l'entrée du territoire espagnol, afin d'engager avec celui-ci des relations commerciales. Mais, s'il parvient à pacifier les tribus du Missouri et les Panimahas (Loups) de la rivière Nebraska, il échoue devant l'hostilité que ces populations manifestent aux Padoucas (2). Et il ne peut songer à une alliance directe avec les Padoucas, qui impliquerait le sacrifice immédiat de celle des indigènes du Missouri. D'autant plus que la guerre, en fournissant à ces derniers le moyen de se procurer des esclaves padoucas qu'ils vendent ensuite, est pour eux une source de profit dont ils refusent de se dessaisir. Ne plus accepter ces esclaves, que les Français achetaient, serait aux yeux de Boisbriant une grave erreur : la guerre n'en cesserait pas pour autant avec les Padoucas, et les populations du Missouri, vraisemblablement, négocieraient leurs esclaves avec les Renards, qui sont les ennemis des Français. Devant un pareil dilemme, Boisbriant estime qu'il n'y a pas lieu de modifier la situation existante, il conseille de ne pas intervenir dans les guerres locales, mais d'essayer de changer graduellement les dispositions de ces populations en confiant à Véniard de Bourgmont, qui a sur elles une grande influence, le commandement d'un poste qu'on projette d'édifier sur le Missouri (3).

Préoccupé de ces conflits, insuffisamment approvisionné de marchandises nécessaires aux distributions de présents, Boisbriant n'est pas en mesure de remonter le Missouri jusqu'aux terres espagnoles, comme il en avait exprimé l'intention à ses populations (4). En sorte que, dans les années du Système de Law, aucun élément nouveau ne vient compléter les notions antérieurement acquises sur le Missouri et sur ses indigènes. En Louisiane, on continue de s'intéresser à la région en raison des possibilités d'accès que le fleuve peut ouvrir au Pacifique et du fait de l'arrivée à l'île Dauphine, en 1719, de Véniard de Bourgmont, accompagné de chefs missouris. Il est possible qu'il ait

(1) C 13 A 6, f. 29, 32, Requête de B. de La Harpe... ; f. 102-3, B. DE LA HARPE, *Mémoire sur l'état présent... de la Louisiane*, 1720. — 3 JJ 201 (5), *Mémoire des découvertes faites par le S. B. de La Harpe.*
(2) A.G., A 2592, f. 97 v, Boisbriant, 5 oct. 1720.
(3) *Ibid.*, f. 97 v-9, id.
(4) *Ibid.*, f. 97 v.

lui-même suggéré au conseil de la colonie l'idée de fonder un poste sur le Missouri. C'est après son arrivée, en tout cas, que Bienville et Legac en préconisent la réalisation dans leur correspondance avec le conseil de marine (1). En France, où Bourgmont se rendit ensuite, avec une délégation d'Indiens qu'il présenta au roi, il reçut la croix de Saint-Louis, et la Cie des Indes lui attribua le grade de capitaine dans les troupes de la colonie, ainsi que le commandement de la « rivière du Missouri » (2). Mais le projet d'établissement d'un fort ne devait prendre corps qu'à une date ultérieure. Jusqu'à la fin de 1720, l'intérêt que provoquaient dans la métropole la situation géographique et les richesses minières du Missouri n'aboutit à aucune tentative nouvelle de pénétration (3).

Aux découvertes que la France réalise à l'ouest du Mississipi, les Espagnols n'opposent que l'expédition sans lendemain de Pedro de Villazur : après la pacification de 1721, repliés sur leurs anciennes provinces, ils n'empêcheront pas la France de reprendre ses projets de pénétration en direction de celles-ci. La situation devient plus difficile dans les secteurs qui confinent aux possessions britanniques, car les Anglais suscitent à la France, auprès des indigènes, une concurrence commerciale dont les Espagnols ne sont pas capables. En règle générale, des Alibamons aux Illinois, les Indiens établis à proximité des positions que les Français occupent entretiennent avec ceux-ci des rapports amicaux. C'est manifeste dans l'agglomération des Kaskaskias. Les Canadiens, en dépit de désaccords que suscitent les différences de conceptions de vie, y contractent des unions fréquentes avec les Indiennes converties au christianisme, et le registre paroissial commence à consigner la formation d'une population métisse née de ces mariages (4). L'arrivée en 1719 d'un détachement de Français de la métropole introduit dans la région des éléments qui prennent moins facilement leur parti de ces unions et qui souhaitent l'arrivée d'Européennes. La

---

(1) C 13 A 5, f. 212, Bienville, Legac..., 28 oct. 1719 ; f. 214, Preslé, île Dauphine, 10 juin 1718 ; f. 338-9, Délibération du conseil de commerce, 13 sept. 1719.

(2) A.M., 3 JJ 201 (17), Route qu'il faut tenir pour monter la rivière de Missoury. — A.C., B 42 *bis*, f. 355, Commission du S. de Bourmont, 26 juill. 1720 ; f. 378, Commission de commandant sur la rivière du Missouri..., 12 août 1720.

(3) *Nouveau Mercure*, févr. 1718, p. 116 ; sept. 1717, p. 135 ; janv. 1720, p. 35, 37.

(4) Kaskaskia Church Records, *Trans. Ill. St. Hist. Soc.*, 1904, p. 400 suiv. (Registre des baptêmes faits dans l'église de la Conception de N.-D. des Cascaskias). — A.M., 3 JJ 387 (29), Lallement, aux Cascaskias, 5 avril 1721, f. 23-4.

disproportion des sexes devient alors l'obstacle à l'accroissement démographique des Illinois (1). Mais cette nouvelle mentalité ne paraît pas avoir altéré les rapports qui s'étaient formés avec les indigènes. Au poste des Natchitoches, La Harpe, Diron notent également l'attachement des Indiens aux Français (2). Les Natchez, depuis la répression effectuée par Bienville en 1716, n'ont plus donné de sujet d'inquiétude (3), et toutes les nations qui s'échelonnent sur la partie aval du fleuve, depuis les Tonicas, vivent en paix avec les concessionnaires nouvellement établis (4). Les Tchitimachas eux-mêmes ont fait leur soumission à Bienville, et ils se sont placés en 1719 sur le Mississipi, à une faible distance au-dessous de la concession Paris-Duverney, avec laquelle, aussi bien que les Avoyelles voisins du cours inférieur de la rivière Rouge, ils entretiennent désormais des rapports commerciaux (5). Les Oumas, proches de la même concession, sur la rive gauche du fleuve ; les Colapissas, qui viennent d'abandonner les bords du lac Pontchartrain pour s'établir sur la rive gauche du Mississipi, à quelques lieues de la concession Demeuves ; les Ouachas, à proximité plus immédiate de celle-ci, sont autant de populations pacifiques et utiles qui s'emploient à ravitailler les positions françaises, au même titre que les tribus littorales, celles de la rivière Pascagoula et de la rivière Mobile, dont le conflit avec l'Espagne a démontré les bonnes dispositions envers la France (6).

Près du fort Toulouse enfin, Bienville parle des Alibamons comme d'une population « attachée aux Français » (7). Mais les Alibamons se situent dans la zone de la rivalité franco-britannique, et, partout où pénètre l'influence anglaise, soit directement par les traitants de Caroline, soit indirectement par les

(1) C 13 A 6, f. 297-297 v, 299 v, Chassin, aux Illinois, 1er juill. 1722. — A.G., A 2592, f. 104, Leblond de La Tour, 8 janv. 1721.

(2) G 1 464, Diron, Recensement des habitants du fort Saint-Jean-Bapte..., 1er mai 1722. — B.N., Ms. F.F. 8989, B. DE LA HARPE, *Journal du voyage...*, f. 9.

(3) LE PAGE DU PRATZ, *Histoire de la Louisiane*, I, p. 127-8, 177-9. — A.M., 3 JJ 201 (8), Relation de la rivière de la Mobile... — A.E., *Mém. et Doc.*, Amérique, I, f. 200, Bienville, 10 juin 1718.

(4) CHARLEVOIX, *Journal d'un voyage...*, VI, p. 197-8.

(5) B.N., Ms. F.F. 8989, *op. cit.*, f. 6 v, 25 ; 14613, PÉNICAUT, *Relation ou Annale véritable...*, f. 319-23.

(6) B.N., Ms. F.F. 8989, *op. cit.*, f. 6 v, 14613, PÉNICAUT, *op. cit.*, f. 324, 325. — C 13 C 2, f. 218 v, *Journal de Diron*. — C 13 A 5, f. 304 v, *Relation de ce qui s'est passé depuis la reprise de Pensacola...* — A.E., *Mém. et Doc.*, Amérique, I, f. 49 v, BIENVILLE, *Mémoire sur la Louisiane* (1725) ; f. 92 v, LEGAC, *État de ce qui s'est passé...* — CHARLEVOIX, *op. cit.*, VI, p. 202-5.

(7) A.E., *Mém. et Doc.*, Amérique, I, f. 48 v, BIENVILLE, *op. cit.* — A.M., 3 JJ 201 (8), Relation de la rivière de la Mobile (1720 ?).

Indiens gagnés à leur cause, l'attitude des populations indigènes devient plus hésitante. La méfiance que les Yazous, dans la zone du Mississipi, inspirent aux Français s'explique précisément par leurs rapports avec les Chicachas, qui accèdent facilement à leur territoire, où, dès 1720, ils massacrent un soldat isolé de la garnison du fort Saint-Pierre (1). A plus forte raison, les Français ont-ils lieu d'appréhender l'action des traitants britanniques sur les populations de la région du fort Toulouse, aux abords des colonies atlantiques. A la fin de 1717, à la faveur du mécontentement répandu par la politique de Lépinay, ceux-ci sont effectivement sur le point de ressaisir l'ensemble des tribus creeks, de la haute rivière Ocmulgee au bassin des rivières Cousa et Talapousa, et ils parviennent à ébranler les Alibamons et jusqu'aux Chactas, tandis que les Espagnols, partant de leurs bases méridionales, gagnent l'alliance du chef des Caouitas (2). L'accession de Bienville au commandement général de la colonie, ses qualités de persuasion, son recours immédiat aux distributions de présents améliorèrent rapidement la situation. Quelques mois plus tard, Hubert exprimait l'espoir que les « nations sauvages », « rebutées » par les procédés de Lépinay, reprendraient bientôt parti pour la France, et Bienville envisageait de déplacer les Alibamons et les Talapousas vers le Sud, afin de les soustraire, en rapprochant les uns de la Mobile, les autres du fort Toulouse, à l'influence britannique (3).

Mais encore fallait-il que Bienville fût en mesure de soutenir la concurrence des colonies anglaises, dont l'apparence de rapprochement qui se manifestait alors, en Europe, entre la France et l'Angleterre ne ralentissait point la ténacité. La guerre, que les deux puissances ont engagée en commun contre l'Espagne, donne lieu en Méditerranée à une série d'incidents qui établissent la fragilité de leur entente. Et les pourparlers qui s'ouvrent, en exécution des stipulations d'Utrecht, pour essayer d'obtenir un règlement pacifique des litiges coloniaux dissimulent des oppositions trop profondes pour promettre d'aboutir. Aux deux émissaires que l'Angleterre envoie à Paris en 1719 afin d'engager des conversations avec l'abbé Dubois et le M^{al} d'Estrées, Daniel

---

(1) A.G., A 2592, f. 103 v, Les directeurs de la Louisiane, 22 janv. 1721. — A.M., 3 JJ 387 (29), Lallement, aux Cascaskias, 5 avril 1721, f. 5-6. — CHARLE-VOIX, *op. cit.*, VI, p. 167-8.

(2) C 13 A 5, f. 117 v-8, La Tour, au fort Toulouse, 17 mars 1718. — V. W. CRANE, *The Southern Frontier*, p. 255.

(3) C 13 A 5, f. 188 v-189 v, HUBERT, *Mémoire sur la Louisiane*, 10 juin 1718. — A.E., *Mém. et Doc.*, Amérique, I, f. 210 v-211, Bienville, 10 juin 1718. — A.G., A 2592, f. 90, Etat de la Louisiane, juin 1720.

Pulteney et le colonel Bladen, il est d'ailleurs prescrit de n'aborder ni la question de la rançon et des otages de l'île de Nièves, pour laquelle l'Angleterre estime que la France n'a rien à prétendre, ni celle des limites de la Louisiane et des colonies atlantiques, le gouvernement anglais jugeant qu'il n'a point ici de données suffisantes pour une discussion utile (1). Les conversations doivent seulement porter sur le statut de la Baie d'Hudson et sur la question des limites de la Nouvelle-Écosse, et les émissaires sont surtout chargés de s'informer de l'état des colonies françaises en Amérique et, plus particulièrement, de l'organisation et des ressources de la Cⁱᵉ du Mississipi et de l'œuvre qu'elle poursuit en Louisiane (2).

Ni en France ni en Angleterre ne s'exprime un désir sincère et unanime de procéder à un règlement définitif de frontières. En France, les avis sont partagés, et, si certains administrateurs coloniaux concluent à la nécessité d'un règlement, une voix aussi autorisée que celle du lazariste Bobé déclare qu'on ne fixera « jamais les limites entre les Français et les Anglais et Espagnols » et ajoute même que, « pour des raisons très importantes », les géographes ne doivent point tracer de frontières sur leurs cartes (3). Quant au Board of Trade, il est surtout préoccupé de s'informer des droits que les colonies anglaises peuvent opposer aux prétentions de la France sur l'intérieur du continent américain. Depuis la guerre des Yamasees, il a pris conscience de la menace que constituent pour la Caroline du Sud les progrès des Français à l'ouest de la barrière montagneuse des Apalaches. La situation lui inspire une inquiétude qu'il n'avait pas encore manifestée, et les consultations auxquelles il procède auprès des personnalités coloniales aggravent ses appréhensions (4). Les rapports qui lui parviennent soulignent le danger que suscite aux colonies britanniques, sous l'impulsion de la Cⁱᵉ des Indes, l'extension de la puissance française du Canada au golfe du

---

(1) A.M., B 7 278, M. de Chammorel, Londres, 20 juill. 1719, à M. de Chammorel, 20 nov. 1720. — B 1 53 (1), f. 126-7, Chamorel, 29 août 1719. — P.R.O., C.O. 323/7, f. 347-348 v, Instructions for Daniel Pulteney and Martin Bladen, C.O., 324, 10, f. 264-5, Circular letters to all the governors..., aug. 17 1719,

(2) A.M., B 1 50, f. 441-2, Vaudreuil et Bégon, 26 oct. 1719 ; B 1 55, f. 493-5. Chamorel, 10 févr. 1721. — B 7 277, Shute, gouv. de la Nouv. Hampshire, 1ᵉʳ janv. 1718/9 ; Chamorel, 13 juin 1719. — A.C., C 11 A 40, f. 296-7, à Vaudreuil et Bégon, 23 mai 1719. — P.R.O., C.O. 323/7, f. 348-348 v, *op. cit.* ; f. 358-9, Pulteney to the Lords Commissioners, 5 dec. 1719.

(3) A.G., A 2592, f. 90, Etat de la Louisiane, juin 1720. — A.C., C 11 A 39, f. 175 v, Bégon, 8 nov. 1718. — A.M., 3 JJ 387 (26 J), (26 K), Bobé à de L'Isle, 30 avril, 27 mai 1718.

(4) V. W. CRANE, *op. cit.*, p. 206 suiv. — P.R.O., C.O. 5, 358, f. 13-16 v, J. BOONE, *Answers to several queries relating to South Carolina.*

Mexique, dont résulte l'encerclement virtuel des possessions atlantiques : d'autant plus qu'ils en exagèrent la gravité par les forces hors de proportion avec la réalité qu'ils attribuent aux établissements du Mississipi, par les moyens d'action qu'ils prêtent aux Français sur les populations indigènes, par les qualités d'unité et de bonne gestion qu'ils croient observer dans les colonies rivales, à l'inverse des perpétuelles divisions qui opposent et paralysent les colonies anglaises (1). Ils conseillent, par suite, de ne pas fixer de limites à ces dernières. Ce serait laisser le champ libre, dans l'intérieur, aux entreprises des Français, sanctionner les empiétements qu'ils ne cessent de commettre, à l'ouest de la Caroline, sur des terres antérieurement concédées par charte de la couronne britannique aux propriétaires de cette colonie (2). Comme les Lettres patentes de Crozat ou de la Cie d'Occident ne peuvent supplanter les titres de propriété antérieurement acquis aux Anglais par les chartes de leurs souverains, le gouverneur de la Pennsylvanie, Wm Keith, nie que les Français aient aucun droit de s'étendre au sud du Saint-Laurent, et, si Daniel Coxe, dont l'opinion est de nouveau sollicitée par le Board of Trade, se montre plus conciliant, sa proposition de fixer sur le cours du Mississipi la ligne de partage des deux empires n'en implique pas moins une réduction singulière des limites de la Louisiane, que Bienville et Le Maire portent jusqu'à la partie colonisée de la Caroline et de la Virginie (3).

Faute de trouver dans ces consultations des arguments précis contre l'extension de l'empire français dans la zone intérieure, le Board of Trade décide pour le moment de ne pas soulever à Paris la question des frontières de la Louisiane et des

---

(1) A.C., C 13 A 6, f. 88-9, 95 v, Considérations sur les conséquences que l'on doit craindre de l'établissement des Français... : l'auteur, James Smith, juge de l'amirauté en Caroline, attribue une population de 200 000 âmes aux colonies françaises du continent américain ! V. W. Crane, *op. cit.*, p. 16, 33. — P.R.O., C.O. 5, 1265, f. 144, Robert Johnson au Board of Trade, 14 janv. 1719/1720. C.O. 5., 358, f. 16, J. Boone, *Answers to several queries...* ; f. 33, Rapport de Nicholson, sept. 1720. C.O. 5, 382, f. 60 v, The council and assembly... of... South Carolina, feb. 3 1719/20. CO.. 5, 426-C, f. 15-17, Report of the committee of both houses of Assembly..., feb. 2 1721/2. C.O. 323/7, f. 211-2, Richard Beresford's Memorial..., déc. 1717.

(2) C 13 A 6, f. 72, 76-87, Considérations sur les conséquences... — C.O. 5, 1265, f. 124 (1), Rapport de W. Keith..., 16 févr. 1718/9 ; f. 144, Rapport de Robert Johnson..., 14 janv. 1719/20. C.O. 323/7, f. 211, *Mémoire de R. Beresford...*, déc. 1717 ; f. 329, R. Harvis to the Board of Trade, 10 aug. 1719. C.O., 324, 10, f. 389-90, Rapport du Board of Trade, 8 sept. 1721.

(3) C.O., 5, 1266, f. 13, Rapport de W. Keith, 12 janv. 1719/20. C.O. 323/7, f. 335-335 v, *Mémoire du Dr Coxe*, 18 août 1719. — A.E., *Mém. et Doc.*, Amérique, I, f. 199, Bienville, 10 juin 1718. — C 13 C 2, f. 153 v, Le Maire, *Mémoire sur la Louisiane*, 1718. Sur D. Coxe, cf. Giraud, *op. cit.*, I, p. 20-1.

colonies atlantiques. Mais, déjà, il envisage de reprendre à son compte la tactique des Français, et d'édifier à leur exemple des forts qui permettront aux Anglais de « s'étendre aussi loin que possible », en commençant par la Caroline du Sud dont l'état de faiblesse exige des mesures de sécurité immédiate et justifie le rattachement à la couronne britannique, qui est prononcé en août 1720 (1). C'est la première formule d'une politique impériale d'expansion intérieure, relevant du gouvernement britannique et non plus des initiatives isolées des colonies, et dirigée contre la menace d'encerclement des positions anglaises par la France.

La période de paix qui a suivi la paix d'Utrecht, le rapprochement officiel que la politique du régent marque avec l'Angleterre, n'ont pu interrompre en d'autres termes le conflit qui se joue depuis le début du siècle entre les possessions coloniales des 2 couronnes. Au sud, il se poursuit dans le secteur correspondant à l'habitat des populations creeks, et, sur sa périphérie, parmi les Alibamons, Chactas, Chicachas. Partout les traitants de Caroline, qui ont recommencé d'édifier des postes de commerce sur les rivières Cousa et Talapousa, à l'amont du fort Toulouse, mettent en œuvre la supériorité des conditions qu'ils sont en mesure d'offrir aux indigènes (2). La guerre qu'ils entretiennent entre les Cherokees et les Creeks leur nuit auprès de ces derniers, surtout dans les parties exposées, comme la région des Caouitas, aux incursions des Cherokees. Ils se heurtent d'autre part à l'habileté du grand chef des Caouitas qui, circonvenu par les traitants français, anglais et espagnols, évite de prendre parti et finit par se confiner dans une attitude de neutralité (3). Mais ils l'emportent aisément sur les Français par la qualité, la quantité et les tarifs des marchandises qu'ils fournissent. Comme, d'autre part, la Caroline a réorganisé son commerce avec les indigènes en le soumettant au contrôle plus étroit du gouvernement colonial, elle a éliminé dans une large mesure les abus antérieurs et le mécontentement qu'en éprouvaient les Indiens, elle a remédié ainsi à l'une de ses principales infériorités dans sa rivalité avec le camp adverse (4). Les indigènes, dans ces conditions, se rapprochent de plus en plus des

(1) V. W. CRANE, *The Southern Frontier*, p. 225-6, 228-234. — C.O., 5,400, f. 35, Les Lords of Trade aux Lords Justices... ; 358, f. 19-20, J. Boone au Board of Trade, 23 août 1720.
(2) C.O. 5, 1265, f. 124 (1), Rapport de W. Keith, 16 févr. 1718/9.
(3) V. W. CRANE, *op. cit.*, p. 259-61.
(4) V. W. CRANE, *op. cit.*, p. 193-200.

Anglais. Bienville, lorsqu'il compare les tarifs des marchandises françaises à ceux des articles de traite britanniques, convient de la supériorité de ses concurrents : ils donnent, écrit-il, 1 fusil pour 10 à 12 peaux de chevreuil, alors que les Français en donnent 1 pour 30 ; et la peau de chevreuil qui, en Caroline, vaut 1 écu, n'est reprise au magasin de la Compagnie que pour 20 ou 25 sols (1). Sans compter que l'insuffisance et la médiocrité des vêtements dans la colonie française, l'état de dénuement dans lequel ses soldats et ses traitants se présentent souvent devant les indigènes donnent aux Anglais l'occasion de souligner auprès de ces derniers la pauvreté de leurs ennemis (2). La garnison du fort Toulouse contrarie les libres communications des Anglais avec les Chicachas et avec la région située au-delà des Alibamons (3). Mais elle n'empêche pas les traitants de Caroline de circuler parmi les Alibamons, les Talapousas, les Abikhas, et de leur proposer des marchés avantageux.

Graduellement, par suite, les succès remportés par Bienville à son avènement font place à une situation de plus en plus difficile. Au nord du territoire de la confédération creek, les Cherokees restent acquis aux Anglais. A l'ouest, les Chicachas retombent en 1720 sous l'influence de ces derniers, recommencent à harceler les postes français, répandent l'insécurité sur les rives du Mississipi (4). Et, dans ce conflit renaissant, les populations voisines du fort Toulouse, entre autres les Alibamons, mécontentes des conditions de traite des Français, refusent de se solidariser avec ceux-ci contre les Chicachas : ils adoptent une politique de neutralité, aussi bien que les Abikhas et les Talapousas, et traitent avec le plus offrant (5). Les Chactas eux-mêmes sont sur le point de se laisser gagner par les Anglais. Bienville parvient difficilement à obtenir qu'ils se déclarent contre les Chicachas, et il ne peut entretenir leur fidélité que par de fréquentes distributions de présents ou, lorsque les marchandises font défaut, par la promesse, souvent renouvelée, que la Cie des Indes se

---

(1) A.E., *Mém. et Doc.*, Amérique, I, f. 211 v, Bienville, 10 juin 1718. — C 13 A 5, f. 212 v, Bienville, Legac, 28 oct. 1719.

(2) A.E., Amérique, I, f. 208-208 v, *op. cit.*

(3) P.R.O., C.O. 5, 358, f. 15-15 v, J. Boone, *Answers to several queries...* ; f. 19 v, J. Boone, *Mémoire sur la Caroline...*

(4) P.R.O., C.O. 5, 358, f. 15, 19 v, *op. cit.* — A.E., *Mém. et Doc.*, Amérique, I, f. 108 v-110, Legac, *op. cit.* — *Journal historique de l'établissement des Français...*, p. 219-220.

(5) A.E., Amérique, I, f. 48 v-9, Bienville, *Mémoire sur la Louisiane* (1725). — B.N., Ms. F.F. 8989, B. de La Harpe, *Journal du voyage...*, f. 32. — *Journal hist. de l'établissement des Français...*, p. 228-9. — P.R.O., C.O. 5, 425 G, f. 55, Interrogatoire des déserteurs français.

montrera bientôt plus généreuse à leur égard. Mais, à la fin
de 1720, il appréhende pour l'avenir, il craint que la parcimonie
persistante de celle-ci, devant la surenchère des Anglais, ne
détruise l'alliance des Chactas, indispensable à la sécurité de la
Mobile (1).

Le conflit entre la France et l'Angleterre se poursuit aussi
bien sur la frontière nord de la Louisiane, aux confins de la
Nouvelle-France, sur le territoire des nations iroquoises : tandis
que les Anglais s'efforcent de capter le négoce de pelleteries de
ces dernières, les Français répliquent en épaulant leur fort
Frontenac, à la sortie du lac Ontario, en 1720, du poste de
Niagara dont le but est de barrer la route de l'intérieur aux
négociants de New York et de détourner vers le Saint-Laurent
les Indiens qui empruntent ce passage pour se rendre à Albany (2).

La situation, il est vrai, relève ici essentiellement du gouvernement du Canada. Elle est étrangère à la Louisiane proprement
dite. Mais l'opinion commence à s'exprimer dans les possessions
anglaises que, pour prévenir la menace d'encerclement par la
France, il importe de couper les relations du Canada et de la
Louisiane en édifiant des postes fortifiés en bordure des Grands
Lacs et en agissant sur les populations dont l'alliance n'est pas
sûrement acquise à la France. C'est le point de vue qu'exprime
dès 1718 le gouverneur de Virginie, et, en attendant que le Board
of Trade l'adopte, les traitants anglais continuent leurs efforts
pour gagner les Miamis, Pianguichias, Ouyatanons, par l'intermédiaire de « coureurs iroquois » qui, chaque année, parviennent
à attirer au fort Orange (Albany) quelques représentants de ces
tribus (3). De son côté le gouverneur Vaudreuil, pour soustraire
ces populations à l'influence anglaise, les invite à abandonner
leurs villages de la rivière des Miamis et de la rivière Ouabache
et à s'établir sur la rivière Saint-Joseph et sur le Theakiki où,
sous la protection du fort Saint-Joseph, leur territoire sera moins

---

(1) C 13 A 6, f. 172 v, Bienville, 8 août 1721. — A.G., A 2592, f. 103, Les
directeurs de la Louisiane, 22 janv. 1721. — A.E., *Mém. et Doc.*, Amérique,
I, f. 49 v-50, BIENVILLE, *op. cit.* ; f. 108 v, LEGAC, *Etat de la situation...*
(2) C 11 A 42, f. 19-19 v ; C 11 A 43, f. 16-18, Vaudreuil et Bégon,
26 oct. 1720.
(3) P.R.O., C.O. 5, 1318, f. 440, 590, A. Spotswood to the Lords Commissioners, aug. 14 1718, dec. 22. 1718. C.O. 324, 10, f. 399-400, 409, 414, The
Board of Trade to the King, sept. 8 1721. — C 11 A 39, f. 361 v, SABREVOIX,
Mémoire sur les sauvages du Canada, 1718. C 11 A 40, f. 185 v-6, C 11 A 42,
f. 168, C 11 A 43, f. 329, Vaudreuil, 28 oct. 1719, 22 oct. 1720, 6 oct. 1721. —
A.E., *Mém. et Doc.*, Amérique, I, f. 45 v-6, BIENVILLE, *Mémoire sur la Louisiane* (1725). — A.M., B 1 29, f. 24 v-26, B 1 50, f. 483-5, Vaudreuil, 12 oct. 1717,
28 oct. 1719. — M. GIRAUD, *op. cit.*, II, p. 172-3.

aisément accessible aux émissaires iroquois. Mais la tentative échoue, et, comme la décision de la France de supprimer les congés de traite au Canada à partir de 1720 menace de renforcer les moyens commerciaux des Anglais dans l'intérieur, Vaudreuil n'a d'autre ressource que de faire intervenir auprès des Miamis des officiers capables, comme les Srs Dubuisson et Vincennes, d'opposer aux menées britanniques l'ascendant de leur autorité personnelle (1).

En se transposant sur le territoire des Miamis, le conflit franco-britannique se rapproche des Illinois, et la situation exigerait la collaboration du commandant de ce secteur et du gouverneur du Canada. Malheureusement, la scission des Illinois et de la Nouvelle-France est devenue entre les autorités des deux territoires une cause de désaccords qui compromet l'unité de direction des années précédentes, elle crée, devant les menaces de la pénétration britannique, un élément de faiblesse dans la politique indigène des « pays d'en haut ». Vaudreuil ne cesse d'accuser le commandant et la population des Illinois de créer des obstacles à ses initiatives. Il attribue l'échec de son programme de déplacement des Miamis en grande partie à l'attitude des Canadiens de la région qui leur auraient promis, s'ils refusaient d'abandonner leurs villages, de les approvisionner de marchandises de traite (2). Lorsque, en 1719, la guerre, après une courte période de paix consécutive à la défaite de 1716 (3), reprend entre les Renards et les populations illinoises, guerre où toutes les « nations d'en haut » alliées de la France ne tardent pas à se trouver entraînées, Vaudreuil accuse les traitants canadiens établis aux Illinois d'encourager les hostilités par les armes à feu qu'ils fournissent aux Renards (4). Il est possible que Vaudreuil se méprenne quand il reproche à Boisbriant de délivrer des congés de traite pour le cours supérieur du Mississipi aux habitants des Illinois (5). Mais, entre l'un et l'autre, les désaccords sont fréquents. La question des frontières nord de la Louisiane,

(1) C 11 A 40, f. 182 v-5, Vaudreuil, 28 oct. 1719. — C 11 A 42, f. 158 v-160 v, Vaudreuil au S. Dumont, 26 août 1720 ; f. 167 v-8, Vaudreuil, 22 oct. 1720. — C 11 A 43, f. 327-9, Vaudreuil, 6 oct. 1721. — D 2 C 51, f. 111, Liste apostillée des officiers... de Louisiane. — M. GIRAUD, *op. cit.*, II, p. 188, carte 2.

(2) C 11 A 42, f. 166-167 v, Vaudreuil, 22 oct. 1720.

(3) M. GIRAUD, *op. cit.*, II, p. 171.

(4) C 11 A 39, f. 110-1, Vaudreuil et Bégon, 11 déc. 1718. — C 11 A 40, f. 44-44 v, Vaud. et Bégon, 26 oct. 1719 ; f. 180-180 v, Vaudreuil, 28 oct. 1719. — C 11 A 42, f. 164 v-5 ; C 11 A 43, f. 324-329, 102 v-106, Vaudreuil, 22 oct. 1720, 6 oct. 1721, 4 nov. 1720. — A.G., A 2592, f. 113, Difficultés entre Boisbriant et Vaudreuil.

(5) A.G., A 2592, f. 113, *op. cit.*

qui n'a pas fait l'objet d'un règlement officiel, la prétention de
Boisbriant d'y inclure tous les cours d'eau affluents des 2 rives
du haut Mississipi, le risque qui en résulte d'une déviation possible
du commerce de la pelleterie de ce riche secteur vers les Illinois,
entretiennent une mésentente préjudiciable à la pacification
que le gouverneur du Canada voudrait réaliser entre les nations
indigènes de la région, depuis les Iroquois jusqu'aux Renards,
pour tenir plus sûrement en échec l'influence anglaise (1).

Cette pacification serait d'autant plus nécessaire que le
confluent de l'Ohio et du Mississipi, toujours dépourvu de protection, constitue, comme par le passé, une voie de pénétration
dont les Anglais pourraient tirer parti, et que leurs alliés, les
Cherokees et, dans une moindre mesure, les Chicachas utilisent
pour atteindre le Mississipi et les abords des postes illinois (2).
En présence des nombreux avertissements qui lui parviennent
sur la nécessité de fortifier cet important carrefour, la Compagnie
paraît avoir manifesté quelque velléité de le mettre en état de
défense (3). En septembre 1720, dans ses instructions à l'ordonnateur Duvergier, elle exprime l'intention d'y établir un corps
de troupes, et, reprenant le vieux projet de Juchereau de Saint-
Denis (4), elle envisage d'y édifier une tannerie qui permettra
d'apprêter les peaux de la région (5). Mais ce sont autant de
projets sans lendemain, et, pendant de longues années, le
confluent de l'Ohio restera dépourvu de tout système de
protection (6).

C'est sur cette note négative que se clôt la période du Système
de Law, période de mises de fonds considérables, de réalisations
médiocres, que domine le climat de spéculation lié à l'expérience
financière de la régence. Le côté le plus positif de ces quelques

(1) A 2592, f. 104, Leblond de La Tour, 8 janv. 1721 ; f. 112 v-3, *op. cit.* —
C 11 A 40, f. 182 ; C 11 A 43, f. 103-6, Vaudreuil, 28 oct. 1719, 4 nov. 1720. —
B 40, f. 472, à Vaudreuil et Bégon, 5 juill. 1718. — B 42, f. 57, à M. Law,
1ᵉʳ mai 1720 ; f. 445-445 v, à Vaudreuil, 7 juin 1720. — B 1 50, f. 476-481,
Vaudreuil, 28 oct. 1719.
(2) A.E., *Mém. et Doc.*, Amérique, I, f. 127 v, Legac, *Ce qu'on estime
nécessaire pour... la Louisiane* ; f. 205, Bienville, 10 juin 1718.
(3) C 13 C 2, f. 161 v-2, *Mémoire de F. Le Maire*, 1718. — C 13 A 6, f. 105,
B. de La Harpe, *Mémoire sur l'état... de la Louisiane*, 1720. — A.E., *Mém. et
Doc.*, Amérique, I, f. 113, 122 v, Legac, *État de la situation... de la Louisiane*,
1721 ; f. 205, Bienville, 25 juin 1718 ; f. 217, *Mémoire pour l'établissement de
la Louisiane* ; f. 267, *Mémoire de Le Gendre d'Arménie...* ; f. 283, Réflexions
sur tout ce qui pourrait le plus contribuer..., etc.
(4) M. Giraud, *op. cit.*, I, p. 47-8.
(5) C 13 A 6, f. 15, 19 v, 21, *Mémoire d'instruction au S. Duvergier...*
(6) A.E., *Mém. et Doc.*, Amérique, I, f. 22, Bienville, *Mémoire sur la
Louisiane* : f. 110, Legac, *op. cit.* — C 13 B 1, *Mémoire de la Cⁱᵉ des Indes
servant d'instruction pour M. Périer...*, 30 sept. 1726, 1 15 v-6.

années a été de donner lieu à un élan colonisateur que permettent de mesurer le nombre des concessionnaires et le recrutement si divers de leur personnel. Malheureusement, l'intérêt que l'entreprise de Louisiane a alors soulevé dans la métropole a été de courte durée, et les résultats en ont été compromis par la corrélation trop étroite entre le mouvement colonisateur et les opérations du Système de Law et par l'insuffisance des moyens mis en œuvre par la Cie des Indes pour les besoins du peuplement et de la colonisation.

BIBLIOGRAPHIE

I. — SOURCES

1. Archives des colonies

Série A, Actes du Pouvoir souverain, registres 21-22-23.

Série B, Ordres du roi et dépêches concernant les colonies, reg. 39-42, 42 *bis* (consacré à la Louisiane).

Série C, C 2, Correspondance générale, Inde, reg. 14-15 (C^{le} des Indes orientales, Administration en France) ; reg. 57 (Législation de la C^{le} des Indes, 1717-1741).

Série C, C 9 A, Correspondance générale, Saint-Domingue, reg. 14-19.

Série C, C 11 A, Correspondance générale, Canada, reg. 38-43.

Série C, C 11 E, Reg. 2, 10, 14, 15, 16 (Rivalités des colonies anglaises et françaises, postes des pays d'en haut).

Série C, C 13 A, Correspondance générale, Louisiane, reg. 4 à 7.

Série C, C 13 B-1, Correspondance générale (1699-1773).

Série C, C 13 C, 1 (Mémoires et projets), 2 (Postes de la Louisiane, 1699-1724), 3 (Grands Lacs et Mississipi, 1675-1736), 4 (Postes de la Louisiane, 1718-1731).

Série D, D 2 C 50 et 51 (Troupes des colonies, 1717-1757).

Série D, D 2 D 10 (Personnel militaire et civil).

Série F, F 1 A, 19-22, Fonds des colonies (n'intéressent qu'accidentellement la Louisiane).

Série F, F 2 A 10, 13, 15, 17 (Compagnies de commerce), 18 (Dernis, Dernier Code des compagnies de commerce, 1626-1742).

Série F, F 2 C 1 (Décisions du conseil de marine).

Série F, F 3, Collection Moreau de Saint-Méry, dont les registres 24 et 241, en partie formés de copies de documents originaux, ont entièrement trait à la Louisiane.

Série G 1, Les cartons G 1 464 (Recensements coloniaux et listes de passagers) et G 1 465 (Concessions) ont une grande importance pour l'histoire de la Louisiane à partir de 1718. Le registre G 1 412 est un registre d'état civil pour la Louisiane.

Dépôt des Fortifications des colonies (Mémoires).

2. Archives de la Marine

Série A, Actes du pouvoir souverain, A 1, reg. 53 et suiv. (Recueil général des ordonnances) ; A 2, reg. 24-25 (Recueils d'ordonnances, édits, arrêts...).

Série B 1 (Délibérations du conseil de marine), reg. 17-18, 20-23, 27-30, 32-33, 38-57.

Série B 2 (Ordres et dépêches), reg. 249-251, 253-9, 261-7.

Série B 3 (Lettres reçues), reg. 243-4, 247-252.

Série B 4 (Campagnes), reg. 37-38.

Série B 7 (Pays étrangers), reg. 31-41, 106-110, 271-279.

Archives du Service hydrographique de la marine, 3 JJ 200 à 203 ; 3 JJ 386 et suiv. (Collection des papiers Delisle) ; 4 JJ 14 (Journaux de bord).

3. Cartes et plans

Atlas de la bibliothèque du Service hydrographique de la marine, 4040 B-C, 4044 B-C.

Cartes et plans du Dépôt des Fortifications des colonies (ministère de la France d'outre-mer).

Cartes de la Bibliothèque Nationale, Département de Géographie, contenant la collection du Dépôt des Cartes de la marine, Portefeuilles 138 et 138 *bis*, et l'importante collection Danville.

4. Archives nationales

L'importance des questions financières sous la régence, la corrélation entre la scène métropolitaine et la scène coloniale expliquent qu'on ait largement utilisé les séries suivantes :

Série G 1, Fermes générales : 6 (Baux des fermes) ; 104 (Extrait des édits, déclarations, arrêts et règlements concernant le tabac) ; 106, 109 (Mémoires sur la ferme du tabac).

Série G 7, Contrôle général des Finances : 841-843 (Correspondance du 1er commis Clautrier) ; 1119 (Banquiers, Correspondance) ; 1295 (Ferme des tabacs) ; 1303 (Ferme des postes) ; 930 (Trésor royal) ; 1628-9 (Affaires extraordinaires, billets de banque) ; 1830 (Marine) ; 1849 (Procès-verbaux du conseil des finances).

Série K, Monuments historiques, 884 (Système de Law) ; 885 (Mémoires, états, propositions...) ; 886 (Rapport du duc de Noailles...).

Série KK 1005ᴰ, Instructions des frères Paris pour leur fils et neveu.

Série M 1024 (Pièces sur la Louisiane) ; 1025 (4²)-1026 (Papiers de la Cie des Indes).

Série V 7, Commissions extraordinaires du conseil, 215, 235, 237, 254-257, contient des pièces intéressantes sur les concessions de Louisiane et sur les sociétés de colonisation organisées par Law, ainsi que sur l'émigration allemande.

Mais la source de documentation la plus importante des Archives Nationales est constituée par les répertoires et les minutes des notaires parisiens pour les années 1717-1720 (total de 122 études), conservés au Minutier central : là se trouvent les actes de fondation des sociétés de colonisation formées pour la mise en valeur de la Louisiane et les actes d'engagement d'une grande partie de leur personnel.

La série AD contient l'ensemble des textes royaux (Arrêts, Édits, Ordonnances, Déclarations), relatifs à la période 1717-1720.

5. Ministère des Affaires étrangères

Mémoires et Documents, Amérique, reg. 1-2-3 ; France, reg. 137, 140, 1220, 1247, 1250.

Correspondance politique, Espagne, 260, 295-8, 300-303.

Ibid., Angleterre, 295, 301-303.

6. Archives de la Guerre

(Château de Vincennes), Registre A 2592.

7. Bibliothèque de l'Arsenal

Les manuscrits des Archives de la Bastille fournissent en grande partie la documentation des déportations en Louisiane.

Dossiers relatifs aux années 1718 (nos 10637-10650) ; 1719 (10651-10676) ; 1720 (10696-10713).

Documents divers concernant la prison de Bicêtre (nos 12683-12686).

État des prisonnières de la Salpêtrière (no 12692).

Prisons et hôpitaux (no 12707).

Engagements pour la Cie des Indes, chaîne pour la Louisiane et Cayenne, 1719 (no 12708).

Le Ms. 4497 contient 3 lettres du concessionnaire Pellerin sur la Louisiane, et le Ms. 3459 le poème en vers de Dumont de Montigny, *Sur l'établissement de la Louisiane*, dédié au Cte d'Argenson, 1744.

8. Bibliothèque Nationale

a) *Département des manuscrits*

Fonds Français, 6936-6942, Correspondance du duc de Noailles.

7220-7221, Recueil des édits, déclarations sur les affaires de finances.

7226, Mémoires sur les fermes générales.

10361, J. Law, *Mémoires sur la régence de Mgr le Duc d'Orléans*.

11329, Conseil de marine.

12673, Recueil de chansons choisies... pour servir à l'histoire de la Cour et de la ville.

21751, Conseil des finances ; 21778, Cie d'Occident, Cie des Indes orientales.

23664-23673, Conseil de régence.

8989, BÉNARD DE LA HARPE, *Journal du voyage de la Louisiane.*

12105, *Mémoire de F. Le Maire sur la Louisiane.*

14613, PÉNICAUT, *Relation ou Annale véritable de ce qui s'est passé dans le païs de la Louisiane pendant 22 années consécutives.*

Fonds Français, *Nouvelles Acquisitions,* 1431, J. LAW, *Histoire des finances pendant la régence de 1715* (double de F.F. 10361) ; Manuscrits Margry, 9310, 9499.

9801, f. 60-64, *Mémoire sur la Louisiane.*

Collection Joly de Fleury, Registres 14, 566, 2042.

b) *Cabinet des Estampes*

Collection Hennin, LXXXIX, série Qb¹, 1720.

c) *Département des Imprimés*

Factums de Corda (Importante collection pour la connaissance des personnalités de l'époque).

9. BIBLIOTHÈQUE MAZARINE

Manuscrit 2006, *Mémoire pour la découverte de la mer de l'Ouest,* dressé et présenté par J. BOBÉ, en avril 1718.

10. ARCHIVES PROVINCIALES

a) *Lorient, Archives du port*

Surtout constituées par les rôles des équipages des navires de la Cⁱᵉ des Indes, séries 1 P 2 (Répertoire général du bureau des armements de Lorient) ; 1 P 118, 2 P 1, 2 P 20, liasses 1-2-3-4. On trouve en outre, dans 2 P 20-2, le rôle complet des passagers de *La Mutine* (1720). La série 1 P 274-2 contient quelques lettres du comptoir du Biloxi.

Dans la série 1 E⁴25-27 se trouve une partie de la correspondance du conseil de marine avec les administrateurs du port.

b) *Archives du Morbihan, Vannes*

Minutes des notaires d'Hennebont, Eᴺ 3909-3910, où figurent de nombreux actes d'engagement pour la Louisiane. Registre (microfilmé) de catholicité de la paroisse de Lorient, Registre paroissial de Port-Louis.

c) *Archives de la Charente-Maritime, La Rochelle*

Les minutes des notaires en sont les pièces les plus importantes :

Registres Rivière & Soullard, 1715-8, 1721-2.
Registres Desbarres, 1717-9, 1718-21.
Liasses Desbarres, 1719, 1720.

Minutes Jarosson, 1719-1739.
Liasse Hirvoix, 1718.

Le fonds de l'Amirauté, B 5714-5718, contient quelques pièces utiles pour les armements de navires.

11

Londres

Au Public Record Office les Colonial Office Records.

Canada

Québec, Archives du Séminaire Laval, Québec, pour la correspondance des missionnaires des Tamarois.

États-Unis

Pour la période de Law, les registres paroissiaux de l'époque française sont encore les seuls éléments de documentation :

Registre de la paroisse de la Mobile (évêché de la Mobile, Alabama).
Registre des mariages de la province de la Louisiane, juill. 1720 et suiv. (Cathédrale Saint-Louis, Nouvelle-Orléans).
Registre des baptêmes faits dans l'église de la mission et dans la paroisse de la Conception de Notre-Dame (Kaskaskias), publié dans les *Transactions of the Illinois State Historical Society*, Springfield, 1904, p. 400 suiv.

Les archives du Louisiana State Historical Museum, Nouvelle-Orléans, ont peu d'intérêt pour la période 1717-1720. Il en est de même des actes notariés et documents judiciaires des Illinois conservés au tribunal de Chester (Ill.).

12. Textes imprimés

a) *Lettres, mémoires, récits de voyages, textes publicitaires*

Ausführliche historische und geographische Beschreibung des an dem grossen Flusse Mississipi in Nordamerika gelegenen herrlichen Landes Louisiana, in welches die neu aufgerichtete französische grosse Indianische Compagnie colonien zu schicken angefangen, wobei zugleich einige Reflexionen über die weit hinaussehende Desseins gedachter Compagnie und des darüber entstandenen Actienhandels, Leipzig, 1720.

BALLEROY, *Les correspondants de la marquise de Balleroy*, éd. Ed. de Barthélemy, 2 vol., Paris, 1883.
BARBIER (Edmond-Jean-François), *Chronique de la régence et du règne de Louis XV* ou *Journal de Barbier*, Paris, 1857, 1er vol.
BÉNARD DE LA HARPE (?), *Journal historique de l'établissement des Français à la Louisiane*, Nouvelle-Orléans, 1831 (œuvre en réalité du chevalier de Beaurain).

BONREPOS (chevalier de), *Description du Mississipi, écrite de Mississipi en France*, Paris, 1720.

BUVAT (Jean), *Journal de la régence*, éd. Campardon, 2 vol., Paris, 1865.

ID., *Gazette de la régence*, éd. E. de Barthélemy, Paris, 1887.

CHARLEVOIX (Pierre-François-Xavier de), *Journal historique d'un voyage fait par ordre du roi dans l'Amérique septentrionale*, Paris, 1744, t. V et VI de l'*Histoire et description générale de la Nouvelle-France*.

DANGEAU (Philippe de COURCILLON, Mⁱˢ de), *Journal du marquis de Dangeau*, éd. Soulié-Dussieux, Paris, 1854-60, 19 vol.

Gazettes *(Gazette de Paris, Nouveau Mercure, Lettres historiques* (Amsterdam), *Mercure historique et politique* (La Haye), *Gazette de Leyde ou de Hollande)*.

LAVAL (Antoine), *Journal du voyage de la Louisiane*, Paris, 1728.

LE MASCRIER (Jean-Baptiste), *Mémoires historiques sur la Louisiane... composés sur les mémoires de M. Dumont*, Paris, 1753.

LE PAGE DU PRATZ, *Histoire de la Louisiane*, Paris, 1758, 3 vol.

M***, capitaine de vaisseau du roi (VALETTE DE LAUDUN), *Journal d'un voyage à la Louisiane fait en 1720*, La Haye, 1768.

MARGRY (Pierre), *Découvertes et établissements des Français dans l'Ouest et dans le Sud de l'Amérique septentrionale*, 6 vol., Paris, 1879-1888.

PIOSSENS, *Mémoires de la régence*, éd. Lenglet-Dufresnoy, Amsterdam 1749, 4 vol.

PRADEL, Le chevalier de Pradel, d'après sa correspondance, éd. Baillardel & Prioult, Paris, 1928 *(Recueil des lettres du chevalier de Pradel)*.

SAINT-SIMON, *Mémoires*, éd. de Boislisle, 41 vol.

E. RAUNIÉ. Chansonnier historique, *La régence*, Paris, 1879-80, 4 vol.

b) *Financiers et économistes*

CANTILLON (Richard), *Essai sur la nature du commerce en général* (édité par l'Institut National d'Études Démographiques, Paris, 1952).

DUHAUTCHAMP, *Histoire du Système des finances sous la minorité de Louis XV*, La Haye, 1739, 6 vol.

ID., *Histoire générale et particulière du visa*, La Haye, 1743, 2 vol.

DUTOT, *Réflexions politiques sur les finances et le commerce*, éd. par P. Harsin, Paris-Liège 1935.

FORBONNAIS (F. Véron Duvergier de), *Recherches et considérations sur les finances de France*, Bâle, 1758, 2 vol.

LAW (John), *Œuvres complètes*, éd. P. Harsin, Paris, 1934, 3 vol.

Recueil d'arrêts ou autres pièces pour l'établissement de la Cⁱᵉ d'Occident, chez J.-F. Bernard, Amsterdam, 1720.

Recueil ou Collection des titres, édits, déclarations, arrêts et autres pièces concernant la Cⁱᵉ des Indes orientales, par DERNIS, Paris, 1745-6, 4 vol.

II. — OUVRAGES MODERNES

Baudier (Roger), *The Catholic Church in Louisiana*, New Orleans, 1939.

Crane (Verner W.), *The Southern Frontier (1670-1722)*, Philadelphia, 1929.

Deiler (J. Hanno), *The Settlement of the German Coast of Louisiana and the Creoles of German Descent*, Philadelphia, 1909.

Delanglez (Jean), *The French Jesuits in Lower Louisiana (1700-1763)*, New Orleans, 1935.

Girard (Albert), La réorganisation de la Cⁱᵉ des Indes, *Revue d'histoire moderne et contemporaine*, 1908-9, t. XI, p. 5-34, 177-197.

Gravier (Henri), *La colonisation de la Louisiane à l'époque de Law*, Paris, 1904.

Hamilton (E. J.), Prices and Wages at Paris under John Law's System, *Quarterly Journal of Economics*, nov. 1936, Cambridge, Mass.

— Prices and Wages in Southern France under John Law's System, *Economic History* (Supplement to the *Economic Journal*), febr. 1937.

Harsin (Paul), *Crédit public et Banque d'État en France du XVIᵉ au XVIIIᵉ siècle*, Paris, 1933.

Heinrich (Pierre), *La Louisiane sous la Cⁱᵉ des Indes (1717-1731)*, Paris, s. d.

Lauvrière (Émile), *Histoire de la Louisiane française*, Paris, 1940.

Lémontey (P.-E.), *Histoire de la régence et de la minorité de Louis XV*, Paris, 1854.

Levasseur (Émile), *Recherches historiques sur le Système de Law*, Paris, 1854.

Martin (Gaston), Le Système de Law et la prospérité du port de Nantes, *Revue d'histoire économique et sociale*, Paris, 1924, t. XII, p. 461-477.

Rochemonteix (Camille de), *Les Jésuites et la Nouvelle-France au XVIIIᵉ siècle*, Paris, 1906, 2 vol.

Villiers du Terrage (Marc de), *Histoire de la fondation de La Nouvelle-Orléans*, Paris, 1917.

Id., *La découverte du Missouri et l'histoire du fort d'Orléans (1673-1728)*, Paris, 1925.

Wéber (Henry), *La Cⁱᵉ française des Indes*, Paris, 1904.

INDEX

A

Abikhas : 389.
Achille (L') : 119.
Adayes (mission des) : 304.
Affriquain (L') : 103, 108, 345.
Aguesseau (Henri-François d') : 43.
Alabama (rivière) : 3, 366.
Alarcon (Martin de) : 304.
Albany : 390.
Albret (Emmanuel-Théodose de La Tour d'Auvergne, duc d') : 53.
Alençon : 230.
Alès : 232.
Alexander (Alexander) : 241.
Alexandre (L') : 107, 112, 223, 362.
Alibamons (fort des) : V. fort Toulouse.
Alibamons : 352, 365, 383-5, 388, 389.
Alicante : 299.
Allemagne : 151.
Alsace : 65, 67, 228, 279-81, 283.
Amazone (L') : 110, 119.
Amiens : 35, 265.
Amphitrite (L') : 81, n. 2.
Amsterdam : 277.
Ancenis (marquis d') : V. Béthune-Charost.
André (Jean) : 213.
Angers : 266.
Angleterre : 4, 19, 29, 69, 95, 96, 99, 103, 145, 152, 272, 385, 386, 388, 390.
Angoumois : 126-7.
Angran (Louis-Euverte) : 191.
Anian (détroit d') : 134-5.
Annonay : 232.
Apalaches : 298, 303, 339, 364.
Apalaches (monts) : 386.
Argenson (Marc-René de Voyer de Paulmy, marquis d') : 44, 45, 50.

Argenson (René-Louis de Voyer, marquis d') : 197.
Arles : 247.
Arnaudin (Pierre) : 92, 116.
Artaguiette (Jean-Baptiste d') d'Iron : 214.
Artaguiette (Jean-Baptiste Martin d') d'Iron : 28, 29, 66, 180, 183-5, 192, 196-7, 202, 204, 215, 216, 223, 231, 232, 243-4, 326-7, 362, 375.
Artaguiette (Bernard Diron d') : 179, 180, 183, 244, 309, 310, 311, 347, 370, 372, 373, 384.
Artaguiette (Pierre d') d'Itouralde : 180, 183, 373.
Artiguière (Jean d') : 228.
Artus : 287.
Assinais ou Asinaïs (Cenis) : 380.
Assinais (*presidio* des) : 304.
Alakapas : 380.
Audiffred (Pierre-Jacques) : 196.
Aurore (L') : 102, 106, 108, 114, 115, 345.
Autun : 243.
Aventurier (L') : 107, 112, 363.
Avignon (comté d') : 231.
Avoyelles : 384.
Avranches : 242, 243.
Avril (d') : 317, 335.

B

Bade (pays de) : 280.
Baie d'Hudson : 135, 138, 386.
— Saint-Bernard : 297, 298, 306.
— Saint-Joseph : 298.
Bail de Beaupré : 181, 334.
Baille (Nicolas) : 191.
Bajot : 131, 310.
Baleine (La) : 108, 112, 273, 343.
Balivel (Marie-Louise) : 343, n. 1.

BALLEROY (Jacques de La Cour, marquis de) : 26, 30, 37, 73, 99, 145, 186.
BALLEROY (Madeleine Le Fèvre de Caumartin, marquise de) : 269.
BALLIN (Paul) : 34, 49, 189, 190, 193.
BANÈS : 335.
Barbarie (commerce de) : 97, 98.
BARRÉ (Charles) : 52.
BARRÉ (Marie-Catherine) : 33, 35, 194, 216, 228.
Basse-Navarre : 119.
Baujon : 250.
Bavière : 34, 189, 197, 280.
Bayagoulas : 316, 338.
Bayeux : 243.
Bayonne : 29, 102, 103, 104, 105, 112, 118, 119, 120, 214.
Bayou Manchac : 318, 321, 337.
— Saint-Jean : 319, 320, 331, 336, 338, 345, 368.
Béarn : 119.
BEAUBOIS (Ignace de) : 375.
BEAUHARNAIS (François de) : 122.
Beauvaisis : 227, 230.
BÉGON (Michel) le Jeune : 33.
BEIGNOT : 171.
BELIN (Alard) : 103.
BELLEGARDE (Joseph-François de), marquis des MARCHES : 183, 206, 207, 212, 216, 225.
Belle-Isle : 121, 123, 186, 271, 272.
Bellisle (Jacques-Benoît de) : 241, 244.
BELSAGUI (Dominique) : 351.
BÉNAC (Étienne de) : 228.
BÉNARD DE LA HARPE (Jean-Baptiste) : 101, 131, 132, 170, 175, 222, 294, 304, 305, 306, 316, 319, 323, 331, 332, 336, 380-1, 384.
BÉRANGER (Jean) : 116, 132, 146, 247, 298.
BÉRARD (Pierre) : 233-4, 317.
BÉRAULT (Armand-Bernard) : 188.
BÉRENGUIER (Jean-François) : 180, 204.
BERGER (François) : 52.
BERNARD (Jean-Frédéric) : 150, 151.
BERNARD (Samuel) : 33.
BERNAVAL : 368.
Berry : 227.
BERRY (Charles de France, duc de) : 162.

BÉTHISY DE MÉZIÈRES (Eugène-Marie de) : 148, 175, 176-8, 182, 187, 201, 204-6, 208, 209, 211-2, 215-7, 220, 225, 227, 228, 230, 232, 238-243, 249, 274, 327.
BÉTHUNE-CHAROST (Paul-François de), marquis d'ANCENIS : 187, 203, 224, 232, 241, 243. 326.
Bicêtre : 254, 255, 256, 258, 259, 267.
BIDAL D'ASFELD (Claude-François) : 185, 186.
BIENVILLE : V. LEMOYNE DE.
Biloxi ou Biloxy (Nouveau) : 314.
— (Vieux) : 291, 293, 312-3, 314, 326, 329, 330, 333, 335, 336, 337, 339, 341, 343, 353, 361, 362, 363.
Binche : 230.
BLADEN (Martin) : 386.
BLONDEL : 304, 367.
BOBÉ (Jean) : 130-135, 137, 138, 142, 145, 386.
BOISBRIAND (Pierre DUGUÉ DE) : 9, 144, 146, 147, 288, 290, 292, 294, 372, 373, 374, 375, 379, 382, 391, 392.
BOISMORAND (de) : 111.
BOISPINEL (de) : 249.
BOISRENAUD DE ROISNEAU (Marie-Françoise de) : 342.
BONFILS (Louis) : 191-2.
BONNAUD (Arnaud) : 233-4, 235, 317, 320, 356.
BONNILLE (Aruths de) : 92, 309, 310.
BONREPOS (chevalier de) : 141, 144.
Bordeaux : 29, 32, 272, 302.
Bordelais : 231.
Bourbon (Le) : 103.
BOURBON-CONDÉ (Louis-Henri, duc de) : 34.
Bourbonie : 133-4, 135.
BOURDON : 374.
Bourg-Saint-Andéol : 231.
BOURGES (de) : 115.
BOURGEOIS (Étienne) : 32, 34-6, 188-9, 210.
Bourgogne : 227.
BOURMONT ou BOURGMONT (Étienne VÉNIARD DE) : 146-7, 382, 383.
BOYARD (Catherine) : 343, n. 1.
BOYER (François de) : 195, 196.
BOYER (Prothay) : 362.

Boyvin d'Hardancourt (Louis) : 48.
Brabant (Pierre-Joseph de) : 243.
Brancas (Élisabeth-Charlotte-Candide de) : 191.
Brancas (Joseph-Marie de), marquis d'Oise : 213.
Brancas-Céreste (Louis de) : 191, 199, 203, 206, 231, 238, 241, 246.
Bréand (Claude-Hyacinthe) : 188.
Brenne-le-Comte : 243.
Brest : 76, 104, 120, 122, 125, 126, 127, 242, 247, 260, 275, 283, 302.
Bretagne : 44, 123, 125, 170, 195, 226, 230, 254.
Briançon : 231.
Briquet (Joseph) : 243.
Bristol : 103.
Brossard (Joseph) : 157, 159, 161, 163, 165, 166, 170, 208, 222, 331, 339, 340.
Brossard (Marianne) : 343, n. 1.
Brossard (Mathieu) : 159, 161, 163, 165, 166, 170, 208, 222, 331, 339, 340.
Brosset (Michel) : 243.
Broutin (Ignace) : 224.
Brunet (Marie-Louise) : 342.
Bruxelles : 227.
Bullot (Antoine) : 162.
Bury (Jacques) : 162.
Buvat (Jean) : 37, 145, 265-7, 269, 271.

C

Caddos : 380.
Cadix : 3, 29, 96, 97, 98, 303.
Cadodaquios : V. Nassonites.
Caffaro (Jean-Ferdinand de) : 110, 113, 119, 131, 303.
Cahokias (mission des) : 375.
Cahokias-Tamarois : 378.
Californie : 133, 135.
Canada : 3, 5, 8, 28, 69, 101, 133, 135, 142, 272, 341, 378, 386, 390-2.
Canadian river : 380, 381.
Canaries (îles) : 96.
Cancis ou Cannecis : 381, 382.
Canel : 172.
Cannes Brûlées : 334.
Canno (Jacoby) : 107.
Cantillon (Bernard) : 177, 226, 334.

Cantillon (Richard) : 177, 178, 179, 180, 201, 207, 223, 226, 233, 235, 236, 237-8, 333, 334, 367.
Caouitas : 349, 385, 388.
Cap français (Le) : 110, 113, 114, 349.
Cap Saint-Antoine : 111.
Capucins : 361-2.
Carignan (Victor-Amédée de Savoie, prince de) : 210.
Carmes Déchaussés : 362.
Caroline du Sud : 308, 349, 384, 386-9.
Castanier (François) : 28, 192, 193, 211.
Catinat (Pierre) : 190.
Caumont de La Force (Henri-Jacques Nompar de) : 196, 199, 205, 207-8, 213, 219, 242.
Caussepain (François) : 178, 222.
Cayenne : 92, 263.
Caze : 179.
Céard (Pierre) : 242.
Chactas : 352, 385, 388, 389, 390.
Châlons-sur-Marne : 255.
Chameau (Le) : 107, 112, 224, 273, 364.
Champmeslin (Desnos de) : 97, 106, 113, 119, 146, 301, 302, 306, 307, 311.
Chantreau de Beaumont (François) : 178, 179, 201, 222, 334.
Chapitoulas : 321-2, 333, 334, 338.
Chapus : 92, 253-4.
Charente (La) : 283.
Charleroi : 227, 230.
Charles II : 176.
Charles de Saint-Alexis : 333, 364.
Charleville (principauté de) : 65, 228.
Charlevois de Villers (Nicolas de) : 161.
Charlevoix (Pierre-François-Xavier de) : 135, 317, 336.
Charolais (Louise-Anne de Bourbon-Condé, demoiselle de) : 242.
Chartier de Baulne (Pierre) : 173-5, 228, 230, 234-5, 291, 292, 333, 340.
Chartres : 243.
Chartres (Louis Ier, duc de), fils du régent : 373.

CHASSIN (Nicolas-Michel) : 375.
CHASTANG (François) : 160, 332.
CHATEAUGUÉ : V. LEMOYNE DE.
CHÂTEAUMORANT (de La Bastide, marquis de) : 96.
Châteaurenault (marquisat de) : 213.
CHATILLON (Jean) : 241.
Chattaux : 303.
CHAUMONT (Antoine) : 33, 35, 182, 194, 216-7, 225, 228-9, 238, 241-2, 244, 326, 335, 343, 362.
CHAUVIN DE BEAULIEU : 321, 333, 346, 349.
CHAUVIN DE LA FRESNIÈRE : 321, 333, 346, 349.
CHAUVIN de LÉRY : *ibid.*
CHAVIGNY (Marie-Madeleine) : 265.
Chef de Baye (La Rochelle) : 224.
Cherbourg : 247.
Cherokees : 388, 389, 392.
Chicachas : 352, 385, 388, 389, 392.
Chimay : 228.
Chine : 81, 110, 134, 138.
CLAIRAMBAULT (Charles de) : 122.
Clamclouches : 380.
CLAUTRIER (Gilbert) : 15, 45, 57.
Clérac : 53, 231, 250, 338, 351, 368.
CLERMONT DE CHASTE (Louis de) : 191.
COËTLOGON (Alain-Emmanuel de) : 188.
COËTLOGON (Charles-Élisabeth de) : 137, 187-8, 193, 197-8, 202, 205-8, 210, 223, 227, 229-30, 232, 236-7, 239, 242-3, 246, 326, 329, 330.
Colapissas : 384.
Compagnie d'Afrique : 64.
— de la Chine : 60, 64-5, 70.
— de la Louisiane : 60, 91, 169.
— de Saint-Domingue : 7, 64, 67.
— des Indes : 13, 24, 55, 59, 64, 66-71, 74-87, 93, 100, *102-128*, 129, 138, 141-3, 148-153, 181-2, 184-5, 187, 189, 192-4, 198-204, 208, 212, 216-219, 221, 236, 246, 248-9, 251, 269-70, 273-5, 278-281, 283, 291-5, 301, 304, 307, 309-310, 313-4, 322-3, 326-9, 331-2, 334, 336-8, 340-1, 343-4, 346-7, 351-362, 365-6, 368, 374, 377-9, 383, 386, 389, 392.
— des Indes occidentales : 27.

— des Indes orientales : 27, 60, 64-5, 67, 70.
— d'Occident : 3, 6, 8, 10, 19-27, *28-59*, 60, 61, 65, 70, 74, 80, 87, *91-100*, 101-3, 117, 120-1, 129, 136, 138-9, 142, 147-8, 153-9, 166-175, 178-9, 190, 192, 196, 201-4, 217, 221-2, 232, 236, 246-7, 249, 250-1, 253, 263, 273-4, 281, 287-290, 297, 299, 300, 309, 310, 317, 320-322, 339, 342, 345, 348-50, 356, 358, 360-2, 371-2, 375, 387.
— du Cap Nègre : 64.
— du Mississipi : 8, 18, 26, 30, 41, 60, 91, 99, 386.
— du Sénégal : 8, 21, 29, 58, 60, 64, 67, 80, 102, 193.
— royale de Louisiane : 11, 91.
— royale des Indes occidentales : 18.
Compiègne : 161-2.
Comte de Pontchartrain (Le) : 81, n. 2.
Comte de Toulouse (Le), Inde : 81, n. 2.
Comte de Toulouse (Le), Louisiane : 102, 105, 107, 116-8, 172, 173, 175, 179, 223, 250, 301-2, 308, 333, 374.
Comtesse de Pontchartrain (La) : 81, n. 2.
Conquérant (Le) : 83.
Conseil de Commerce : 290-2, 295, 304, 314, 346, 349, 354, 357-9, 367, 383.
— de Marine : 3, 7, 10, 76, 77, 84, 93, 124, 126-7, 136, 142, 169, 202, 275, 308, 356.
— de Régence : 6, 7, 15, 16, 17, 20, 21, 22.
— des Finances : 7.
— supérieur de la Louisiane : 166, 287, 291.
Content (Le) : 119.
Corboyer (seigneurie de) : 213.
Coroas : 370.
CORDIER (Joachim) : 246.
CORENTIN LAMBELIN (Jean-Baptiste) : 190.
Couëron : 280.
COURTOMER (Jacques-Antoine de) : 196.
COUTAUD (Pierre) : **232**.

Coxe (Daniel) : 387.
Creeks : 298, 300, 352, 388-9.
Crozat (Antoine) : 3, 4, 5, 6, 8, 10, 12, 15, 19-21, 23, 25-6, 28-30, 33, 91-5, 98, 101, 105, 116, 221, 233, 237, 246-8, 287-8, 297, 346, 353-4, 356, 387.
Cuba : 111, 297, 349.

D

Daneau (Marie) : 265.
Dangeau (Philippe de Courcillon, marquis de) : 31, 33, 37, 49, 201.
Danzig : 279.
Darquistade & Cie : 103.
Daule de Bompart (Jean) : 242.
Dauphin (Le) : 81, n. 2.
Dauphine (La) : 7, 91, 92, 93, 101, 104, 106, 108-9, 114, 116, 142, 145, 169, 221, 233, 247, 253, 287, 309, 311, 317, 356, 362.
Dauphiné : 232, 332.
Davion (Antoine) : 360-1, 363.
Defer (Nicolas) : 132.
Degras de Lignac : 199.
De Grieu (Charles-Alexandre) : 116.
De Grieu (Gaston) : 116.
De Grieu (Gaston) : 116.
De Grieu (Jean-Gaston) : 116-8, 301.
De Grieu (Jérôme-Gaston) : 116.
De Grieu (Marguerite-Geneviève) : 116.
De Grieu (Marie-Louise) : 117.
De Grieu (Nicolas) : 116-117.
De Grieu (Simon) : 116-118.
Deiler (Hanno) : 151.
Delagarde : 155, 316.
Delagrave (Martin) : 168.
Delaloe : 66.
Delaire (Jean-Baptiste) : 156-7, 158, 159, 160, 163, 165, 170, 172, 173, 179, 222, 332, 339.
Delaire (Michel) : 156-7, 158, 159, 160, 163, 165, 170, 172, 173, 179, 222, 332, 339.
Delaporte (Jean-François) : 197, 199, 200, 241, 269.
Delarue (Louis-Renaudin) : 243.
Delaye (Jean-Baptiste) : 243.
De L'Isle (Claude) : 132, 135.

De L'Isle (Guillaume) : 130-133, 134-138, 150.
De L'Isle (Joseph-Nicolas) : 136.
Delorme (directeur général) : 291.
Delorme (Simon) : 31, 250.
De Martonne : 265.
Demeuves fils (Étienne) : 33, 35, 156, 157-161, 163, 165, 202, 208, 217, 232, 323, 327, 332-4, 339, 340, 384.
Depford : 103.
De Pont (Paul) : 92, 93.
Desbarres : 193.
Descazaux du Hallay (Joachim) : 31, 32.
Desforges : 115.
Deshayes (Jacques) : 48.
Desjean (Pierre) : 179.
Deslandes (Jean-Adam) : 242.
Desliette ou de Liette (Charles-Henri-Joseph Tonty, dit) : 370.
Des Longrais (Martin) : 242.
Détour à l'Anglais : 321.
Deucher (Jean) : 74, 137, 187-9, 193, 197-8, 202, 205-208, 210, 219, 223, 227, 229, 230, 232, 236-7, 239, 242-3, 326, 329-330.
Deux Couronnes (Les) : 81, n. 2.
Deux Frères (Les) : 103, 106, 108, 178, 181, 260, 261, 265, 277-8, 282, 342.
Deveaux (Françoise) : 343, n. 1.
De Ville (Jean-Marie ou Louis) : 362, 371, 375.
Devin : 131.
Diligente (La) : 109.
Dimanche (Marie) : 343, n. 1.
Dinan (Marie-Anne) : 343, n. 1.
Dodun (Charles-Gaspard) : 190, 199, 207, 208, 213, 238.
Dol : 170, 242.
Driade (La) : 107.
Drissant (frères) : 171.
Dromadaire (Le) : 107.
Drouard (Olivier) : 249.
Drouot de Valdeterre : 179, 312, 313, 333.
Drumond (David) : 247.
Dubois (Guillaume) : 99, 385.
Dubreuil (Claude-Joseph) : 172, 333.
Dubuisson (Étienne) : 155-6, 232, 316, 318.

DUBUISSON (Charles-Renaud, sieur du Buisson) : 391.
Duc de Chartres (Le) : 103, 120, 121.
Duc de Noailles (Le) : 107, 181, 260, 274.
Duc d'Orléans (Le) : 102, 107, 266.
Duc du Maine (Le) : 102, 108, 345.
DU CHAUFFOUR (Paul-Édouard) : 34, 189.
DUCHÉ (Jean-Baptiste) : 7, 10-14, 18-21, 23, 28-9, 34, 66, 148, 149, 150, 165-6, 202-204, 207, 235-8, 372.
DUCHÉ DE LA MOTTE (François) : 10-11, n. 7.
Duchesse de Noailles (La) : 101, 105-107, 170, 222, 250.
DUFAURE (Louis-Victoire) : 184, 185, 197.
DUHAA (Charles) : 243.
DUHAA (Jean-Baptiste) : 243.
DUHALL (François) : 242.
DUMONT DE MONTIGNY (Jean-François-Benjamin) : 342.
DUMOUCHEL DE VILLAINVILLE : 366.
Dunkerque : 104, 107, 124, 226, 242, 266.
Du RÉVILLE ou DUREVILLE (Jean-Baptiste) : 197, 211.
Dusseldorf : 274.
Du TISNÉ (Claude-Charles) : 373, 380-1.
DUTOT : 46, 55, 58, 71, 74, 78, 79, 80, 83, 104.
DUVAL (Claude-Alexandre) : 161.
DUVAL (François) : 140, 145.
DUVAL D'ÉPRÉMESNIL (Jacques) : 32.
Du VERGIER (Michel-Léon) : 294, 295, 337, 392.

E

Effiat (seigneurie d') : 218.
Eldorado : 135.
Éléphant (L') : 107, 224.
ÉON DE LA BARONNIE (Pierre) : 160 et n. 6.
ESANTOINE (Jean-François), dit PASQUIER : 161, 162, 164.
Espagne : 19, 29, 50, 86, 95, 97, 98, 105, 114, 119, 142, 180, 185, 290, 297-315, 323, 337, 367.

ESTRÉES (Lucie-Félicité de Noailles, duchesse d') : 196.
ESTRÉES (Victor-Marie, maréchal duc d') : 6, 30, 53, 129, 200, 385.
EUSTACHE DE SAINT-GABRIEL : 362.

F

FARGÈS (François-Marie) : 33, 35, 182, 189, 206, 212, 216.
FAUCON-DUMANOIR (Jean-Baptiste) : 234, 243, 245, 353.
FÉNELON (Jean-Baptiste de) : 10, 12, 13, 29, 32, 188, 189, 210.
Ferrière : 230.
FILZ ou FILS ou FITZ (Guillaume) 53.
Flandre : 227, 254.
FLASSIN (Françoise) : 342, n. 5.
FLEURIAU (François) : 292.
Floride : 297.
FONTANA (Antoine) : 196.
FONTAINE (Marie-Anne ou Manon) : 261.
Fontardine (seigneurie de) : 213.
Fontenay-le-Comte : 380.
FONTENELLE (Louise) : 343, n. 1.
Forest en Poitou (seigneurie de) : 214.
Forez : 231.
FORMAN (Charles) : 241.
Fort Crèvecœur : 298.
— de Chartres : 373, 374, 379.
— Frontenac : 390.
— Louis de La Mobile : 94, 166, 233, 289, 291, 298, 301, 303, 309, 314, 316, 321, 322, 323, 326, 331, 337-9, 341-2, 346, 349, 351-2, 359-365, 366, 385, 390.
— Malouin : 304.
— Niagara : 390.
— Orange : v. Albany.
— Rosalie des Natchez : 366, 368.
— Saint-Jean-Baptiste des Natchitoches : 304, 366, 367-8, 380, 384.
— Saint-Joseph : 390.
— Saint-Pierre des Yazous : 370, 371, 385.
— Toulouse ou des Alibamons : 298, 300, 308, 365, 366, 384, 385, 388, 389.
Fortune (La) : 81, n. 2.
Foudroyant (Le) : 109.

Fouquet (Nicolas) : 186.
Fouquet de Belle-Isle (Charles-Louis-Auguste) : 155, 185, 187, 205, 207, 215, 224, 225, 370.
Fouras : 92, 253, 254.
Fourché (Marie-Anne) : 343, n. 1.
Fourtier (Louis-Noël) : 242.
Franche-Comté : 65, 67.
Franquet de Chaville (Charles) : 234.
Fromaget (Vincent-Pierre) : 32, 192, 199, 211, 242.

G

Gadagne d'Hostun (Charlotte de) : 191.
Gaillardie : 66, 219.
Galathée (La) : 81, n. 2.
Galiffet (Joseph d'Honon de) : 190.
Gand : 227.
Garonne (La) : 283.
Gascogne : 231, 368.
Gastebois ou Gattebois (Jean) : 32, 192, 199, 211, 242.
Gâtinais : 262.
Gaudrion (de) Dudemaine : 242.
Gauvry (Joachim de) : 310.
Gaya de Tréville (Antoine-Vincent-Joseph) : 241.
Gayot (Jean-Baptiste) : 6, 44.
Genet (Étiennette) : 342.
Genève : 227.
Georgie : 176.
Géraldin (Jean-François) : 194, 199.
Giberty : 280.
Gilly de Montaud (Élizée) : 48.
Girardin de Vauvré (Alexandre-Louis de) : 196.
Girardin de Vauvré (Claude-François de) : 196.
Gironde (La) : 108, 111, 225.
Gluck (Jean) : 34.
Gluck (Jean-Baptiste) : 34, 188.
Goave (Le petit) : 115.
Goezman (capitaine suisse) : 278.
Goguet (Marie-Jeanne) : 342, n. 5.
Golfe du Mexique : 113, 128, 387.
— d'Amour : 134.
Gordon (Jacques) : 310.

Gorge d'Antraisgue de Roise (Chrétien-François) : 190.
Gorge d'Antraisgue de Roise (Pierre) : 190.
Goujon de l'Espinay (Pierre) : 241, 244.
Grammont (Antoine-Charles de), duc de Guiche : 193-4, 202-3, 208, 218, 220, 224, 226, 239-241, 243, 277, 326, 334.
Grancey (comte de) : V. Rouxel de Médavy.
Grand Duc du Maine (Le) : V. *Duc du Maine (Le)*.
Grands Lacs : 390.
Grandval (Louis Nouette de) : 233.
Grassin (Pierre) : 5, 34, 144, 174, 188.
Gravé de La Mancelière (Jean) : 241, 242, 244.
Graveline (Jean-Baptiste Baudreau, dit) : 321, 338.
Grené (Marie) : 343, n. 1.
Grenier (Hiérosme) : 243.
Grimoard de Beauvoir (Louis-Claude-Scipion de), marquis du Roure : 196.
Gueffier (Louis) : 191.
Guénot de Tréfontaine (Pierre et Philippe) : 292, 321.
Guérin (René-François) : 361.
Guérin de Tencin (Pierre) : 187, 190, 203, 241.
Guiguer (Louis) : 32.
Guillard de La Vacherie : 185.
Guillaume de Sainte-Marie-Madeleine : 363.
Guillet : 294-5, n. 6.
Guinée (côte et traite de) : 6, 19, 20, 24, 102, 111, 311, 345.
Guyenne : 231, 253.
Guymonneau (Jean-Charles) : 375.
Guyon (Claude) : 161.
Gwynn (Jean-Baptiste) : 194, 199.

H

Hainaut : 243.
Hambourg : 103, 104.
Hautmesnil de Marigny de Mandeville (François de) : 147, 241, 310, 345.

HAUTMESNIL DE MARIGNY (Jean-Vincent-Philippe de) : 147.
HELYES DE BOMPARS (Augustin-Thomas) : 242.
Hennebont : 124, 175-6, 227, 271.
HENNEPIN (Louis) : 150.
HENROTAY (Henry) : 189.
Henry (Le) : 110, 113, 119, 124, 275, 328.
Herbault (seigneurie d') : 213.
Hercule (L'), navire de guerre : 119.
—, navire négrier : 108, 345.
HERSAN ou HERSANT (l'aîné) : 310.
HEUSCH (Pierre-Claude) : 32.
HEUSCH DE JANVRY (Gérard) : 10, 12, 13, 29.
Hollande : 103, 151, 277.
Holstein : 280.
HUBERT (Marc-Antoine) : 31, 94-5, 129, 137, 265, 287-290, 292-4, 299, 306, 317, 322, 332, 336, 338, 350, 368, 370, 372, 385.
HUVÉ (Alexandre) : 360-1, 363.

I

IBERVILLE (D') : V. LE MOYNE D'IBERVILLE.
Ile à Corne : 312.
— aux Chevreuils : 312.
— aux Vaisseaux : 108, 311, 312, 313, 314.
— Bourbon : 80, 110.
— Dauphine : 94, 105, 136, 178, 265, 288, 290-1, 298, 299, 301, 303, 307, 311, 314, 316, 323, 326, 331-2, 338, 346, 359-60, 362, 382.
— de France : 80, 110.
— de Nièvres : 386.
— d'Oléron : 226, 234.
— de Ré : 231, 239, 247.
Iles d'Amérique : 53, 56, 57, 92, 101, 252, 263, 269, 272, 298.
— du Mississipi : 254.
— du Vent : 275, 299.
Illinois : 135, 383, 391.
Illinois (établissements des) : 5, 7-10, 13-15, 25, 31, 131, 140, 144, 179, 180, 184, 202, 204, 216, 250-1, 290, 305, 309, 333, 335, 338, 352, 361, 365, 368, 370-5, 377-9, 382, 384, 391-2.
Indes orientales : 81, 82, 110.

Iroquois : 390, 391, 392.
Ivry-sur-Seine et Saint-Frambourg (seigneurie d') : 216.

J

JACQUES II : 176.
JACQUES DE SAINT-MARTIN : 362, 363.
Japon : 134, 136.
JAPPIE (Élie) : 116.
JAQUOTOT : 145.
JEAN MATHIEU DE SAINTE-ANNE : 363, 364.
JÉRÉMIE (Nicolas) : 150.
Jésuites : 361, 362, 377, 378-9.
JOLY DE FLEURY (Guillaume-François) : 262-3.
JOSEPH DE SAINT-CHARLES : 363, 364.
JOUY DE PALSY (Marie-Françoise de) : 262.
JUCHEREAU DE SAINT-DENIS (Louis) : 367.
JUCHEREAU DE SAINT-DENIS (Louis) : 392.
Juda (Comptoir de) : 108.
JUSSIEU (Bernard de) : 137.

K

Karrer (régiment de) : 278, 279.
Kaskaskias (mission jésuite et village français) : 373, 375, 377, 378, 383.
Kaskaskias (village indigène) : 378.
Kaskaskias : 378.
KEITH (William) : 387.
KERALOT-PRIGENT : 273.
KEREBEN (Joseph-François de) : 379.
KLEINCLAUS (François-Joseph) : 278.
KOLLY (Jean-Daniel) : 34, 35, 145, 188-9, 197, 198, 206-7, 210, 219, 227.
KOLLY (Jean-Ulrich) : 189.

L

LA BARRE (Urbain Corberon de) : 26, 34, 48.
LABHARD (Henry) : 162, 189.

La Boulaye (de), inspecteur de la Marine : 252.

La Boulaye (de), sous-lieutenant : 371.

La Bouverie (de) : 280.

Lac la Pluie ou Tekamamiouen : 134, 135.

— Maurepas : 337.

— Ontario : 390.

— Pontchartrain : 317, 318, 319, 337, 384.

— Supérieur : 134, 135.

La Galissonnière (Roland-Michel Barrin, marquis de) : 125, 240.

La Gaudelle (Gervais de) : 114.

La Grenade : 111, 287.

La Havane : 105, 106, 113, 114, 115, 116, 118, 297, 298, 299-303, 305, 307, 349.

La Hontan (Louis-Armand de Lom d'Arce, baron de) : 133.

La Jamaïque : 111.

La Jonchère (Gérard-Michel de) : 185-6, 202, 204, 215.

Lallement : 131, 178, 373.

La Loire des Ursins (Marc-Antoine de) : 144, 374.

La Loire Flaucourt (Louis-Auguste de) : 368.

La Longueville (chevalier de) : 302.

La Martinique : 110, 261, 262, 287, 302, 341.

Lambert (Aymard) : 61.

Lamiral (Jean) : 52.

La Mobile : V. Fort Louis de La Mobile.

La Mobile (baie de) : 306.

La Mothe (Antoine), sieur de Cadillac : 173, 374.

La Motte (Jean de) : 192, 211.

La Motte (régiment de) : 308.

La Motte Gaillard (de) : 102.

Lamy (Jean) : 197, 198.

Landes (vicomté de) : 213.

Langres : 227, 230.

Languedoc : 231, 272, 276.

La Noue (Zacharie Robutel de) : 135.

Lantheaume (Bernard) : 172, 333.

Laon : 256.

Lapalud : 231.

La Pallice : 106.

La Pierre de Talhouet (François de) : 190.

Larcebault (de) : 234, 289, 290, 292, 301, 336, 359.

La Renaudière (Philippe de) : 374-5.

La Roche-Bernard : 230.

La Roche Céry (de) : 52.

La Rochelle : 5, 24, 28-30, 32, 85, 92, 93, 101, 104-106, 109, 114-5, 121, 125, 142, 179, 181, 193, 199, 203, 221, 225-6, 227, 231, 235, 247, 249, 252, 266-7, 271-2, 279, 323, 332.

La Roue (Alexis de) : 160.

La Roue (Antoine de) : 160, 161 et n. 2, 332.

La Roue (Denis de) : 160.

La Ryë (Godefroy-Maurice de) : 195, 197, 199, 202.

La Tour Vitral (de) : 310, 365, 366.

La Tremblade : 247.

Laurière (baronnie de) : 212.

Lausanne : 232.

Laval : 242.

Laval (Antoine) : 131, 362.

Law (John) : 4, 6, 8, 14, 16-18, 20-23, 28-34, 37, 39-40, 43-46, 49-51, 54-59, *60-87*, 93-4, 100, 104, 107-8, 114, 125, 128, 141, 143, 147, 151-2, 155, 169, 176, 181-2, 187-190, 193-4, 196-7, 199-201, 203-4, 208, 210, 217-8, 220, 223-4, 226, 231-2, 239-40, 243-4, 252-3, 268-9, 272-4, 276-7, 279-281, 283, 316, 326, 335, 339, 348, 353, 371, 382, 392-3.

Le Bart : 15, 287.

Le Blanc (Claude) : 33, 155, 185-7, 201, 205, 215, 224-5, 232, 326, 340, 344, 370, 371.

Le Blanc (Vincent) : 211.

Leblond de La Tour : 234, 244, 249, 314, 315, 326, 330, 337, 343.

Le Boullenger (Jean-Baptiste-Antoine-Robert) : 361, 375, 377.

Le Bourgeois (Louis) : 243.

Le Breton : 362.

Le Chambrier (Jean) : 34, 188.

Le Compte de La Verris : 242.

Le Couturier (Louis) : 45.

Le Faure de Champdaguet (Jean) : 242.
Legac (Charles) : 109, 110, 183, 248-9, 290, 292-3, 326, 332, 337, 339, 347, 352, 372, 383.
Le Gendre Darminy (Joseph) : 7, 8, 9, 10, 12, 13, 14, 19, 20.
Le Gendre de Saint-Aubin : 196.
Légère (La) : 109.
Legras (Nicolas) : 171.
Le Havre : 29, 32, 76, 103-4, 107, 111, 112, 265, 267.
Leipzig : 151.
Le Maire (François) : 25, 129-133, 135-137, 147, 150, 153, 297, 306, 317, 319, 337, 360, 361, 387.
Le Maire (Madeleine) : 147.
Le Maire (Pierre) : 147.
Le Maistre : 172.
Le Monier ou Le Mosnier (Antoine) : 243.
Lemoye (Antoine) de Chateauguè : 146, 288, 290, 292, 298, 300-302, 307, 310, 346.
Lemoye (Pierre) d'Iberville : 131, 190, 312.
Lemoye (Joseph) de Sérigny : 116, 290-1, 300, 301, 307, 313.
Lemoyne (Jean-Baptiste) de Bienville : 7, 112, 146, 222, 242, 244, 248, 273, 287-8, 289-290, 292-5, 297, 300, 302, 304, 306-8, 313-4, 318-9, 322-3, 326-7, 332, 335-6, 340, 343, 345, 349-50, 352, 358-9, 374-5, 379, 383-5, 387, 389.
Le Page du Pratz : 171, 175, 222, 319, 320, 331, 368.
Lépinay (Jean-Michiele, seigneur de Lépinay et de la Longueville) : 287, 288, 385.
Lériget de Lafaye (Jean-François) : 188.
Le Roux de Saint-Hilaire (Claude-François) : 243.
Lescau (Marie-Anne) : 265.
Lescaut (Manon) : 118.
Lessard : 281.
Lestobec (Jacques-François de) : 93, 231.
Le Sueur : 311.
Le Tellier (Marguerite) : 343, n. 1.
Le Vasseur de Ruessavel ou Ruisseuel (Charles) : 146.

Levens (Jacques) : 231, 234, 241, 246.
Lévy (Michel-Jacques) : 191.
Liège : 228, 372.
Limehouse : 103.
Limoges : 226.
Locher (Antoine) : 211.
Locher (Pierre) : 211.
Lochon (Jacques) : 250, 372, 374.
Loire (La) : 107, 224.
Londres : 99, 103, 227.
Longueville (Jeanne) : 343, n. 1.
Lorient : 44, 85, 103-4, 106-7, 109, 110, 121-8, 216, 218, 226, 249, 267, 270-1, 277, 278-281, 283.
Louis XIV : 52, 171, 198, 255, 270, 280.
Louisiane : 3-15, 17-21, 23-5, 29-31, 33, 35, 38, 48, 56-58, 60, 66-7, 74, 77-8, 80, 84-87, 92-97, 99-115, 117-9, 121, 123-4, 126, 129-132, 136-146, 148-158, 160-1, 163-4, 167-179, 182-5, 187, 189-90, 193-5, 198-9, 201-2, 204-5, 207-210, 215-8, 221, 223-6, 232, 234-7, 240-1, 244, 247, 249, 252-8, 260-1, 263-279, 281-2, 287-9, 294, 297, 299-300, 303, 305-6, 308-311, 316, 323, 327, 331, 333-5, 341-3, 345, 348, 350-3, 355-6, 360-3, 366-7, 371-2, 378, 382, 386-7, 390-1.
Loyard (Guillaume) : 361.
Lucé (comté de) : 217.
Ludlow (Le) : 139.
Lyon : 53, 65, 157.
Lys (Le) : 103.

M

Macarty (Cornelis) : 114.
Mâcon : 230.
Madagascar : 80, 110.
Madère : 110.
Maine (Louis-Auguste de Bourbon, duc du) : 52.
Malaucène : 231.
Mandeville : V. Hautmesnil de Marigny.
Mantoue : 227.
Marchand de Courcelles : 366.
Maréchal d'Estrées (Le) : 102, 106, 113-5, 260, 380.

Maréchal de Villars (Le) : 102, **105**, 109, 115-6, 118, 248, 300-302.
Marennes : 93, 226, 247.
Marie (La) : 101, 105-7, 116, 170, 178-9, 222, 224, 231, 260, 308.
Marié (Louis-Dominique) : 175.
Marlot de Verville (Robert) : 171, 320.
Mars (Le) : 119.
Marseille : 103, 120, 243.
Martin (Pierre) : 242.
Martinet (Jean-Nicolas) : 83.
Masetti (Grégoire) : 196.
Masson : 144.
Massy (Jean-Baptiste) : 172 (?), 321.
Maubeuge : 227, 230.
Maure (Le) : 81, n. 2.
Maximin (P.) : 243.
Mayence (électorat de) : 280.
Méan : 290, 352, 369.
Méchin ou Meschin (Jérémie de) : 116.
Mélique (Pierre) : 233, 234, 373, 375.
Melon (Jean-François) : 280.
Melun : 255.
Mer de l'Ouest : 131, 132, 133, 134, 135, 136, 151.
— du Sud : 59, 64, 65, 82, 83, 103, 110, 121, 133, 135, 136.
Mercier (Jean-Pierre) : 375.
Mercure (Le) : 119.
Merveilleux (François-Louis de) : 278, 279.
Mer Vermeille : 133.
Metchigamias : 378.
Metchigamias (mission des) : 379.
Mexique : 3, 96, 144, 297, 299, 306.
Mézières : 228.
Miamis : 390, 391.
Mirbaise de Villemont : 179, 334, 367.
Mississipi (fleuve Saint-Louis) : 92, 109, 114, 132, 134, 135, 139, 143, 147, 184, 301, 316-9, 321-2, 326, 332-5, 337-8, 345, 348, 352, 365, 366, 368, 371, 373, 375, 377, 378, 380, 383, 384, 385, 387, 389, 391-2.
Mississipi (Louisiane) : V. Louisiane.
Missouri : 93, 133-6, 145-6, 304, 344, 372, 377, 378, 381-3.
Missouris : 381.
Mobiliens : 339.

Moka : 81, **82**, 110.
Mondragon : 231.
Montauban : 226.
Montesquiou (Joseph de), comte d'Artagnan : 184-5, 192, 197, 216, 224, 228, 232, 237, 238, 239, 249, 326.
Montherot de Bellignieux (Pierre de) : 34, 188.
Montplaisir (de) de La Guchay : 250, 368.
Moras (seigneurie de) : 182, 212.
Moreau de Maupertuis (René) : 10, 12, 13, 28, 32.
Morel du Meix (Pierre-Benoît) : 190, 213, 214.
Morin (Guillaume), directeur de la Cⁱᵉ des Indes à Saint-Malo : 123.
Morin (Guillaume), directeur de la concession Chaumont : 241.
Morin (Jean), directeur de la Cⁱᵉ des Indes à Saint-Domingue : 111.
Mornas : 231.
Mouchard (François) : 28, 32, 192-3, 211.
Moyenvic : 65.
Mutine (La) : 107, 108, 109, 111, 225, 265, 273, 278, 342.

N

Namur : 33, 227, 228.
Nancy : 161.
Nantes : 28, 29, 31, 32, 125, 216, 227, 240, 272, 273.
Nassonites ou *Cadodaquios* : 304, 331, 381.
Natchez : 189, 384.
Natchez (établissements des) : 249, 290, 294, 317, 319, 331, 338, 347, 350-1, 365-6, 367-371.
Natchitoches : 367, 384.
Natchitoches (fort des) : V. fort Saint-Jean-Baptiste.
Naurois (Louis Jacobé de) : 190.
Neptune (Le) : 93, 104, 108-9, 116, 221, 233, 247, 248, 319.
Néréïde (La) : 108, 345.
Néret (Jean-Baptiste) : 6, 44.
Neufchâtel : 152, 278.
New York : 114, 390.
Nice (comté de) : 275.

NOAILLES (Adrien-Maurice, comte et duc d'Ayen, duc de) : 4-6, 10-11, 14, 15, 17, 20, 21-23, 25-6, 30-31, 37, 40, 43, 46, 53, 94, 144, 372.
NOAILLES (Françoise-Charlotte-Amable d'Aubigné, duchesse de) : 142.
Noailles (seigneurie de) : 212.
Normandie : 125, 187, 227, 335, 362.
Nouveau-Mexique : 145, 297, 305-6, 365, 380-1.
Nouvelle-Écosse : 386.
Nouvelle-France : 10, 69, 124, 133, 202, 378, 390, 391.
Nouvelle-Orléans : 140, 143, 151-2, 166, 171, 233, 249, 289, 290, 294, 309, 316-322, 331-338, 341-2, 344, 347, 356, 360-2, 364, 367-8, 370, 372, 375, 378-9.
NOYAN (Gilles-Augustin Payen, chevalier de) : 301, 335, 375.

O

Obville (seigneurie d') : 210.
O'DONOGHUE (Bonaventure) : 361.
Ofogoulas : 370.
OGLETHORPE (Éléonore-Marie-Thérèse, marquise de Mézières) : 176.
OGLETHORPE (Françoise-Charlotte, marquise des Marches) : 175, 177-8, 182-3, 204, 206, 212.
OGLETHORPE (James, Edward) : 176.
OGLETHORPE (Sir Theophilus) : 176, 212.
Ohio : 392.
OLIVIER (François) : 173.
Orléans : 216, 226-7, 234, 241, 261, 269, 277, 279, 280.
Otos : 305.
Ouabache : 390.
Ouachas : 384.
OUDEARDO (Antonio) : 361.
Oumas : 384.
OURSIN (Jean) : 33.
Ouyatanons : 390.

P

Paon (Le) : 139, 142.
Padoucas : 304-5, 381, 382.
PAILLOU ou PAYOUX DE BARBEZAN (Jacques) : 318, 336.

Paimpont : 126.
Paix (La), Louisiane : 101, 104-5, 116, 142, 145, 155, 169.
Paix (La), Moka : 81, n. 2.
Panis : 381.
Panis Mahas : 305, 382.
Paris : 53, 146-7, 156, 158-9, 161-2, 169, 171, 188, 195-6, 199, 203, 210, 212, 214, 216, 226-8, 230, 235, 238, 243, 253, 255-6, 262-3, 265-7, 269, 271, 360, 384, 387.
PARIS DE MONMARTEL (Jean) : 33, 50.
PARIS DUVERNEY (Joseph) : 33, 50. 52, 54, 55, 57, 61-2, 155, 169, 172, 179, 232, 316, 318, 320, 322, 332, 334, 339, 350.
PARTYET : 98.
Pascagoulas : 303.
Passy-sur-Seine (seigneurie de) : 215.
PAUGER (Adrien de) : 249, 338, 362-4.
PAULIN (P.) : 362.
PAULSEN (Isaac) : 243.
PAYOT (fils) : 168.
PÉCHON DE COMTE : 366.
PEIRENC DE MORAS (Abraham) : 34, 35, 182, 206, 212, 216.
PELLERIN : 172, 370.
PÉNIGAUD ou PÉNICAUT : 155.
Pennsylvanie : 387.
Pensacola : 7, 116, 130, 142, 290, 297-8, 300-303, 305-8, 311, 346, 357, 374.
Péorias : 371, 378.
Père Éternel (Le) : 106.
Périgord : 127.
Pérou : 83, 170, 373.
Perpignan : 253.
PERRIER : 290, 318.
Philippe (Le) : 102, 105, 109, 112, 172-3, 175, 178, 179, 260.
Pianguichias : 390.
PICARD (Étienne et Bernard) : 152.
Picardie : 227, 231, 256, 274.
PIGEON : 171.
Pimiteoui ou Pimitoui : 371.
PIOU (Jean) : 28.
PIQUANT DE BEAUCHESNE (Nicolas): 242.
Ploemeur : 281.
POIS SAINT-JEAN (Jean) : 243.

Poitou : **226.**
Pondichéry : **292.**
Pons (Renaud-Constance de) : 191.
Pontval (Claude de) : 179.
Pontval (Jacques de) : 179.
Porcher (Marie-Anne), dite Manon Chevalier : 261, 265.
Port-Louis : 104, 110, 122, 224, 226-7, 237, 242, 247, 260, 267, 271-2, 278-9, 281, 323.
Portage des Bilocchy : 317.
Portefaix (Le) : 107, 111, 328.
Pouillot (Jeanne) : 343, n. 1.
Pradel (Jean de) : 358.
Pray (seigneurie de) : 213.
Prévost (abbé Antoine-François) : 116, 118, 265-6.
Prince de Conty (Le) : 81, n. 2.
Profond (Le) : 103, 107, 222-3, 266.
Provence : 124, 254, 276.
Pulteney (Daniel) : 386.
Purry (Jean-Pierre) : 95, 151, 275.
Pyrénées : 120.
Pyrénées (paix des) : 98.

Q

Quadruple Alliance : 50.
Québec : 146.
Quercy : 231.
Quimper : 230.
Quimperlé : 227.
Quivira : 133, 135.

R

Raflon (Marie) : 343, n. 1.
Rancogne : 126.
Raudot (Antoine-Denis) : 48, 130, 132, 142, 145.
Raujon : 287.
Réal (Gaspard de) : 116.
Réal (Jean-Pierre) : 241.
Récollets : 362.
Reffe (Angélique) : 343, n. 1.
Régent (Philippe, duc de Chartres, puis d'Orléans) : 15, 16, 20, 26, 27, 31, 37, 42, 48, 50, 53, 58, 59, 76, 95, 97, 317, 355.
Rémonville : 288.
Renards : 382, 391-392.
Renault d'Hauterive : **367.**

Renaut (Philippe), **179**, 180, **202**, 204, 223, 333, **375.**
Rennes : **242.**
Resseguier (François de) : 195, 196, 197, 199, 202, 204.
Révillon des Rondelettes (Eustache) : 241, 244.
Richard (Jean) : 343, 362.
Richebourg (Chavagne de) : 310.
Ridé (François) : 242.
Rigby (Édouard de) : 123, 124, 249, 270, 280.
Rivard de Lavigne (Antoine) : 320.
Rivière Cousa : 384, 388.
— de la Saline : 374, 381.
— de la Trinité : 304.
— des Arkansas : 280, 297, 306, 380-1.
— des Miamis : 390.
— des Natchez : 368.
— des Osages : 381.
— des Pascagoulas ou Pascagoula : 321, 335, 338, 384.
— des Tchitimachas : 316.
— des Yazous : 365, 370.
— Kansas : 381.
— Kaskaskia : 375, 377, 379.
— Mobile ou de la Mobile : 146, 288, 307, 338, 348, 384.
— Monigona : 134.
— Nebraska : 382.
— Noire ou des Ouachitas : 334, 338, 367.
— Ocmulgee : 384.
— Platte : 305.
— Rouge : 131, 170, 303-4, 306, 331-2, 338, 365-6, 380-1, 384.
— Saint-Joseph : 390.
— Saint-Pierre : 134.
— Talapousa : 384, 388.
— Théakiki ou Théatiki : 390.
— Tombigbee : 366.
Roanne : 230.
Robert (Alexis) : 160, 163.
Robert (Pierre) : 171, 320.
Rochefort : 44, 76, 105, 122, 125-7, 230, 240, 247, 253, 262-3, 275, 279.
Roissy-en-France : 210.
Romigny (Médéric de) : 193, 241, 244, 277.
Rossel (Christophe de) : 115.
Rouen : 29, 354.

ROURE (marquis du) : V. GRIMOARD
DE BEAUVOIR.
ROUVROY (Louise-Marguerite de) :
161, 162.
ROUXEL (Jacques-Léonor), comte
de Médavy et de Grancey : 196.
Rubis (Le) : 108.
RUESCH (capitaine suisse) : 278.

S

SABATIER : 131.
SAINT-AIGNAN (Paul-Hippolyte de
Beauvillier, duc de) : 200.
Saint-André (Le): 103, 107, 222, 223.
Saint-Bernard (baie) : 298.
SAINT-DENIS : V. JUCHEREAU DE —.
Saint-Domingue : 53, 57, 64, 96,
107, 110-113, 115, 118, 149, 216,
233, 242, 261-2, 275, 297-8, 302,
329, 341, 348, 349, 350, 351-2.
Saint-Édouard (Le) : 109, 247.
SAINT-GEORGES (chevalier de) : 308.
Saint-Germain-en-Laye (cour de) :
176-7.
Saint-Joseph (baie) : 298 et carte
p. 312-3.
SAINT-JULIEN (de) : 335.
Saint-Laurent : 378, 387, 390.
Saint-Louis (Le) : 102, 106, 110,
178, 179, 260, 308, 311.
Saint-Malo : 28, 29, 32, 53, 65, 102,
104, 108, 123, 125-6, 170, 227,
242-3, 345.
Saint-Marc : 303.
Saint-Martin-des-Champs : 266, 268.
Saint-Martin-en-Ré : 231.
Saint-Quentin : 161, 261.
SAINT-SIMON (Louis de Rouvroy,
duc de) : 37, 186, 269.
SAINT-VILLIERS OU SAINVILLIERS DE
CEINTRÉ : 110, 119, 303.
Sainte-Candide (concession de) :
191-2.
Sainte-Catherine (concession et so-
ciété de) : 145, 187, 189, 198, 205,
210, 211, 217, 219.
Sainte-Élisabeth (La) : 109, 114.
Sainte-Reyne (concession et société
de) : 197-8, 205, 206-209, 211, 215,
217, 219, 224, 230, 242-3, 326.
SALADIN (Antoine) : 211.
SALOT (Marguerite) : 343, n. 1.

Salpêtrière (La) : 112, 253, 258, 261,
264-5, 273, 326.
Saône (La) : 283.
SAUJON (Cézard-Louis CAMPET DE) :
107, 110, 113, 116, 119, 260, 265,
267, 303, 326.
Savoie : 230.
SCOURION DE LA HOUSSAYE (Char-
les) : 154, 156, 158, 161-4, 166,
170, 178, 187, 206, 208, 250, 323,
331, 339-40.
SCOURION DE VIENNE (Hector) : 35,
154, 156, 158, 161-4, 166, 170,
178, 187, 206, 208, 250, 323,
331, 339-40.
Seine (La) : 107, 111, 224.
Séminaire des Missions Étrangères :
360, 361-2, 375, 377.
SEMONVILLE : 172.
Sens : 255.
Serignan : 231.
SÉRIGNY : V. LEMOYNE DE.
SIMARD DE BELLISLE : 115, 380.
SIMEONI (Maximilien-Emmanuel,
baron de) : 34.
Sioux : 135.
Sirenne (La) : 81, n. 2.
Soissons : 256.
SOLAS (François de) : 195-6, 199,
202.
Solide (Le) : 81, n. 2.
Sommeville (baronnie de) : 211.
STAPH (Pierre-Henri) : 107.
Strasbourg : 278.
STUTHEUS (Louis-Elias) : 234, 241,
244.
Suisse : 151.
Surate : 292.

T

Taensas : 332, 338, 339.
Talapousas : 385, 389.
TALLART (comte de), duc d'Hos-
TUN : 34, 191.
Tamarois (mission et population) :
V. *Cahokias*.
Tchitimachas ou *Chetimachas* : 142,
319, 344, 384.
Tejas (los) ou Texas : 304, 305, 349,
380.
TESSANDIER (François) : 243.
THAUMUR DE LA SOURCE (Domi-
nique-Antoine-René) : 375.

Thélusson (Isaac) : 32.
Thomés : 339.
Tilleul (Le) : 107, 266.
Timbreman (Le) : 101.
Tixerand (Gabriel) : 162, 164, 331.
Tixerand (Louis) : 331.
Toniras : 361, 384.
Tonneins : 230, 231.
Tonty (Henry de) : 150.
Toul : 228, 280.
Toulon : 76, 113, 120, 241, 247, 275, 361.
Toulouse : 226.
Toulouse (Le) : 110, 113, 119, 124, 275, 328.
Toulouse (Louis-Alexandre de Bourbon, comte de) : 129.
Touraine : 226.
Tournai : 227.
Tournefort (Pitton de) : 137.
Tourneville (chevalier de) : 179.
Tours : 79, 216, 232, 367.
Tréguier : 227.
Trêves (électorat de) : 280, 283.
Trifaven (château de) : 122, 270, 271, 281, 293.
Triomphant (Le) : 83.
Triton (Le) : 81, n. 2.
Triton (Le) : navire de guerre, 119, 302.
Troyes : 161, 255.
Trudeau : 321.
Turin : 232.

U

Union (L') : 102, 106, 178-9, 241, 260, 308.
Uriez (détroit d') : 134.
Utrecht (paix d') : 3, 5, 385, 388.
Uzès : 232.

V

Vaillant (Sébastien) : 137.
Valenciennes : 197, 227, 230.
Valet ou de Valy (Marguerite) : 261.
Valette de Laudun : 119, 131, 303.
Vallemartin : 161.
Vannes : 227, 230.
Vanrobais (Samuel) : 32.
Varlet (Dominique-Marie) : 375.
Vasserot (Jean) : 32.

Vaudreuil (Philippe de Rigault, marquis de) : 25, 58, 135, 371, 377, 390, 391.
Vaudron (Michel) : 280.
Vénus (La) : 278.
Vera Cruz : 302, 303.
Vérac (César Saint-Georges de ?) : 141.
Verdigny (fief de) : 213.
Vernesobre de Laurieu (François-Mathieu de) : 34, 197, 198, 206, 211, 227.
Vernesobre de Laurieu (Jean de) : 198.
Verneuil : 230.
Versailles : 161, 162, 265.
Verteuil (Jean Cavalier de) : 179.
Victoire (La) : 101, 105, 113-115, 121, 170, 222.
Victoire (La), navire de guerre : 110, 119.
Vielle (Bernard-Alexandre) : 137, 146, 243, 246.
Vierge de Grâce (La) : 81, n. 2, 103.
Vigilante (La) : 93, 104, 108, 109, 221, 233, 247, 248.
Villardeau (Monicault de) : 234, 290-2, 345.
Villars Brancas (Louis-Antoine de) : 191.
Villars Brancas (Marie-Angélique Frémin de) : 182, 191.
Villazur (Pedro de) : 305, 383.
Villemarets (de Lause de) : 310.
Vincennes (Jean-Baptiste Bissot, sieur de) : 391.
Virginie : 3, 387, 390.
Volage (Le) : 109.

W

Wagret (Jean-François) : 197.
Westbrooke : 212.
Willart d'Auvilliers (Germain) : 35, 148, 150, 169, 195, 215, 220, 234, 240, 243, 274.
Wondrebeck (Catherine) : 174.
Wurtemberg : 280, 283.

Y

Yamasees : 386.
Yazous ou *Yasoux :* 7, 131, 370, 385.

TABLE DES MATIÈRES

PAGES

Abréviations VII

PREMIÈRE PARTIE

COMPAGNIE D'OCCIDENT ET COMPAGNIE DES INDES

CHAPITRE PREMIER. — La Compagnie d'Occident. Projets et
mémoires préliminaires 3

—   II. — L'intervention de Law et les Lettres patentes   16

—   III. — La Compagnie d'Occident 28

—   IV. — Système et financement 60

DEUXIÈME PARTIE

L'EFFORT COLONISATEUR

CHAPITRE PREMIER. — L'entrée en scène de la Compagnie
d'Occident 91

—   II. — Les armements 101

—   III. — Information et propagande 129

—   IV. — Concessionnaires et sociétés de colonisation ... 154

—   V. — Les engagés 221

            1. L'effectif 222
            2. Le recrutement 225
            3. Les corps de métier 229
            4. Les conditions d'engagement 232
            5. Le personnel des états-majors 240
            6. Les engagés de la Compagnie 246

—   VI. — L'émigration forcée 252

—   VII. — L'émigration étrangère 277

TROISIÈME PARTIE

LA SCÈNE COLONIALE

PAGES

CHAPITRE PREMIER. — **Le gouvernement colonial** 287

—   II. — **Le conflit franco-espagnol** 297

—   III. — **Colonisation et peuplement** 316

—   IV. — **La vie économique** 348

—   V. — **La vie religieuse** 360

—   VI. — **L'occupation intérieure** 365

BIBLIOGRAPHIE 395

INDEX 403

———————

ILLUSTRATIONS

CARTE 1. — Les positions littorales 312-313

—   2. — Les premières concessions du cours inférieur
            du Mississipi 324-325

—   3. — Carte de la Nouvelle-Orléans (en h.-t.), entre 328 et 329

—   4. — Habitations françaises des Natchez 369

—   5. — Établissements des Illinois 376

1966. — Imprimerie des Presses Universitaires de France. — Vendôme (France)

ÉDIT. N° 28 462   IMPRIMÉ EN FRANCE   IMP. N° 19 212

3830   9